DUKU

读库

1401

主编 张立宪

新星出版社 NEW STAR PRESS

赵梦娇 绘　　编号：1401

DUKU1401

2014.1.6

DUKU1401 · 目录 ·

祖父的新屋

法殷洁

祖父一直在家，住在他的新屋里。

后门堂

太湖边上的雪堰桥镇，南北贯穿着一条雅浦河，东街和西街之间贯通着一座文成桥，我家老宅就在东街北沿河的二六六号。因为依河的缘故，房子是坐西朝东，也就是背靠着河面对着东向。三开间的两层正屋，南侧又分外砌出一开间的单层披间（意指正屋之外的紧靠搭建房屋），俗称“灶披间”，用作灶间和浴锅间。灶披间一道后门朝向雅浦河打开，这是我家用作日常进出走人的，后来搞新农村建设，街镇上统一门牌，一块“东街二六六号”的牌子就钉在了这门上，而此时我家老宅早已空置多年。

祖父大致是六十岁上从药店退休的，此后的二十几年，人们白天里由北沿河来去经过，从始终开着的后门往里稍加留意，就见“后门堂”的深处头外脚里搁着一张竹躺椅。或者祖父躺着，白发的头顶上

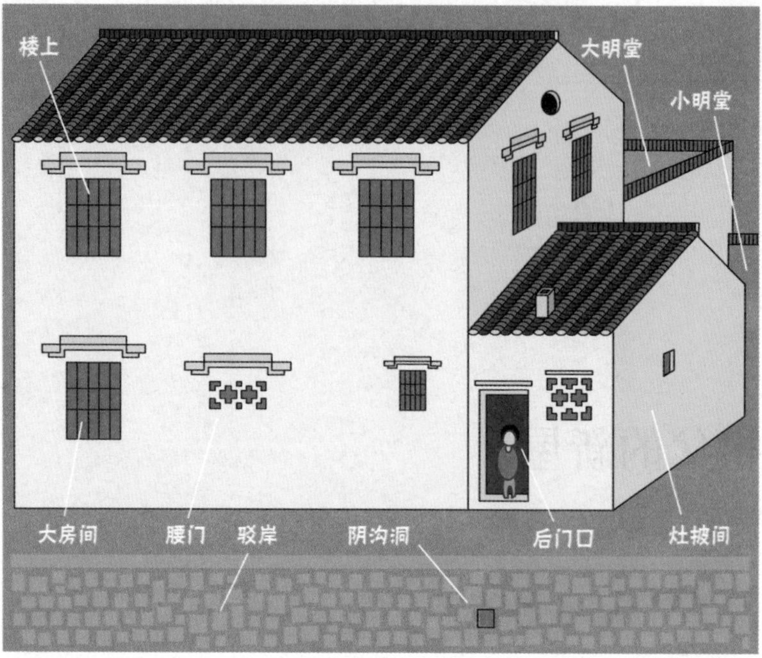

武进雪堰桥东街二六六号朝西向。

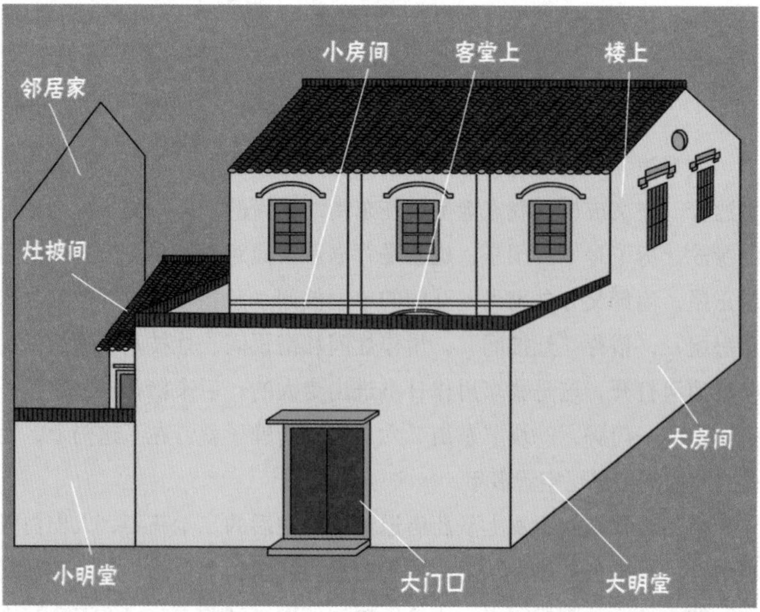

武进雪堰桥东街二六六号朝东向。

面举着一张报纸；或者祖父不在，躺椅前靠着灶间门槛的搁脚凳上要么放着他的宜兴茶壶，要么放着他的水烟筒，要么什么都不放。搁脚凳是用一只药柜抽屉钉几块木板做成的，这是我家的仁济堂药店公私合营后家里仅余的几样有关物事，大家从来都不经意，后来才知道，这是老红木的。

所谓后门堂，就是进后门的一块空处，祖父的竹躺椅靠住南墙，搁脚凳往里就是灶间，灶间进门的右首也就是南侧又有一门，里面是柴间，也就是祖父躺椅靠南墙里面的一间。南墙相对北墙，也就是东西向摆放的躺椅的左侧，与灶间门直角相邻的，是进去两层楼正屋的“二重门”，二重门两边夹墙，夏季穿堂风直过后门堂，祖父躺椅的所在是最风凉的，哪怕是在最炎热的正中午。

后门进门南首和柴间隔墙的一间就是浴锅间，浴锅间的门就开在祖父躺椅头后侧的位置。这门大幅，门轴脱卸也方便，每当过年请裁缝到家里做新衣了，就会取下做裁衣服的搁板用。所谓浴锅间，也就是洗澡间，我们方言的说法叫作“浴锅头”，而相应的厨房间就叫作“灶锅头”，柴间则叫作“柴间下”。浴锅头果真是砌有一只大锅的，大锅底下有灶膛，灶膛口就设在后门的进处，烧火就一张矮凳坐在后门当口，火叉不住往里塞草巾。

这种烧浴锅是苏南乡镇的习俗，外来人不明就里会以为就是“烫猪猡”，其实这浴锅水是试着水温烧的，烧差不多了，人就下锅去洗浴。一只锅一个大人基本可以坐躺住，洗着洗着觉得凉了，就喊外面看守烧火的加一个草巾添把火，水温继续加高来。人坐在锅里洗澡，屁股底下正是烧火的铁锅底，光肉碰着热铁肯定巨烫，所以浴锅间都备有一个“乌龟板”。说是乌龟板，就是一个做成乌龟形状的椭圆木垫板，入浴就往屁股下面一塞，由此便能隔绝下面的火烫。

烧火的灶膛紧靠着西北角出烟囱，浴锅紧靠烟囱角落有个下水的窨道，一个“木拗斗”（带个拗柄的木盛器）就在上面扣着。洗澡洗得人多水浑了，后来人可以用它先舀出一部分水去，再加些清水重新烧热来洗，当然最后出浴锅水也要用它。窨道是直通灶下的，灶下自有暗道，直通整个后门间灶间的地下阴沟，由外面驳岸的出口排入河里。

早年间家里拥有独立浴锅的，都是相当富裕的人家，即便上世纪八十年代了，周围邻居家还少有可以在自己家里洗澡的，所以每当逢年过节，人家就会排着队上门来借洗浴。规矩都是白天劳动黄昏以后，拖家带口老老少少一起来，来时总要带上两三捆稻柴，有一两捆是烧火必需的，余下就是作为谢礼送给我家。我家都是所谓“市镇户口”，不在生产队种田，就缺烧火稻柴，往往也就靠此累积一些。母亲一直津津乐道的是，有年锡剧名角来街上演戏，剧团也都是跑到我家来洗澡的。

跟现在人家的卫生间布置类似，浴锅间大半砌着半身高的锅台，立脚的空处靠南墙日常就放一只粪桶，粪桶是加着两个半爿桶盖的，也就派作厕所用。这粪桶跟私房用的马桶不同，也大也容得下污物，我家一般就是白天集体用浴锅间的粪桶，晚上再是各房用马桶用痰盂夜壶。母亲一早起床就要搪马桶搪痰盂夜壶，然后一齐放天井阴晾，午间收回房，一天都不用。而被用上了一个白天的粪桶则是傍晚搪洗，然后搁回浴锅间一夜空置。一方面昼夜轮换比较清洁，一方面也减轻了母亲的劳动。

粪桶搁着盖不招苍蝇不透异味，用时只要掀开搁屁股的前盖，坐上候屎候尿也是舒服。当然喽，早间粪桶里货色不多，坐着没有多少臭气色，到了最后的晚间，大半桶内容就十分奇异了，所以小孩子慢慢都长经验，每当这时就要先安两张草纸水面垫着，如此一通方便妥帖。在粪桶边的锅台上总放置一个长方形木龛龛（木盒），四面托底没有盖，里面就放存擦屁股的草纸。草纸都是祖父裁的，有时用些祖母自街上烟纸店买回的黄草纸，粗糙细洁不等；有时祖父就节省，利用我们的废作业纸还有母亲学校的废考试纸一类，印刷的纸张都是干硬，光滑不吸水。

单扇的后门对河朝西，往里推进就靠住北墙，和浴锅间的灶门正对。门后挂一架木梯，木梯这一块是上空的，能见望砖（铺在屋椽上顶瓦的小薄青砖）木椽的屋顶，也是整个灶披间山字型的屋脊最前最下端部分。浴锅间柴间相间的墙壁再向上，就是阁楼的木板壁，阁楼门紧着北墙朝后门口洞开，半墙腰挂住一只木钩的木楼梯取下，转

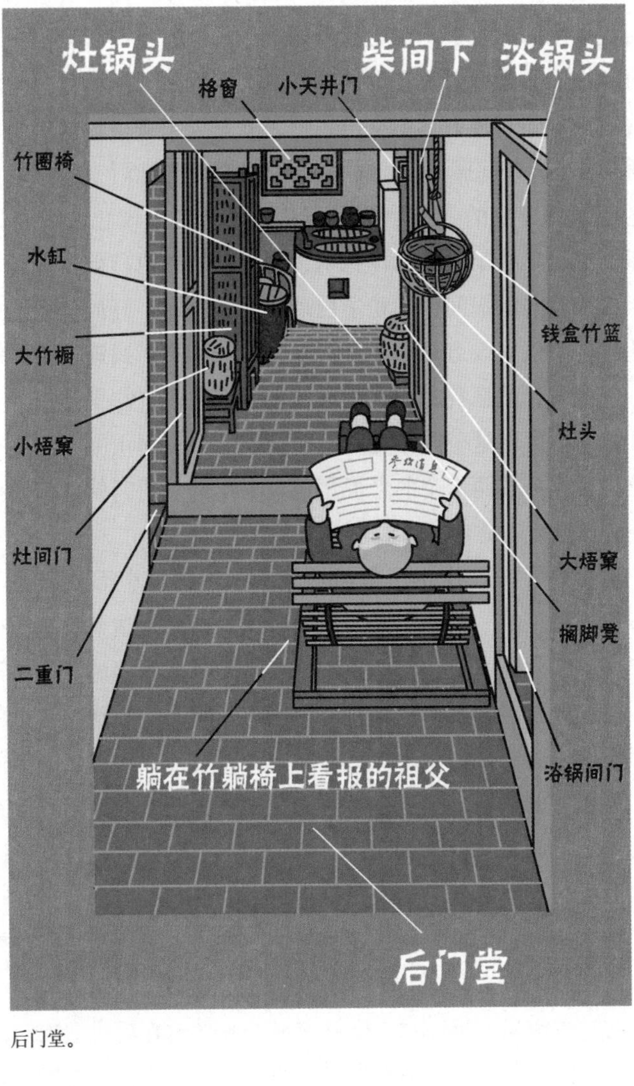

灶锅头
柴间下
浴锅头
格窗
小天井门
竹圈椅
水缸
大竹橱
小焐窠
灶间门
二重门
钱盒竹篮
灶头
大焐窠
搁脚凳
浴锅间门
躺在竹躺椅上看报的祖父
后门堂

后门堂。

过靠住阁楼门就可以上人。阁楼上往年就堆杂物，平常没事少有人上去，我自己计算的话，这辈子上到上面总共也不超过十次。据说上世纪那三年饿肚皮的时候，家里就在上面藏了一个米囤，有年端午还靠着米囤底残余的一点糯米，全家好好吃了一顿。再有就是“文革”武斗，祖母把邻居陈家老大在上面藏了三天，躲过了革命敌对阵营的追杀。我后来见到阁楼上基本空出，偶尔就是人家来借浴锅洗澡，送的稻柴捆数多了，柴间搁不下，就将一部分转移到阁楼上去。

老宅是青砖砌的，外墙都抹石灰，年数久了颜色青灰，很是古意。屋子里墙早些年一直都没抹灰，后门堂墙壁也只袒露青砖，只有七十年代改建的浴锅间倒是粉了白墙，光洁亮丽，好似现在卫生间都用白瓷砖。浴锅间改造是那年开河（开挖河道），武进港雅浦河都要拓宽，工程设计就把我家所在的河东侧给征用了，往里开挖了数米。我家灶披间后门堂这一间原先建造时就没有跟三间正屋的西墙找平，而是分外刺出一截两米余的老虎尾巴，最早的后门间就从南面挡住正屋的外墙，当然还是有些风水之说的。

一道官令下来，原本房前沿河五六米宽的堤岸都要退缩，不仅将祖母原先篱笆的一块河岸菜园挖去，而且驳岸直达了我家后门口。总不能一出门就下河吧，协商下来，只有把那截戳出的老虎尾巴给拆除，后门找齐正屋的西墙重砌，浴锅间也退缩一段重建。这里就露了我家房屋的一个隐秘，原来祖父造屋之时，在浴锅间和柴间之间分外设了一层隔墙的，动荡年月专门用来藏人藏物避难，暗门就做在柴间靠西墙最隐秘的角落。好在后来一直太平，太湖里再不出强盗土匪了，这老虎尾巴一缩进，恰好可以借用隔墙的一点面积，重新布置浴锅间的必需空间。于是三间正屋外加一间披间，到此就四四方方的找齐了，紧靠着河驳岸两米有余，高高竖竖立在那里。

祖父的竹躺椅一年四季二十几年如一日摆放在后门堂固定位置，后来嫌着门外人来人往观瞧太曝光，祖父就亲手用铁丝扎了个竹栅栏门，靠着后门门轴推拽，人进人出就会嘎啦作响，还起了点防贼防盗的功能。一张躺椅，一个搁脚凳，搁脚凳上下两层空间，祖父放烟放杂物放报纸。躺椅上躺着，抬头就是阁楼粗大的桁条木，还有楼板，都是没上漆的原木色。祖父在桁条上下钉垂了几个挂钩，挂钩上挂几个竹篮子，篮子里也是零零碎碎的杂物，有些就是长年不动积尘积灰。有一个最里的篮子用得最新鲜，里面总备有个铁盒子或者纸盒子，盒子里都放一分两分五分一角后来一元两元的钱币，那是祖母每天上街买菜找赎回来的零钱，祖父用来应付春秋季适时必来的上门讨要。

一出凤阳花鼓唱得好，早年间和尚朱皇帝传下的规矩，每到春秋农闲，安徽苏北农人就会结着帮上到苏南的富庶地乞讨，走乡串镇挨门挨户，一根竹棒一个碗，一对祖孙一双夫妻。讨饭讨到后门口了，有得几声叫没得几声唱，祖父耳聋也敏觉了，赶紧取篮子开盒子拿零钱，不笑不呵地将人打发了。有一回晚饭桌上祖父就笑气，说今朝蚀本蚀大了，早起就来了个上门讨，昼间又有来，下昼又有来，这一天就出销了好几笔，这人家都要被讨穷了的。其实家门备零钱防乞讨，也是祖父以前街上开药店行市的规矩，不管是否救人急难，为富者必当的仁行，习惯成自然，年年月月日日如此，多不多少不少多少给个意思。

后门堂外面就是后门口，最早就是土坡河滩头，门口大块空地篱笆围起，祖母作菜地。我最记得夏天，茄子番茄黄花菜丝瓜黄瓜什么都种，有一年还种出了老大一个冬瓜。有一个印象，就是我和二表哥偷来黄瓜，然后躲到老虎尾巴南墙的背角处，坐在那个砖堆上啃得快活。当时我们啃黄瓜位置的正对，就是我家之前专用的码头，家里的吃用都是母亲到河里去提水，父亲回家就是两个桶挑水。以前菜地沿河多种杨柳，那种老朽老朽的短粗干的老杨柳，婆婆娑娑一蓬蓬枝条能侵过半个河面。杨柳的根有一半是没河水的，水下絮絮绵绵会藏鱼虾，父亲夏天下水洗凉浴，往往就携个脚盆去摸，摸来河蚌总是很多，有时就有长钳的螃蟹。后来开河扒了菜地，拆了后门老虎尾巴，沿河笔直地筑起了石头驳岸，我家的码头自然不存，以后用水直接用个吊桶，站在驳岸上提。

隔条雅浦河和我家后门正对，是雪堰中心小学的大门，母亲后来供职很久的地方，也是我们几兄妹上小学的所在。望近走远河对岸，母亲上班，或者我们上学，就要绕去街心文成桥过河，然后再由北街一路走回对面。雪堰中心小学一排两层建筑，北向去还有连排平屋，看着就是民国样式，从前算是街镇最好的建筑了，当年国民党大佬吴稚晖牵头捐建的，解放前祖父还是小学的校董。吴稚晖就是雪堰桥本乡本土人，我家东街，他家南街，吴姓自是本土大家，只是吴稚晖后来孤身逃台湾了，以后的子孙一直不得好处，直到七六年以后。我家这河对岸，小学正大门两层楼主建筑的南侧，是一个拱门连着一座水塔，拱门进去就是一条背弄，水塔之下和背弄并列的屋舍，就是雪堰老医院的所在。老医院过去北街一排沿河都是民居，高高低低多是老房子，也都是铺着青砖的老街面，因为老，后来在东南西北街上也显得最破旧。

我们小孩子没事就在后门口玩，张望就是对岸的学校，学校里上课总是书声琅琅，越是齐声朗诵越显天地间安静。然后突然下课铃声响了，对过整个校园里嗡声一片，就是刹那开了锅的，叽喳得无法形容。幸亏是祖父一早耳聋，躺后门堂也不受干扰。我家这边是新起的驳岸，对岸则是旧有的驳岸，到冬天浅水的时候，就能看到对过驳岸的岸脚，是用烧成炭黑的木桩，密密齐排在底下托起的。小学校门口起的驳岸沿河就种一排梧桐，那种所谓法国梧桐，一路向北枝繁叶茂，直到那边的河口转弯。我一直不明白，这小学沿岸都是树，而医院过去的北街直到文成桥街心口，不止两百米远，几乎没种一棵树，一直如此，永远如此。而我家这后门堂出去的后门口，以前还种树，后来起了驳岸就没种树。若干年后镇里统一环境建设，土路一律铺成水泥，就再种不上树了。

灶锅头

后门往里正对，就是灶间门。后门是单扇门，灶间的门双扇，两扇都是格子窗的长门，通上通下打开后很是通风透气。祖父竹躺椅搁脚凳紧靠的木门槛进去，右首门推进就是柴间门，柴间门是和灶间门一模一样的两扇门，里面堆放起炉子的木柴或者烧大灶的稻柴麦柴。灶间里只有南墙靠上开了个小窗，平时柴堆高起，里面就是暗黑一处，所以小时候几个兄妹玩偃野猫（捉迷藏），这里也总是个好躲处，有时人藏在其中的草窠，草须猝痒就一直坚持，半天了谁都找过还是没能找到，自己都快被遗忘在失落的世界，幽闭恐惧症瞬间杀心，于是赶紧闯出去找人，而那头或许已经玩起新的游戏来了。

灶间左首门推进，门后墙上挂了家里仅有的一些农具，无非锄头铁耙镰刀凿头，锄头是坌地的，铁耙是松土的，镰刀是割草的，凿头是掘野菜的。我家不种地，锄头和铁耙偶尔家后的一小块自留地使用一下，而镰刀凿头的话，一旦学校里有些学农活动，我们小孩子才得机会利用一把。放农具的杂物角落过去，就是一只小焐窠，焐窠是草扎的，底下坐住一个小竹凳。这小焐窠就是放煮粥的洋镬子保温的，所谓洋镬子，就是平底的铝锅子，家里一般用来早饭晚饭煮粥，一个棉盖子从上焐住，上面再是与焐窠配套的草扎盖子彻底罩住。

小焐窠紧靠着大竹橱。竹橱就是竹制的碗橱，上下两层开门，开门每层又有两格，就是放碗盆碟盏，还有些酱菜的坛坛罐罐。两层底下还有不带门的搁层，也是零里零碎放，长年积尘积灰，有些东西就是放陈年都无人想得起。同样竹橱顶上也是如此，像所有的家庭一样，都是日用闲置品的搁处，放着放着就忘了，直到每年一度洗竹橱。洗竹橱往往就在农历六月，一年的最炎热天，橱里的东西都撤空了，然后父亲就扛着竹橱下河。竹橱在河里完全浸没泡住，我们小孩子会游泳了也围绕着泡，一下老大的蟑螂就纷纷钻出了，油黑糊糊地在河面上四窜，它们也是天生会游水的。洗竹橱其实就是为除蟑螂，水里泡差不多就往岸上收，浸水的竹橱会很重，但一离水面很快也就泄空，父亲沥沥漉漉再往家里抬，天井里一直阴干到晚上，祖母再将碗碟东西一样样原处归。

竹橱背靠的就是北墙，西侧是小焐窠，东侧就是大水缸，水缸当然是宜兴出的，用的年头长了也黑糊糊。水缸一半是埋地里的，大半出在外面，水缸水始终阴凉。水缸平日就是两片合爿的木缸盖盖住，靠墙的一爿可以不动，上面搁放几只热水壶，要用水就掀开外面的一爿取舀。家里最早吃用就是后门外的河水，用桶把水从河里提来了，满满一大缸，然后就要用生矾来澄清，生矾搅水里一夜淀底，缸底就是厚厚一层泥垢。水缸墙头专配一根竹制的吸筒，中空两头都开孔，捏住一头的气孔一头触到缸底，然后大拇指一松开，虹吸效应就开始吸入污垢，大致水吸满了，再把气孔一捏，提着一管子水就出了缸，对着面盆里再一松手指，“哗”得一管污水尽出。如此依样多吸多放，直到缸底看着干净，一缸水清爽为止。以后家里开始打井吃水，就再不用生矾了，不过缸底照例时间久了会积垢，所以吸水筒一直派上用场。

水缸一侧是竹橱，一侧就是祖父的竹椅，祖父闲时外面竹躺椅躺躺，烧饭看炉子就坐着这里面的竹椅。竹椅是那种大竹子的圈椅，有后靠有扶手，夏天里阴凉，冬天就垫棉垫子隔寒。祖父退休无事，闲得太过总要找点事忙，所以灶间看炉子成了一天里的要事。一日三餐，菜菜饭饭，新鲜菜主要是祖母炒做，祖父就做中午的饭锅，还有早上晚上的烧泡饭，还有热剩菜，其实说到底，就是就着厨房这块祖父母一直有时间做伴。厨房里有烧柴的大灶头，还有烧煤球的炉子，大灶头往往逢年过节烧大菜使，平日里一家老小吃喝就用煤炉，水缸和祖父竹椅的对面靠南墙位置，就用砖头搭个浅台，上面搁大小两只炉子。

炉子的外筒也是宜兴陶制的，里面耐火的泥膛用久了就会损坏，到时父亲就从城里带回材料，重新糊膛整饬一番。父亲的工厂是铸造厂，有得是烧铁水锅炉的耐火泥。每天里两只炉子同时在用，一只始终半封着，上面总坐一只水壶滋哩哩地冒气发声，一只总有烧这烧那，或者说是热这热那，两只炉子有忙有闲相得益彰，就像每天围绕厨房间团团转的祖父母。炉子烧的是煤球，有时是镇上煤场产的蜂窝煤，有时就是一个个圆圆兜兜像小鸡蛋的小煤球。有时祖母索性从供销社买煤灰，回家挑个大好晴天，用只专用的陶制坦缸，用水将煤灰拌了，然后就着空地做煤球。

工具就是一把吃饭用的小铁调羹，勺把上缠起一根木棍作为长柄，手持着舀起一勺子湿煤泥，往下一筑就一个整煤球。做煤球如同做馄饨饺子，边上也要备一只水碗，舀取煤泥前先将调羹在水里湿上

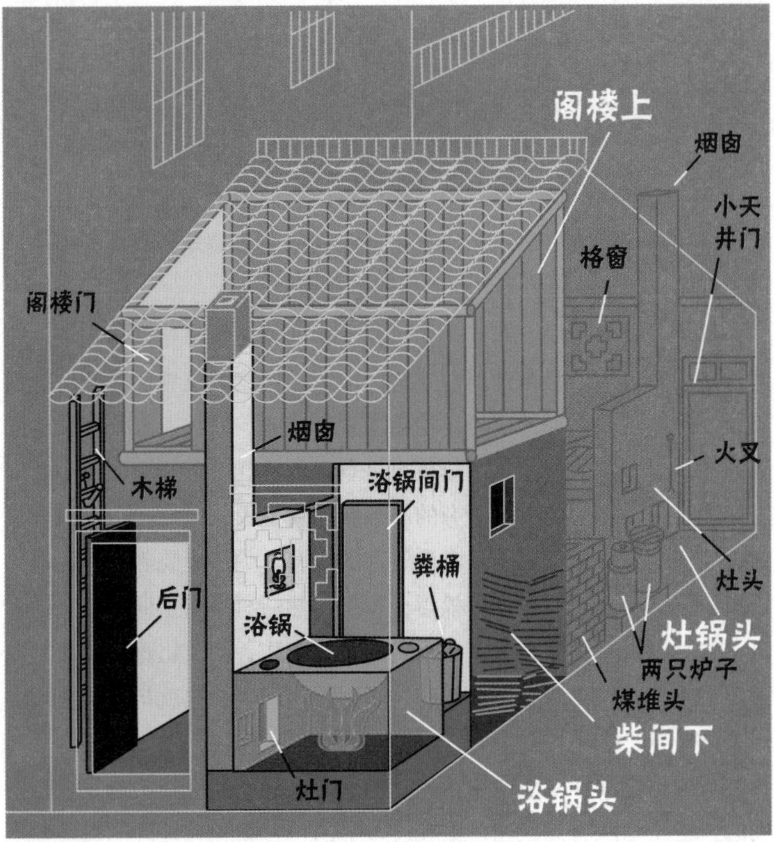

灶披间全景。

一湿，如此舀取的煤团筑下就容易脱落，而且表面光滑好看，跟煤场机做的煤球就类似了。做煤球的工作一直由祖父来做，后来我们长大了，也帮着做，不过一些和水调灰的工序，祖父始终还要在旁监工。坐着张矮凳，对着一只坦缸，边上预备七八个藤萝盖，一勺勺煤球就往藤盖上筑，横竖个挨个排列整齐，就跟做好的馄饨饺子差不多。七八个藤萝盖，几百个煤球都做好了，就找着太阳底下晒，碰到突然下雨了也方便赶紧收，终于晒干了，就簸入灶间的煤堆储藏起。

煤堆的所在就在两只煤炉边上，紧靠着南墙祖父用砖三面垒起个一米见方的储仓，煤球就从上面的敞口倒下，平时上面也是木板盖着，板上还能搁锅啊盆的零碎。两只炉子天天烧，有时晚上也不熄火，炉门封住了坚持到明天，就省得一早起来再生火，所以煤球使用量始终很大。所以煤仓里的煤始终常出常入，保持大半满的储存。新做的煤球总是在最上面，用亏了再有新做的煤球加入。底下的煤球就始终陈年，有时一陈若干年去，如同茅坑底的石头永远不见天日。煤堆头南墙的侧上方开有一个小气窗，深深的不装玻璃，只要外面的风势不倒灌，往往就是炉子上炒菜能够走油烟的。

煤堆头背靠南墙，东侧是两只炉子，西侧是紧靠柴间的东墙。柴间这堵墙不是墙，是跟灶间门柴间门一式的四扇长格窗门挡起的一面隔断，隔断就跟上面的阁楼东墙直上直下找齐。紧挨着煤堆以及柴间隔断的就是一只大焐窠，大焐窠也是草扎的，比较起和它隔着个灶间进门通道南北相对的大竹橱旁的小焐窠，就是大，是专门用来放烧饭的大坦锅的。大焐窠底下是拿砖筑起的座台，炉子上烧熟的饭锅端入焐窠，上面也要用一个大圆棉盖子覆上，然后再是盖上同样草扎的大焐窠盖。每天中午做锅饭就是祖父的主要工作，回头祖母炒了菜，尤其冬天里，一时出门上班上学的还不到时间回来，也就把菜碗放入大焐窠里保温，到时上餐桌就完全能吃到热饭热菜。

与大焐窠和柴间隔断东西相对的就是大灶头，大灶头也是东西横砌的，整个形状有点像三角钢琴。琴键的位置就顶住灶间的东墙，上面是砖砌的格窗，透光也通风。琴的直角面是烟囱灶墙，烧火灶门的所在，灶墙的里外两面都挖有方正的龛台，可以放酱油调料瓶，有人家也用来搁灶神，在没有电灯的年代，也用来搁煤油灯。琴的圆兜面就是置锅的灶台，我家用的是两眼灶，两口大锅东西并排，锅与锅之间靠灶墙处还砌有一个置入灶膛的汤罐，汤罐里能够蓄水，底下一烧锅，汤罐水也跟着热了，炒完菜以后洗锅子，这热的汤罐水就能够作为刷锅水。

祖母上灶台炒菜的位置就在琴的圆兜部分，也就是祖父竹椅放置的里档。我家的灶台砖砌白石灰敷面，灶台沿是一色的大青砖，用的年数久了，青砖变成了黑砖，不过祖母抹去抹来还是很光洁的。灶台的里档靠东墙窗底是个空间，祖父一边靠北墙砖垒，一边就着灶头平搁起木板，上面又可以放一些坛坛罐罐。木板的底下也是就着地面用砖挡起一个浅浅的灰堆，灰堆用的灰就是锅灶灰，新鲜的咸菜用小坛子封了，就倒置半埋在灰堆里，隔绝空气好咸菜方能成。

而灶墙的背后，灶门烧火的所在也是个通道空间，就是两只靠南墙的炉子的东向过去，东墙上开了道小门，出外就是小天井了。这小门最早起新屋时是没有的，只是后来开河了，被迫拆了后门的老虎尾巴，政府把小天井的面积作为补偿，一面围墙拦起来，才又开起了这道进出门。小天井里真的开了口井，灶间一切的洗用也都就近便利，祖父母每天进进出出也是忙的。这道门也通气通风，炉子上做饭做菜还照亮，往往小天井里一阵风吹进，便把灶间的饭香菜香吹活，由里面的灶间门直吹出去，经后门堂出后门，直飘到后门口的沿河各方向去。

祖父的竹圈椅背靠着灶间北墙，右首邻着水缸，前侧靠着灶台沿，灶台上往往搁他的水烟壶，就此掌控着整个灶间。对了，祖父抽水烟需要用黄纸搓成的点烟的纸媒头，抽水烟是一管一管的烟丝，往往吸掉一管要再点烟。抽水烟一根纸媒头就捏在手头，纸媒头一头红红的火点始终冒着细烟慢慢焗着，要点新烟时祖父拿嘴照着火点“噗”地一吹，那火点顿时燃着起火，就着烟管将烟丝点着，随即一口气又把纸媒头的火吹熄，那纸媒头再又一个红火点丝丝地焗着。一根一尺长的纸媒头，吹起又焗，焗着又被吹起，祖父一管一管地吸烟，也总能使上个把钟。一刀黄纸都太不值钱，一张黄纸卷起的纸媒头比起用掉半包火柴总要省钱。祖父黄纸搓起的纸媒头也有个固定容器，一个类似于筷筒的竹筒子，平时就十来根纸媒头筷子般密密撮，挂在大竹橱的靠水缸邻墙一侧。

灶间下就是祖父母一天里最为待住的地盘，祖父看炉子，祖母做饭菜，灶台炉子焐窠竹橱水缸圈起中间一小块青砖的地心，两个人就从早到晚围绕着团团转。柴间和阁楼的东墙一直竖到屋顶，之外灶间的头顶空间就是和后门进门口一样的赤裸屋顶，抬头望见就是大圆木的桁条，桁条间排排搁起小圆木的椽子，椽子间又是个挨个铺起一块块青色的顶瓦望砖，整个空间就此大而通风，不容易受着烧灶的潮湿。这屋顶还开了孔透光的玻璃天窗，早年间就是为了防贼翻屋头进入，天窗孔开得很小，就是窄窄的一块砖宽度。往往大晴朗天气，东起的太阳半上午转到了偏头顶，一缕阳光就能从上直入而下，好似家里那幅耶稣升天图里的圣光，祖父母一头闯入一头又走移，灶间下轻淡的尘灰油气由此在光柱中搅动升腾，活活的生息。

二重门

所谓二重门，其实是相应灶披间后门堂的后门而言，因为后门是家里的主要进出通道，而进入主屋的这道侧门自然就是“二重门”。二重门直角紧邻着灶间门，正好是和后门堂祖父的竹躺椅南北相对的位置，其开门位置也就处在主屋南墙靠北三分之一所在，跟后门一样都是单扇的厚木门，里面加以活销木门闩，到了夜晚这重门也必定要从里上闩关死的。所谓一重门二重门，还有一层区隔外界的意味，后门是对河北向洞开的，后门堂灶间下情形外面可以一目了然。而二重门则面南而开，与后门正好形成视线的九十度死角，二重门里的正屋才是我家主生活区，隐秘不示外人的，这也是传统建筑一向有意识遵循的法则。

二重门进去就是个通道，俗称“背弄”。“背”即幽僻的意思，也有写作“备弄”。像老式的几进几院家宅，除了大门直进直入穿堂过院的中央路径以外，在房子的一侧都会建有一条狭长的背弄，同样屋瓦覆顶和主建筑同为一体，不过又脱离主屋主院之外，是一条单独作用的公共走廊。主屋主院就一道小侧门与之相通，一进院子一道侧门，那些子孙分了各房的大户人家，借此自进自出自家门，能够尽量做到小家庭生活独立自在不受干扰。

我家这条背弄就短，总共也就是一开间三米余长度，宽不足一米，左右都是夹墙，东首墙是里间小房间的北墙，西首墙里叫作“后背”，也就是与主屋西墙相对隔起的一个空间，主屋三开间南间的北头三分之一部分。家里里里外外都是青砖铺地，背弄里阴，夹墙挡光挡亮，经过总是幽暗，尤其小时候没装电灯，有时入夜埋伏着人吓人，还是能把哥哥妹妹吓个半死的。两侧的夹墙最早是用芦席竹爿搭起的，反正就是简易，跟一般的草屋人家差不多，与整个砖木结构的大房子极不般配。

以后七几年开河了，家里请了好一阵泥水匠，才把东首小房间的那面墙给砖砌石灰粉了，而西首的墙依旧老样，芦苇结束竖排排，用竹子中间横档结刹。记忆中这堵墙祖父总有修修整整，那头松了结个绳头，一侧垮了绑点竹条，上面还糊报纸牛皮纸之类美观，最后是用白纸糊了，整个背弄一下敞亮不少，我还偷着在角落里画过画。

芦苇墙里面是“后背”，后背也就是个储物空间，芦苇墙靠着二重门那头开了个进出口子，二重门打开，正好九十度直角过来掩上这口子门，这二重门板是两用的。后背紧靠着芦苇墙的一壁，并排放三四个米囤或者米缸，就是我家用来囤米的。陶制的大米缸还好，木制的草扎的米囤往往就钻耗子，早起淘米开盖来看，面上又是积了黑粒粒的老鼠屎，最讨厌还是撒黄腥的老鼠尿。

祖父也一直以捉老鼠为能事，早先家里有一个铁丝编的老鼠笼，就是长方形弹簧拉门那种，里面的触钩挂上一截油条，老鼠钻笼吃了就触动机关脱钩，弹簧缩起把笼门关死，老鼠再无脱逃可能。后来祖父依照人家的一个样本，自制了好几个新式老鼠夹，就是上下对死的木夯和木龛，木夯装个木柄连接一张竹弓，拉起竹弓攀起木夯，木夯与木龛之间就留有钻入的空隙。木龛底板上也是撒一点吃食，老鼠但踩进去，踩动底板引起脱钩，机关触发竹弓回力，木夯砸下老鼠身亡。

都说老鼠是聪明记忆动物，在一个老鼠笼吃了亏，长时间再难捕捉。祖父的老鼠夹开始所向披靡，各处安放都有斩获，甚至邻居都借了去使，老大老鼠夹得血肉模糊，风头一时无两。不过后来老鼠还是捉不尽，一两次小老鼠捉得，但是家里的鼠患始终不绝，尤其到了夜间，出动来在木地板上跑来跑去。祖母总恼一夜闹觉，说：“昨晚的老鼠啊，赛过在那儿跑马的。”所以最好的灭鼠还是养猫，不过家里养猫还是很晚时候，那时妹妹都上初中了，外面抓回只奶猫来，祖母也就由着养了。祖母一向贪清洁，猫毛粘物总也腻心。还有就是天然的一物降一物，家里自来的家蛇，也总能帮吃老鼠。我家的围墙屋檐上每每都能见

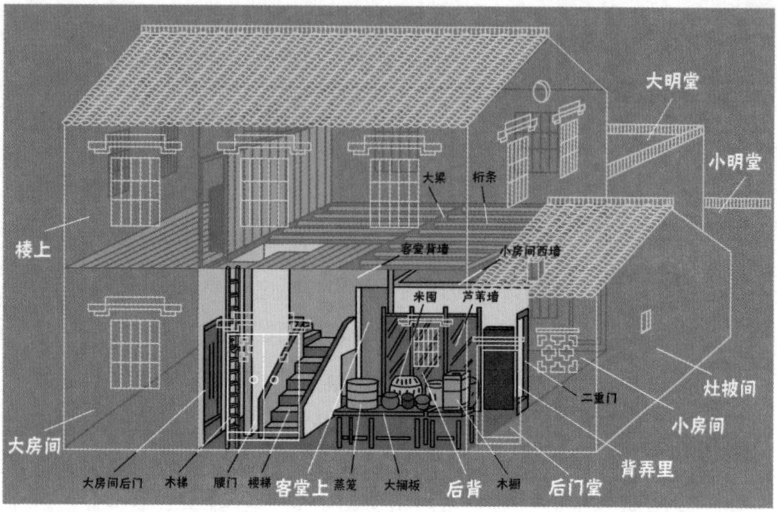

二重门。

到蛇蜕，也就是蛇褪下的皮，白鳞鳞挂在黑的瓦檐，风中飘飘荡像个幡。祖母信耶稣讨厌蛇，我不怕蛇，有年暑假一条大蛇就落了地，钻到了小房间的缸下，几个哥哥都不敢前。我上前伸手抓了，有一米多，很粗的，哥哥们擒着上街上药店卖，居然换了两块多钱，一如拣破烂换得麦芽糖吃的快活，大起想来就是小孩子无知作孽。

后背总是堆满各式家里常用不用的东西，太具体的摆放都记不大清，在朝河靠灶披间的西南角，是开了个小窗的，跟家里所有的对外窗户一样，也是装了铁栅栏的。窗子小，玻璃也是长年谁都想不起擦上一擦，所以灰蒙蒙也不进多少光。窗户的下角记得是有个小木橱，就靠着南墙西墙的墙角落搁在搁台上，打开来放些小瓶瓶罐罐，有些是家里从前药店煎药盛放的小瓶胆，祖父冬里就拿来烫黄酒使用。橱里总还有些中医用具，都是“破四旧”的劫余，小盏小碟的老瓷器，还有一块看似骨质的压舌板，年久由白转黄了的，兴许就是象牙的。现在想来，我家虽说是个老派之家，其实家里的老物件实在不多，祖父作为药医出身的痕迹，似乎也就在于这个木橱的零星所藏了。

和木橱同一搁板的还有一些想不起的杂物，搁板底下也是杂物，几十年生活人家，即便经历的是最物质贫乏的年代，所谓没有木头纸头还有几块砖头，总是能够零碎积物。靠着西墙和木橱搁板相搭连的是一块大搁板，板下的支撑好像是一种旧时放蚕匾的竹架，总之就是不同的架子垫成等高，搁起一块跟大人齐腰高的木板。木板上主要是放家里的大蒸笼，一摞好几只搁笼，都是逢年过节才派用途，腊月里做米团子要上笼蒸，再有就是过年请客放年菜。大小年夜提前的杀鸡做肉，祖母总要做下各七八份扣鸡扣肉，以后还有煮牛肉的煨罐，没有电冰箱的年代冬天也总是很冷，多少碗就层层在蒸笼里放置，年节上亲朋好友宴请，直接取用上灶蒸热摆桌。

竹蒸笼扎制得厚实，还是能防老鼠的，不过防不过我们小孩子馋嘴做老鼠，往往背着大人偷去掀盖子，扣鸡碗里捞上一块塞嘴里，然后再将碗里的鸡块簇簇堆，空隙的部分给填补上，硬是肉眼看不出异常。当然也会有所失误，就是家里小孩子太多，做老鼠偷吃的念头也就多。前面一个偷吃过了，鸡块排排紧看似原样。谁知后面再来一位，同样从中取出一块塞了嘴，又把余下的归置归置不差别。或者后面又再来一位，肉塞嘴，碗重摆，自己也不觉着多少异常。回头家里请客到了，祖母开蒸笼来取，一只鸡几斤重，各部位几刀切，规矩一碗扣鸡定数七八九块整肉，结果数来一碗少了三分之一，嘿嘿，那就是你个亲孙子又来做贼了。不过孙子太多也无从追究，或者祖母太过和善，根本想不来要对你小孩恶凶，只是将这碗缺的从那碗里取来补上，巧妇主厨都有先机，一样菜多留一碗把后备。

靠西墙的搁板和靠芦苇东墙的一排米囤之间，留有一条窄窄的过道，人从二重门板后的小门进来，经过这过道出去北面是没有墙的，就敞天敞地空出北向这块。自然这后背还是有三面墙，墙上东挂西挂挂了不少东西，北墙几个大小不一的竹匾竹筛，东墙还有竹箩竹簸箕一类，南墙上还有一盏点油的桅灯。家里最大的竹匾是用来晒米晒粉的，当然还有夏季做酱，面粉和煮熟黄豆开水和了，双手合成一球球搁匾里，趁着黄梅雨天就搁在这后背大板上发霉头，绿绿的长毛了，酷暑也就开始了。大匾再端到太阳底下透晒，几天下来直晒得粉团酥脆霉头发香，再是下到坦缸里加开水搅糊下盐下酱油。祖父母做来的是豆酱，此后整个暑天就是门前门后不停地找着太阳晒酱缸，也不停地下生瓜条晒出酱瓜，积累下小半年都有得酱菜吃。当然苍蝇也会适时地往缸里下蛆，越晒越红黑的酱，白白的虫就在里面翻着，小孩子没事就听大人吩咐，拿个筷子从中拣取，丢太阳底下晒死。其实“后背”就像是家里的一个仓库，米面吃食也好，生活用具也罢，多是要相对保存洁净，最后经过人的嘴的。

我家主屋是南北横向两层三开间，二重门进里就处于南间西头三分之一位置，这背弄和后背也就是占了这南间西头三分之一面积。二重门过背弄相对，或者说后背过道出去相对，也就是三开间中间一间的西头三分之一面积位置，就是家里的楼梯间。楼梯间的东墙，也就是外面三分之二客堂间的背墙，也就是中堂墙壁，最早也是芦苇简易，后来才是砖砌灰粉。楼梯间北墙是北间大房间的南墙，这大房间南墙与西墙角落，开了一道不常开启的房门，是大房间的后房门。最早楼上还没铺楼板，楼梯间还没有砌楼梯，就始终有一架木梯架在这房门口，偶尔有人上下用途。楼梯间西侧就是沿河的西墙，原先建屋时的设计，这里正中朝外开了一道两扇大门，准确说应该是腰门，木板扎实木栓粗大，而且过于严丝合缝，潮湿天里木质有所发胀，关门都有些艰难，也是防贼大于天。

可能就是我家只走后门，这道腰门一直用途不大，为了彻底安全起见，祖父索性用砖砌墙把它封了，只余砖头垒起的一方格窗。这道暗门每天白天也是开启，透着格窗给暗黑的楼梯间照照光，每天晚上必须又得关上，防贼防火永远是祖父的恪守。记得上小学后家里就通电装电灯了，一路电线沿着木梁连到各处各房间，都是父亲站着高梯亲手布的线。此后祖父每晚就有了固定任务，就是临到全家睡觉前各屋再又点起煤油灯，祖父再去到后门堂拉总闸。总闸就安在后门背后上阁楼的木梯墙上，祖父好像还专门做了个关闸和挺闸的长柄工具，每天早起开电，每天睡前关电。每天关电开电，其实无非两个原因，街镇最初都是农用电，费用大过点煤油灯，祖父总是省钱心理；再一个还是新鲜，乍用电，那年月农忙时节电机触死人的事件也是屡见不鲜，心里本身对“电火”（方言里称电灯为电火）存着畏惧，所以索性一关了之睡觉安心。

楼梯间本身不是个房间，不过腰门一封就是个封闭区域，之前楼上的房间还没铺楼板，家里大人小孩人口多了，有限房间住不开，也就会在这一间里摆上两张小床。恐惧的记忆往往最深刻，记得有年我几岁上，应该还在幼儿班，有个夏天的夜里居然就被大人安排单独在床上睡了，而且另一张床上没有人。夜里一个人睡着，周围肯定是墨漆大黑开始鬼起鬼落，那晚正好又是个台风天，外面的风钻着二楼上空荡荡的天呜哩呜哩地哭，然后就是二楼大窗户外覆盖的毡板被掀着噗嗒噗嗒地响，不是鬼敲门就是鬼打窗，钻着蚊帐似乎无时无刻都要进来，胆战心惊不敢睁眼不能睡觉，直到最后彻底困累了，才终于睡着去。身不由己，人小言轻，自己的痛苦无人获知还无从倾诉，在我的记忆里，这好像是最初的人生负面体验。

二重门进正屋，无论“背弄”，还是“后背”，还是再进去的楼梯间，这一块其实始终是一个区隔空间，即便以后楼梯间果真砌起了楼梯，角角落落再放不进一张床。1995年祖母去世以后老宅子就不再住人了，整个房子一二十年地空了，那堵后背的芦苇墙早腐朽了，回去查看时已经彻底出空。于是再从二重门进去，背弄、后背和楼梯间一目了然。楼梯、木梯还是旧所在，有些米囤、木板之类早已归堆靠墙失了原布局，地面长年空置积了尘灰絮碎，只有两张大匾还在墙壁挂着，还有桅灯。对了，那个木橱还在搁板上的角落原位，不过里面祖父那块骨质压舌板，早被我收罗到了城里的家里。

客堂上

楼梯间占了主屋中间的西头三分之一，一堵背墙过去的外间三分之二，就是家里的客堂，俗称“客堂上”。二重门进去过背弄，在楼梯间背墙和小房间西墙北端间设客堂小门，这门没有门框也没有门板，纯粹是道让人平蹚平进的出入口。客堂也就是人家的中堂，一般也都是坐北朝南，而我家为坐西朝东，东向一道敞大的玻璃门，出外就是大天井了，我家叫作“明堂”，大明堂。相对大明堂的，还有小明堂，就是灶锅头后门出外的小天井，正好与大明堂隔道围墙南北并连。

楼梯间背墙，也正是客堂的中墙，靠墙放一张长台，一头还带个抽屉，抽屉底下就是长台的二层，上面放洗衣粉洗衣肥皂套鞋拖鞋木屐，乱七八糟日用一类。没带抽屉的那头靠紧北墙，台上就着角落搁一个小竹橱，双扇门双层，平日有些吃剩的菜就收在里面。竹橱顶上也放些杂物，我记得祖父长年吃胃药，“胃可必舒”是一种味道凉凉的粉药，黄色的纸筒包装，也总搁在上面。小竹橱旁置有筷筒，还有茶具托盘，花花色色的那种廉价家用玻璃杯倒扣了七八个。在小竹橱前靠墙角的地上，也是搁了个比厨房小焐窠还要小的浅焐窠，底下也是个竹凳垫着，棉盖子草盖子，因为客堂也是餐厅，冬天里饭菜用以临时保温的。

长台中间空出，在南向的这头放置一个热水壶，热水壶位置也就是长台下置抽屉的位置，抽屉里有木梳篦箕之类，牙刷牙膏也放在里面。热水壶上方的墙上挂一面镜子，挂一个温度计，靠门的位置挂一个日历本。日历本背板是一块一九七几年的厚塑料年历，祖父用木块在后面钉成方框给板固住，再用火钳在塑料面板上烫孔装钩挂年历，其上再固定个大铁夹子，三百六十五天每天一张的日历纸从不撕，而是上翻铁夹子夹住，页数再厚也滑脱不下。所以“后背”墙角那个搁板上的小木橱，除了压舌板瓶胆零碎之外，还藏了不少历年来的旧日历本，一年年的祖父总是惜物珍藏。那作为背板的塑料年历，好像是1978年的吧，白色的厚塑料压制的，上面绘画是两个维吾尔族少男少女，小辫子随着舞蹈四散开，当年算作一个新鲜玩意儿，用的年代久了，也就发黄发黑了。

长台的长度并不尽够着中墙，靠背弄门的那头还有些空出，正好可以置个三脚面盆架，架上就放一个搪瓷面盆。底下还有个搁层，正好放一个小陶瓷水缸，水缸里有瓢。这水缸存的是每天洗漱的凉水。记得有年家里下老鼠药，老鼠吃药后口干，就要找水喝，那天早上就是发现夜来泼了半缸水，喝了水药性发作的老鼠死在当场。三脚脸盆架这块就是家里人日常的洗漱处，洗脸毛巾就挂在与南面小房间间壁

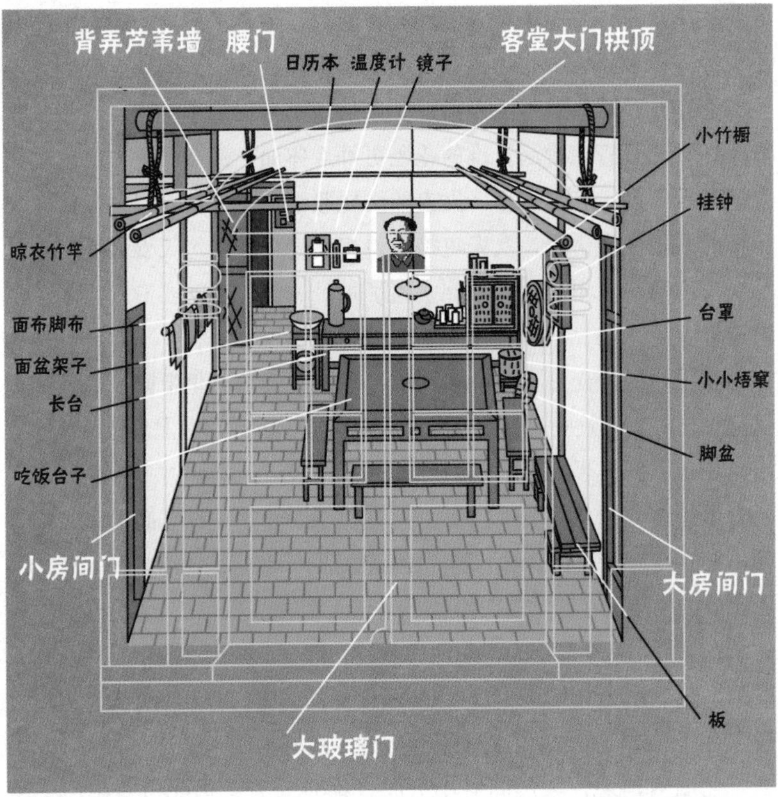

客堂上。

的南墙上，墙壁上钉了钩，两根废长日光灯管排开，老老少少的洗脸毛巾、洗屁股洗脚毛巾分别排开，洗屁股洗脚的小脚盆日常也就覆在小竹橱下面的小小焐窠旁边。一般每天早起，大家长台抽屉里拿自己牙刷挤牙膏拿个公杯出去大明堂对着墙脚刷牙，回来就从南墙日光灯上取毛巾对着三脚脸盆架上的脸盆洗脸，还有抽屉里取梳子对着中墙上朝下倾斜的镜子梳头。

方言里把洗脸毛巾称作“面布”，而把洗屁股洗脚毛巾称作“脚布”，或者“汏脚布”，所谓“汏”就是洗的意思，侯宝林《说方言》的相声里就有剃头店汏头的一段。家里汏屁股汏脚也是每晚临睡前必需的程序，一个木脚盆分批用，祖父母用完了换水，母亲开始侍弄我们小孩子，总是挨个先洗屁股，然后挨个再洗脚。小时候脚布并不太分开，几兄妹一齐用，只有后来长大了，才一人一块有分别。洗脸的面布却是从小着每人专用，父亲从城里带回的小毛巾各花色，挨着个在日光灯管上排起，谁的花色更好看体面，最初新毛巾时也要相互妒忌抢要的。在老家里，女人的洗屁股清洁是有层专门意义的，大致旧时代卫生再讲究，女人也是易得妇女病，所以每天女人洗下身就有个专有名词：用水。尤其妇女到了每月一例，那就要专门用水了，要避着人的。

挂毛巾的日光灯管是废物利用，是由父亲从城里带回来的，不过这灯管总有荧光效应，夜来天黑家里全灭灯了，在那壁上总能荧荧地发出光亮，小孩子见了还是很稀奇的。日光灯管毛巾墙的平行上空，也就是背弄进客堂门与大玻璃门东西相对处，上面往往悬空搁了晾衣服竹竿，尤其冬天洗了衣服晒不透，晚上就连竹竿收进来晾着。其实就是从天花板的木梁上在客堂的四角悬下绳套，靠里靠外南北向对应悬起两根竹竿，然后七八根晾衣竹竿东西向搁起，没事就归束在北墙那侧，有衣服晾了就单独支到南墙那侧。因为后楼梯间的腰门打开，背弄进来门贯通，直通到外面大玻璃门，便是通畅通风更容易阴干。

北墙对南墙，大房间对小房间，都是靠着东墙北门对南门。所谓大房间小房间，是就相应面积来说的，大房间是北房，就是三开间北面一间，通长总有两丈有余吧。小房间则是南房，三开间南面一间中的东端一部分，去除了西段的背弄、后背。南面有小房间门，西面是背弄进来门，北面大房间门，这东面就是客堂敞亮全部的大玻璃门。称之为大，是因为开幅大，中间是往里开的两扇门，门轴转向一百八十度，平靠去两侧墙上，就是一个开间的整个宽幅，也就是说这门宽达整个开间的二分之一。大玻璃门称之为大，还因为它的起塄（指地面到天花板的高度）高，加之上面的穹窗顶，几乎到了二层天花板高度。大玻璃门之所以被称为玻璃门，是因为装窗玻璃的面积也大，几乎占了两开门的一半强，两扇各六窗格难得的大块麻玻璃，里外看不透景，却是很能透出光。

老宅建于1948年，为民国尾声特有的中西合璧建筑样式，所以这道客堂门做成一个罗马式拱形，上面的圆拱与底下四方门框之间有个横梁隔断，门框里是大玻璃门，门框上是一个拱窗。这拱窗原本也是要装玻璃的，不过当年被拖延了，所以一直由几块长木板在上面钉起挡风雨，一直到老宅被荒弃的最后。大玻璃门用老旧了，也就有了残破，几块麻玻璃碎了角，南侧门扇的下北角也生生缺了一角，关起门来时，门中间的最底下漏着风。这是在那三年饿肚子，那个连吃块糠饼都感到幸福的年月，家里的老鼠都饿慌了，一夜之间用牙齿给啃出来的。这是家里老少皆知的。

客堂大玻璃门正对客堂中墙，中墙长台的前面，端端就摆八仙桌，俗称“吃饭台子”，四周放四张长凳，照明电灯就从上面梁上吊下，正照亮方桌的正中。八仙桌也老旧了，正中心破了个洞，一直就用块圆铁皮补在上面。吃饭台子当然是吃饭的主桌，主位当然是祖父的，虽然我家坐西朝东客堂门东向，但是祖父的位置还是背着大房间北墙，固定朝着南面来坐。而祖母的固定位置就是靠着长台，背着中墙对着大玻璃门。母亲也是固定位置，和祖母相对邻着祖父朝西向。父亲每周无锡城里回家来，就坐祖父对面位置。而我们小孩子相对随意，人少了就南面自己坐，或和母亲坐，人多了还要跟祖母挤位，再人多了就要和祖父挤位，甚至添张角凳（方凳）吊着台角坐。

祖父后背墙上挂一个台罩（饭菜竹罩笼），侧后的庭柱（屋墙柱子）上方，是一台尖顶长方的老挂钟，上面是钟面圆盘，下面是晃动钟摆。这钟修修补补，早就缺了秒针，家里就是看着分针计时，而且还每天走慢几分钟。祖父每天早晚都要踩着一张方凳上去，给钟上发条调时间，好在家里一直有手表，每天能够纠正出入。也好在那个年月时间都不甚精确，早些晚些都无伤大雅，尤其对于退休在家的祖父母来说。祖父座位的东侧墙脚，长年靠北墙用凳子搁起两块小门板，没事门板就垒起缩进里面，夏天暑假里，就用长凳摆开，我们小孩子就把上面作为乘凉睡觉玩耍的地盘。自然两块板也可以直接搁到地面，或者一人一块前脚后头地摆到二重门背弄里去，中午太阳最晒最炎热时候，就在上面睡午觉，后门风穿后门堂穿二重门穿背弄穿我们的安榻处穿客堂背弄门穿客堂大门而过，那是大风凉。

祖父医药世家，四兄弟一小妹子，老大随太公学医；祖父老二，十五岁上无锡大吉春药店学生意，七年期满回家开仁济堂药店；老三也是年少送去上海，在家糕团店学生意，四九年世道大变就回家，跟人去学中医儿科，回头自立；老四也随太公学医。因为老大婚后生个儿子就去世，排行老二的祖父实际成为老大，以后一家几房生计都托于一身。少小是兄弟，老大各乡里，再后来几房各怀心思闹分家。东街后街的几进老宅就归做老大房；老宅对街有处单开间三进的房子，就买来给了老三家安身；然后就是东街口文成桥桥堍下的药店老宅，也是前后几进归了老四家。祖父另辟处所，在文成桥下东街北沿河两百米的老远处，靠着雅浦河起了他这新屋。

分家分得伤财，原本资金有限，祖父本意只是起出三开间一进一院的平屋，结果领工的泥水作头是其好友，规劝他说，与其平屋，不如就起个两层，先起个屋壳子再说，以后慢慢追加。祖父听着是理，毕竟平屋今后再想翻高反而费工，于是二层楼的大屋就造将起来，一时间众人眼红，是为雪堰街镇上私宅最为高耸的。四八年起屋，四九年解放，然后就是斗地主分财产，也有人说，祖父的房子大呀，贫下中农也是可以分的呀。结果呼啸着上门来一看，外面观着房屋高大，不过里面二楼都没铺楼板是空的，楼下能住人的也就一间半。分与不分是个问题，有心想强分也就分了，不过祖父太公代代人阴功积德在前，经年过手帮过助过的人太多，关键时候人家感恩暗助，划成分只给我家定了个小业主，由此祖父的新宅保全，躲过一大劫。

祖父多少年药店积蓄，分家完了终于自己起新屋，两层的屋架子起好，主屋二层三间的桁条都根根搁上了，只差最后一哆嗦，铺上层楼板也就完工了。偏偏能完工却没完工，二楼空豁豁就空在那里了，对外就是一个理由，没钱了，楼板再铺不起了。老话里塞翁失马，祸福不能自己操控，如果真的有钱一下楼板全铺了，整个新屋给弄完整了，那全了这楼上一半，可能就要亏了新屋的上下所有了。

我家整个房屋外面看大，里面整个空落确是真的。早先街上老宅几家几当的桌椅橱柜物件都分去各房了，祖父自起个新屋自办新家当。不过解放军打过长江了，新屋造起一半，新家当未及多添置，一切的经济就已彻底改变。以后街上药店合并，祖父在公私合营的新店里虽然还做私方经理（公方经理是祖父仁济堂药店的伙计，后来才知是地下党），但是收入固定再无宽裕了，养儿育女外更无闲钱添置家私。而后来我们家所使的一些橱柜家具，包括桌椅板凳，都是姨父家分家转来的。姨父家是雪堰桥相近黄堰桥乡间世家，父亲过世早，大姨父两所名牌大学连读，以后入宜昌的军队研究所，娶了姨妈，算作半个上门女婿（大表哥随姨妈姓，二表哥随姨父姓）。姨父家也是弟兄姊妹分家，就是我几岁上吧，一条张好几面船帆的大木船载着一船家当就后门靠岸了，往家里搬搬不尽的东西，这家里好歹各房各处有了布置。

客堂上的这张长台也是姨父分家得来，长台所靠的中堂位置可能挂过毛主席像，但是七六年以后肯定没有，后来倒是挂过年节上工商联或者统战部送来的年画，一边小竹橱边上还贴祖母教会的耶稣画像。许多年月里，每天祖父都要小酌几杯的，冬天早些，夏天晚些，就下午的三四点，祖父不坐他固定的用餐位置，而是坐着祖母位置背靠着长台中堂坐着八仙桌，面对着大玻璃门的客堂门，以及门外的大天井，以及天井高墙之上的一露蓝天。酒，是稀酸的黄酒，冷天里还要用大搪瓷杯加热水拿小瓶胆烫着。菜，就是蚕豆泡发的回芽豆，或者油炸的花生米，或者皮蛋咸蛋随意零食。一副筷子一个小盅，喝口酒，夹点菜，祖父就吃着将时间耗着。祖母偶尔过来看一眼说句话，灶锅头来回去，祖父就闲着就吃着喝着，吃得不多喝得不多，脑子里所思所想也应该不多。这一吃一喝一坐就黄昏了，上学的回家了，上班的也回家了，祖母开始摆餐桌了。祖父就将菜碟挪一挪，筷子挪一挪，酒盅也挪一挪，将自己也挪一挪，坐回他的朝南主位，和纷纷上桌的我们接续吃起了晚饭。

大房间

大房间是北向通长的一开间，最早时候这间是地板房，中间还拦板壁，隔成前后两间，苏锡常地区最传统的样式。我家的这个大房间也是卧房，最早是祖父母居住，里间一张床，外间一张床，那时祖父母是否里外分床睡，就记不清楚了。总之这间房有地板的时候我还小，记忆里就是兄妹们整天光着脚在里面跑来跑去，滚躺爬都可以，因为地板干净，还隔地气不逼阴。

在里外间隔断的门上方，最早还挂一个四方的有线广播盒，一路电线是直连着公社广播的。母亲是街上雪堰中心小学的教师，年轻，普通话算好（现在听来算是很不好），所以暑假里被邀请过去做义务播音。一般就是我们昼间（方言之中午）午睡起来，差不多两点左右，母亲的广播就准时开始了。母亲的声音从喇叭里一出来，我们几个小孩就仰着头跳着叫，哥哥就对着喇叭帮我问："姆妈，小洁可以吃药了否？"我是从小体弱，打针吃药都是常年的，所以按时吃药也是每天任务。结果傍晚母亲返家，哥哥就会追问："姆妈，我问小洁可不可以吃药了你听见了否？"母亲就笑答："听见了呀，我在广播，又不能回答，所以你没听我后来喉咙'嗯嗯'了两声，就是答应了呀。"

大房间是地板房时我还小，所以对于大房间前后间的布置记忆总不深，只记得里间的后门，也就是与外面腰门楼梯间相间壁的那道门，门的正上是并排挂了两张镜框像，那是祖父的父母，也就是我们嘴里喊的"太公太婆"。这两张像当然是遗像，所谓的写真像，从来就是高高在上挂在那里，以后取下来凑近看了，就能看到无论太婆的眉毛还是太公的白山羊胡须，都是笔描根根笔触分明，旧时的画匠手艺恁地高明。祖父有母亲时过三十五岁了，母亲生哥哥也二十七八了，太公四二年去世的，也就是差不多母亲生产时，所以太公太婆离我们还是很遥远的。关于太公太婆的信息，基本就是从小从祖父嘴里听说的，还有后来母亲陆陆续续的补述。

我家旧籍宜兴和桥，太公名钧字瑞生，自幼丧父，母亲独自抚养成人，大了跟随族亲学医，以后一个郎中担头挑着到了武进雪堰桥，和唤做殷小妹的太婆结了亲，以后开枝散叶，在雪堰东街扎下根来。太公能医，不过性烈，祖父也性烈，长大招女婿从来大小姐的母亲也性烈，我也性烈。我和母亲钉头对铁头，所以祖父跟太公当年必然同样钉头对铁头，太公对儿女管教严苛，祖父十五岁上无锡大吉春药店

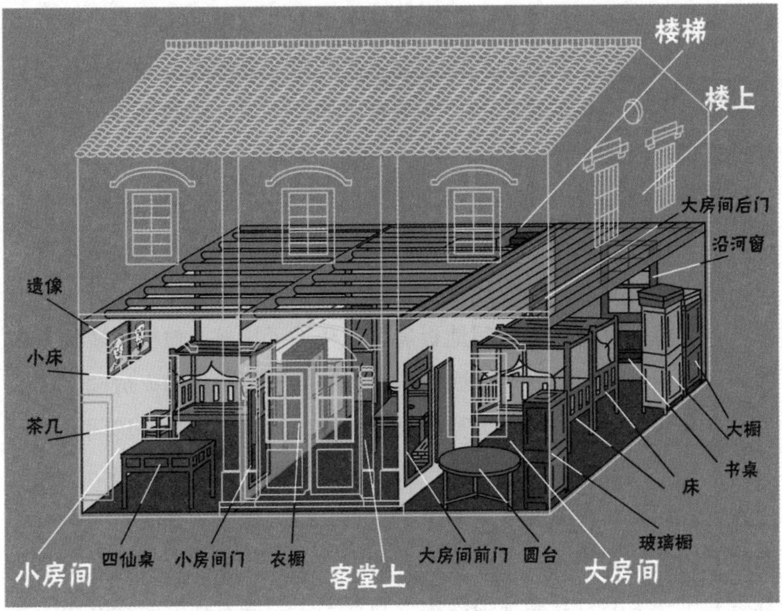

大房间。

学生意，受不住那苦就偷跑回家，结果总被太公的棍棒又给赶回去。而太婆跟我祖母一样，都是小家温和之性，所以祖父最是津津乐道“我家娘”的好，说小辰光（小时候）只要“我家老子”出去巡诊，昼间太婆必定给他们小孩子做咸粥吃。芋头蚕豆黄豆青菜烧烧一锅子，四儿一女每个都是吃得“乓乓”饱，太婆就是出于母亲对自家孩子本能爱惜，而太公就是从小孤儿寡母物力维艰，对于家常子女衣食至吝至啬。

大房间地板的拆除也就是那年开河以后，后门堂的老虎尾巴要拆移，家里就请泥水匠还有木匠，前前后后做了不少工程。首先腰门楼梯间真的砌起了楼梯，三折的砖石水泥楼梯，直达与大房间对应的楼上一间。楼下的木地板直接拆了移到楼上铺楼板，还铺了楼梯间对应二楼的西边一小块地板。前面说了，祖父四八年起的新屋，二楼始终未铺楼板，以后药店公私合营没了财力，所以二楼横梁一直空置。那年开河就是因风吹火，顺手把二楼铺了一间多一点，一来母亲养下我们，家里人口多了住不开，二来就是两房女儿女婿都工作赚钱有所孝敬，手头终于攒了些钱的。不过七十年代中终究现钞有限，不得已拆东补西迁就，地板改楼板，再东拼西凑些杂木板，勉勉强强当壁板，二楼总算多创出个房间。

我家的人口组成是这样，祖父母，母亲父亲带我们兄妹三个，姨妈姨父还有俩表哥。姨父母一家原本在芜湖，后被林彪一纸军令，研究所迁去了湖北，如今还是在宜昌。在家就是祖父母和父母我们一家，祖父母一直就住大房间地板房，二楼铺了楼板，他们就转楼上去住，而我们一家五口就从南面的小房间移到没了地板的大房间。我家房子本身起捞就高，差不多一尺高度铺设的地板再一撤，房间就更显空高。没了地板的地面就改铺青砖，印象中那年匠人铺砖的情形仍历历在目。后来长大眼开了，有了些见识，这大房间后来的新铺地与外面的青砖老地相比较，不论是青砖的细洁度，还是匠人的铺设工艺，都是差了一大截。新砖地地缝粗大高低不平，踩着还能咯噔发声，而老砖地严丝合缝一平如整。哪怕是外面天井春夏秋冬日晒雨淋的砖地，即便有砖块断裂，但是几十年依旧整齐水平。

铺楼板之后家里还请了木匠，就是一类专门打家具的木匠，又做了两张雕花的新棕绷床，还有两个新式的五斗橱，楼上一个，楼下一个。楼下地板撤了，中间的木隔断也撤了，就两张床背靠背凭着南墙摆在中间。客堂间的前门进去就是外间，后来靠着天井大窗摆了张圆台，圆台靠里的角落摆放了一个玻璃橱。玻璃橱够大，上面两扇玻璃门里三层搁板，一直用来充作书柜。书柜之下有两个抽屉，里面乱七八糟杂物。抽屉底下又有两门的橱柜，打开也是搁板两层，里面也是放杂书，还有乱七八糟杂物。记得上层玻璃橱里还放一个鱼缸，是父亲后来厂里用有机玻璃粘合成的，四方方还做精致的搁脚，就是八十年代全民好做新奇乐日用品的年代，父亲很用了一番心思亲做的，有机玻璃当时也是很新奇的。

鱼缸里最早养金鱼，也是父亲从城里舀了几尾回来的。后来金鱼肯定死了，我们就用它养随便什么水中活物，夏天里我们从河里用扳网扳到的小鱼，尤其是一种小河豚，我们俗称的膨鼓鱼，一触碰鱼身就会膨胀如球的。对了，在父亲的有机玻璃鱼缸之前，这橱里还一直有一只大玻璃水盂，就是那种西式的带柄玻璃执壶，我们也是拿来养鱼的。另外橱里还有一台半球形小白珊瑚，海南的吧，是姨父常年军事试验出差天南海北，和玻璃执壶一同带回来的。书橱里最多当然还是些书，书最老也就是父亲的一本俄语词典，再有厚一些的，就是一本“文革”时出的《农村医疗卫生手册》。没有电视和现代一切娱乐活动的年代，小孩子没事自然就会去瞎翻书，这医疗手册还是很有些图案的，尤其书后的黑白病患照片，那幅梅毒的生殖器很是触目惊心。当然还有女人怀孕分娩的手绘系列图，女人下身也描绘得一清二楚，小孩子的眼睛看来，也是很能惊心动魄。

外间的那张大床，很多年都是我跟哥哥一人一头睡的，除此外间基本没了什么摆设。后来我画水墨画学徐悲鸿，墙壁上贴了两幅奔马图。大床正对就是东墙的大窗，为了防蚊子，窗子蒙了绿纱。夏天晚上睡在蚊帐里，能看到窗子外面的葡萄架透光，绿纱上爬着一只壁虎，壁虎吃蚊子的，家里从不打杀。我和哥哥的床背靠背，就是父母的床，父亲城里上班，周末才回家，所以很多时候我也过去和母亲一块睡，尤其冬天怕冷。父母的里房陈设多些，靠北墙有两顶大橱，一顶旧些，一顶新些。但新的做得肯定没有旧的好，是赤裸木纹的，不知何故一直未上油漆。大橱顶上还有两个木箱，其中一个是樟木箱，九十年代才买的，里面放怕虫蛀的毛线衣什么的。西墙靠河的大窗底下是一台书桌，这是很古旧的，做工考究，设铜抽屉扣，应该是那年从姨父家搬来的一船家私之一。书桌台面一角还放一个小抽屉盒，是和祖父后门堂搁脚凳一式的药抽屉龛，里面随便放些笔墨杂物，理应是红木的。不过当年都不当回事，以后哥哥第一份工作是做木模工，就直接截了，做各式的小玩意儿，掏了一个心形的小首饰盒，送初恋女友去了。

父母的床前靠南墙摆着一个新打的五斗橱，五斗橱和床之间先有一个夜壶箱，就是上面是茶几，下面可以放痰盂夜壶的那种。以后父亲又赶八十年代的时髦，厂里同事给钉做了一个木音箱，底下大喇叭，上面收音机调频。对了，还备了一台唱机，也就是所谓的留声机，也接底下的大喇叭。唱机是皮箱开盒的，打开唱盘唱针，放的都是八十年代的那种薄塑料唱片。

记得几张唱片是李谷一的，就是电影《小花》的插曲，只要父亲一回家，家里就整天《妹妹找哥泪花流》。还有就是侯宝林的相声，就是《醉酒》，最后一段：我爬半道，你摁电门，我掉下来。再有就是姜昆李文华说的，讽刺社会上结婚的奢侈之风，办嫁妆要多少多少腿的家具，什么“一套家具带沙发，二老负责看娃娃，三转一响加彩色，四季衣服毛涤卡……十分满意急了掐”。

和大房间隔个客堂间南北相对门，就是小房间，父母我们搬到大房间前一直住的。我们住着时还是西北两面芦苇墙，后来铺楼板同时也就砌了砖墙。以后里面还是靠着南墙竖搁起一张小床，平时祖父母用来歇昼（睡午觉）用途。

好不容易盼到姨父母（家里孩子一暖亲热，我们称姨父姨妈也是爸妈）回来探亲，也就住在这个小房间。小床相对的北墙还靠一顶镜子衣橱，也是老橱，里面摆放祖母的衣服杂件，抽屉针线盒什么的，也放一些牛肉干零食饼干筒，我们常要开启偷吃。橱里还放一顶姨父从前军队的黄呢大盖帽，我们常戴着演打仗。记得祖母有个针线盒是雪茄烟筒，那是那年邻居家的儿子参加空军，回家探亲送了祖父一盒古巴雪茄烟，总共十支。大稀罕货，亲戚朋友各送了一支去，父亲也得了一支，祖父手里只留了一根，断断续续抽了好几天。最后装这根雪茄的金属筒保留下来，祖母用作针线盒。

小床后背靠西墙的一转，后来就成了祖母的存物处，大大小小的纸箱子陶缸，存来家里的米粉豆类南北货，零零碎碎，直到祖母去世，还寻出冰糖好几袋。小床床头靠南墙放个茶几，是个老式的茶几，底下一格祖父就放夜壶用。小房间靠东墙大窗放了张四仙桌，这桌子木料肯定比客堂的吃饭八仙台子要好，因为这窗外不像大房间这面窗户外挡着葡萄架，所以光线始终好，有时我们也就着这张台子做功课。这大窗和南墙之间的东墙墙角，原本是开有一道小门的，也是后来像楼梯间腰门一样没了进出，所以砖块给封死了，凹进处甚至做了两层搁板，搁板上专门放了一个赤脚医生用的木药箱，里面红药水紫药水的放了些常备药，还有祖父的老式剃刀。对了，这小门处一直挂有一幅画，油画，是当年大表哥出生，整个家里这一代第一个孩子，还是男孩，父亲亲自给画的。

原先大房间楼梯间后门之上的两幅太公太婆像，以后就一直挂在小房间的南墙上，每当大年初一一早，祖父就要用四仙桌设供祭拜。几个碗碟，桔子花生菱角糕点几样供，一个草扎蒲团当堂地心，祖父恭敬规范三拜九叩，然后我们孙辈依次。祖母信耶稣，祖父是不强求跪拜的。父母亲都是党员，习惯的无神论，所以也不强跪，而是规矩做个三鞠躬。直到后来，祖父母去世了，社会变动也叫人淡化了政治信仰，母亲才开始给祖宗祭拜磕头。我从小记忆强化，每每被叫着做领头跪拜示范，左手盖右手先揖手打个拱，然后下跪三叩首，然后起身，再下跪三叩首，再起身，再下跪三叩首，最后起身再揖手打个拱，才是三拜九叩完数。祖父讲孝，太敬他的父母，也是七十年代中，我家原本在沙滩头是有块祖坟的，三面环水的风水地，政府有新政策坟地要深埋。平了坟地还有补钱的，地块大钱就多，那三房就高兴了，挖坟掘棺材起劲，政策使然祖父不做声也不要钱。后来三房的三婆婆兴冲冲地过来了，说："挖出来两口棺材还是很好的，木板还能够做几只粪桶的。"祖父一口啐："做粪桶？要么我拿来做枕头。"此节祖父始终悬怀。

九一年祖父去世，一张小遗像就挂到了太公的大遗像底下。九五年祖母再去世，一张遗像又和祖父并列放到了太婆画像之下。哥哥十几岁爱好摄影，祖父母的照片都是他们活在时照的，当时看着就好，说以后过辈就用了，最后也真的都用了，都是黑白照，都是哥哥亲手给放大冲洗的，样貌神态和活在一样，很艺术。太公从小艰苦，大来宜兴转至雪堰桥，也就立业成家生儿育女。四个儿子学医的学医，学生意的学生意，严父执意良苦用心，为只为儿女经济不蛋碎于一筐，终于除长子早逝之外，另三儿一女都高龄善终，人生大致太平。不过祖宗祖宗，隔代便终，最后太公太婆所遗，不过两三幅遗像些许事迹流传，人生也到底空枉。一如以后的祖父母，将来的父母，还有再将来的我们，说来再空，不尽欷歔。

大明堂

客堂大玻璃门出去，就是大天井，我家所称的“大明堂”。大明堂是和主屋配套的三开间，宽度也有丈余，围墙高度则有四五米了，旧时还是为了防贼，围墙必须修得又高又陡。所以我家整所房子的外墙都是高而平滑，窗户的遮檐装饰都为简单不易攀手。而大明堂围墙内的主屋东面外墙，不论是客堂大门的门廓，还是大房间小房间两扇东窗的窗廓，都砌有罗马式拱形遮檐，加之柱饰之类，较之光溜溜的西外墙北外墙要繁复奢华许多。

大明堂的东墙正中，与客堂玻璃大门相对一致，开了道两扇大门。大门之内起一个双柱的避雨门廊，大门之外则简便，就在门楣上嵌了块水泥板，以作雨檐。我家房子是坐西朝东，按照大门必须朝南规矩，这道明堂大门最早是南向开的。也就在大明堂南墙的正中，其上还做了个靠墙廊檐，整个大门间就是能通小房间那道封闭小门的过廊。开河那年，后门堂的老虎尾巴给拆了，政府明文补了小明堂（小天井）这块地给我家，而近邻着灶披间小天井南侧，安排了别人家宅基地起新屋。老大门朝南的风水一下没了，于是索性将老门封了，连门框带门板，一起重新拆建到东墙。起新大门时我还是有点记忆的，主要是出了一点工伤，盖门廊时顶头掉落一块砖，砸伤了母亲的寄爹，血糊糊的手捂着头赶紧送医院。

关于寄爹，是我们地方上风俗，小孩子生下来要寻个寄名的父母，这样多个人家疼惜，小孩也好养吧。我没有寄爹寄娘，却有奶公奶娘，就是母亲生我，五十六天的产假满了，不得不回学校上班，小婴儿就没法带。于是就外面找一户奶孩子人家，弄出去跟人家吃一年两年的奶，当然是要每个月付钱的，就用母亲做代课老师的工资二十块钱，所以我就有奶公奶娘。母亲好像是出生三天就被送到她寄爹家去了，这一寄养就是三年，理由其实很简单，祖父还没生到能继承的儿子。祖父前一房妻子生了三个女儿，以后连大带小都一一亡故，大致三十五岁上再娶祖母生了我母亲，话说是“一个屄爿头连着个屄爿头”，碍了生儿子的命。于是赶紧要把母亲送出去养，结果过个年把还是只生了个屄爿头，姨妈是祖父最后一个孩子，他就只得女儿的命。

朝东的新大门开出，大门外原本是一片开阔，连片的田地，偶尔的田树，再老远隐约的房舍就是什么村了。有一年半夜火警，满世界的听见敲锣喊救火，我们开大门去看，远远那村上火光冲天，是应该着了人家的。回头火扑灭了，街上救火的民兵队员回来，把个事情当笑话讲：说火着了，那家的老婆就蒙了，床上抱着个枕头就往外奔，结果把个孩子给留下了，似乎烧坏了吧。贼偷一半，火烧全户，所以祖父对于防贼防火，永远是最为严惕的。也就是八十年代左右，我家的一转开始起新屋，原本这沿河处只这大房子孤吊一家，此后陆陆续续包围起来，南北东各面挡去风景视线，惟余靠河的西边独好，对河依旧是小学校。尤其到了九十年代，发财了的村人又开始二轮起屋建设，将老早的二层楼翻成高陡的三层，一下遮天蔽日，总把以前一直高昂的我家老屋给湮没了。

好在大门口一直空有一块人家的自留地，也有三开间两进的面积，只因为周围都被包围了，谁都想不起来要拿这块地起屋。这自留地以前人家就种种菜，时不时有人过来挑粪浇水侍弄一番，直到再后

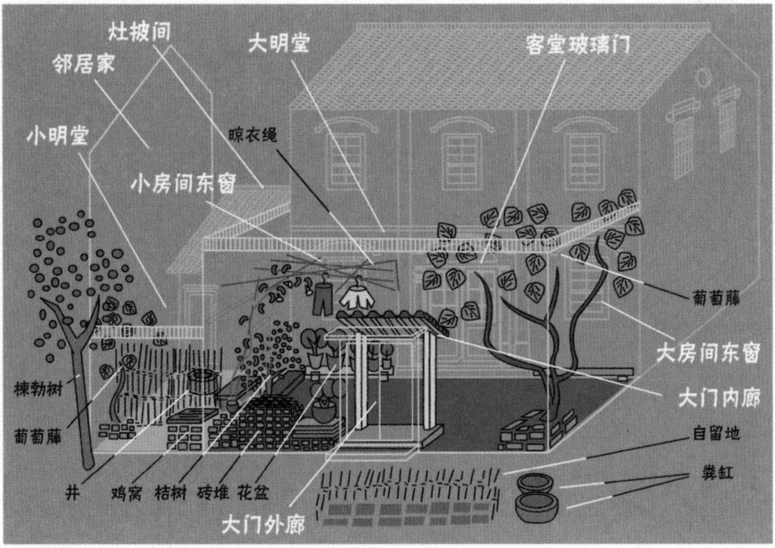

大明堂。

来人都不勤了，这地就彻底荒废，里面长长短短繁起许多树，也都是细细歪歪不成材的。在人家的大自留地和我家的大明堂围墙之间，有一块窄窄长长的小自留地，这是开河把我家沿河的那块自留地开没后给补偿的，祖母那些年也是在里面种了菜的，一年四季也都绿油油，不过收成不多罢了。我家自留地的北头，地上半埋两只粪缸，家里每天的马桶粪桶出息，最后都要归到这里。露天粪缸一般都不加盖，所以每每就有人家春上出的半大小鸡，外面野走一不小心跌入去。如果粪缸还满，小鸡臭烘烘湿湿身自行爬出去。如果恰好祖母才央人掏过粪缸，还不见屎实只泡粪水，小鸡跌下又早没有发现，就要活溺死在苍蝇蛆虫中了。自留地的南头，几乎是大门的当门口，父亲九十年代手植了一棵香樟树，二十几年下来也老粗老高了。

大明堂大门口，整个是我们小时候的玩乐场，砖丛石堆藤蔓攀延，不异于鲁迅笔下的百草园。不过除了节假日或者冬天好太阳晒衣晒被，我家的大门是不轻易开的，小孩子玩乐多圈于自家明堂之中。大明堂的北块，也就是大房间东窗之外这间，靠东北角植了一株老葡萄，老株新藤架起了整个北块空间，夏秋发来的新枝叶直接能上了二楼窗户。这葡萄是奶油葡萄种，年年晚春发花发果，长到差不多小球了，祖父就要用旧报纸浆糊纸袋子，然后凑个假日父亲大台子上搁凳子，用绳子给葡萄球一一扎袋子。葡萄袋子主要是防虫、防鸟，还要用打虫的硫酸铜药水，总之年年惯例来做。直到暑假过去一半，阳历八月中了，葡萄终于开始熟了，有人馋嘴不时偷着摘着吃了。

小时候个子矮，偷葡萄就用一杆晾衣服的顶叉，几个小孩子连裆作案，有人望风看大人，有人就具体实施。顶叉直杆伸上去，顶头的丫杈杀入到葡萄球的根部，底下双手用劲一捩，连根断裂葡萄“啪”地落地四散。葡萄是有长得快长得慢，偷了酸葡萄可是亏心又亏本。所以做法是事先要用顶叉把葡萄纸袋捅个破口，露出葡萄粒又大又奶油黄色，才值得斗胆犯馋偷吃。当然除了我们小孩做家贼，葡萄成熟时每天还飞来麻雀、白头翁之类的鸟，也是把日晒雨淋都没搞破的纸袋子给啄破了，叽叽喳喳吃得欢，在我们偷袭的惊吓中一哄而散。这葡萄还生一种专吃叶子的大青虫，每每早起，青砖地上发现一圈粒粒黑屎，由此方位往天上找去，必然在葡萄叶上发现那肥虫影子，也是借用顶叉，连着叶子一捩而下，捉着小明堂喂鸡去。

我家的葡萄，夏末秋时熟果，小孩子偷吃些，虫鸟损耗些，终于有一天就集体采摘了。还是父亲台子凳子的上阵，采下来一球球，有好的完整的，几球一篮的就归类，归类罢了母亲就提着出门，一篮篮的送去亲戚朋友同事邻居。一藤葡萄一年大好大好，不到百十串葡萄，剔烂的剔生的，剩下也就好好那几篮，一下都送没了，只留个还有七八球好的，那是留着祖父专属吃的。我家从来的规矩，敬老不敬小，最老的祖父有好葡萄吃，我们小孩子就拣落剩的散葡萄酸葡萄吃。而且还要从大到小小孩子分拨，比如最大的大表哥还能最先分到稍好的散葡萄，而四个男孩中最小的我，只能落剩中再挑落剩，尽着生硬的最青酸的吃。葡萄发花发果晚了就青涩，一藤葡萄集体摘了，总还余有几球彻底错迟了时节的小葡萄在藤上，于是还在上面继续长，半个月下来天寒了再长不大，不过也已经奶油熟颜色了，那时我们小孩子再取着吃，那是真正甜的。

大明堂对大门中间的一块就空出，大门廊底下也堆些柴爿杂物，还有搁晾衣竹竿的竹木三脚架。一到假日好天气，父亲就帮着母亲大洗大晒衣被，被子都用三脚架竹竿晾大门里外，衣服就用衣架挂小房间东窗正对的明堂南块空间的牵绳上。衣架是父亲用厂里的废粗铜丝扎的，当空的牵绳也是父亲用不锈钢钢绳纵横牵在墙头，蜘蛛扯丝般就像一张网，家里再多的人口衣服也有得挂。家里祖父和祖母年龄差异，祖父对祖母至好。父亲是贫下中农娶了母亲大小姐，做得入赘女婿，父亲对母亲至好。同样姨父跟姨妈又是年龄差异又是入赘女婿，姨父对姨妈至好。所以耳濡目染之下，我们小孩子从小的本能就是要对女生好，不许不好，没理由不好，所以我家的将来，基本夫妻关系都很好。

大明堂里除了葡萄晾衣牵绳之类，大房间窗台底下一直横了根水泥梁，这是那年开新大门剩下的。小房间窗台底下也搁了块落剩的水泥桁条，上面就搁搁大小花盆，祖父种种辣椒菊花还有金桔杂色花草。祖父种花没头绪，往往朝里乱浇搪夜壶水，几盆菊花就年年疯长，光发枝叶不发花，所以到时祖父又是几剪刀，各个给剪剃了杂秃头。小房间东窗相对的明堂东墙角，一直是家里旧工程落下的石板砖堆，里面长草长虫，百脚蚰蜒蜗牛的四季出，好像年年也种一盆死不了，藤子一路延到上面的晾衣牵绳，最热的夏天里还能炎炎地开出红花黄花。而在原先开大门的南墙根，以后就种了一棵桔子树，总之一向也结果，但也一向只结很少几个果。到后来祖父母都去世了，那树就死了，亲戚随手再种进棵枇杷树，没两年就长开了，空庭里自也春夏秋冬，乱开花乱结果。结了果也没人摘，果子落地又生根发芽，砖缝里生出不少新的枇杷树。

这枇杷树的一墙之隔，就是小明堂。小明堂原是我家的朝南大门口，向南去无遮无挡能看到几里外的南山的。后来也听大人说，这块空地原也种点东西，就是旧药店里必备的，人称鸦片的罂粟，我家用来做家传秘方“黄金丸”。后门老虎尾巴拆了，政府定文把灶披间这后面一块赔给，邻居新起屋的北墙紧靠灶披间南墙，我家只需沿着大明堂东墙拦上一道矮围墙，就围成了这块小明堂。靠小明堂的东边矮墙一直竹栅拦个鸡棚，两个砖垒鸡窝就靠着大明堂南墙根，靠邻居墙壁那头种了棵小葡萄，后来也是年年结果，不过鸡屎垩得过肥了，葡萄总也结不多。傍着鸡窝还用石板搭了个灰堆，里面放做煤球的煤灰，祖父的生计观念，就是柴米油盐有备无患。

整个小天井后来都铺水泥地，正中间挖了口水井，一开始是压泵的洋井，以后才开了吊水的大井，我们没事回家，专门劳动就是给灶间的水缸提水。灶间的小门就通小明堂，祖母做饭淘用方便，灶间东窗外的墙根总放两只坦缸，一边过水一边洗，祖母杀鱼洗菜样样，盆水一倾就顺势冲入西北角的阴沟洞里。这边小明堂有阴沟洞，那边一墙之隔大明堂的西南角同样有个阴沟洞，两侧相连一路直通灶间浴锅头，最后是从后门驳岸的下水口出。不过时代变迁，这地下阴沟往往沉降堵塞，一到大雨就有些麻烦，又不得掘地三尺重整，祖父也是一直为之着恼的。小明堂一直养鸡，所以一直鸡屎臭，也招黄狼子（黄鼠狼），尤其冬季夜里，半夜听到咯咯鸡叫了，转天就见血淋淋死鸡。那黄狼子虽然能伸嘴咬死鸡婆，但备不住祖父鸡窝门拦得牢，咬死了鸡也拖不出去。小明堂的围墙不高，只及大明堂的一半，所以能爬进黄狼子。围墙外一直有一棵楝子树，歪歪扭扭也不成材，所以一直长着，后来终于长朽了，一场大雨给折了，那也是祖父母去世后的事吧。

小明堂是养鸡淘米洗菜的生活地，大明堂是养花晾衣晒被的生活地，尤其到了夏天，傍晚母亲就是先用几桶水泼大明堂的地，借以快速消除一天的暑气，然后躺椅藤椅搁板之类全部放出去，夜饭吃罢全家坐躺卧摇着蒲扇对星星说闲话，当然还有喂蚊子。大明堂敞亮，大玻璃门口站在都舒气。我总记得有一年，我还很小，看祖父要很昂着头的，那天上昼（上午）还不到吃饭口，他的一个老朋友来了。两个人相见嘿嘿笑，是那朋友“文革”后政治摘帽了，被解放了，要紧不煞过来报喜呢。祖父就那种嘻嘻笑模样，对着他聋膨耳朵响亮问声：“你头上帽子摘落了，觉着冷否？”对方听罢不急不恼，两个人相对而视，一齐仰头哈哈大笑。我家祖训不碰政治，祖父做医做药，一辈子黑道白道三教九流搭识，但是就是不碰政治。有年苏州医学院读书的大房长子要做个三青团小组长，祖父听说连夜赶去给弄回家，后来再复考上南京医学院，以后再政治变故都一路顺利，最后是成了名教授。而之前三七年日本人来了，是要当地有名望的祖父做伪乡长，祖父也是连夜逃避外出，最后是他的朋友顶了位，以后就半辈子吃苦，直到那天过来说，终于脱帽了。

楼上

所谓“楼上”，就是大房间相应的二楼房间，开河以后地板拆去楼上做楼板的那间。客堂后背腰门楼梯间，砖头水泥砌了个“门”形的三段楼梯，楼梯台阶步步高升，楼梯底下空间就堆杂物，称作“楼梯脚底下”，比如一些肥皂洗衣粉什么的，就放楼梯脚底下的箱子里。白天腰门打开了，楼梯角光线还是暗，所以祖父母要上楼去，必定楼梯扶手要把得稳。这楼梯“门”形设计算是当年泥水匠的巧思，先上去六七台阶，转弯平台停一停，再上去三节又转弯平台停一停，然后再五六台阶上到楼。我记得新楼梯干透后祖母先尝试，有不住夸赞：“这样上去歇一歇，再上去歇一歇，这爬楼梯就一点不吃力。”

楼上房间门就开在楼下大房间后门的同样位置，楼梯上去的右首。进门窗下就是一张四仙桌，所谓四仙桌就是相对八仙桌小一些适合四个人坐的方桌，大小相当于现在的麻将桌吧。这张四仙桌和楼下小房间那张四仙桌相比要考究，底下是装了两个抽屉的，里面放了些本子笔之类的旧物。记得不错的话，里面至今都放着大表哥当年一册未抄完的手抄本，题目叫作“无名牌手表”，是讲林彪林立果谋杀主席的五七一工程的惊险阴谋侦破故事。四仙桌所对窗户，就是临河的朝西开窗，望外去底下的过船的河，对岸的小学连排楼屋，还有小学前驳岸上连排的梧桐树，一路长开茂盛，夏绿秋黄的煞是好看。有时就坐在桌边上看对岸走人，上午下午走过来走过去各色的人，多是你不识的，偶尔有认识的，尤其学校门口出来个老师，母亲之前的同事，顾盼神情千年不变，偷瞧着也是乐事。

四仙桌后面西北墙角就放一顶衣橱，里面多放被头被褥不常翻动的棉货，中间也是有两个抽屉的，也放些有用无用的零碎。紧邻衣橱的北墙就又开一道北窗，一式安了铁栅，窗户望出就是雅浦河北向而去，两百米外就是大河口，一条东西向的河道与之十字相交。十字河道也就将陆地分作四块，我家所在的这块就是东南，对岸小学那块西南，与我家斜对就是西北。西北块远远望见就是雪堰桥中学，操场篮球架校舍校门历历在目，小学的西南和中学的西北相连，依靠就是一座民国建设怀德桥。所谓“怀德”，怀恩本乡绅士民族工业家荣德生，中学里面还有一座怀德楼，在无锡常州拥有太多怀德桥怀德楼，都是当年无锡荣巷荣氏家族所捐建。不过怀德桥早些年就老坏了，上面不许再走机动车，前几年新任的中学校长下令将之拆了，过后不久校长就生癌死了，乡人都说那是现报。

与中学西北角东西相对就是东北的龚巷，远远北面能见相连一座桥，人称“中学桥”，是老锡宜公路必经的。东北的龚巷与我家这东南角相连是一座水泥“巷里桥”，八十年代建的，很高很险，只二十

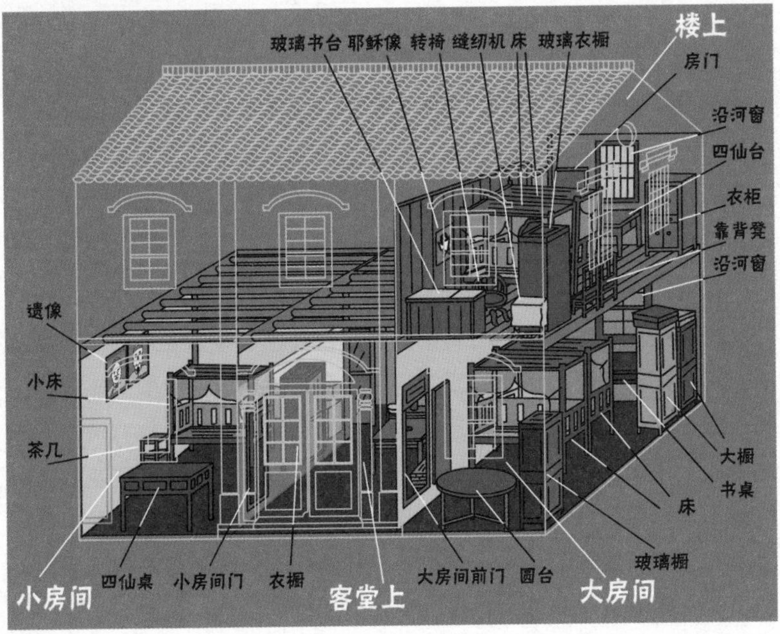

楼上。

年工夫就坍了，到现在也没复建，只余两侧桥头凄苦相对。东北的龚巷与其他三块相比，行政归属大差异，中学小学我家这块都属常州武进界，而龚巷则是发达的无锡境了，早年武进所在多会夜里突然停电漆黑，大家出门去望，只有东北一片光明，眼睁睁的黑白两个世界。我家所在这东南角，往北去之前都是荒滩荒地，之后在百米外起了间屋，是公家的河运“中转站”，中转站前又砌了个码头。所谓中转站，多是石子石沙的堆放，堆场就是中转站再过去的空滩地，那滩地以前多坟地，还有伴着坟头的矮松柏，夜晚绝对出鬼吓人的。后来开河，挖出来河土沿河作堆，以后人家就在堆上开自留地，一般就是种山芋，满坡满坡的矮绿色，山芋适应干土。

与北窗相对的南墙摆设，是一个五斗橱，和楼下父母床前的五斗橱同一位置和式样。台面都有一面玻璃镜，下面设五个大抽屉，都放祖父零里零碎数十年积物，后来祖父的几本日记，还有几十副药店秘方，都是从中找出的。五斗橱贴墙近靠，是祖父的夜壶箱，上面放茶壶，下面放夜壶，紧靠就是祖父的床，祖父床背靠背，又是祖母的床。都是大床，小时候的话，妹妹就随着祖父一起睡，后来就只祖父一个人睡。再后来父亲买回家十八英寸大黑白电视，电视机就放在四仙桌上，祖父躺在床上就能看，我们全家老小搬凳子旁边围着看，看一部香港彪叔演的《再向虎山行》，是隔着一个太湖的湖州台播的，往往信号不清，就要人工不停摆弄天线。

祖父母的大床背对背靠着南墙竖放，床和北墙之间过道，西向的北窗顺过道东去还有一面北窗，窗户朝外也能看到老远的中学以及中学桥，还有北面邻居家的西面门窗。窗下没事放四张配套靠背椅，都是考究的民国样式，也都是姨父一船家私带来的吧。靠背椅过去东北角放一顶祖母的大橱，也是橱门带大穿衣镜的老衣橱，雕花的木料应该不差。橱门每回打开都是一股特有的樟脑味，里面也都是祖母陈年的衣服布料织物，后来再去翻看，甚至还有一些祖母的闺房绣品。那面穿衣镜看着也是陈年，有一种特别深幽的暗色，虽然起了一些锈蚀，但也是一直照影清晰。记得祖母常用一个很抿合的小铁夹子给自己对镜修眉，祖母的眉毛就是两道弯月，就是少女时代就开始修整的底子，好看得就像老上海电影明星一样。母亲一半像祖母，也是长得极体面的，不过长在革命年代的缘故，她是一生始终未修眉的，脸上也始终少了祖母的那股妩媚气。

祖母大橱一侧的东墙，自然开了扇东窗，窗台外就冒出大明堂那棵奶油葡萄的繁叶，满眼去就是葡萄藤的绿色。过去明堂围墙的排瓦墙檐，出墙檐就是人家自留地杂树林的树冠，也总能一年三季绿意盎然。明堂外南边修钟表的王姓邻居家，北面另一户邻居家的老高南墙，正东面隔着树丛就是一排陈姓几兄弟家。其中一家跟我家三代交情，他家有两代从小吃在我家里，祖父母死后，坟地就是安在他家自留地里，跟他家的故去老人坟挨坟做了邻居。我家的做人方法，人生在世就是积德，按照母亲说法：从来只想着给人好处，不想人家会回你什么好处。其实只要肯舍，早晚自有你的得，上一辈舍出了，说不定下一辈还能有所得。所以之前国家几十年波折，我家却还能几十年安逸，都是遇事有人还报，愿意雪中送炭暗里相助，人生还是有现世好报的。

这东窗的底下，就放有一台祖母的缝纫机，以前过年做新衣就要请裁缝，八十年代父亲给买了台熊猫缝纫机，祖母试了试也就会了，除了一些繁难的棉衣料子衣，春夏衬衫短裤乃至我的秋冬罩衫（外套），都祖母一手包办了。东窗缝纫机一侧，靠东墙是玻璃书台，所谓玻璃书台，就是这书桌台面放了整块玻璃，玻璃底下压照片，亲戚朋友从小到大都有，当然还有祖父母年轻老照片。祖父年老，所有的照片都是中年以后，那板寸头留不留胡须，看着都是刚毅。祖母就是女人的妩媚，尤其几张结婚后烫发绣花旗袍的照片，大波浪一路下，侧脸微笑开。祖母小嘴，不过拍照就没大经验，常常不自觉张嘴，一张嘴就有些习惯嘴歪，祖母年轻牙齿也不好，没补牙就缺个口子，黑洞洞一块。倒是后来了，祖母索性装了假牙，拍照也懂得合拢嘴了，老来相片里的祖母，就是端庄，或说端正更合适。

玻璃书台并排三抽屉，中间大两侧小。左侧抽屉底下是个柜门，里面上下两档。右侧抽屉下还有三个抽屉，都是装书本一类，最早还有母亲姨妈的各年龄段日记本，都不归类地塞在里面，岁月封存其中。书台前放一张转椅，西式圈背三足的吧，中间螺纹铁轴相连，人坐在上面可以四下转动，是家里最舒服的一张椅子。转椅所靠南墙板壁之上，就用图钉钉着祖母那幅织锦的耶稣升天图，图画底下祖母床前放一张角凳，祖母临时放些《圣经》之类。祖父睡觉习惯姿势，总是头南脚北冲里床或者冲外床。祖母睡觉不定，有时枕头放去南向，有时枕头放去北向，有时夜来还会南北移上一移，一只收音机收听短波的教会节目，也是很需要找到合适方位的。祖父母很多年分床睡，猜想就是祖父六十岁开刀割了个腰子的缘故。男人年轻再风光，一旦肾器不成了，为了保命还是要自爱惜吧。

祖父年轻时好结交，也好酒，听母亲说来，每每酒席吃到一半，就上河边对喉咙将满腹的酒水一呕而去，然后重新上桌。商道经营上的场面，人家繁难事也找他说合，祖母娘家家产纠纷，祖父也是一记摆平，当时就往人家门口一站，说："谁敢来搞，我把他家屋檐头都耙脱。"因此太外祖母为求永安，也刻意找祖父"靠牌头"（找靠山之意），才肯将小了祖父许多岁的祖母许给。还有后来雪堰中学的那个老门卫，年轻时也一直是个杀胚（流氓），有天就往街上茶馆店闹事，一把手枪直接拍到桌上。茶馆店老板一看不妙，赶紧上药店求助祖父，祖父也不慌不忙，转头托着个茶壶就去了，去了茶壶往桌上一放，找个角落就坐住了。那杀胚见他来了，也就知道惹不起了，乖乖收拾起手枪，不声不响走了。再能耐再风光，解放新社会了，药店被公私合营，六十岁就必须退休，祖父又生癌割了个腰子，从此就缩回家里，再不问世事了。

依照母亲说法，其实祖父到了退休年纪，还是日常要到药店里去帮忙，结果那个公方经理，也就是从前祖父药店那个地下党身份的伙计，冷冷地从旁侧击："法先生，你既然退休了，就勠这样药店来忙了，就家里去好好歇歇吧。"受天气受地气不受人气，祖父就是一气之下，从此一个念头，脚步再不刺刺你药店门槛。记忆中祖父一直不出门，这不出门包括灶披间的后门及大明堂的大门。后门就是出后门的沿河驳岸，祖父出去的步数不超过左右二十米。大门就是出大门的那一圈，祖父也是前后不会走出去几步路。总之祖父的不出门，就是整个生活圈就围绕在自家屋前屋后的这个范围，不去出外跟人结交，亲友过来也只送到门口为止。按照母亲对于祖父话的复述，就是"都活过来了，都看过来了"，世事不过如此罢了，这一不出门也就二十几年过了。我的记忆里，祖父中间还出一次门是装假牙，到年纪牙齿彻底坏了，要找好牙医不得不出趟门，一早在怀德桥下的轮船码头坐船，晚上就又坐船回来了。

除此之外祖父就太乐于过他不出门的日子，也一早起床起炉子烧泡饭，等祖母菜场买麻糕豆浆回家就吃点心（早餐之意），然后就封炉子等报纸，邮差送来报纸就躺在后门堂竹躺椅上看报纸。报纸看一半就起炉子做饭，祖母一边也准备烧菜，饭锅早好放大焐窠，祖母看时间也把菜做好，我们也就放饭学了。吃完午饭，祖母收碗，祖父就小房间上床歇昼去了，半下昼又起来，开开炉子烧水，自己又躺回竹躺椅看报纸。此后祖母又是准备晚饭，祖父看看炉子没事，就上客堂吃饭台上吃酒，吃酒吃得差不多，我们就又放夜学了，于是一家人齐聚一桌吃晚饭。晚饭吃完我们就着客堂饭桌做功课，祖父母灶间封好炉子收好饭菜，洗洗弄弄提前上楼去了。楼上一头祖父干咳几声，一头祖母收音机响动，然后听得祖父拍拍床板壁，对着祖母喊一声："困觉了啊"。祖父就打鼾先睡着了，然后一夜有梦无梦，日日月月年年日子这样度过了。

不过自从八九年首次中风恢复之后，祖父性情就大变，二十几年不出门的人，天天出念头出门溜达去。有时我们假日回家，祖母就一个吩咐："公公又一个人出去了，快点跟好。"我们就悄悄地尾随，公公（方言爷爷称呼）就一根拐杖手里支着，大步率性地走去，沿北沿河一路向南，到文成桥东街口，自家的老药店门口（分家归了四房）望一望，然后直接向东走东街。就是走一段停一停，东家张一张，西家望一望，就是新鲜孩子般见什么都好奇。然后到了东街中段，右首的一开间门是三公公家，祖父的三兄弟，也是门里盼一盼不会进去。再走前几步左首一道背弄口，进里就是大房家所在，也是家里最早老宅所在，祖父望一眼也就过去。然后前面又是一户人家，门口有个老太婆做着什么，看见祖父就激动："啊呀呀，个是法先生否？你哪有空出来啊？"祖父看着人家也就眯眯笑，不住瞎点头吧，物是人非多少年，人家还识得出他，他根本想不出人家为谁来。然后祖父赶紧摆脱人家寒暄继续往前，突然前面就停住了脚，转头回来一看，原来自己的孙子跟着呢，便是小孩子般展颜一笑，别过头去继续开走。

后来听祖母说，祖父的脚步是越走越开阔的，一开始只在东街，兜一兜就回了。后来就上东街南沿河，从大兴桥上南街，甚至绕北街去，一兜就是个把小时，把祖母害怕得只能小心一直跟着，往往把烧饭时间给耽误了。祖父一连二十几年不出一步门，临离世的那几年又天天想出门，是返老还童还是恍然隔世，有种世事变迁的重新吸引还是头脑童真化？其实后来祖父不仅自己出门转雪堰街镇，父母也带着到了城里住，有一回就特意驱车去了无锡城中的北大街，当年祖父十五岁开始学徒的大吉春药店所在。大吉春的老药店早就拆了，换了个如今千篇一律的水泥房子装修门脸，祖父进去东看看西瞅瞅，也是十分快活的，嘴里不住说：“全不认识了，全不认识了。”认识不认识，药店还是药店，还叫作“大吉春”，便是一个世事轮回，最后空余一些名目吧。就好像当年祖父的药店被公私合营，三四十年过去，还是政府命令，又可以改制了，集体经营又再改回私人所有，换了私人招牌。只是不复最早的主人，不复最早的经济，失传了中药规制，丧亡了中医家学，存余一个医药的虚壳。

现在想来，祖父的一生，大概是有三个不如愿吧。一个就是祖父一心学医，只是太公子女分派各务，作为次子最后学了开药店，近医而不得医。一个就是娶两房妻子生五个女儿，终于没养下个儿子。曾经也从四房里过继了个儿子来养，从小到大好吃好待，最后供到大学毕业了，总算可以挣钱回报了，一个赌气又跑回自家找亲娘了。再一个就是祖父这四八年起的新屋，那年开河铺楼板，也只铺了北间一间，还有中间楼梯间前面一块，余下还是大梁桁条空落那里。祖父过世前两年父亲做“星期天工程师”，还赚了点钱，就便宜买下一方木料，在城里解成块块木板，终于送回家来。木板直接摆去楼上，桁条上铺开也基本填满，不过请匠人毕竟大工程，所以铺楼板这事也就拖延下来。直到后来祖父生病，以后东事西事再无闲暇想起，最后直到祖父去世，直到祖母去世，直到现今，那两间楼板还是空搁未铺，不成真正的房间。

1948年起屋，祖父为自己为祖母为儿女起的新屋，当时壳子落成人皆羡慕，说：“法先生，你介好的房子，将来只有女儿女婿，白白里姓着别人家的姓，可惜的哦。”结果过继了个儿子养了白养，两个女儿招女婿，倒是添了三个姓自家姓的孙子。结果儿孙大来还是各去，曾经的新屋后来的老宅，终于没能完全完工就空置没人住了，想想就是一场空。包括我们父母，当初带儿女一心上城投更好生活去，二三十年也奋斗出两套房子来，结果我们又是各投各处，父母要跟随儿女，那再好的房子还是空置发霉。都是无谓的奋争吧，人不是蜗牛，人在家在，人去屋就是一堆虚无，终要弃终要死，尽量想开。

九一年祖父再度中风，大明堂站着跟祖母说话，一下就倒了，无锡救护车来接，中途又醒了，看见满身吊线就扯，直喊：“我要回家。”力气大得不得了，护士都弄不住，一下就又昏迷了。祖父再回家，就是一具遗体了。祖父再回家，就是一盒骨灰了。祖父一直在家，就是楼下小房间南墙他父母遗像底下他自己的那幅遗像，他就一直住在他的新屋里。

祖父（确切说是我的外祖父）姓法，名平清，人称“法先生”。

2013年7月10日

刘祥武相亲记

马宏杰

刘祥武有四个愿望，第四个是：把自己的婚事给解决了。

湖北青年的来信

2010年3月，我收到一封叫刘祥武的人写给我的信，来自湖北省孝感市孝南区杨店镇木龙村十八号。这是一个和《西部招妻》[①]里的“老三”遭遇相同的青年，也在为找媳妇发愁。他在信里写道：

马记者！我从一本杂志知道了你的事情。您跟着老三去过宁夏西海固地区，熟悉那里买妻的情况，另外还有云南等地的买妻情况。我哥哥没有劳动能力、要人照料，家中为此债台高筑，我的婚事因此受了很大影响。现在我母亲怄气去世，老父亲整天叹气，为了能有一个与我共同挑起这个重任的人，我厚着脸皮求您能在百忙之中抽空帮我提供一些此类买妻的线索或者资料，复印的也行。我今年三十多岁

① 刊于《读库0904》。

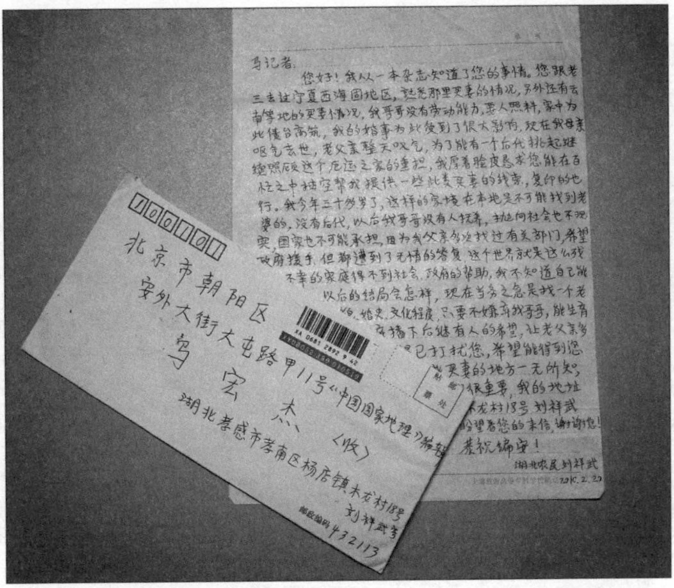

2010年3月，我收到湖北小伙子刘祥武写给我的信。

了，这样的家境在本地是不可能找到老婆的，没有后代，以后我哥哥也没有人抚养，抛向社会也不现实……我不知道自己能坚持多久、以后的结局会怎么样，现在的当务之急就是找一个老婆，不论她的相貌、婚史、文化程度，只要不嫌弃我的哥哥，能生“一儿半女”，让这个家庭后继有人，能让老父亲快乐地多活几年即可。百般无奈之下打扰您，希望能得到您的指点帮助，因为我对买妻的那些地方一无所知，不知道从何下手，您的帮助对我很重要……盼望着您的来信，谢谢您。

这封信写于2010年2月20日，我看到的时候已经是三月中旬了。我给他回信介绍了去西部找媳妇的事情：当年在那里买一个妻子需要一万多元，不知道你现在的家庭能不能承担这笔费用，这个问题需要你想清楚，如果需要什么帮助可以电话联系我。

信发出半个月后，我接到了刘祥武的电话，其后便一直通过电话沟通。

2010年12月16日，我乘晚班飞机到武汉，出机场直接打车前往孝感。等到达民间传说《天仙配》里董永的家乡，已经是夜里十一点

2010年12月17日，在孝感一家宾馆，与我电话联系近一年时间的刘祥武出现在我面前。

多。原本说好刘祥武来机场接我，可后来他又说有事不能来了。我还真有些犹豫，不免也多了几分疑心。

我到了宾馆住下，跟刘祥武通电话，让他明天早上来城里接我。他跟我说话支支吾吾，说自己很忙，最好我自己到镇上，他再去接我。我坚持要求他明天早上一定来酒店接我，然后再决定是否去他们家。

第二天上午八点多，刘祥武给我电话，说他已经到酒店大堂。我下楼，在电梯旁，见到了这个与我联系近一年时间的孝感农民。

刘祥武穿着一件薄棉袄，衣服上的痕迹像是刚干完活儿，体形单薄，不像很有力量的农民形象。在酒店的餐厅里，我请他吃自助餐，边吃边聊。他说起话来有些口吃，每句话中都有重复句子。

1973年9月11日出生的刘祥武初中毕业，高中没上，因为哥哥年纪不大的时候就生了“那个病”，家里状况又不好。后来当我见到他哥哥的时候，才确认得的是精神病。还有一个已经出嫁的妹妹。母亲很早就过世，父亲这两天生病了，所以昨天没有来接我。

“现在还在镇上医院吗？”我问。

“对，所以我就准备让你们坐车子自己过去了。我早上起来还要跟医生讲一下，看要不要动手术把那个石头取出来，他都六十多岁了。有人说不必花那个钱，那个石头你只要在饮食方面注意，不开刀也就那样……我和我哥哥在一起……一个精神病家庭是怎么生存的，怎么挣扎的，我比任何人都清楚。精神病人家里，他哪怕有一千万有一个亿，但是看着自己的亲人没有生活能力，没有生存的能力，精神上依然是痛苦的。”

“那你现在等于是为了父亲的愿望才娶媳妇？”

“百善孝为先，每当春节时人家都在享受天伦之乐，而我的家里是疯的疯，那个的那个。几个男人对着灯就那样静坐，那个场面，你不经历你体会不到，任何人也体会不到。希望家里欢声笑语，希望家里后继有人。老人这个心思，虽然是封建，但是有他的合理性。他说无论如何要我把这个婚事解决掉，不然的话就只当没我这个儿子。”

“问题是谁来给你解决这个事情？”

“就是呀，我也知道感情这方面的事情不是谁说成就能成的……我们这个地方要比你在杂志上写的那个地方（宁夏）环境好，毕竟这里是湖北，起码水是随便用，不缺水，雨水比较多，种的都是水田。”

“就是去宁夏相亲你也得花钱呀。”

“钱肯定要花，问题是人家首先要看上我，要看上我这个地方，看上我这个情况和我哥哥、爸爸的情况。我遇到的跟老三以前相的那个女的一样，她定不住心，钱花了最后她不跟我。我最近相亲的对象是湖北黄冈的，都领了结婚证，房子也按她的要求装修了，婚纱照都照了。最后她爸爸妈妈说，就他那样的家庭你去跟他干什么？结果就完了。”

“婚纱照都照了？”我有些吃惊。

“对，像老三那样去相亲。不过我们这里的相亲，每次去都拎着些礼物。见过面之后，回来分析这次相亲的情况。如果人家说，我们家的房子不在镇上面，他们家的女儿是从来没干过农活儿的等。这样的情况，基本上都不行。”

“那你先后相过多少亲呀？”

他没有明确回答我的问题：“在哪里干活儿就在哪里相亲，我十几岁就去上海打工了，广州、北京我也去过。”

“能否告诉我你确切相过多少次？”

“不算在外面打工一起随便看看电影、录像，喝喝茶的，正规的提礼物上人家门的有四五次。”

“四五次？”

“对。我现在就想相一个环境特苦的、穷地方的对象，那样成功率要大一点。”

“你说你结过婚了，领结婚证是什么时候？”

“零八年的四月二号领的证，当时把婚纱照给照了，几天后就一起去上海打工。2010年的三月份她提出和我离婚，我不同意，她家就找亲戚请律师，然后就告诉我说这个社会没有离不了的婚，分居两年后法院自然就会判决离婚。”

当我问及离婚的原因时，刘祥武在叹息和激动的交织中给我讲述了整个过程：

去上海打工后，我才知道这个女人以前有比较复杂的感情经历。她经常有病，去检查的时候才知道，是以前的感情生活导致的妇科病，最重要的是她输卵管不通，最后在上海一家妇幼保健院花了几千块钱给她治疗。当时医生说包你们能怀孕。疏通以后还真怀了，但是没有想到是宫外孕。当时在湖北一家数一数二的医院挂了专家号。这个专家连病历都不写，旁边坐着一个实习生替他写。他开了些检查的单子，然后开了一些药，说回家后你把这些药吃完了，再来我这检查。

医生是按照子宫肌瘤治的，回去后胎儿慢慢长大，但是我们不知道，还在继续吃他开出的药，结果大出血。最后在医院抢救，抢救费花了一万多块钱。我就和这个医院打医疗纠纷的官司。他们医务处说：“这个病是你得的病，不是我们医院要你得的这个病，我们医院就是没有责任。”我自己掏了两千块钱找武汉市卫生局做医疗鉴定。它收费后找了五个专家，后来这些专家做出了一个结论：“事故与你的输卵管切除没有因果关系，不构成医疗事故，但是有漏诊的存在。”这个鉴定是模棱两可的，女朋友娘家也不服，请律师又起诉到武汉市法院。法官最后调解了一下，医院赔偿我们五千块钱，等于我们的律师费三千元加上两千块钱的鉴定费，看病做手术的医药费等都没有给解决。

出了医疗事故之后，她爸爸妈妈就给她说：他家这样贫穷，你又伤成这样，以后怀孕都很困难，他家哥哥又是个精神病，我们俩又没个孩子，以后这家里怎么办？你们肯定不能白头到老。那段时间我身体也特别不好，她就是看到我们家这种情况，才起诉离婚的。

最后法院的判决理由是，她有输卵管切除后遗症，不能生育，影响双方感情，后又导致了夫妻分居，以此判决离婚。

判决后，我想能不能把我在婚姻上的花费让女方家返还一些，就又申请上诉。上诉时我没有钱，但是法院要求把上诉状和上诉费一起交上来才可以生效。我说现在我爸爸又有病，我的身体也不好，家里很困难，能不能根据国家法律政策减交、免交、缓交，法律不是有这条规定吗？最后，我直接到孝感市中级法院立案庭，他们说你先把诉状写上来等审批结果。

这段感情就这样完了，我们家里为婚事装修房屋、拍婚纱照，都是按照她的眼光和要求定的。为了娶她，家里人对她是百依百顺。这个事情对我父亲的打击很大，他每天就睡两三个小时，看着周围人家的小孩，他确实很难受。老大是个精神病，不可能有后人，我再不娶媳妇，不生孩子，家里就从此断根了，这在我们乡村是很严重的事情。

女方后来在武汉谈了一个退休的人，年龄大点儿但是有些钱，有孩子还是丧偶的。但是像我这种状况想再找，就很困难。

我和她的这段婚姻也就持续了近两年。她说协议离婚，给我几千块钱，我不同意，她就向法庭交了诉状，到现在也就是一年多。她被家人左右，再加上跟着我打工也没有挣到多少钱，她也看到，跟着我没有什么奔头。

“马老师你去过的地方多，很多地方的环境你都看过。你这次来，就把我这边的环境看一下，看看和宁夏那边风俗习惯、水土是否合适。”他把我当成风水先生了。

“关键是去那边找媳妇也得要钱。”

“钱肯定要给的，起码您在那边能给我找一个来到这里能留得住的媳妇。”又把我当成媒婆了。

“这我可说不好，只能看你要找什么样的人了，那里的女子一般要嫁到比她现在居住环境更好的地方，那她当然愿意留下来。这么多年过去了，宁夏那边的情况我也不是很清楚，就算要去，还要老三的家人给你介绍，你自己去那边相亲，最后怎么办，还得由你来决定。”

“去那里娶个媳妇需要多少钱？”

“现状我也不太清楚，估计得几万块钱。”

“几万？”他吃惊地看着我，“我看你报道上写老三的时候一万多。”

“是的，当时是这样。”

“我认为现在通货膨胀，一万多肯定不行，起码得两万多块钱。”

“你没有残疾，长相也不错，就会便宜些。还要看二人能不能相中，相中了价格会便宜些，这些因素都在里面。”我感到自己真成了媒婆。

“我就是想找一个真心跟我过日子的女人，他们一家都搬过来也可以。”他的脸上有了些笑容，“不过一般人见到我哥哥，还不知道能不能接受他这个精神病的样子。”

“你哥哥的病是怎么回事，生下来就有病吗？”

“不是，他上小学的时候。”刘祥武用不太地道的普通话把往事一一呈现出来：

一年冬天的晚上，由于家里用钱紧张，妈妈在家和父亲吵架。我们下学的时候，妈妈脾气正不好。我哥哥回来把洗脚的盆踩翘了，水正好灌进靴子里面，这样第二天上学就没有靴子穿。我妈还没消气，就说“你出去出去，滚……今晚上不让你住家里”，把他关在了门外。半个小时后再去开门叫他，就没看见他人了。那天晚上有风，没有月亮，很黑。我们以为他还在村子里，没想到他跑了。

几天后他回来就说自己身上有血等一些奇奇怪怪的事情，从此他就一直疯疯癫癫。医生说这个病只有三分之一能治好，但是好了以后也会复发。他这几年一直到处疯着去玩，但他的记忆力特别奇怪，从小给他看过病的医生他都能记起名字，给他说一次这人的名字，他能马上记住，再不会忘记。像他这样疯癫的人……我们村子里有好、好、好几个。

刘祥武说到这里突然口吃得厉害了，话语之中有些犹豫。

“好几个疯子吗？”我问。

“你可能不相信唯心主义，从我爷爷开始，祖上都是当大官的，我们家门口在过去是县衙，判案的地方，判完就在那里杀人。居住在周围的几家都被病人拖垮了。有一家的孩子得了再生障碍性贫血病，到处借债，花了几十万也没救住。我伯父的儿子也是白血病。我哥哥是精神病。我姑妈的女婿是个飞行员，出事故掉下来摔死了。还有一个大脑有问题，去小卖部里见什么拿什么，不给就抢，最后他家人就给他那个了……”

“哪个了？”我心里咯噔一下。

“反正谁也没看见，在农村消失一个人也不会有人去问的……”

“没人说也就没有人管？”

“没人去告，也没有证据。以前我们那个乡有好多赤身裸体在街上走的，这两年都死的死，消失的消失了。现在这个社会，家里遇到这种情况，也不能怪家长心狠。我也亲身体会到，我哥哥不洗衣服、不洗澡、不刷牙，智商跟两三岁的孩子差不多。他二十岁在精神病医院接受治疗的时候，拿起棍子把只有九岁的我打得头破血流……谁家要有这样的病人，确确实实承受不起。我哥哥就是这样，他不死我也成不了家，所以我父亲压力特别大。有人给我出主意说，冬季把你哥哥带到东北，他一下车不久就会冻死，这样就可以脱去这个包袱。我实在是不忍心自己下手，要是有人愿意把他带出去让他失踪，我也不反对，但是让我下手，我下不了手。为什么呢？因为和谁成为兄弟姐妹你是无法选择的。”

刘祥武的家人，好像生活都不幸福。“我父亲是兄妹几个里生活条件最差的。我妹妹也没有嫁到一个有钱的人家。由于娘家经济不好，妹妹经常贴补我们这边，最后跟夫婿家闹了矛盾，结婚三四年，

2006年也离婚了。她有一个女儿，现在一个人在上海打工。有了这些失败的婚姻，我知道这次去宁夏相亲的风险很大，但是比起我们本地的婚姻状况，确实简单点。到那里买过来一个媳妇，哪怕买一个离过婚的，带一个孩子的也可以。”他很自然地将话题从妹妹转到自己的身上，“但是来到我们这里的女人能否留得住，也是个问题。我家里穷，加上哥哥是个精神病，人家愿不愿意跟我都是个问题。我想找个外地的，她不会计较钱多钱少，不缺吃不缺穿能和我过日子就行，不要求她的文化程度，什么都不要求。同时我也没一个固定工作，没有一技之长，今天打个工，明天当个保安，后天都不知道在哪儿。我要是有一技之长或者有个稳定经济收入还好一些。”

“你们家有多少地？”我很自然地联想到了这个问题。

“就剩下一二分地，以前我们家老头子种些口粮够吃喝。我们这里种水稻、芝麻都可以。自家里出了这些事情，在村里也抬不起头，家里的土地一分钱也不要，都包给外地人种了。我们孝感是全国有名的‘建筑之乡’，每年很多人都到东北、俄罗斯做建筑工程，做一个平方就好几块，一年下来能弄好几万。我的身体不好，干不了这种体力活儿。”

“村里像你家这样困难的人多吗？”

“村里有两家生活条件比我们家还差，有一家最后都死光了，儿子爸爸妈妈都死了。开始脸色蜡黄，后来才知道得的是肝腹水，没有钱医治就到乡政府闹，政府也就给些棉衣、面条，挺了一段时间就死了，那个孩子跟我一个年龄。村里还有一个瞎老太太，政府把她算作五保，给她盖了一间房子。村民大家给她的捐款有三四万，有专人负责这些捐款的支出，等于村民们花钱养活她。她死后政府花钱把她的丧事给办了，也算还不错了。我有几个本家宗亲，都没有结婚。这里男多女少。人老了也不愿意去福利院，就住在庙里，自己种些口粮。政府原来准备给他们盖房子，他们觉得房子小，住庙里宽敞。在福利院吃得不好，照顾他们的人态度也不好，庙里是个行善的地方，不会受到冷落。我主要担心我哥哥的病情，这几年他也不打人不骂人了，就是吃和玩。我觉得这个情况应该是病情好转了，要是政府能伸手把他送到医院继续治疗一下，也许就能回到社会，那该多好。”

“村里有人失踪，别人也不过问？”

“我们这里每个镇子都有七八万人口，派出所也没有那么多警力管，他们也不下到村子里来。我们附近村里有一个女孩子，打工时跟人家谈恋爱，最后人家抛弃了她，她拿一瓶农药就喝了下去，经过抢救现在成了植物人。他爸妈出去干活儿，都带着她在身边，很可怜。以前那么漂亮的一个姑娘，被搞成现在这个样子。还好这家的父母有良心，没把她弄消失，让她活着给她一口饭吃。其余的疯子，大部分都没有了。”

“都消失了？”

“嗯，活不见人死不见尸。我们村里有一个哑巴，身体好，在外面很能挣钱，出去游走的时候带回来一个贵州女人做老婆。后来这个女人又看上我们村里另外一个小伙子，跟着人家跑了。哑巴冲到小伙子的家里，把他家给砸了，发出誓言：‘只要我活着，你们两个就别想再回到村里，回来就把你们杀了。’”

“当地光棍很多？”

“多，男女比例失调。每个医院都贴着禁止B超的标语，禁止鉴定胎儿性别，但是实际情况就是男的太多了，找不到媳妇，而且我们当地很多女的去温州、深圳打工后，就嫁到那里了。”

吃完饭，我和刘祥武一起前往他家，孝感市孝南区杨店镇木龙村。

打车到镇上，我先去了县医院，看望刘祥武住院的父亲。老人因为胆结石发作，正在病床上输液。老人家感谢我来这里看望他，同时也很希望能在我的帮助下给祥武找一个媳妇。

离开医院，祥武带我去村里。刚进村，就见一座破旧的木龙庙，刘祥武说这里就住着一位独身老人。

刘祥武家的房子看起来还不错，二层小楼，只是屋里没有多少值钱的家当。楼后面是他们家已经坍塌的老宅，面积有二百多平方米，从房子的大梁和雕花窗可以看出，那个年代这户人应该是很富有的。刘祥武说这里以前就是衙门，衙门拆掉后他爷爷盖了这些房子。

老宅里有一间还能住的隔间，门窗屋顶都仅剩一半，这里就是

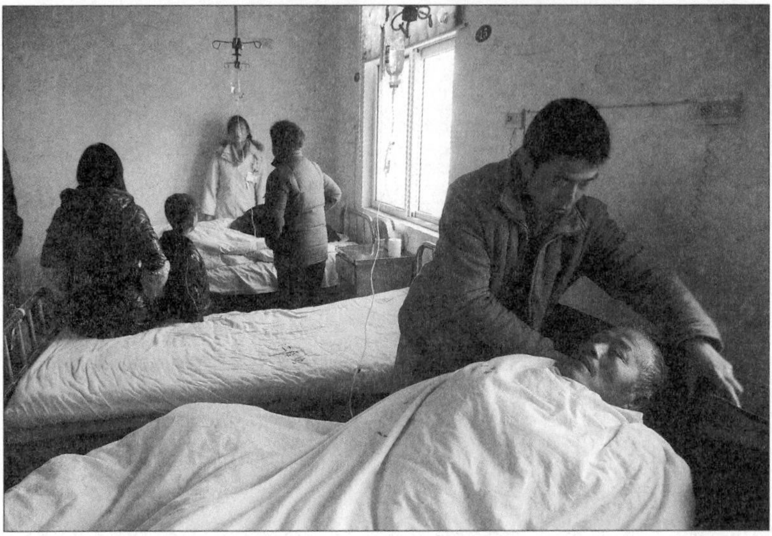

刘祥武的父亲胆结石发作住院，他念念不忘给儿子找一个媳妇。

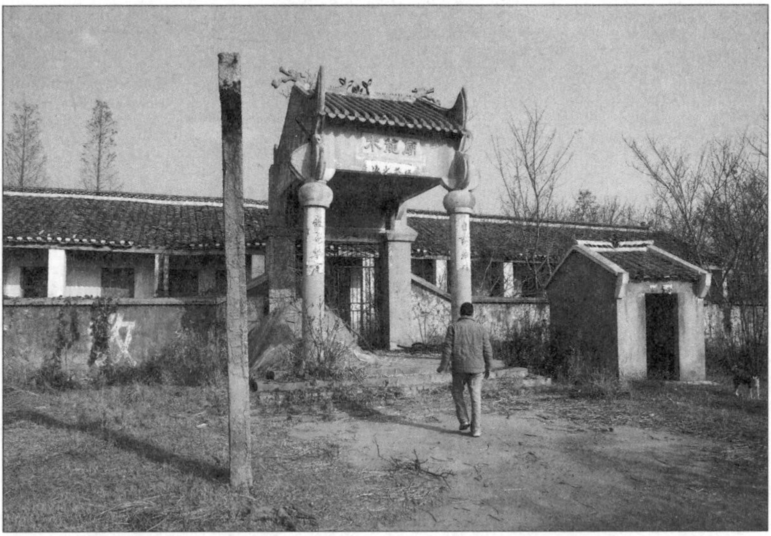

刘祥武的老家：孝感市孝南区杨店镇木龙村。村口有一座破旧的木龙庙。

刘祥武家的二层小楼看起来还不错。

楼后面是已经坍塌的老宅，从房子的大梁和雕花窗可以看出，那个年代房主应该是很富有的。

刘祥武说这里以前是县衙门，衙门拆掉后他爷爷盖了这些房子。

刘祥武的哥哥住的地方。

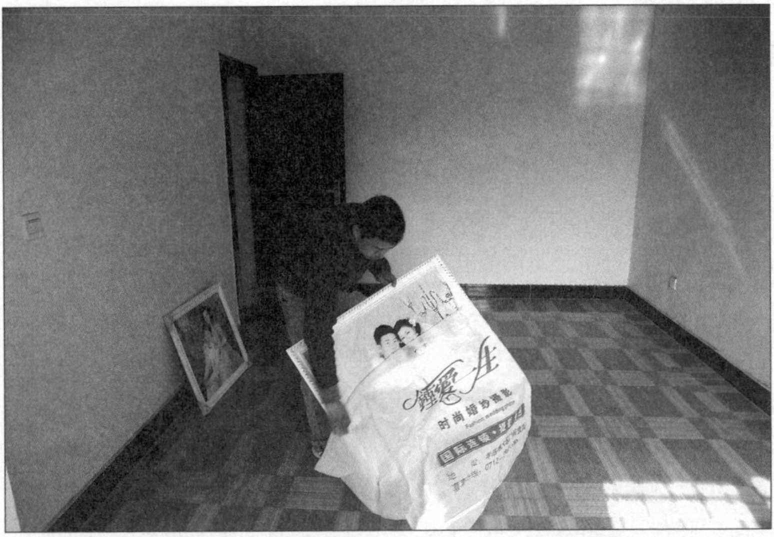

刘祥武拿出两幅他和结婚不久又离婚不久的妻子的婚纱照。

拿着婚纱照的刘祥武站在这栋冷清的楼房里。

刘祥武的哥哥住的地方，里面像垃圾房一样。刘祥武说他哥哥白天出去，到晚上才会回来。

在二楼装修的新房里，一切还都是新的，就像昨天刚完成一样，只是很冷清。刘祥武从楼梯一个隔断上拿出两幅婚纱照，这是他和结婚不久又离婚不久的妻子的婚纱照。

在刘祥武家的门口，一个剥花生的村妇告诉我说："他就是没有举行婚礼。要是公开办了婚礼，那女子也走不了。"她说的也许是对的。在乡村，一个隆重的婚礼远比一张结婚证重要得多。

之后，刘祥武带着我去田间的一座庙。这座庙叫"修来寺"，谐音"修来世"，应该是村里人自己取的名字。庙门口坐着几个村妇和尼姑，看来这是个尼姑庵。刘祥武和门口的妇女、尼姑打过招呼就进庙里，二话不说，在庙里的每个神像前磕头。

出来后我问他："你在神像前磕头许了什么愿？"

"我什么愿也没有许，也从来不许愿。进庙就希望有一种神秘的力量帮一帮自己，但是现实中那些实际的东西还是得靠自己。"

"你为什么信神？"

"就一种心灵的寄托。我妈妈活着的时候说，以前有人给我算过命，算命的说我是家里最有福的一个人，现在看来我是一个最没有福的人。"他一边走，一边说着，"我母亲去世的时候是五十一岁。那时候还征收农业税，我的家里本身就很困难，派出所就拿着扁担、麻袋，去家里称粮食，强行征收。没有钱，就把家里的大门给卸下来拿走，晚上睡觉不能关门。交完农业税后，家里留下的粮食只能勉强喝口稀饭了，我们几个孩子一年都吃不到几次肉。后来国家把农业税给取消了。我父亲和伯父都出生在当官的家庭，大概受家庭遗传的影响，都是读书人的身体素质，干不了农活儿。我上学的时候，校长和班主任都说我学习很好，将来就算考不上清华北大，考个武大不是问题。由于家里穷，我的学费总是从开学一直拖到年底还交不上。父母也总为家里的经济困境发生争吵，造成他们婚姻很不幸福。2002年，一个很冷的冬天，我母亲早上起来后就倒在地上，当时人还能说话，但是身子好像偏瘫一样站不起来。我们把她送到镇医院，镇医院说这种病要往武汉送，孝感不好治。她是大脑血管破裂，医疗费得好几万块钱。当时给我哥哥治病花的钱还没还清，在那样的情况下我们只能把她拉回家，在家里躺了几天后，就那样死去。”

刘祥武说完这些，一脸无奈，又显得很平静。

中午时分，我们俩刚吃完饭，医院就来电话，让他的父亲转院，说是病情加重。后来我才知道，是我在医院的拍摄让医院感到不安，就借机让病人转院。

第一次见面匆匆而别。本想看看刘祥武的哥哥，也没有见到。

19日，我在宾馆，刘祥武来电话说，由于忙着照顾住院的父亲，家里的哥哥没有饭吃，犯病了。他回家做饭时，被发病的哥哥用木棍打在头上，在医院缝合了九针。

后来，刘祥武的父亲还是做的保守治疗，没有动手术，节约了一些钱。

宁夏相亲

从2009年开始，《西部招妻》中的主角老三生活进入了相对的平静期。他在一条街道扫地，每月能挣八百块钱。媳妇红梅在一家餐馆洗碗，一天十二个小时，每月给她六百块钱。一家三口加上孩子，老人双目失明，老三是残疾，红梅也被村里人认为是个不聪明的人，但他们的孩子倒是很招人喜欢。母亲和老三现在吃着国家的低保，也想给红梅办一个，这样一家人的生活起码有了最低保障。可谁知道红梅的父亲在他们结婚的时候留了一手，把结婚证上的名字写成了红梅姐姐的名字。这是打算红梅要是过不好和老三分手后，就可以把她再嫁给别人。

2010年10月，村子里开始有拆迁的风声，牵涉到赔偿补助，这下可急坏了老三的母亲，催他们去宁夏红梅老家解决户口的问题。从他们结婚到现在，一家人的户口还没有上，村子里的福利从没有给过这母女二人，就是因为结婚证上的名字不对。

知道他们要回宁夏后，我就把刘祥武的事情给他俩说了。红梅愿意做介绍人，帮助刘祥武相亲。

12月20日，我和刘祥武电话约好准备去宁夏相亲，在固原县火车站见。

12月26日上午十点多，我从西安乘飞机到达固原，和已经在那里等候的老三夫妻俩，以及凤凰卫视“走读大中华”节目组在固原县红宝宾馆汇合。“走读大中华”节目组是得知消息后，想就这个素材做一次采访。

刘祥武乘坐的火车下午两点多到达固原火车站，我们一行在那里会合后，租了两部出租车，赶往红梅的老家固原县郭庙村。

红梅家和她叔叔家就在一起，红梅家是一所孤零零的房子，房子建在地头，砖土混合房，连个围墙也没有，和她叔叔的房子隔着一个打麦场。叔叔家的房子是一所院子，一家人住在一起，条件显然要比红梅家好上很多。对于我们的到来，在院子边干活的红梅的婶婶显得并不热情——来之前，红梅和婶婶打过电话，婶婶毫不客气地告诉她不要回来了，因为红梅的父亲在11月29日已经得病去世。

喧闹声惊动了屋里的人，红梅的叔叔和妈妈走出院子，这才把我们让进她家的屋里。进屋之后，一家人看着红梅，欲言又止。

红梅的叔叔看起来是个精明能干的人，家里的条件也不错，儿子是开工程机械的。和我们聊天时，叔叔才说出自己的不满。原来哥哥死之前他们给红梅打过几个电话，希望她能回来见上父亲一眼，可是红梅就是没有回来，“现在回来干吗？看到她就生气”。

我问红梅是不是这样，红梅说：“叔婶是打过电话说父亲快要死了，但是我们一家人就是不相信，理由很简单，父亲生前经常说谎，这次一家人还是以为他说快死了，用这个骗我回家。如果我那个时候回来，也许就再也回不去了，所以我不想回来。”

事情的缘由是这样的：1998年9月，红梅和婆婆家人吵架喝药自杀，被抢救过来后，就被父亲带回家里。在家的两个月里，父亲先后给她找来两个男子相亲，准备把她再次嫁出去。两个男人一个没有相中，一个愿意做上门女婿。红梅的父亲要价八千元彩礼，即便是这样低的价格，那个男人也拿不出来。

红梅和老三结婚的时候，她父亲就多了一个心眼，把红梅结婚证上的名字“者红梅”写成姐姐的名字“者红霞”，用的是红梅的照片。地方民政部门没注意这样的事情，就稀里糊涂结了婚。叔叔对她父亲的这种做法提出异议，想劝阻，红梅的父亲就打电话向老三要钱，威胁说要是不给钱，就把红梅再次嫁人。也就是那个时候，红梅给老三的母亲打电话说要回去，婆婆给红梅邮寄了路费，她才又回到洛阳。这就是红梅不相信父亲死亡的真正原因。

红梅的婶子说：“红梅家养了三个女儿都不孝，老人死的时候一个都不在场。红梅父亲快死的时候最惦记的就是红梅，我们一家人多次给她打电话她都不相信，今天回来进门也不知道哭上一声。二女儿在老人死前来过一次，死时也不在场。大女儿自从十二年前回来过一次，之后就音信全无，也不知道和父亲有多大的怨仇。”

红梅本来有个哥哥，十三年前在工地打工时出事故死在一个水塘里，从此家里再也没有男孩。红梅的大姐嫁到了河南济源乡村，具体在哪里红梅也不知道，至今已经十二年没有和家里联系了。他们的父亲脾气不好，姐姐是家中老大，从小就经常受到父亲的打骂。

十二年前，红梅的大姐带着两个孩子从河南坐火车回家，到西安段时身上的钱和车票都被小偷偷去了，由于没有车票，在一个小站被列车员赶下列车。一家三口边走边要饭，走了七天才回到固原。返回河南的时候，姐姐向父亲要钱，父亲不给，还是叔叔一家人给了帮助。返回济源的姐姐从此再也没有回来过。

红梅的母亲视力不好，父亲死后，她就跟着弟弟一家人生活。现在突然看到女儿回来，她很高兴，一再问红梅，是不是想她了才回来。

红梅坐在沙发上，母亲单腿跪地趴在她的腿上，拉开女儿的羽绒衣看看里面穿的是什么，又看看女儿身上的裤料说：“女儿你有钱了，穿得这么好，我过去跟着你过吧。”红梅看老三面露难色没有吭声，过了一会儿拿出一百块钱塞给母亲，母亲推辞一会儿，就接下了。

家里的气氛总是沉闷，充斥着埋怨的情绪。由于叔婶家里根本就没打算理会红梅这次回来，所以也没提前给刘祥武物色合适相亲对象。

老三夫妇俩回到红梅的固原老家。

红梅的娘家只剩一间屋子，父亲已经去世。

刘祥武留心观察了红梅老家的情况，感觉自己不太可能在这里找到媳妇。

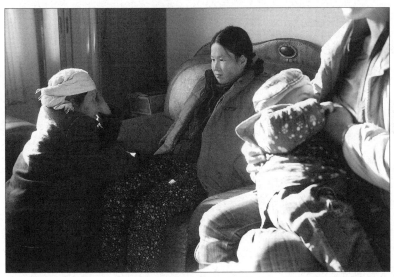

红梅的母亲看着女儿身上的穿戴说：“女儿你有钱了，穿得这么好，我过去跟着你过吧。”

坐了一会儿，在我们的追问下，红梅和母亲去周边的村里给刘祥武寻找相亲对象去了，我们在家里等着。这时，在外面转悠的刘祥武突然叫我，他指着门口的三头牛说："马老师过来看，她叔叔家条件还不错，和以前你跟老三去的那个二妞家不一样，这三头牛就值两万多，从这一点来看，这里对我们可能不行。家中还有自来水，这种情况不像联合国环境与发展大会描述的不适合人类生存的地方。"

我突然觉得这个刘祥武倒是挺会观察，知道的也还不少。

他告诉我，希望去一个大山里更偏僻的地方，找一个更穷的人家，那样的姑娘才会跟着他安心过日子，也不会跑掉。

一个小时后，红梅和母亲回来了，告诉我们说："大姑娘都嫁了，小姑娘都还小。"

这里是待不下去了，把老三和红梅留在这里，我们回到了固原。

早晨在宾馆吃饭，每个房间送两张免费餐票。刘祥武房间里就他一个人，他吃完早餐后，拿着另外一张餐票走出宾馆，准备把餐票送给别人，说这张餐票不吃就浪费了。

他跑到宾馆旁边一家牛肉面馆，对那些准备掏钱买饭的人说："我送你一张免费的餐票，你可以到宾馆去吃。"大家都很狐疑地看着他，没有人接受。他又跑到马路边，对两个过路的小伙子说，人家还是不肯去。

"现在的社会，人与人之间太没有诚信了。在武汉街头就有一些推销化妆品的，态度很好，把你带到屋里试试效果，等给你脸上抹上一半化妆品的时候，另一半脸就要付钱了。这种做法败坏整个社会的诚信。"他对在一旁拿着相机拍摄的我说。

商量一番，我们决定去找开城乡的马玉仓，看他有没有办法。当年为老三相亲时，我们就曾经找过他，一个靠说媒赚钱的人。

下午一点多，我们到达开城，原先住在马路边的马玉仓家已经没了，因为道路扩建的原因，他家被扒掉。找人打听，我们来到村头马玉仓的新家。

自从2001年2月我们离开马玉仓家去泾源县相亲后，和他有十年时间没有见面了。开始的时候还通过电话，后来就失去联系。一见面，

刘祥武在大街上要把多余的餐票送给人，但人家不肯去。

老媒人马玉仓说，暂时没有合适的，价格也都不是十年前的了。

马玉仓就把我给认了出来。他戴上了眼镜，也谢顶了，人倒显得斯文许多，得知我们此行的目的后，答应帮忙。

我们在他家等着，两口子都出去给刘祥武找合适的相亲对象去了。

这时老三给我打电话，红梅的叔婶非要让他们俩把母亲带回洛阳抚养。老三的母亲坚决不同意，她自己已经双目失明，说再来一个瞎子谁来照顾。老三和红梅准备以出去买东西为由逃离叔婶家，晚上就回洛阳。

下午四点左右，马玉仓两口子陆续回来，说暂时没有合适的，价格也都不是十年前的了，现在娶一个媳妇的彩礼钱就要五六万。刘祥武一听这样的情况，就说不等了，因为他没有这么多的钱。他的心理价位是两万左右。马玉仓说："别急，你再等几天，也许能找一个离婚的，那样价格就会很低。"

我们回到宾馆，老三、红梅已经回来了，没有带红梅的母亲。他们是借口出来买东西，把身上带的东西都扔在叔婶家溜出来的，已经买好晚上回洛阳的车票，准备回家了。红梅说，这次走以后，再也不可能回这个家了，家里唯一的一间房归叔叔所有，她也没法再回来了。两年后我得知，红梅的母亲被叔婶送到了敬老院。

30号晚上，由于有采访任务，我提前从宁夏离开。之后刘祥武的相亲可谓到处碰壁。其实在他踏上火车的第二天，父亲就因为在外面吃了一碗带肉的面造成胆结石发作，但是为了不影响相亲，就没有告诉他。他往家里打电话没有人接，又打到亲戚那里，才知道父亲已经住进医院。他就买当天的票回武汉了。

刘祥武到家后，孝感的市医院要求先交一万五手术费，而乡里的卫生院只要六千块钱就能做手术。为了省钱，他们只能选择乡卫生院。做手术的前三天，也就是2011年1月8日上午，刘祥武在家给哥哥做饭时，哥哥突然拿棍子冲了进来，照着他的脑袋就是一棍子。刘祥武的身材远不如哥哥壮实，只能捂着脑袋跑，哥哥一路拿着棍子追打。这一棍子让他又被缝了二十多针，医生问要不要打破伤风针，刘祥武说："多少钱啊？"医生说好的一百四，一般的二十多元，好的不用做皮试。刘祥武不愿意掏钱，就没有打。哥哥这病几十年都没有发作过了，这次因父亲住院、他在宁夏相亲，没有人给做口热饭，加上这几天都在下雪，饥饿寒冷引起他的病情发作。

11日上午，父亲在乡卫生院做了手术。这个手术要是在市医院，不开刀用内窥镜做，创伤会小一些，而乡卫生院用的是传统的开放式手术。手术后两天，刘祥武给我电话说父亲还觉得很疼，做手术的时候医生说胆管和肝脏已经发生粘连，胆囊已经部分钙化。父亲这几天住院加上自己被哥哥打伤缝了二十多针，刘祥武说他已经没有时间照顾哥哥，他买了一箱方便面放在哥哥床上，随他吃吧。

刘祥武到孝感市有关部门，把哥哥的情况反映了一下，乡里已经给他写的情况盖了章，让他找更高的部门去盖章。有关部门的答复是，他们只收留对社会产生危害的“武疯子”。

刘祥武终于把哥哥哄进了孝感市精神病院。当地政府特批一万块钱资助，加上祥武自己出的七千元，这些钱只够哥哥在精神病院里待上三个月的时间。过了这三个月，要是拿不出后续的钱，哥哥就得出院。

2011年1月21日，我再次来到孝感，和刘祥武约好去医院看看他哥哥。我一直担心精神病院是否让我拍摄。刘祥武说没有事，医院里他熟悉。

精神病院的病房是有铁栅门的，为的是防止一些病人的极端行为。刘祥武的哥哥和另一个病人关在一起，他们俩的病是不能随便出来的。看到刘祥武来，哥哥就想出来，但是看着我拿着相机，就不往门口走。刘祥武拿出一块钱来，才把他吸引过来。哥哥反复说着要回家。经过医生的同意，我们俩进去病房。看见大夫过来，两个病人也不敢多说，看样子是挺怕大夫的。

病房里肮脏不堪，开放式的便池就在屋角，吃的饭像是给动物喂的食。

大夫说，精神病在全世界范围至今是无法查出病因，更无法彻底治愈的，只能用药物控制病人的兴奋程度，减少对人的攻击。精神病院里一些没有攻击性的病人可以在走道里溜达，对这样的病人，医生还时不时哄哄他们。被医生哄，对他们来说是一件很开心的事情。

从医院出来，刘祥武跟我说：“在这样的环境里，一万七千块钱

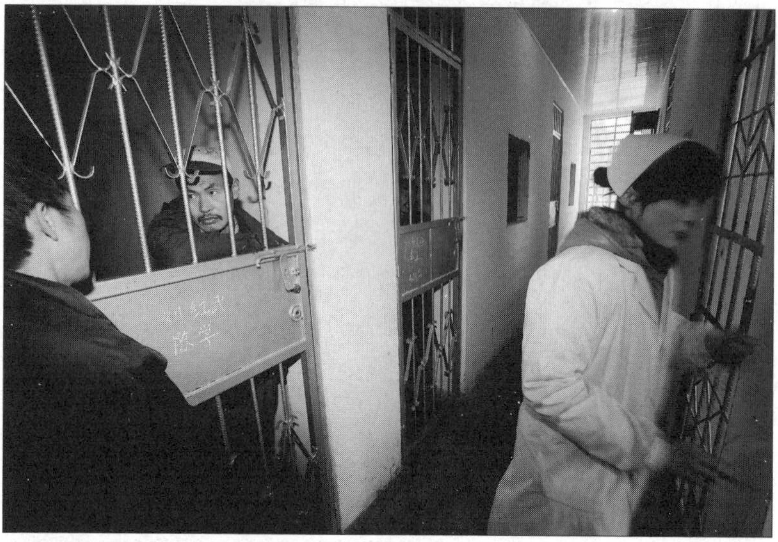

在精神病院，刘祥武把哥哥吸引过来。哥哥反复说着要回家。

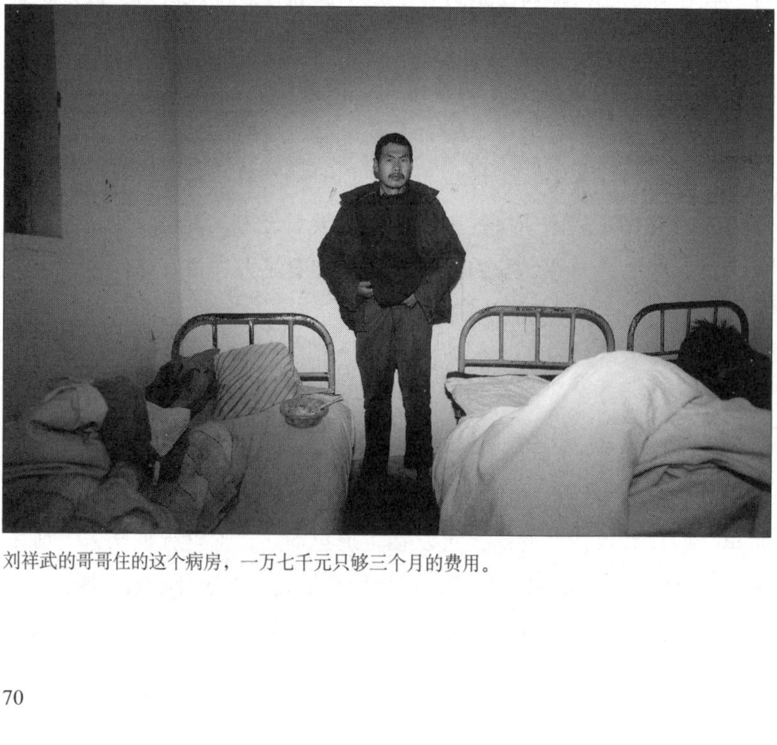

刘祥武的哥哥住的这个病房，一万七千元只够三个月的费用。

应该够哥哥这样的病人治疗半年的，可是人家说就够三个月费用。没办法，现在什么人都要赚钱，即便你是精神病，也要从你身上赚钱。”

我们又去了刘祥武的大伯家。因为他告诉我说，他爷爷有一些证物存在大伯家，我很想去看看这些从台湾寄来的东西。

刘祥武的大伯家住在一幢很旧的四层楼房里，水泥外墙面已脱落不少。刘祥武敲了很久，伯母才过来开门，并且隔着门问了很久。刘祥武说她经常出现幻觉，总觉得有人要来偷他们家的东西。

进屋以后，发现里面比外面更破旧，墙面脱落后被钉上了蛇皮布做遮盖，前后的门窗上绑了很多木栅，伯母说这样能防止小偷进来。其实屋里面真的没有一件像样的东西值得偷。寒冬腊月，窗户上居然没有玻璃，整个屋子前后都是透风的。屋子里阴冷得坐不住人，我觉得站着更暖和一些。

刘祥武的大伯身体不好，躺在被窝里。刘祥武找出那些年台湾方面寄来的一些信件：有死亡老兵家属补偿表，有财团法人海峡交流基金会公告，有“军管区司令部兼海岸巡防司令部”简便行文表等。

刘祥武的爷爷叫刘杰吾，1948年到台湾后改名为刘新吾，在国民党部队做到财务上校，也就是财务官，1974年死在台湾。按照台湾当局的抚恤规定，可以给在世遗属一些补偿。这些信件都是办理遗产和补偿的文件，但当时刚改革开放，政策不明，手续复杂，需要到很多部门办理这些手续。后来这些文件寄到了，那边也没有兑现。

从大伯家出来，我们又去了刘祥武的家。因为快要过年，他在上海打工的妹妹也回来了。父亲做完手术在家恢复，穿着一件军大衣避寒。

我问老人，家里的风水是不是不好？是不是和这里是衙门有关？老人说：“我们这里有句俗话说‘前人当官，后人打砖’，意思就是说前人都把福气用完了，后人就得受罪。人一旦生活不顺，经常出事，就会往这些方面去找原因。”

刘祥武的妹妹说话也不多，我拍摄的时候她还很不好意思。她说哥哥上电视找媳妇，会不会被人笑话。

由于我是回族，让他们家这顿饭成了素斋。吃完饭，祥武找辆车直接送我去机场，我连夜赶回北京。

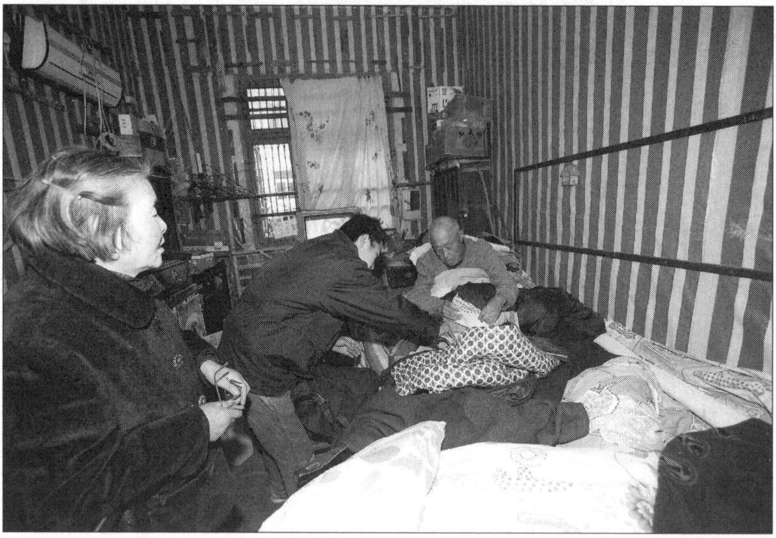

刘祥武大伯家墙面钉着蛇皮布，门窗上绑了很多木栅，伯母说这样能防止小偷进来。寒冬腊月，窗户没有玻璃。

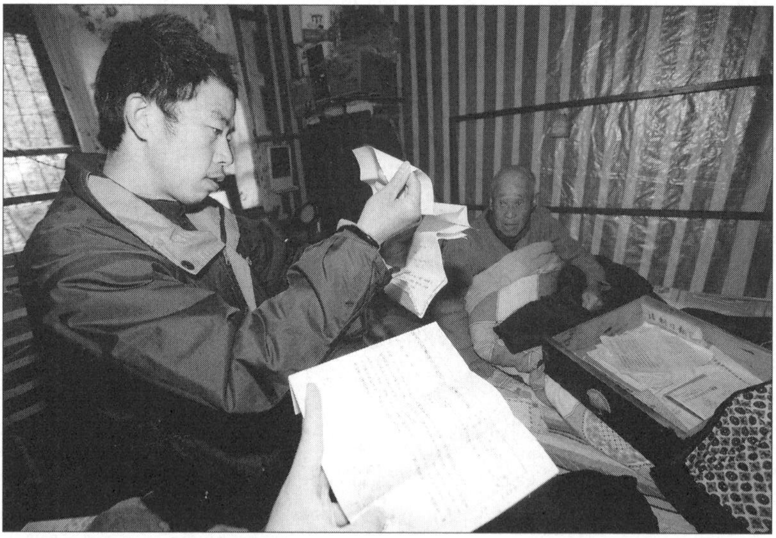

刘祥武找出那些年台湾方面寄来的一些信件。

刘祥武和父亲、妹妹在家门口合影。因为要过年，一家人难得团聚在一起。

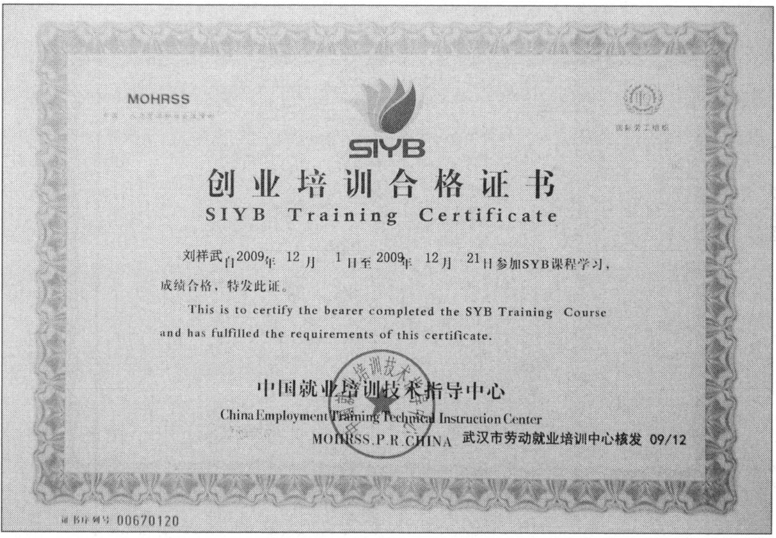

刘祥武很好学，这是他参加职业培训获得的证书。

2011年2月11日，凤凰卫视播出了刘祥武去宁夏相亲的节目。之后他给我打电话说，对他没有什么作用。电话中我们是这样聊的：

“村干部看到后第二天就跑到我们家，让我不要再做这样的节目，丢人。连我堂哥都笑我，说我丢人现眼。他们播出的时候也不跟我说一下，让我审查一下。”

“怎么说是你的事，怎么播是电视台的事情。你有什么权力审查人家的节目啊？”

“其实我的目的不是炒作，我的目的是相亲，电视台没有把我真实想说的播出来，反而让人觉得我是个傻子，这样对我名誉加分还是减分啊？”

“人们以此了解刘祥武是个什么样儿的人，是一个善良的人，社会上需要你这样的人。”

“我没图什么，也不用可怜我，也不用心疼我，我也不要虚的，我的目的就是要有一个家。在中国这个社会，像我们这些底层的人，有些事宣传了，得不到半点效用，反而对自己一生很不好。”

厄运连连

2011年春季，刘祥武给我打电话说，他在郑州一个工地打工。由于我自己的工作紧张，就委托郑州的一位摄影师去给他拍摄几张工作照，我准备看看他之后的日子是怎么过的。

在郑州打工的条件艰苦，待遇极差，所以刘祥武和几个同乡又准备一起去东北，看看能不能找到待遇好一些的工作。4月27日，他们一行六人，乘坐K926次列车到达长春。

我要求他找个本子写一些日记。这个方法开始还是不错的，只是后来他就不怎么写了。这是他写的日记：

4月27日：K926次十点到达长春站，大包小包行李拿着，在车站广场找旅店。这次从郑州过来车票的费用就花了二百零八元，经济压力蛮大的，好在几个老乡以前来过长春，轻车熟路地找了过去，每人

刘祥武在郑州打工。　　　夏里巴人　摄

刘祥武在郑州打工时的工作照。　　　夏里巴人　摄

十五元，挤在一间房里。

4月28日：打听到老乡联系好的工地，每人分摊三十八元的费用在工棚里铺床住，上下两层，男女混住，用布帘子隔开。

4月29日：早上五点钟起床，二十分钟吃完饭我和老乡一行六人上了五楼。我们干的是一户一结的活，有时一天一结账。由于手艺不佳，这一户干到天黑也没有干完，而且老板说好几处要返工，当天没有结上账。

晚上在厕所里大便时又发现了鲜血，曾经以为是痔疮，开过一次刀。但后来还是发现有血，医生怀疑是肠炎、肠息肉或者肠癌，建议住院确诊。我没有钱治疗，不料活儿一重就症状加重。

4月30日：今天两人返工，接着干昨日没有干完的活儿，我和其余四人在工棚睡觉，中午十一点左右打车到火车站，每人又花去八元钱。

5月1日：老乡说要去大庆，要我出钱买车票。我想这样跑来跑去也挣不到什么钱，况且身体也吃不消，于是就没有同意。他们劝了一下后也没有坚持，可能也是我干活不怎么样，拖了人家的后腿，就都走了。

这么一下子分开，刘祥武就像一只离群的孤雁一下子没了主张，只得硬着头皮在火车站周围边走边想。突然在东一街一个空调外机的缝隙里发现一个黑色钱包，他扎起袖子把手伸进去拿了出来，开始只发现两张铁路中心医院的医疗保险卡、身份证、VIP卡，后来仔细查找从里层找出了一个“小烟卷”，伸展开来是两张去北京的车票：D22次长春到北京，票价239元，5月2日15：22开。

拾到钱包后，刘祥武第一时间给我打电话说：“马老师我拾到一个钱包，里面最值钱的就是这两张动车车票了，你说我怎么办？”

“祥武你准备怎么办？”

“要是去把这两张车票退掉，就能有四百多块钱的收入，但是那样不好。要是交给警察和失主，人家会不会说里面的钱是我拿走的，说不清楚更麻烦。”

我说：“祥武你要想好了，这两种可能都是有利弊的，好人有时

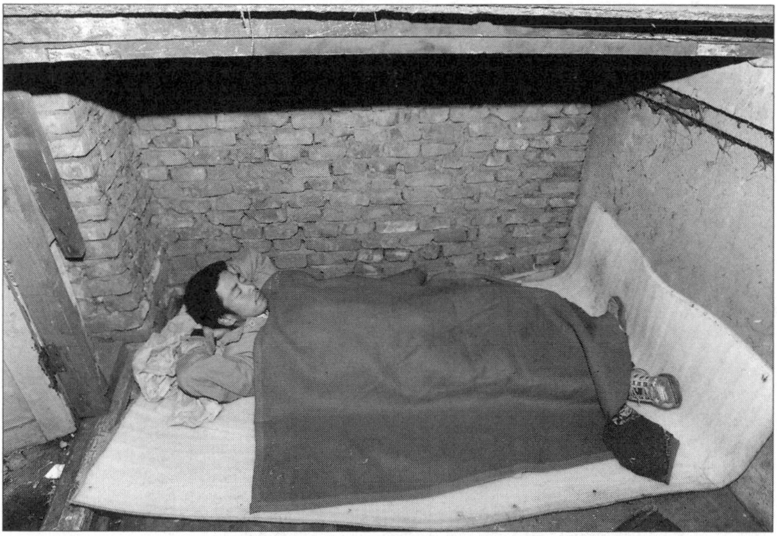

刘祥武在长春住的工棚。 邓立亚 摄

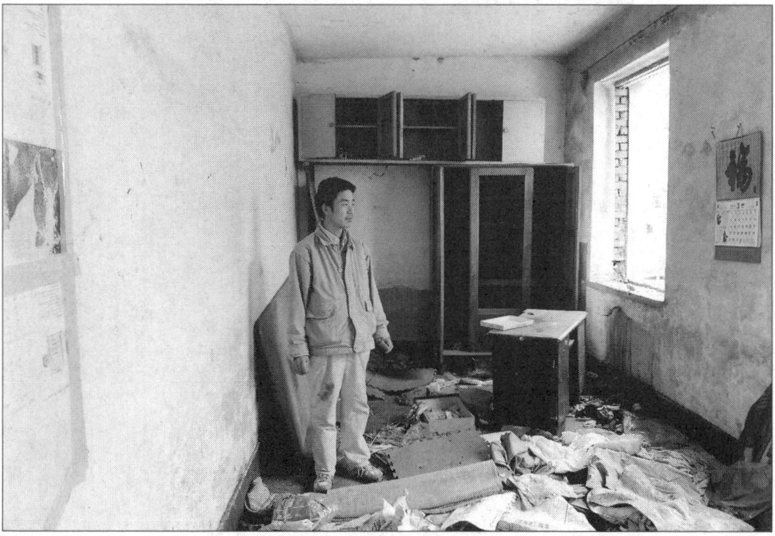

刘祥武身体弱，干不了太重的活儿，影响到大家的收入。最后几个同乡弃他而去。 邓立亚 摄

被同乡甩在长春的刘祥武在火车站徘徊。邓立亚　摄

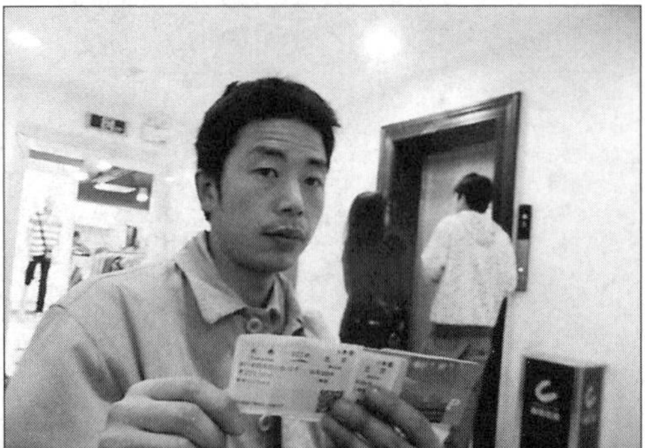

拾到这些物品引发的风波，给他带来了困扰。邓立亚　摄

候不是那么好当的，别好人没有当成，再被抓进去关起来，就不划算了。”

我想了很久，又给刘祥武打过去，结果没有人接听。

5月2日，我收到一条祥武的短信：“我的手机提示声很小，如果没有回音就打电话提醒我。我现在北京大街农业银行旁的拆迁房里住，车票和身份证等已经通知了电视台，播出后可能会找到失主。”我才知道他跟报社和电视台说了此事，当晚就播出了寻物启事。结果不出所料，此事给他带来了麻烦。失主不但认为钱包是他偷的，还报了警，警察来电话让他去派出所接受调查。

当地的一家媒体对此事也进行了报道。

在公安机关做好登记后，钱包物归原主。但刘祥武觉得自己很冤，失主打电话对他说：“我就是公安局的，你要是不把这个钱包还回来的话，你就要触犯法律了，我们要追究你的责任。”他对我说，我思想也在波动，五一车票很紧张，票贩子好多好多，一张票至少能加个一百五十块钱。我到最后都没有卖，找我妹妹打了八百块钱过来。而失主在派出所见到我的时候，一句“谢谢”都没有。

刘祥武不满报道中没有把他的真实遭遇写出来，比如他被失主诬陷成小偷，失主收到钱包后并不感谢他等情况。随后他三番五次找这家报社，和写这篇报道的记者理论，甚至扬言“我非要把你告倒，搞得让你下岗”。最后他居然跑到市委宣传部去反映问题，其中一个女记者被他逼得落泪。其间我还和这个女记者通过电话。其实记者的出面在某种形式上确是帮了他，否则也许他真就被定为小偷了。

最后是报社社长出面，给刘祥武做了专门解释，这事才算了结。他说：“我刘祥武也是见过世面的人。”

从这件事上我发现刘祥武很会利用媒体，只是这种利用并没有给他带来多大好处，反而让他沉浸其中不能自拔。

他被中介骗上渔船也是用这种方法解脱的。

6月11日，祥武在长春的大街上看到一条招工启事：辽宁东港市招聘海上捕鱼船员，一年两万八千元，包吃包住包路费，每月可借支。想到这样干一年就能有钱找媳妇，他就报了名。报名前他给我打电话征求意见，我说："你要想好了，出海对一个没有坐过船的人来说是很难受的，而且海上不像在陆地有什么事你能跑，上了船，一切就不能由你做主了。"我交待他一定要把去的地方和船主的名字搞清楚，然后发给我，万一有事也能有线索。

刘祥武和他们签了劳务协议。6月13日，他给我发来短信："坐了一夜火车到丹东车站，再坐几十公里汽车到东港市，再坐车到杨晶码头（附近有东港再生资源产业园），收走身份证。晚上涨潮坐小船出海，船老板赵洪安。"

此后，我给他发了多次信息，都没有收到回信。

6月20日早晨，我收到刘祥武的短信："马老师，我已经从海上坐接鱼船回到了岸上，其中曲折以后方便再说。现在我在救助站，报警后警察也不能帮我要回身份证，等会儿我再试试。"我赶紧给丹东文化馆的林文老师打电话，让他找一个东港的摄影师去救助站看看。

摄影师刚走，刘祥武就给我发来短信："马老师，文化馆来救助站拍照我认为不妥，如果一旦公开对我会有很大影响，为避免气氛尴尬，我还是配合拍了。但是我想还是别用了，到码头船舶上重拍几张就行了，那样好看一些。今天记者给我几百块钱，我拒绝了，因为他们也是工薪族，我有办法解决路费。明天九点钟去丹东，坐公共汽车很方便，到丹东后再去找民政局试试看，总之找政府比接受个人的钱好些。"

我回短信说："祥武，丹东也有我的朋友，到了给我信儿，他们也能帮助你。"

21日下午，刘祥武来短信："马老师，今天见报后记者联系了救助站，他们负责车票，明天或者后天就能离开丹东。"

我又给林文老师打了电话，也向刘祥武问清了救助站的位置，请他明天过去看看，再拍几张照片。

刘祥武回信："我想还是到港口或鸭绿江等地方去拍好一些，救助站里拍毕竟不是很光彩的事，丢人。"

我回复道："明天能不能见到给你写报道的那个记者？跟他一起拍个合影照，毕竟人家救了你。"

“我不好意思提这个，他说为了我赶稿子，昨晚只睡了两个小时，虽说见报后没有反响（他说一般有黑社会，所以未能深入）。我已经短信告知他你的电话，不知是否与你交流，因为我发现他的报道里没有署名，可能是有缘由的吧！总之这个社会很复杂，早知道他搬不动就不会让他这样费心了。”

第二天下午，刘祥武给我短信：“当地那个号已经欠费停机，我下午四点离开丹东，没有挣到钱，没有弄到老婆，也没有脸回家，还是先到长春试试看，实在不行再回。照片已经拍完。国家的救助制度是只买车票，丹东买到沈阳。沈阳至孝感，我自己协调到长春。”

后来我和刘祥武见面后，才知道他这些日子在海上究竟遭遇了什么。我是一边骂、一边哄，聊了一上午，才让他给我讲出了在船上的遭遇。用他的话说，这次差点就葬身大海了：

6月13号到丹东东港，19号的晚上，我和另外四个人坐上他们的运鱼船，把我们送到海上打鱼的大船上。送我们上船的就是长春的那个中介，和我一起上船的共五个人。上船后我才知道，中介把我们从长春带来卖给船老大，每个人赚了两千块钱。我们的船上挂的都是朝鲜国旗，在朝鲜的海域捕鱼，那边的鱼很多，我们这边的海域打不到鱼。

我们一上船，船长就冲着我们笑，笑得很有意思。

我在船上是最低级的，干杂活儿。船上有船长、大副、二副、轮机长。八艘船用铁链子锁在一起，晚上不打鱼。白天拿钢丝绳一拼，一条船在这头，一条船在那头，两条船往前一走，渔网就成了窝型，拖着走，就是拖网打鱼。中午十二点收回去，每条船一天就一网，一天能打一万多斤。

上船的时候说是一个月能赚四五千，还可以提前预支。我问什么时候能结算工资，老船长说你们新来的，年底吧！年底上冻以后，海面封冻了，打不到鱼，就不打了，到时候给钱。后来我问了很多次，他说：“你们这群傻逼，哪有那么多钱给你们？！”

我不想干了。既赚不到钱，船上又没有淡水，洗澡都没法洗。要洗衣服，他们用绳子把衣服一拴，扔到海里拖就行了。船长睡在上面，我们睡在船舱底下，发动机不停地响，像飞机起飞一样。我本来

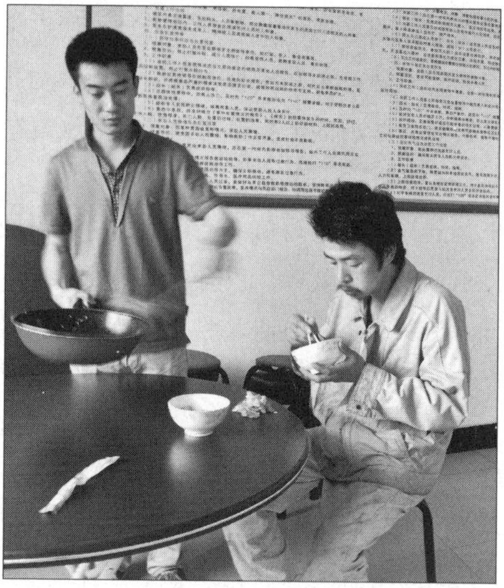

侥幸脱离渔船的刘祥武在救助站。 林文 摄

刘祥武被遣送回家前在丹东火车站留影。他在东北漂泊了两个月，没挣到一分钱，也没找到媳妇。 林文 摄

就失眠，更睡不好了。把网撒下去，我们就在舱里等待。船长一按电铃，我们这些打下手的就要起床。

我跟船长讲我要走，他就说："要走可以，告诉你家人汇钱来。把你带到这儿的路费，还有中介费两千块，这些钱你都要还给我们。"那时我真希望朝鲜兵拿着枪上船来抓我们，我就说是被黑社会抓来打工的，然后就到朝鲜去。到了那里我就顺应当地的时代潮流，说金日成、金正日、金正恩多么的伟大，我是多么希望在这样的伟大国家生活。这样的话也许我就能留在朝鲜成家生活。可惜没有那样的船出现。

船老大不是骗我的，他说好多人干到年底就扔海里去了，扔到发动机那里，螺旋桨一搅人就没有了。我死无葬身之地，家里也不知道怎么查到我，你也查不到我。

这不是吓唬人，他们真干过。如果你说不出船号什么的，没有船员证，谁也不知道你上船了，边防公安那里也没有你的记录。

"那他们有没有给你们拍照、办渔民证或者办船员证？"我问。

"拍了，是在照相馆拍的。他说渔民证一两天办不下来，给我们办这些手续至少要花费五百到八百元，但是都说好了，让我们放心。然后就把我们送到船上，警察上船来检查的时候，他让我们藏在船舱里面不要露头不要说话。警察就在船上看了一下，他不可能下到船舱里面看。"

"那最后你是怎么被他们送上岸的？"

"我最后跟船长说：'你打开电脑看一看，你到新华社问一问我刘祥武是什么人。新华社北京分社、《南方周末》都可以查到我刘祥武。资深高级记者都给我买过票，给过我钱。我就是一个天不怕地不怕的人，原来打工单位欺负我的几个大老板都被我搞得封杀、罚款了。'最后他们可能上网查了，可能也看到凤凰卫视我去宁夏相亲那个节目了，要不然的话不会轻易放我走。船上的人都说我是有点真本事，一般上船的都要白干一两个月，非让你把办证的钱和中介费给挣回来才能走。他们说我是唯一一个干几天就能走掉的人。"

"最后他们来接你上岸了？"

"我坐他们来装鱼的小船上岸的。上岸的时候我怕挨打，趁岸上的人忙着搬鱼，就混在里面出来了。出来后我去码头找开斩车的，跟他说我是被骗上船的，身无分文，让他把我送到最近的派出所吧。”

“是什么时间把你送上岸的？”

“夜里十点到十一点吧。到派出所后，我敲门里面不开。我知道里面有人在睡觉，太晚了他们不想开门。后来我就打110，我说自己被人骗了，要向他们求助。110问清我的位置后，让我就先站在那里等。一会儿我听到派出所里面的电话响了，110总指挥打派出所内部电话，里面的人不想起来也得起来了。起来后他把门打开，说：‘打电话的就是你吧，你不要进来，就在那里等。’后来他给救助站打电话。打完了他就对我说：‘我把你送到救助站去，救助站有房你可以住一夜。’”

“你是怎么要回身份证的？”

“第二天我觉得这个事情不对劲，就又去派出所找他。我说我的身份证没了怎么办，要是被人拿去做坏事怎么办。警察说：‘你这身份证不好找，你没有在我们这里登记。即使是船长带你上船的，你也没有船民证。我们还真不好办，电脑上也不好查。’我就跟他说：‘你给不给我找？我可和媒体很熟的呵。’他说，找谁也没办法，就是找胡锦涛也这样。我就说：‘你们要不管我就去当地公安局反映。’结果他说：‘这不是我们的管辖范围，你在这里做黑户打工还找我们麻烦，我们只查有船员证的。’我就说：‘是你们失职了。我在这里出海，你这里也有边防检查站，你没有查到我在船上就是你失职。’我就找丹东电视台、《鸭绿江晚报》、东港电视台、《东港日报》，地方所有的媒体我当时都打了电话。最后有两三个电话打过来问究竟是怎么回事。《鸭绿江晚报》的记者来了，听完我的叙述后说：‘要不这样吧，我给你些钱，你买张车票回去吧！’我跟记者说：‘我做这些就是为了防止更多的人上当受骗。’采访完他说：‘那你多保重啊！有什么情况你再给我打电话。’然后就回去自己写了稿子，也没经过我的审核，自己就发了。记者劝我说：‘就算交个学费吃个亏，算了吧！好多人命都丢了，你能平安回来也就不错了。’我还准备要到劳动局去反映，到丹东市政府把这个事情搞一搞，看来这个事情在这里很普遍。派出所一看到媒体来了，就说：‘我一定把身份证给你找到。我开车带你去码头让你一个一个认，你回忆一下是哪个码头，我们这里码头很多。’”

“看来媒体帮了你很大忙，然后呢？”

“我跟警察说：‘我给你出个主意，现在科技很发达，在电脑上搜索。’根据名字，结果就把我们船老板给搜出来了。警察让我看看是不是电脑上的那个人，我毫不犹豫地说：‘就是他。’”

“然后就把你的身份证要回来了？”

“老板自己送过来的，看到我就问我怎么不直接去找他，干吗要找派出所。我说：‘我找你要，你还不打死我呀！我还要还你什么办证费、中介费。’后来从东港救助站把我转到丹东救助站。丹东救助站看我说话这么牛，就说你这个人肯定老跑救助站。他就在电脑上查我，我说：‘我不隐瞒你啊，上海、乌鲁木齐、哈尔滨都救助过我。但是我不是靠救助站发财的，我就靠这种方法搞张车票。反正你这个车票给不给我都无所谓，你不给我就去市政府反映这个问题，让他们把船老板揪出来，让他承担我的工资和路费。’他就说：‘算了，你别再给我搞一屁股麻烦了。既然《鸭绿江晚报》给我打电话了，就给你搞张车票走吧！’要不是记者给他们打电话，他们还不愿意管。本想到报社感谢一下这位记者，结果人家不愿意再见我。”

“《鸭绿江晚报》的报纸你没有给我。”

“你上百度查刘祥武就能查到，我在湖北老家查过，包括在长春的报道都有。《南方周末》曾经给我登了两三个版，我们当地的媒体找我，他们说：‘《南方周末》是大报啊！你登了两三版，你有什么关系呀？’我说：‘没关系。’”

“你都没跟我说过这些报道。”

“报道我的很多，《新民晚报》什么的，各种晚报都登过。我是有传奇色彩的人，我的每个故事都很有故事。”刘祥武说到这里，很是得意。

后来我在网上看到了《鸭绿江晚报》的报道，最后一节这样写道——

就任新沟边防派出所教导员一职仅两个半月的顾海山，就遇到过十多起与刘祥武一样的求助。虽然这类归属于劳务合同的纠纷，不在边防派出所的职责范围之内，但派出所官兵还是尽自己所能，为求助者提供帮助。

“他们是让中介公司给骗了。”顾海山说，他们接待的这些求助者，都是相信了中介公司的“环境好、待遇好”的说辞才来的。

其实，被忽悠的不仅是应聘者。“船主通过中介找工人，他们来了后因住得不好、出海不适应等理由提出不干，船主不仅损失了中介费和保险费，还耽误了出海作业，也是受害者。”顾海山介绍道。

刘祥武的求助，令新沟边防派出所颇感头疼，原因是他既不知道船主的姓名，也不记得所在渔船的船号，甚至连上岸的码头都说不清楚。对待这类职能之外的求助，派出所本着能帮就帮的态度，还是派专人在当地进行走访调查。

顾海山介绍，根据东港市公安局的规定，正常到船上工作的人员都必须办理“出海船民证”，到公安部门采集指纹等个人信息，并录入到电脑系统中，可以查到船员工作的船只。经过查询，系统中并无刘祥武。他属于一名“打黑工”者。

幸运的是，20日下午4点34分，在记者返回的路上，刘祥武打电话告知派出所已经找到他所在渔船的船主，取回了身份证，并愿意通过救助站返回老家。

救助受伤乞丐

祥武回到老家，民政部门给的钱已用完，哥哥从医院出来，父亲还是催促着他的婚事，他只好又去武汉打工。后来刘祥武对我讲述了他在武汉的经历。

他先在一个建筑工地打工，白天挣一百二十元，晚上加两个小时班挣五十，这样每天就能挣一百七。为了省钱，他在江边的一艘船上住，一百二十元一个月，比住陆地上的房子便宜很多。住了一个月左右，赶上下大暴雨，长江发水，那艘快报废的船停在江边，漏水沉了。刘祥武打电话给船老板，说我的衣服被子都沉了，得赔偿我的损失。老板说这是天灾人祸。

刘祥武就找市政府、海事局，也给媒体打电话，对方都说这是自然灾害，你自认倒霉吧。他说："政府为什么让他一个船主经营出租业务，你们负有监管责任，没有监管好就是你们的责任。"对方说："那你向我的上级反映吧！"

他只好回到打工的地方，租正在拆迁的房子住，里面没水没电，窗子和门都拆掉了。

一天晚上，刘祥武在武昌区水果湖步行街转悠，遇见一个自称来自河南信阳罗山县的乞丐，叫李华和。乞丐的双腿被开水烫得血肉模糊，白天弄个板凳当拐棍，一步一步往前挪着走。他过去问他怎么不回老家，他说："我就有一个哥哥，哥哥条件也不好，我只能出去乞讨，一天还能讨个七八十块钱，够生活。"

几天后，刘祥武和住在一起的朋友又去那里转，远远地就看到围了好大一堆人，是一个女孩，她爸爸对她又踢又骂："我问你钱到底交给谁了？"女孩子说："钱就交给这个讨饭的了。"乞丐根本不承认，还对着周围的人喊："你们大伙说说什么人会给我这个乞丐两千块钱？有没有可能？你们自己想想。"女孩子的爸爸和亲戚朋友把乞丐围在那里，让他交钱。他死不承认。

刘祥武看出那个女孩有点神经质，他从哥哥那里了解一些精神病人的状态，就给乞丐说："她不是正常行为的人，这个钱要还给人家。你还钱之后，我保证让社会不会忘记你。"

乞丐说："唉，瞎说瞎说，哪个人家会给乞丐两千块钱呢？"

"你给不给？你不给我现在就搜你身，现在就送你去派出所。"刘祥武说，"你不拿出来，从今以后你都没资格在武汉这边要钱了，我跟媒体熟，我找媒体揭露你这个行为。"

乞丐有些害怕："这钱是给我了，但我是个残疾人，怕放手上不安全，就在附近的银行存起来了，明天银行开门我就再去取。"

刘祥武对女孩的爸爸说："你相信我，把你们的手机号留给我，这个钱到位了我随时通知你们。”

对方说了句“你是什么人，这个事不要你管”，就走了。

刘祥武对乞丐说：“李华和，今晚上我就陪着你，你哪也别想去。”其实他也没有什么好办法，只好躲到一边去，准备整晚守着他。

乞丐看人们都散开了，四处张望，随后从裤子里面把钱掏出来，拿在手上数，都是百元一张的。刘祥武就过去说：“李华和，今天晚上我就睡在你旁边。这个钱要是给人家了，我保证你在这里讨到的钱不止两千。”

乞丐说：“不要你管，不要你管，这个钱你也得不到一分。”

“你这个钱不给不行啊！我们都知道你是河南信阳罗山县的，我用手机拍你的照片，上网一搜就知道你家的地址，你跑到天边我们都能找到你。你这种做法是非法的，人家孩子头脑有病，不是正常人，你拿这些钱是不对的，人家能通过起诉追究你的法律责任。”刘祥武开始打电话，首先跟当地派出所说了这个情况：“你们把他弄进去，你们有搜身的权力，把那两千块钱给他搜出来，然后明天还给人家。”派出所说：“你是什么人？凭什么让我们搜人家的身？他犯了什么罪？人家自愿给他的，我凭什么搜身？”他又给救助站打电话：“你们把他搞过去，你们可以说我怀疑你身上有凶器，住在这里会对其他人有危险，就把钱搜出来了。”救助站说：“我们现在是自愿救助，他不愿意来，我们不能把他捆起来。”

他不断地打电话，有几家媒体闻讯骑摩托车或者打的赶过来了。他们对他说：“我们不能搜身，你有什么新情况，再给我们打电话吧！”说完就都离开了。

第二天，女孩和家人赶过来，乞丐当面把钱给了女孩。

一家晨报派三个实习生过来，拿着笔记本，用相机拍照。刘祥武说：“你们来迟了二十分钟，刚把钱给人家这个画面你们拍不到了。这个新闻没有关键证据了，你们做不了。”对方说：“你是我们的老线索人，你说了我们就写，我们这个新闻做得了。”

这家媒体后来刊发了这样一条消息：《武汉街头“信用乞丐”：希望别人心甘情愿给我钱》，文中称“一个精神有问题的女孩给乞丐捐款

刘祥武很懂媒体的路数，借此帮助街头乞丐李华和。

两千元，家长知道后赶来追讨。四十三岁的乞丐李华和守信用，答应次日还钱，他说到做到”；“不少市民表示，李华和身处困境，能这么守信用，难能可贵。多位读者来电打听李华和详细遭遇，对他的处境表示关切。网友更是给他送了个外号——‘信用乞丐’”云云。

“信用乞丐”被媒体连续报道后，深圳一家医院承诺免费为李华和治疗。

“这就是见报后的结果？也是你想见到的结果？”我问刘祥武。

“结果一见报，跟我同乡的一个记者就跟我讲，这个新闻肯定是假的，不可能有人给他两千块钱。而且这个新闻还有缺陷，给钱的时候照片拍了没有？这个女的姓谁名谁，手机号码是多少？质疑的声音很多。我当时想，既然李华和把钱交出来了，我就该帮一帮他，所以我又给媒体打电话，电话费都花了八九十块钱。那个记者在报道中说是一个精神病错给了他两千块钱，说乞丐是主动还的钱，把中间的过程全省了。后来许多家电视台专程采访李华和，表扬这种精神，这个戏还得往下演。我觉得这个事情还是挺有意义，虽说我付出了电话费，两天两夜没上班，那两天也正是我们工地工资最高的时候。之后的时间里，他每个月来我打工的工地晃两三次，我就给他钱。因为这个乞丐的事，我旷工太多，还被辞退了。我要不参与这个事情，他要不来找我，那个月我能赚六七千块钱。”

“为什么李华和一直找你，你想过没有，你能拯救他？”

“是我让他把那两千块钱还给人家的，我既然参与了就不能不管他。而且他的事情也是在往好的方向发展，我认为我功德无量。”刘祥武说，“四个月当中，我不停地救助他，给他买了被子，买了被单。不停地在给来采访和捐助的人介绍情况，让人家都把他写得好一些，有助于给他治病。深圳那家医院有点反悔，拖了几个月，后来还是我又打电话催促他们，还给他们发短信。我说：‘你上新华社、《南方周末》查查看我是什么人，假如这个事情你们不讲信用，言而无信，说治又不治，这个后果你们考虑一下。’医院后来给我说：‘哎呀！小刘你不要催了，我们尽力而为。’结果十月份就把他接过去了，现在还躺在深圳的医院里面，全部给他配营养餐，住高级病房。然后把李华和的哥哥都接过去了，要直系亲属签字。现在还有香港、台湾、美国旧金山的好心人给他捐款，全球上百家的媒体报道……我是个幕后的人物，也不想出名，开始的报道中说是我在这个事情中间做协调，后来再也没有提到我。报道告一段落的时候，李华和有些失落，几次打电话给我：‘你不是人，你说报道后给我治病，现在又不给我治，我以前乞讨的时候一天也能讨一两百块，现在人家看到报纸都不给钱了。你他妈是个骗子，害了我。你是不是想出名，想炒作？’我也骂他说：‘这个社会不欠你一分钱，人家承诺给你治，你他妈不去治病，还在这讨钱。人家医院说给你治肯定会给你治疗的，你就不要着急。’”

“你觉得你是做了件好事还是做了件坏事？为什么被你救助的人反而不感谢你？”我问。

“怎么讲呢？算是做了一件好事，不然李华和的命都没有了。没治之前他靠板凳走路的样子就像一个蚯蚓，整个人蜷缩在一起，很惨很惨，血肉模糊。治疗后他可以手里拄着棍子走路，就不那么疼了。人家深圳医院是真金白银花了三十万，请北京的专家夏教授给他做的手术。”

“那结局呢？”

“结局很不好，深圳医院的大夫跟我讲这个人的品性有问题。《南方都市报》来医院采访他时，他就说：‘我希望更出名，就有更多人来帮助我。’任何一个有头脑的人想要被帮助也不能那样说，而且在医院里住院的时候每天就觉得别人欠他的一样：‘把饭给我端过来，把电视给我换换台。’把医生、护士呼来唤去的。”

“这个事情你在背后起了这么大的作用，女孩家人不感谢你，乞丐也不感谢你。你做过的几个好事最后都没有好的结果，没人觉得应该感谢你。”

“我给李华和说：‘我刘祥武到底什么人，你以后在网上查查看，你就知道我做了多少好事。如果你需要人陪，我就是不上班也把你送到深圳医院，我陪你几个月直到你把病治好。’我说他的病治得怎么样了，就给我打个电话。我很关心他，电话号码都写给他，至今也没有一句感谢的话。”

“你觉得这个人值得救吗？”

“他是一条命啊！我要看着他活得有尊严，不完全靠讨……咱不说命，仅仅是他这样的品德是不值得救。”

“至今都没给你说过感谢的话？”

“他倒是回河南时给我打过几次电话，叫我帮他交电话费。”

“为什么让你给他交电话费？”

“他这个人就是一心只想索取。见报纸之后他成新闻人物了，河南信阳民政局给了他一两千块钱。他就想让我去一趟河南，让我找河南的《大河报》、《东方今报》等媒体再呼吁一下，给他哥家也搞一点钱。我说：‘算了算了，社会已经答应免费给你治腿了，你要那么多钱干什么，比你还苦的人多得是，你哥哥再穷起码有碗饭吃吧！’他哥哥在武汉工地上干活儿一天一百多。这事情媒体一放大，就不得了，说他给汶川地震捐款，给苦难的人捐过款。他这种人把钱看得那么重，怎么肯拿出钱捐给别人？深圳的很多人到医院去看望他，河南的企业家说他是河南人的骄傲，笑死人了。很多新闻都是放大的，这乞丐的真实情况从头到尾没人知道……但是我做了这么多好事，没一个感恩的，太奇怪了。有人甚至说我：‘这几个事情也是你策划的，会不会是你跟他串通一气，搞假新闻？’”

“这个‘信用乞丐’的出现，其实是你愿意看到的结果。只有这样的结果出现，你才能有理由继续救助他。”

“是我提供给媒体，媒体放大了。但是我觉得有道理，新闻就是要唤起别人的注意才有意义，才能有力量解决问题。”

“你和媒体打交道多了你就知道媒体的特点，你就从这些特点入手给媒体线索。”

“媒体要报道一个人的话首先要有社会影响力，有新闻价值的。”

“看来你很懂媒体的‘路数’，把这些事情自己放大，就有理由了。”

“他们的路数我全懂，因为我在劳务市场，我所接触的事全部都是社会阴暗面呀！但是从我的口述到他们登报出来，就走了样了，这个我也没办法。”

“和媒体打交道是不是培养了你，提升了你，教会了你很多东西？”

“媒体没培养我，也没提升我。我现在还是一个人，什么也没有得到。我的这些素质都是我自己看书，自己钻研学习的。什么书我都看，我能用学到的知识帮助别人和媒体。有时候我觉得媒体是害我的，媒体让我去做卧底，结果呢？他们就给我几百块钱线索费，我冒这样大的风险，就给我几百块钱……”

“没利益，你干吗老和媒体打交道？”

“我脑子有毛病，媒体给我一张名片，说有什么线索可以给我提供，我也是你们孝感人，下回有什么好新闻可以打电话联系我。就这个信用乞丐的事件，几家媒体还找我说：‘哎呀，你怎么不先给我打，让他抢了头条新闻。’”刘祥武瞪着眼睛伸着脖子跟我犟嘴，“这个事情说实话，是因我而起。但最后放大，全国反响那么大，我控制不了，我只是希望他的人生命运有个改变。”

“把实话说出来了？”

这时候他倒是有些泄气了：“嗯，他这个恶是一种小恶，不是杀人放火的大恶，他罪不至死，就算是犯罪了，也有的判一年判两年，有的判无期徒刑……我跟你说我要有身份，有能力，我肯定会把这几个人都养起来。”

“这是你刘祥武的责任吗？”

“我有什么责任，他是一个成年人，我说的话他都不听。不过在我救助的这些人里面确实没有一个是感恩的，还有一个也是这样。”

“你还救助了谁？说说看。”

“像武汉的基督教会在全国开展救助行动，有一个北京的教徒，每个月寄一千块到武汉给陈志斌，前后给他寄了两万多。陈志斌在武汉找了一个精神病人做老婆，精神病老婆家里有房子，两人还生了个孩子。他老婆怀孕的时候，我就怕生一个不健康的孩子，出于责任感，我给街道居委会和媒体都打过电话，希望他们能帮助这个孩子的出生，因为他们两个都是没有能力养活孩子的人，加上他老婆还有病。结果人家都不管。”

“这个人是个什么样的人，你为什么要救他？”

“不行，他只要一有钱就想吃鱼、吃肉。他到教堂的目的不是为了信仰，他带着他的疯子老婆和孩子一起去，让教堂的神父、教友看到他多可怜，经常五十、一百地给他。就像祥林嫂一样逢人就说他的困难，把这当成生财之道。这样一搞，一些报纸搞跟踪报道，把他称为‘坚强奶爸’。”

我在网上搜到一些相关报道，说“残疾妻难自理，坚强‘奶爸’背着宝宝打工养家”云云。刘祥武告诉我，媒体报道之后就有了效果，政府也马上行动起来了，每个月给他一千多低保，有几个老板前来看他，他甚至想把孩子送给人家抚养，几个老板也准备接收，但是没有想到的是他居然跟人家要钱，而且张口就是好几万，最后被拒绝。刘祥武说："我最清楚他是个什么样的人了，拿他的孩子老婆去赚钱。当初他给岳父说能治好他女儿的病，他有祖传秘方，后来他岳父对我说把女儿嫁给他，上当了。这样他婚姻解决了，后代解决了，房子解决了，低保解决了，甚至还想再生一个，这样的话低保的名额又加一个。我说你生了孩子不能够给他很好的教育，让他陪着你去要饭这样不好吧？他三番五次地向北京的教友要钱：'我要做生意，需要租门面房，你借我吧！等我赚钱了，我保证还你钱。'人家给他写了一封信说：现在政府已经给你办低保了，社会上穷人很多，要善待救助你的人，善待你的老婆。你的老婆不是你的负担，还有你的孩子都是主赐给你们的财富，不管怎么样你都不能放弃。鉴于你这种情况我们就不再救助你了，我们还要帮助更多的人……他又印了一千多份求助信，寄给各地的教会，凡是知道地址的人都给人家寄，希望让人家资助他。"

"他在利用他人的怜悯之心去欺骗，这点你是清楚的。"

"毕竟他是个弱势群体，没有文凭，没有一技之长。"

"帮助他没起到好的作用，为什么还要帮？"

"我是在劳务市场上认识他的，有的时候去他那里住，他就收五块钱一个晚上的住宿费，住的是上下铺的床。有一段时间他想涨价，说五块钱划不来，街道要是看到了，会取消他的低保。我就搬出来了。我有时候在大街上睡一睡，有时候在哪个拆迁的房子睡一睡。任何媒体问我有没有困难，我都说我没有，不要人家帮助，没有从人家手里接过一分钱。"

"这就是你和他们不一样的地方，你想救助更多的人，而他们被救后更加依赖救助他的人。"

我给刘祥武讲过这样一个故事——

在卢旺达，中国义工下了卡车以后，看到一位瘦骨嶙峋、衣不蔽体的黑人男孩朝他们跑来。义工顿时动了怜悯之心，转身就去拿了车上的物品向小男孩走去。

"你要干什么？"美国义工大声呵斥，"放下！"

中国义工愣住了。美国义工朝小男孩俯下身子："你好，我们从很远的地方来，车上有很多东西，你能帮我们搬下来吗？我们会付报酬的。”

小男孩迟疑在原地，这时又有不少孩子跑来，美国义工又对他们说了一遍相同的话。有个孩子就尝试从车上往下搬了一桶饼干。

美国义工拿起一床棉被和一桶饼干递给他，说：“非常感谢你，这是奖励你的，其他人愿意一起帮忙吗？”

其他孩子也都劲头十足一拥而上，没多久就卸货完毕，义工给每个孩子一份救济物品。

这时又来了一个孩子，看到卡车上已经没有货物可以帮忙搬了，觉得十分失望。美国义工对他说：“你看，大家都干累了，你可以为我们唱首歌吗？你的歌声会让我们快乐！”

孩子唱了首当地的歌，义工照样也给了他一份物品：“谢谢，你的歌声很美妙。”

中国义工看着这些若有所思。

晚上，美国义工对他说：“对不起，我为早上的态度向你道歉，我不该那么大声对你说话。但你知道吗？这里的孩子陷在贫穷里，不是他们的过错，可如果因为你轻而易举就把东西给他们，让他们以为贫穷可以成为不劳而获的谋生手段，因而更加贫穷，这就是你的错。”

刘祥武听完，看着我没有答话。

再赴宁夏相亲

2011年11月25日上午，刘祥武给我发来短信：“马老师你好，我在武汉一家私企自办的学校学开塔吊……我的婚事还得你给我操心，听说越南那边有愿意嫁到中国来的女人，你朋友多，能否给我留意一下。”

我回复他：“我已经和广西的朋友说过你的事情，他们答应帮助，给留意看看。如果合适、合法，就给你找一个越南的女子。”

过了将近一个月，12月21日，刘祥武又给我发短信：“马老师，我的一个堂姐给我介绍了一个宁夏的女人，是个离过婚的，我准备过去看看，你能过去拍摄吗？”两天后，他告诉我：“我已经买了今天上午十点的K1296次的火车票去宁夏。她说先见面再说，见面看看有无缘分再决定。”

我回复道：“祝你好心情。”

“哪来的好心情？明知此行希望不大，但是也只能死马当成活马医了，为了老父的心病，我只要是个女人就可以。”

我决定去一下银川，因为正好是周末，年前我也就这点时间。12月24日，我坐飞机到了银川，下午，刘祥武坐火车到达，跟我住在一个房间，为的是给他省一些钱。见面后我问他，这次的相亲是怎么打算的。

“我是这么想的，先把她弄回去，也不办结婚证，过一段时间看看怎么样再说。”

晚上，我出去会朋友，刘祥武留在宾馆等那个女人。回宾馆之前，我给他发短信，问他在宾馆还是在外面。

“在宾馆房间里跟她谈话。”他回复道。

晚上十点多，我回到宾馆，见到了刘祥武的堂姐给他介绍的这个女人，四十二岁，比刘祥武大了六岁，叫丁玉平。她的身板个头比刘祥武还高，聊天的时候还抽着烟。后来刘祥武告诉我，她是一个受过挫折的人，没有正式结婚，给人家做后妈，后来男的不要她了，当时正是受挫折的时候。

我靠在床上看着他们聊天，随手拍了几张照片。

夜里十一点，刘祥武送她到门外，两人在走廊里说着什么。过了一会儿，刘祥武回到屋里给我说：“马老师，她让我送她回家，说家在郊区住，比较远，打车得百十块钱，你看要不让她跟我们一起住吧？”

这个决定吓了我一跳：“怎么住，再开一间房？”

“就和我们住一起，我们俩睡一个床，你自己睡一个。你别想多了，我们在外面经常这样，为的是省钱。”他说这话的时候，一副无所谓的样子。

刘祥武买了一些宁夏的报刊在宾馆看，好掌握当地的信息。

“你真是瞎扯，第一次见面就睡一起，还跟我一个屋，你脑子进水了。一边去，我给你钱把她送走。”我不客气地说。

最后刘祥武还是把她送走了，约好第二天上午再见。

早晨吃饭回来，我看床上摆了很多当地的报纸刊物，都是刘祥武在街上转悠时收集回来的。“你拿这些报纸干嘛？”我问。

“我每到一个城市就上街收集这些报纸刊物，从里面能看出这个城市的特点。现在我从银川的这些刊物上，能看出宁夏有很多缺水的地方，这些地方的人肯定过得不好。我就想我们那里一些村庄有很多空置的房子，人都出去打工了，这里生活条件恶劣的人可以移民到我们那里。我准备给这里的政府机构打电话，说说我的建议。”

他先后给《银川晚报》、扶贫办、政府办等机构打电话，最后终于有一个部门接通了：“喂，你好。是这么回事，我是从湖北来银川的。现在有这么一件事，我们那里一些农村的学校，一些乡政府机关的楼都废弃不用了，这次我到银川之前也看到电视、杂志媒体的一些相关报道，知道你们宁夏也算是老少边穷的地方，有很多地方住的是窑洞，很多地方的人一天吃两顿饭，还没水用……喂，你不会说普通话吗？你说的话我听不懂啊！你说普通话吧！哦，好了。我是想做个好事情，如果你们这福利院、孤儿院或者是大山里面的人，想改变自己命运，想移民想搬迁的，我可以给他们提供这些房子，提供这个信息。我们那里房子空着也是空着，而且荒芜的地也很多，有很多河南人、安徽人到我们那里去包地种。那边打工的机会也多，起码也不缺水，土壤情况都比这边好。哎，嗯，嗯，好，好，好。”

“打完了？你很操心国家大事啊！”

“这不是国家大事啊，这也关系到我的利益。介绍他们去的话，我也顺便再找一个对象。我靠媒体生活，而且他们还给我起了很多绰号。”

“啄木鸟，这是对你的形容，还有什么绰号？”

“侦探。我到一个城市，人家都说我是侦探，收集当地的信息，在街上乱转。我经常读书，哪里有大讲堂我就去听，我有文化啊！”

“你什么时候看到《读库》的？”

“我是看《新世纪周刊》后给你写的信，你寄给我一本《读库》和《中国国家地理》杂志。”

“为什么你对《读库》记忆犹新呢？”

“因为《读库》的文章写得比你的文章还好，张宏杰的文章写得好。他对历史的掌控，用的那个语气，比《明朝那些事儿》都好，能吸引读者读下去。”

“看来你挺爱读书的嘛。读书对你有什么用啊？”

“每天没有活儿的时候，我都去图书馆看书、上网，都不要钱，住也是最便宜，吃饭也是最便宜的，看电影也不花钱的。你空腹的时候，你失眠的时候，你烦的时候，书有净化心灵的作用，让你不去打麻将，不去泡吧、KTV什么的。我在北京那么多年，就没有花钱去过故宫，我在天安门广场一转，到过首都的中心就行……”

“你哪一年在北京干活儿啊？”

“九四、九五、九六年。那时候北京正在大搞建设，建了西客站、交通部、协和医院、阜外心脏病医院、东安市场。这些工地我都干过……在北京的时候很稳定，就是干建筑而已，不像现在这样不停地跳。不是我想游荡，我也想实实在在地干活儿啊，只不过我身体差，一看赚钱不多我就马上跳槽。”

“现在是老乡抛弃了你，还是你抛弃了老乡？你总是行踪单一的样子。”

“人都有一种丑恶性。我们那个包工头做管理，就多拿一些电话费、吃喝的支出，还有那些小带班、小包工头，总是贪花别人的钱。我们在他那里干活儿，在我们每个人身上扣二三十块就够了吧？他扣得太厉害了，他一个月要扣我们几百块钱。今年他好像又换了个新的小轿车，这些钱都来自我们身上。”

“那你为什么不向他们学习呢？这也许是人生存的一种必需方式。”

“怎么向他学习？这种人脸皮要厚，心要黑，不是每个人都能学成那样的。你看过那个《厚黑学》吗？李宗吾写的。我觉得那书写得不行，看标题，我就觉得这个人不行。”

“仅看标题就排斥他，内容你看了没有？”

“看内容提要啊！他说脸皮要厚，心要黑。心黑‘要黑如煤炭’，脸皮厚‘要厚如城墙’；‘既要黑，又要黑得发亮’，‘既要厚，而且又要硬’；‘要黑得无色’，‘要厚得无形’，总之要厚颜无耻吧，我做不到啊。还有一本《方与圆》，说的是做人要圆，做事要方。”

“做事要方，就是说做事要遵循规矩，遵循法则。做人要圆，这个圆绝对不是圆滑世故，更不是平庸无能，这你能接受吗？”

“在社会上这样的人才行得通，否则像我，刺猬一样，有锋芒不行。”

“就是说《方与圆》、《厚黑学》你都不接受？”

“都不接受，我觉得人还是要老实一些好，如果每个人都那样，这个社会就被搞得尔虞我诈了，都没有一点真诚的东西了。但是你要想成功，要想搞人脉关系，不那样又不行。这是一个两难，怎样把握好这个度，还不是每个人都能做到的，起码我做不到，叫我去黑心、叫我去方圆，我搞不了。”

第二天中午，在银川市中心广场上，我再次见到了刘祥武的相亲对象。二人见面挺亲热的，还开着玩笑。我请他们俩在广场边的一个饭馆吃了一顿饭。吃饭的时候，两人还相互往对方碗里多倒些饭。

饭后，女方让刘祥武去她家见见她的母亲。我们在一个水果摊上买了一些香蕉和苹果，打车去她家。

她家在银川郊区，进家里，看到她母亲正和三个人说话。看到我们来，居然没有一个人搭理我们，也没有搭理她。

我和刘祥武很尴尬地退了出来，在外面等着。半个小时过去了，也没有人过来叫我们进屋。其间她的哥哥从屋里出来，经过我们面前，跟没有看见一样。刘祥武问女的，屋里的是谁，她说是邻居。

刘祥武在玻璃窗前，向里面的那个女的招手，喊道：“你出来，有人找你。”这个邻居出来后，他对人家说：“你赶紧走吧，我们要和她妈妈说重要的事情。”人家才离开。

我们再次进屋，女的给她妈介绍，刘祥武是来和她相亲的。老人家摆摆手说：“只要你们俩愿意，我没有意见，也不管。”老人也不问刘祥武的任何信息，根本就不关心这个女儿的婚事。

从她家回到市区，在广场边上，我给刘祥武订了一个宾馆，这个女的也一直跟着他。我给了刘祥武一些钱，自己去了银川机场。

上飞机前，我给刘祥武发了个短信，问他觉得这个女的怎么样。晚上七点我到北京，落地后接到祥武的短信：“老样子，她这个年龄是不能生儿育女的，所以不能居家过日子。所以我的婚事还是十万火急，明后天晚上我再做决定要不要她，如果要，就去做她们家的思想工作。因为压力太大，实在找不到解决婚事的办法，实在是委屈。”

两天后，刘祥武决定带这个女的回孝感老家。

“我走以后你们两个就住一块了？”后来我问他。

“那肯定住一块了，不能再开两个房，你给我开的房价格多

刘祥武和相亲对象在银川市中心的广场上，两人已经很亲热了。

我请他们俩在广场边的一个饭馆吃了一顿饭。

贵。”

“为什么不让她回家去？”

“你真是笨。她是什么人？我是什么人？她把换洗的衣服都提过来了，已经打算要跟我到湖北去了。我不同意，她就哭起来了。到武汉后，她就跟我在工地吃住在一起，让很多工友看不起。一个多月后，公司领导说我这个人思想道德不行，怎么把她带到公司里面来，最后把我开除了。没有办法我带她回家，就是想让她在家里干干活儿、种种地，不叫她出来，没想到快过年的时候，她说她要走。”

“为什么人家要走，你对她不好吗？”

“她不愿在这里待下去了，我也不能把她捆起来。她自己找理由说：‘我是回族，在你家饮食上很是不方便。’其实我们家都吃不上肉。我恳求她留下来，她说回去要跟前夫处理房产纠纷的事情，说如果我们有缘分的话，2012年再回来。为了让我相信，她临走的时候还给我打了几万块钱的欠条。我估计她在我家也看到我哥哥那个样子，不可能再回来了。本不富裕的家庭为她的到来先后付出七八千块钱，我家种地一年收入都没这么多，而且给我的名誉也带来了影响。村里的人说：‘这个女的像你妈一样，这么老的人你都留不住。’她走的时候哭着说没有钱，我老头子给了她八百。刚过春节到银川没有座位票，她说她有心脏病，不能站着走二十个小时。我把票退掉重新买，怕她路途上犯病。退了以后她就开始跟我耍心眼，说到小超市里面给她妈妈买礼物，给她哥哥、嫂嫂、姐姐每人都要买。我说这么多东西拿不动啊！她说：‘你看这里卖的拖车一百多块一个，再买一个拖车拖着走。’就这样把她送上车，回去后就音信全无了。现在我想报复一下她，我真是咽不下这口气。我不嫌弃她老，结果她把我这里当成疗伤的地方，疗伤完了就跑回家了，搞得我为她损失了那么大财力物力，什么也没有得到。马老师你可以把我这个事情报道一下，这样对她和她的家族就有压力了，你在宁夏不是有朋友吗？”

“你利用媒体利用惯了，这次你不要想利用我啊。”我对他说。

救助大肚寻夫女

这段婚姻来得快结束得也快，刘祥武只能再次回到武汉街头打工。他肚子里的那些知识以及对媒体的理解，使得他老是在街头遇到一些新鲜的事情，而他也总是抱着自己能解决事情的期望来处理、救助这些遇到的人。

2012年6月18日，刘祥武发现一个来武汉寻夫的广西女子叶金凤。不知道他动了什么心，开始帮助这个陌生的女子，结果再次上了当。

关于这名女子，武汉一家报纸曾经报道过，标题是“丈夫称患癌症悄然离家，大肚妻不离弃来汉为子寻父”，说叶金凤（化名）在十天时间里，辗转三省跨越数千公里，只为了给肚子里已八个月大的孩子找回父亲。

据报道中称，叶金凤介绍自己是广西贺州黄姚镇人，今年二十八岁，此前十年都在深圳打工。2011年9月，她在深圳一家手袋公司认识了三十多岁的湖北大冶籍男子吴某，随后两人相恋并同居，不久怀孕。6月4日，叶金凤回贺州老家养胎。几天后，吴某告诉她，自己被查出癌症晚期，将回大冶治疗。不久，电话就打不通。6月9日，叶金凤从贺州赶回深圳，发现吴某并不在原先的公司。寻找几日无果，她于6月14日来到大冶，却依然没见吴某的踪影。叶金凤想着武汉的医疗条件更好，便来到武汉。昨日，她到同济、协和等几家大医院一一询问，仍然杳无音讯。据叶金凤和吴某共同的工友覃女士介绍，她已经有十多天没见过吴某，不清楚他去了哪里。而吴某所在的胜桥村村委会主任告诉记者，他十多年前见过吴某，但吴某一家已离开当地多年，不知去向，村里也没有他的亲戚。

“得知这些情况后，叶金凤仍坚定地认为，吴某的确是生了重病，而不是欺骗她的感情。‘我要找到孩子的父亲，还要陪他和病魔斗争！’说完，她的眼泪扑簌簌地往下掉。”报道中这样写道。

6月21日晚上，刘祥武给我发来短信：“我答应叶金凤的要求，借五千元给她，还不还就看运气了。现在救助站专人送她回家，电视台也在车站拍摄，他们把警方提供的她男朋友的复印件也给了她，会有结果的。”

叶金凤被救助站送回家后，刘祥武先后多次给她打电话，希望把那五千块钱还给他。而叶金凤不但没有还钱的意思，反而再让刘祥武借她两万元，说是生孩子可能要难产。在后来的沟通中，叶金凤把借钱的数目一降再降，刘祥武还是没有借。之后这个叶金凤就不接电话了，再打手机就关机、停机了。

到十月份，刘祥武跟我联系，问是否能找当地的朋友打听一下这个叶金凤的真实情况，其实她的真名叫叶秋凤。

11月8日晚上，刘祥武给我发来短信，把叶秋凤的身份证号码和详细地址都告诉了我。我找到广西摄影师张小宁，他帮我找到当地黄姚古镇小学的古老师。

2013年1月，临近新年，我决定跟刘祥武去一趟叶秋凤的家。1月25日，我到桂林，已经是下午三点多，在桂林汽车站跟刘祥武会合。他是早晨三点多到的，在车站的地上睡了半天。见到他的时候，他手里又收集了很多桂林的报刊和广告。

吃完晚饭回到宾馆，一进门，刘祥武就去洗澡。他说自己已经两个月没有洗澡了：“去年没赚钱，今年打工也没挣上钱，婚事失败，自身难保，怎么能花钱去享受。”

“你在街头睡觉什么感觉？一年睡多少次？”

“在北京我就睡过，现在在武汉，没钱的时候都睡街头，睡多了就习惯了。进房子睡觉不要钱吗？睡街头也不是我一个，成群结队地睡在地上。你没看报纸，河南郑州市一个打工者冻死在街头，当地政府看到这样的报道，才有所注意……”

刘祥武洗完澡，坐在床边穿袜子。我看他把三只袜子穿在一个脚上，两只脚共穿了六只袜子。我问：“你怕冷吗？干吗穿这么多的袜子？”

“我现在脚上穿的鞋子是别人送的，太大了，穿上像滑冰一样，走路不方便，得穿四五双袜子才能填满鞋子里面。”

“穿这大鞋舒服还是穿小鞋舒服？”

“大小都不舒服，刚好的最舒服。”

“你刘祥武的人生就像穿鞋子一样，大了小了都不舒服。我希望你回归到自己合适的位置上去，不要再过这种不舒服的生活。”

“肯定要回去的，像这样忍饥挨饿哪能行？这个社会像我这样的人少见，我的行事方式、思考方式罕见，找到媳妇那肯定强一些了。”说这话的时候，这家伙一脸狡猾。最后的话题总是要回到找媳妇上，其间的意思就是让我听。

“你在街头睡，有被子吗？”

“武汉的夏天热，不要被子就行，洗澡就在长江里面，江是敞开的也不会收费，没人管，也没人说。冬天就不好了，冷，我的身体不好，下去洗澡受不了。”

“你跟叶秋风是怎么认识的？”

“6月19号我到武汉市省公安厅上访的时候，在那里面遇到叶秋风的。”

“为什么上访？”

“就是跟我前妻的事情，你知道的，一起照婚纱照的那个，我们离婚的事情还没有完。”

“法院不是判决你们离婚了，这么久了怎么又去上访？”

“2011年我不同意离，但是法院硬是给判离了，我不服就上诉。上诉后，我前妻把手机号换了，跟法院不见面，传票没地方送，然后法院在《人民法院报》刊登公告。公告之后她还是不到法庭应诉，我就到她家里去找丈母娘，让她把彩礼、见面礼，还有我结婚的花销还给我。她不给，我就赖在她家村子里不走，晚上睡在她家外面。她觉得这样影响她家的名誉，因为她家几个姑娘都想那样搞离婚，我丈母娘就叫了一帮人，请了两辆小轿车，半夜把我打了一顿，几个人把我架上车拉出村子，扔在了一个不认识的地方。被打后，我就报案了，但是两个不同属地的警察都不管。我就不服，到省厅来上访。”

“到底是在黄冈打的，还是武汉打的？”

“两边都打过，晚上我不跟他们上车，就扇耳光，把手捆起来，打完之后拖上车，在车上又打，还威胁我说再去找人家卸下你一条腿，又打。但是他们打人不是往死里打，他们打人不打脑袋，也不用刀子捅，讲究技巧让你没有外伤。医生检查结果都是软组织损伤。在公安局大厅，我听一个公安人员说有一个女的肚子被人搞大了，找不到男的，但是这个事情不是他们管的范围。我过去看了看，认识了叶秋凤。她告诉我说，她在深圳一家手袋厂打工，跟我们湖北大冶这个男的认识，同居了，肚子大了之后这个男的就跑了。这个女的就说反正他是湖北的，跑得了和尚跑不了庙，于是挺着大肚子来找这个男人。找到大冶这个男的家，村里的人说这家人都搬到海南去了，家里头就剩一个空房子。后来这个男的给叶秋凤打电话，说他得癌症快要死了，这辈子对不起她，要她自己处理这个孩子，就失踪了。她就到各大医院肿瘤科去打听，也找不到，就给各大媒体打电话，想利用媒体找到这个男的。她跟媒体不算熟，没人采访她，她就横下心来死赖着公安局，想让公安局把这个男的给揪出来。我说，这个事情公安局管不了，公安局只管打人刑事案件，你也没有伤，你这胎儿也没搞死。你自己上当受骗，是够不上立案条件的。我这么一说，她就没办法了。过了几个小时，我的事情都处理完了，她还没走。我说：‘你怎么办呢？要不我打个电话把你送到救助站？’她问我救助站能不能保证找到那男的，我说救助站保证不了，但能保证把你平安送回家，国家给你买票。她说：‘这不行，在我们农村没办结婚证回家生孩子的话，父母哥嫂都不会接受的，为了孩子必须找到这个男人。’我说：‘你有没有借助媒体的力量帮助你？我把晚报、都市报、新闻热线的电话都给你，还有我们湖北总工会、妇联的电话也给你，你打电话反映一下。’后来，都没有人管她这个事。我说现在是文明社会，也不可能让你大着肚子把这孩子生在大街上。结果她说：‘那你帮帮我。’”

“你又动了怜悯之心？”

“唉，她打电话不见效果，我一打，所有媒体都到了。我是媒体的线人，在他们那里都挂号了，因为我刘祥武提供的线索一般都是有点新闻价值、有点社会教育意义的。”

“你给媒体提供线索，然后有些收入？”

“他们也给点钱，但我不是主要靠这赚钱的，线索费也就几十块钱，多了上百块钱。过来后有些媒体也给叶秋凤一些钱，她当时就不客气地收了。我觉得有些不对头，怎么也不谢谢给她钱的人。报社给她找了一家酒店让她住下。第二天报纸登了，但是也没什么反响。我就把她送到救助站。救助站把她吃住给解决了，然后准备派几个人把她护送回广西老家。当时她就给我打电话，就说不找到这个男的，回去也是死路一条。救助站就说：‘这个事情是你刘祥武引起的，你必须给我过来一趟，解释清楚和她是什么关系。’我说我是好心人，结果救助站说：‘不可能，社会上没有你这样的好心人。’他们说，他们已经查过我的底子，北京、东北、上海等好多地方的救助站我都去过，说我就是一个专业跑站的，是不是和这个女的联合起来想骗政府的钱？叶秋凤肚子里的孩子说不好就是你的，现在既然做了这个好事，那就好事做到底吧！最后我说：‘这样吧，你们要是帮不了她，我可以帮她，让她在武汉生孩子。’”

“你为什么说这样的话，你想干嘛？”

“我知道这里的基督教会会接纳她。为这个事我跟媒体搞得很不愉快，媒体一直怀疑我和她是什么关系，说我怎么对这个事情这么热心。救助站跟她到医院去检查，说七月底就要生了。救助站认为马上就得送走，买张票派几个人护送回广西。我又坐车回到救助站，她本人还是不想回去，我说：‘那你现在可以跟着我回去，我安排你吃住。’”

“你是怎么想的呢？你有这么大的能力吗？”

“我是这样考虑的，她不回去广西的话，可以让武汉的媒体继续在她身上深挖，哪怕这个男的躲在海南，通过网友的人肉搜索，通过当地派出所、政府下达的压力，应该不难找到他。现在是和谐社会，挺着大肚子来找个男的，哪怕不归政府管，也能通过这个男的的朋友，三代以内的旁亲、堂兄等，给这个男的打电话找到他。”

“让叶秋凤在武汉生孩子，对那个男的是一种压力？”

“对，有压力。因为这个媒体一报道出来，大冶的那个男的肯定也看报纸。后来这个计划没实现，救助站说：‘你刘祥武不是她的监护人，现在她的肚子这么大，我们必须把她送回去，而你要她留在武汉是什么目的？你结婚没有？’”

“你是不是想把她弄回去做老婆？”

“没有，这种女的养不活，她细皮嫩肉的，不是吃苦的人。”

“为什么觉得她细皮嫩肉呢？”

“看得出来啊！要是吃苦的人，看她手就能看出来了。她自己都吐露出来了，说那个男的走的时候给了她七八千块钱，让她买了个苹果手机什么的，现在她这个钱就花得剩下两千块钱。我问她怎么会花了那么多钱，她说：‘我去大冶、去深圳找的时候坐高铁，住酒店。’就这种女的，哪个养得活她？而且那个男的比她大十几岁，男人家的孩子跟她年龄差不多大，跟他老婆还没离婚，她相当于是一个小三的角色。这个男的这么做在社会上是不道德的，假如他老婆要起诉的话，他这是重婚，两年徒刑。”

“叶秋凤最后怎么走的？”

“救助站的意思就是必须送她走，让我做叶秋凤的工作。她说她挺着大肚子回去就要跳楼，因为一个没有出嫁的女孩子，挺着大肚子回家去生孩子，在乡村很丢父母的人。最后她说：‘要走也可以，你能不能给我解决五千块钱？’我当时也觉得这个女的有问题，她跟我说她手上有两千块钱，还有媒体给她捐的钱都在她身上。”

“国家政策规定救助站只给买票，管吃、管住，那为什么叶秋凤提出要五千块钱才走呢？”

“因为她看到我这个人大概对她有所企图，也有人说我有色心。至于她内心怎么想，我就不知道，也许我是第一个帮助她的人，反正她就总跟我提要求。媒体给她捐的钱她从来不拿出来。”

“你借给她了？”

“6月21日下午，大概四五点钟吧，救助站派了几个人送她，接到电话我就赶到武汉火车站，在候车室找到她。当时电视台的摄像和主持人都在，有几个记者就跟我讲最好别借，这个人靠不住。我对叶秋凤说：‘你打个条吧！回去以后你再想办法还给我，我家里也非常困难，而且我今年一年也没干什么活儿。’叶秋凤当时说：‘这个钱你放心，我还会给你利息，好好报答你。’我说：‘报答就不用讲了，你就把该还的还给我就行。’她就走了。回去就给我打电话说难产要动手术，可能还需要很多的钱。一天当中给我发了很多短信，都是要钱的。电话当中从两万降到两千，就是为了跟我要钱。我说你还没生，怎么就知道要难产啊？她说曾经怀过一次孕，流产了。我说我又不是开银行的。我想，是不是有人在旁边教她怎么借钱呢？”

“你为什么会有这种感觉呢？”

“我听到她身边有人在说：‘这个人的钱这样好搞，再搞一点。’后来我说：‘你这人是不是个骗子？’之后她的手机就再也打不通了。”

“俗话说救急不救穷，你救的是啥？”

“我救的不是穷，我救她也是想改变一个人的命运。我知道每次行善，肯定是我付出牺牲，我受到伤害。我和你不是一个圈子，不是一个阶层的，你的眼光有局限性。我看人非常准，所以救助人都是在做善事。”

“你救这些人本来是想要他们善良，但是他们却变得更加恶劣。”

“我不是想要他们跟我一样善良，不过是让他们不死，让他们活下去，没有在社会上为非作歹。”

“今天这样的结局你想到没有？”

“借给她五千块钱对我来说已经很难受了。当她打电话说还要再借给她一万两万的时候，我整晚整晚地不睡觉，我真傻，做得太那个了……我当时想留下叶秋凤在武汉生孩子的时候，救助站就对我怀恨在心。”

“为什么恨你啊？你给人家惹麻烦了。”

“就是惹麻烦了，我不搞这件事，他们就不会有这个麻烦。这个月我睡在街头，就有人给他们打电话，救助站的车子开过来找我。我说：‘我不需要你们救助。’他说：‘天气这么冷，你睡在外面冻死了怎么办？河南郑州就刚死一个。你必须跟我们走。’我说：‘我不走，法律规定你不能强制救助我。’”

“他们怎知道你在大街上睡呢?”

“有市民打电话说我在街头睡觉影响市容。三个人把我往车上抬，我就把汽车玻璃给砸了，我说：‘不停车我马上跳下去。’他们又找绳子把我捆在车凳子上面。我说：‘再发达的城市也有流浪汉，你们也不能用捆绑的方式，用武力的方式救助人。’把我弄到救助站，已经是夜里十点多了。我说：‘我要投诉你们，你们在车上捆我、打我、骂我。’他说：‘谁打你了？谁看见了？你投诉可以，你现在必须先拍个照，登个记，按个手印，就可以走了，说明你自己放弃救助，你现在就可以走，说明法律规定没有强制救助你。’拍照、签名、按手印后，我就走出救助站。那时候已经没有公交车，我在门口站了有一个小时，救助站里出来个车子，我拦住他们的车子不让走。我说：‘你们把我拉到你们的救助站，现在你得把我带回到市里去。’他们就把我带到了市区。第二天我就找到救助站的上级部门武汉市民政局上访。他们请我在机关食堂吃了顿饭，说‘这个事我们会给你调查’，然后给了我二十块钱，让我打车回来。几个处长当天下午就带着我去调查，救助站的人都不承认，然后把那个监控器一打开说：‘你看，你亲自签字按手印都没人强迫，也根本没有人打你、捆你。’我说：‘你们在车上是怎么打我的？’他们说：‘那个没录像，你说的没有证据。’这个事情我现在还和他们没有完。但是我不能再去救助站了，他们那里都有我的记录，他们都会认为我是吃救助这碗饭的。”

“你是不是喜欢流浪啊？那你为什么不尝试一下改变，以后不流浪？”

“我也不喜欢流浪啊，只不过是有些时候睡在街头想节约点住宿费而已，那不叫流浪。流浪是很痛苦很痛苦的，到晚上的时候危险非常大，身边一双破皮鞋也会被捡垃圾的给拿跑。还有一次在街头睡觉的时候被一个同性恋给性侵了，他把我弄醒了我才知道。后来我在外面睡觉，身上都盖着衣服，有人要脱我衣服的时候就会惊醒我。天亮之后我去医院检查，看看得了艾滋病没有。大夫给我开了很多化验单，我一看好几百块钱最后也没有做。上世纪九十年代初的时候我都到了没有饭吃的地步，有一个朋友就介绍我去做同性恋，我跟他们到一个宾馆，脱了裤子给老板看，人家看完了说我不合格，就没有去成。”

“不叫流浪叫什么？你给自己定位一下叫什么。”

“河南郑州大桥下冻死的那个人是在流浪吗？这不叫流浪，他们出来找工作，要养家糊口。你对底层的理解是错误的，要理解他为什么要流浪？流浪的背后原因又是什么？”

“你在流浪中总能找到乐趣吗？”

“我始终是这山望着那山高，如果跟一个单位签约的话，一个月就能挣一两千块钱，在短时间内改变不了我的家庭状况。我现在的心态是急于转变我的现状，但这是不可能的，除非你买彩票中五百万，一夜暴富。”

“那靠什么？靠偷抢啊？偷抢你就更不行了，就你这小身体。”我有意轻视他，看看他什么反应。

“那你说错了，很多劳务市场的人看到我，说我面相很善，到云南那边去贩毒肯定没人会怀疑我。”

“说不好哪天你会走到那一步。”

“但是我不会走，不可能。”

“你可别说得这么绝。”

“除非有个人跟我签一个协议，把真金白银给我存到银行里，我哥哥和我父亲的生老病死都安排好了，我家庭没有后顾之忧了，我可以冒险一下试试。”

“你还是敢铤而走险，我劝你千万不要，你现在已经很危险了，说不好真会去干贩毒这样的事情。”

“就像我在丹东海上打鱼的那次，假如我被扔到海里粉身碎骨了，有人能帮我打官司，帮我挣一笔赔偿费吗？能帮我把我哥哥和父亲安排一下生活吗？我的命起码要换个一百万吧，但是就算我死了，消失了，也不一定能拿到这样的补偿……”

“明天去叶秋凤家要钱，你觉得会见到她吗？”

“我们先到他们派出所，通过电脑把她在武汉时的新闻报道调出来，然后找他们村干部做她父母的工作。如果叶秋凤在家就和她见面，不在家的话，就让她父母联系她。如果现在还钱有困难的话，就给我一个还钱的时间，总避而不见是不对的。实在不行的话，凭这张条子我可以起诉她，但起诉的时间长，花销成本很大，所以我也不希望走到那一步，最好让她自己良心发现把这个钱还上。”

第二天，下着小雨，我的朋友开车带着我们，直奔二百公里外的贺州黄姚古镇。黄姚古镇小学的古老师和叶老师得知刘祥武救助叶秋凤的经过后，首先问他：“你和叶秋凤是什么关系，你怎么可能无缘无故借给她五千块钱，你的钱来得容易吗？”

“唉，没有人能理解我做的这个事情，连这个叶秋凤也不感恩。”刘祥武说。

叶老师看了我手机上的照片后说：“这个叶秋凤是我教过的学生，这个学生小时候学习上并不聪明，而且我和他们家还是堂亲。”

吃完午饭，叶老师带着我们去叶秋凤的家。

这里属于喀斯特地貌，风景如同桂林山水一样美丽，耕作的水田就在这些山峰之间，冬季的田里一片荒芜。叶秋凤的家在山峰下，我们来的时候还在下小雨，我们踩着两脚泥进村，空气很是潮湿。

叶秋凤的家有三处房子，一处土砖房，一处土砖混合建筑，一处是新盖的红砖二层楼。叶秋凤的父亲正在土房子里喂家里的三头牛，这所房子应该有很多年的历史了，已经不能住人。旁边也是一栋旧房子，看起来也残破已久。

叶老师给叶秋凤的父亲介绍刘祥武，说这是六月份在武汉救助他女儿的恩人，还给了她五千块钱。现在快过年了，人家来找，看看能不能把钱还给人家。

叶秋凤的父亲一看就是老实巴交的农民，身体单薄黑瘦。他说，没有听女儿回来说这件事，而且女儿生完孩子，八月份已经和他老公走了。

刘祥武拿出叶秋凤写的欠条给他看。他说这是女儿的字。

叶秋凤的父亲又带着我们回到前面新盖的楼房里，里面的墙还露着红砖，墙面没有粉饰，屋里堆砌着各种东西，弥漫着潮气，加上下雨，显得异常寒冷。新房是政府资助两万块钱建起来的，屋里有三个孩子围在床上看电视，没有看到叶秋凤的母亲和其他人。叶秋凤的父亲拿着刘祥武给的欠条重新抄写了一遍，说问问女儿后，让她尽快还

叶秋凤的老家。风景如同桂林山水一样美丽，耕作的水田就在这些山峰之间。

当地小学的叶老师陪我们找到叶秋凤家。叶秋凤的家有三处房子。

叶秋凤的父亲正在喂牛。

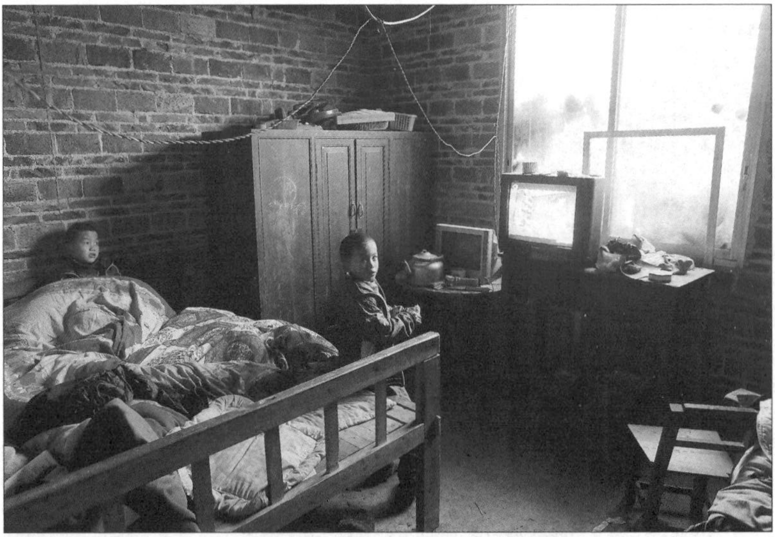

叶秋凤家的新房是政府资助建起来的，屋里有三个孩子围在床上看电视。

刘祥武拿出叶秋凤写的欠条给叶秋凤的父亲看。他说这是女儿的字。

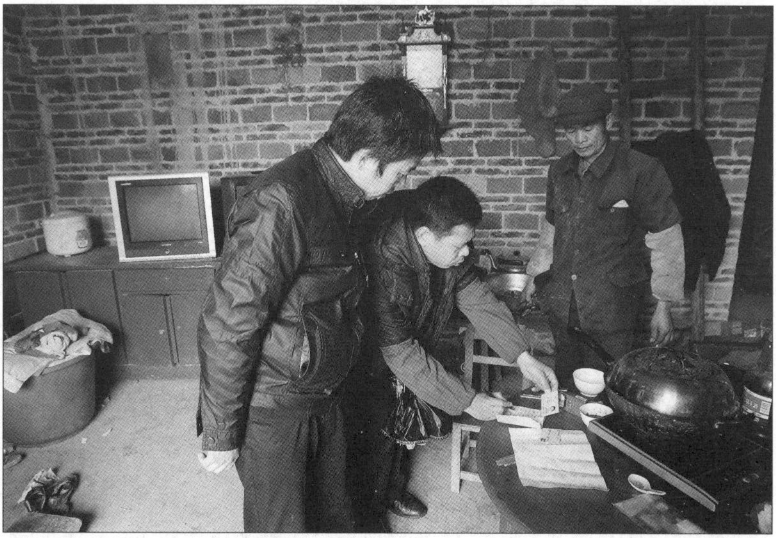

叶秋凤的父亲拿着刘祥武给的欠条重新抄写了一遍，说问问女儿后，让她尽快还钱。叶老师把刘祥武的电话和信用卡号都记在上面。

钱。叶老师把刘祥武的电话和信用卡号都记在上面。

刘祥武问："你见过你女婿吗？"

"见过，还拿着酒来家里看我。"他边说边拿出酒盒子给我们看。

"你女婿有多大你知道吗？是不是个中年男人？对你的女婿不怎么了解，就那么放心地让他把人带走啦？"

"有四十多岁，个子不高的中年男子。她不听话，嫁给谁我也管不了，生完孩子就接走了，以后就再也没有给家里打过电话。"

刘祥武说："她要给家里打电话了你就告诉她，我也是个农民工，挣钱不容易，而且还救过她命，让她有能力就把钱还给我。"

出叶秋凤家，我们冒雨在古镇上游走了一番。黄姚古镇源起于宋朝，在明清时期曾是商贾云集的繁华镇集，如今历经千年沧桑，湮灭了以往的繁华与喧嚣，成为一个旅游之地，让这个地方热闹了一些。古镇周边的村子依然是农桑为主的田园经济。

开车回桂林，刘祥武的钱能否要回来，已经是个未知数了。

到宾馆洗完澡，我和刘祥武又开始聊天。

"说说你今天去叶秋凤家要钱的感想？"

"很失望，我也料到是这么个结果。这一切有可能就是一个圈套，七月初生的孩子到八月满月，人又走了。今天看到她爸爸很老实的样子，可说他女儿几个月都不给家里打电话，我不相信。"

"去他们家看到情况了吧，有钱吗？"

"她家三套房你没看见？上面还有一套房。她家还有几头牛，你看到了吧。母牛得一万几，公牛是八千多，怎么没钱？"

"你怎么不看她家徒四壁，就剩那几头牛了，你就觉得人家里有钱？"

"起码她家有这个还款能力。在法律上，她家老人没有这个义务，在道德上，他绝对有这个义务。我大老远跑过来要钱，还是帮助她女儿的人。"

"你做的事情能给这个社会带来善良，带来正义和正气，我们都支持。但是你救了她，她还要跟你要两万块钱，这是什么心态你想过没有？"

“这个是人性本身都有的，这不是大恶。不是可以接受，是可以理解。我挣钱不容易，但是她挣钱容易啊。”

“那你给这些人培养了一种意识，就是有些人好骗。”

“我也不知道这个钱能不能要回来，等我的个人问题解决了，等我有精力了再要。因为她这个借条在我这里，她没有写还款日期，所以在法律上是有效力的，再过十年我也可以找她要。如果写个还款日期，过两年她还没有给我，法律就可以不管。我在新疆、哈尔滨打工，借过我钱的人不止十个二十个，到现在很多人都没有还我。来这里要钱的事情上，我认为马老师你没有帮上我，有可能还起反作用。叶秋凤会这样想：既然你找来了，我偏不还钱，村里到处传言，我回来怎么做人？也许她本来想还钱呢，这样的话一传她耳朵里，肯定不还。”

“我发现你的力量离不开媒体。你感觉你解决不了了，就用媒体，你不承认？”

“我是希望能改变，尽我的力量，能救一个是一个。”

“你的力量？还是媒体的力量？”

“肯定是我的力量。媒体是一个石磨，你不推它就不转。”

“你活在社会最底层，而且你的活法不一样，因为你会看得最透彻，会拿东西和媒体做交易，媒体也启发了你的思维方式。”

“这个线索的新闻见报了，让社会上的人受到教育、启迪，甚至得到帮助，不是很好吗？李华和、叶秋凤、陈志斌，不是得到帮助了吗？”

我们下楼去吃桂林米粉，在新华书店的楼下，看到几个孩子摆了一个地摊，上面写着家人患肺癌无钱医治，还有一些医院和医生的诊断证明、三好学生证书，周边围着很多人。刘祥武说：“这些孩子都是来自一个地方的，都是用这种方法骗钱。”

果然，过马路没多远，就看到又有这样的孩子用同样的东西在要钱。吃完饭回来，刘祥武给我讲了这些孩子的骗钱方法：“第一次见的时候，我都给个十块五块。然后我给媒体打电话，给救助站打电话，他们都不去解决。后来我在别的城市又看见这些孩子了，写的地方都一样，都有学生证、毕业证，连医院的CT单子都一样。为什么每个城市都是他们这些人？帮多了就知道他们都是一个团伙，都是一个地区，甚至是一个乡一个镇的。那里的人们每家都靠这种方式赚钱发财，村里的人都出去，家长躲在背后，让这些小孩出来，坐在马路边摆摊要钱。”

“为什么你能容忍一个骗你钱的人，却不能容忍一个街头乞讨的孩子？”

“这孩子是需要受教育的，不应该像这样流浪街头。办法很简单，找一个部门把小孩子抓进去，追根问底，很容易就找到他们的监护人。这些孩子流浪到这里，当地政府就应该过问一下。现在在武汉街头，这样的孩子一出现，政府就会把他们送到有关部门，这些人都不再到武汉去了。我怎么没有力量？我就站在他们摊子前面，一看到围观的人给他们掏钱，我就说：‘大家不要给他们钱，你们可以上网搜搜，出来骗人的全部都是他们这个地方的。’听我一说，给钱的人就散开了。”

“你怎么知道这些地方？”

“我经常看报道，不信你自己到网上一查，不就什么都知道了嘛。有两个典型乞丐村，就是小寨村和虎龙村，村子里十有八九的人都有过外出乞讨的经历。有的甚至一家都出来乞讨，这样的方式致富也快。好多大报都报道过。有一个乞丐村的人在武汉打工，我们当时在一起也算同事了，他答应回去后在他们那里给我物色一个对象。后来我打电话催他，他又反悔了，说他们那里的乞丐都有钱，比我的条件好，她们不可能找一个条件还不如她的人结婚。他对我说，他们其实还算富裕的，他自己家里有小轿车，买的商品房，还拿出五十万开酒店。”

“乞丐都比你有钱，你怎么想？”

“其实乞丐村那里不穷，大家靠乞讨有钱了，再拿这些钱做个生意，就不穷了。一是倒腾药材，二是乞讨，三是每年国家有危房补贴。他开着农家乐，国家还有几万补贴。”

“人家会想到我，制订一个致富计划，然后我去做，做几年我能做成。你刘祥武总是异想天开，盼望着老天的眷顾。”

“老天爷是不长眼啊，我怀才不遇。像我这种好心肠，又有正能量的才。要是我有陈光标那样的舞台，那就是老天开眼了。”

“你做好事要回报吗？”

“有回报更加好啊！有回报我就有能力帮助更多的人。但是我这种人跟他站的平台不一样，陈光标是企业家，他有公司。我是个草根，怎么回报？没那个力量啊！我巴不得像牛根生，老牛基金会那样有钱帮助别人，甚至我都给陈光标写过信。”

“陈光标理你了吗？”

“我在信里说：‘我在这里救助了几个困难的人，由于能力有限没有那么多钱，现在就差最后一把火，希望你能送他们最后一程，让他们走上生活的正轨。’我觉得写信是错误的。”

“你认为谁是真心做慈善的？”

“曹德旺。他有一句话：‘施舍是最小的，没有功德的。有钱人以财物予人，佛祖还建议最好隐性布施，就是做好事不要留名，让人知道了就不好了，就没有功德。’”

“怎么不给曹德旺写信？怎么知道曹德旺是真心做慈善的呢？”

“看曹德旺他本人，我就知道他是真心的。社会上深陷这种生活的人太多了，救不过来。但是他尽他最大的力量，救了很多人，起码比我救的人多。”

“你这救助行为给社会以及他人增加了负担。”

“采访‘信用乞丐’的媒体开始都同情李华和，之后他拿着人家给的名片，不停地打电话希望能得到更多的救助。记者都没办法了，把他的电话拉进黑名单。记者和我都希望能看到他有一个道德的改变，但是看不到。作为一个成年人，他已经受到惩罚了，医院不理他了，社会上也没人给他再捐钱救助了。”

“你怎么不琢磨一下自己，为什么你救助的人到最后都是一个很坏的结局？”

“人性是丑恶的，行善极少，极品的就我一个。”

“你自己想想这是为什么？”

“为什么？世风日下，物欲横流。人都有恶的一面，但你不能看我一直在找老婆，就觉得我是一个性变态，性饥渴。”

“这不是恶，这是我在了解你的内心。你有没有去找过小姐？”

“我被别人引诱过。”

“你别说引诱，你去过没有？”

“在新疆去过，老板说那儿的小姐三十块钱一次。老板请客，我说不去。他说：‘哎呀！你他妈的又没结婚怕什么呢！’老板把我带到那个发廊里头，人家把衣服一脱，看到一个裸体的女人在我面前，就忍不住了。我被人家引诱过好几次，每次都这样，就是没有那种家庭的感觉。”

“还是对你有诱惑力？”

“那肯定的啊！你没有看到报纸上的报道吗？上海的法官都搞女人，我又不是神人，饱暖思淫欲，饥寒起盗心。”

“你一方面看到的是社会的黑暗，一方面看到的又是社会的阳光；一方面你自己又恶，一方面你自己又善；你一方面在同情这些人，一方面还在泯灭这些人。这就是你的善和恶。”我对刘祥武说。

再见刘祥武

我和刘祥武的联系，基本都是以找媳妇为主题。

某天下午，他打电话给我，说他看到《杭州日报》记者陈庆港拍摄的“十四家”一书，是作者在中国各地寻找到的十四户最穷的家庭，这个也许是个线索。刘祥武说他给书中的一些家庭写过信，希望他们能帮助他找个媳妇，结果都没有回信。

后来，他又说他在凤凰卫视中看到云南金平县勐桥乡有个“难民”安置点。中越战争时，为了躲避战火，有近三十万人从越南逃到中国境内，在那里生活。他想让我给打听一下，能不能去那里找一个媳妇。

他又让我托在丹东的朋友，看能不能给他找一个去朝鲜打工的机会。也许能在那边找一个朝鲜人做老婆。

我在柬埔寨采访的时候，刘祥武给我短信说：“柬埔寨也是一个贫穷的国家，你在那里问问，有没有愿意来中国给我当老婆的人。”

2013年8月24日，我乘坐早晨的航班到达武汉。近中午时，刘祥武来到我住的酒店，是他同住的朋友骑摩托车把他送来的。

一进屋，刘祥武就问我这个房间的价格是多少：“这个房间太贵，住的应该简单一点，有钱可以去做些好事。吃的饭贵了没有必要，也可以省钱去做善事。”看到桌子上有一块月饼，他就说：“这个酒店的月饼很有名，很好吃的，每年快到中秋的时候很多人来这里买了送礼。”我说：“你吃吧！这个不要钱。”他吃完才知道这块月饼要三十块钱，表情很不舒服。

“叶秋凤的钱你报案后到现在进展怎么样？”

“过完年我就去武汉市公安局上访。我拿着报纸去公安局，以诈骗为由向公安机关报案。公安局认为这个救助是自愿的，而且还有借据为证，应该是民事借贷纠纷，属于法院的管理范畴。我又去了法院。法院在听取我的案情后，一致认为这个借贷纠纷应该去女方的属地起诉。我也给当地村委会、镇政府打过电话，人家也说让我走司法程序。我现在自己没有力量，叶秋凤这个事情要是当地媒体能报道一下，政府就会重视这个事情的影响，就会过问这个事情，也许能得到解决。”刘祥武说，“现在看来，她是一个真的骗子。”

第二天早晨起来，我们去楼上餐厅吃饭。我住的房间只包含一份免费早餐，刘祥武的那份需要掏钱。当他知道一份早餐需要六十块钱，就说：“太贵了，一份热干面才三块五，我还是出去吃吧！”说完就往外走。我几乎是把他从电梯里给揪出来按在餐桌前的。

刘祥武去夹了一盘子的肉，我说：“你能吃得了吗？”他说他慢慢吃，好久没有吃肉了，猛一下吃多了，胃会受不了。

“那些好吃的饭菜摆在你面前，你吃不吃？”我问他。

“那肯定吃。我吃得有道理：一是肚子饿了，二是浪费这么大，不吃白不吃。”

“那你吃了以后的感受呢？”

“感受就是浪费。其实它的营养价值很好，口味也好，但赶不上我们湖北、四川，炒个白菜或者简单一点的饭，十几块钱就够了。从我的阶层，我的眼光，是这么认为的。其实我有一种很强的仇富心理，每当我从大酒店、大饭店走过，看到人家吃饭围着一桌子，上面摆着各种好吃的，满满的，我就想他们这帮人就是我们这个社会的上层，我们自己永远改变不了，哪怕是我们考上大学，考上研究生，这个阶层我也永远上不去。”

“你恨这些人吗？”

“肯定恨。我希望回到那个乌托邦的社会，那样贫富不会这么悬殊，差距也就缩小了，他们就不需要这样子吃喝。美国总统和富人每年都把自己的钱捐出一部分给穷人，而中国富人捐款做慈善的太少，他们好像永远也捞不够似的在赚钱。”

“饭店里吃饭的人你都不认识，哪来的恨？”

“我看他的穿戴和举止，那些行为比较傲慢骄横的，我就知道他不是通过正常途径富起来的。像乔布斯那样的人死了，世界人民都怀念。我有那眼光。”

“祥武你现在没有再住街头吧？”

“没有，现在住宿问题也是通过媒体解决的。我和刚才的那个朋友住在一起，他也没有让我掏房租，因为我通过媒体帮了他大忙。他在汉正街的副食品批发市场给人家打工，那个老板心比较黑，把一些过期食品的出厂日期擦掉后重新打上新的日期再拿出来卖。他发现后，老板就把他开除了。回来后他跟我说，我就过去找到老板。那老板很有钱，有几辆奔驰宝马就停在那里，脖子上戴着那么粗的金项链，一脸横肉地瞪着我。我拿着《劳动法》来跟他理论：一、你没有跟劳动者签订劳动合同；二、你解除人家工作没有提前通知本人，这个需要支付一个月的补偿金。老板说：你谈都不要谈，干一天就给一天的钱，想怎么样尽管来。我也不客气地说：想把事情闹大就走着瞧。从老板店里出来，我就给几家媒体打电话，电视台和几家报社都过来了，对着他一顿采访。第二天就见报了，并对他进行行政处罚。工商局还要找他的事情，他就把我找过去，赔偿了三千块钱，希望此事到此结束。我的朋友就非常感谢我，让我住到他那里，也不收我的房费。”

这是刘祥武过完年在武汉做的第一件事。四月份还有一件稀奇的事，他是这样讲述的：“我们这里一家酒楼的厨师，不知道怎么夜里睡觉死在他们宿舍了。厨师的家属过来处理这个事情。由于家里亲戚少，在和酒楼的协商中显得人单力薄，斗不过酒楼，就有人出主意，到劳务市场雇用一些年纪大的妇女、年轻人来冒充家属，我就在其中。他们家雇了快一百号各个年龄段的人，举着花圈、标语，堵在酒楼门口闹。这个社会就是这样，一旦出事，就要闹，才能解决问题，大闹大解决，小闹小解决。酒楼一看这么多人，也惊动了当地政府，结果赔了死者三四十万。事后那个雇主给钱的时候，年轻体壮的每人一百块钱，看我身体单薄，就只给了六十块钱。我当时就觉得不能接受，回来后找媒体，在报纸、电视上把这个事情给曝光了。电视台播出的时候，把我的影像做了处理，但是没有处理我的声音。一播出来，劳务市场的人一听电视里的人说话有些口吃，就猜到是我，都说我是叛徒，以后再也不跟我一起做事了。”

“你遇到不平的事情或者你经历不平的事情，你都会去给媒体爆料是不是？其实善恶的原则和你自己的倾向是有直接关系的，是吗？你直接回答我。”

“也不全是，这个怎么说呢……”他又口吃了，眼光不敢看我。

我说：“其实无法用准确的言辞来表达你所做的事情是善是恶，但在你身上却能表现出来。说到你的恶你就逃避，说到你的善你就很有信心。”

下午，我和刘祥武去硚口区集贤村，在一些很旧的楼房建筑中，我们找到了陈志斌家。敲了好久的门，才出来一个妇女，看到我拍照就赶紧躲开。她在这里居住：“我一个打工者，在陈志斌家住，每天只需要交五六块钱就行。”

进屋一看，让我吃惊。一间十二平方米的小屋里，放着一张双人床，是陈志斌一家三口睡觉的地方，大床周边摆着上下层四张小床。在进门上方一个本是橱柜的地方，也用来租住，仅能爬上去睡觉而已。开门的这个女人就住在这个上面。整个屋子没有透光的地方，要是不开灯，根本无法看清屋里的一切。大床旁能站下两个人的位置，一张桌子上摆着一台二十寸的电视机。刘祥武说这是帮助他的人捐助的。

刘祥武给陈志斌打了电话，然后对我说，他在街头开三轮车，一会儿就回来。

很快，一个个子不高的白皙男子，带着一个三岁的孩子进来了。

大概是没有看到我给他们家带来什么礼物的缘故，陈志斌对我很冷淡。

我问他，是不是刘祥武帮助了他，他根本就不认可？他说刘祥武很是滑头，总是拿他的事情找媒体来，可见报后并没有更多的人给他捐钱，只有一家媒体的报道让他得到了一万多块钱。他怀疑那些报道见报后，很可能是刘祥武和记者把捐助给他的钱私吞了。

陈志斌的老婆已经被送到精神病院进行治疗，快半年了，他也从来没有去看过他老婆，还对我说没有必要去看。反过来问我采访他是不是也想从他身上赚钱。

已经没有什么好说的了，我和刘祥武冒雨离开他家。

路上他又给刘祥武打电话，问我的采访是不是准备在他身上赚钱。

离开陈志斌家，我们又到硚口区文化馆。在武汉，每个区都有这样的文化馆对外开放，里面有可以上网的电脑和图书阅览室，供人们免费上网学习。文化馆楼下是一个劳务市场，刘祥武就在这个市场找活儿干，没活儿的时候他就到文化馆上网看书。用他自己的话说，他是一个文化青年，说话有水平，有幽默感，能学以致用。

出了图书馆，我们又打车去刘祥武居住的地方，我想看看他住的到底是个什么样的环境。

这里是汉江边的宝庆码头，都是些二三层楼的民居，一条条弯曲的窄巷子。据说这里是湖南人在武汉聚居的地方。

正在下雨，天空阴暗，顺着曲径通幽的巷子走一阵子，最后到了一所很是破旧的三层小楼前。刘祥武拿出钥匙，打开铁门，进门就上楼梯。我根本看不到里面的阶梯，打开手机灯光，才敢往上走。楼梯也就是一人宽，根本走不开第二个人。在楼梯半中腰有一扇门，打开门后，屋里的灯光才能照在楼梯上。祥武说楼道的开关在上面房东门

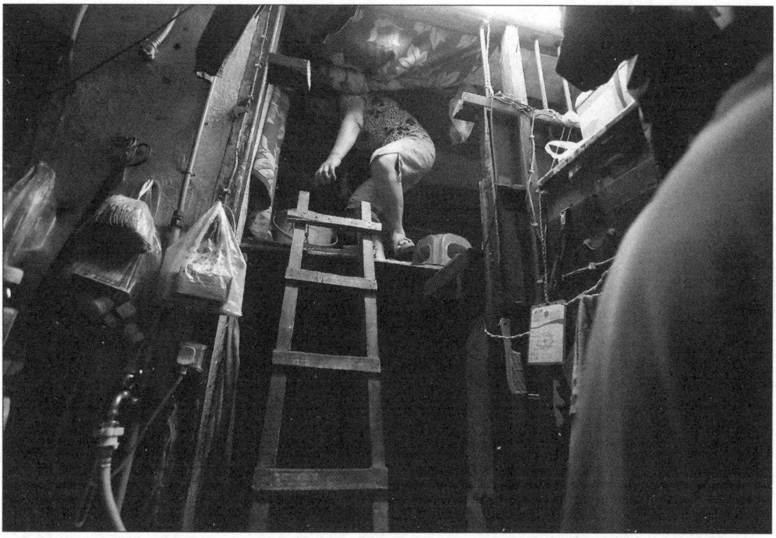

陈志斌家一间十二平方米的小屋里摆满了床，在进门上方一个本是橱柜的地方，也用来租住。

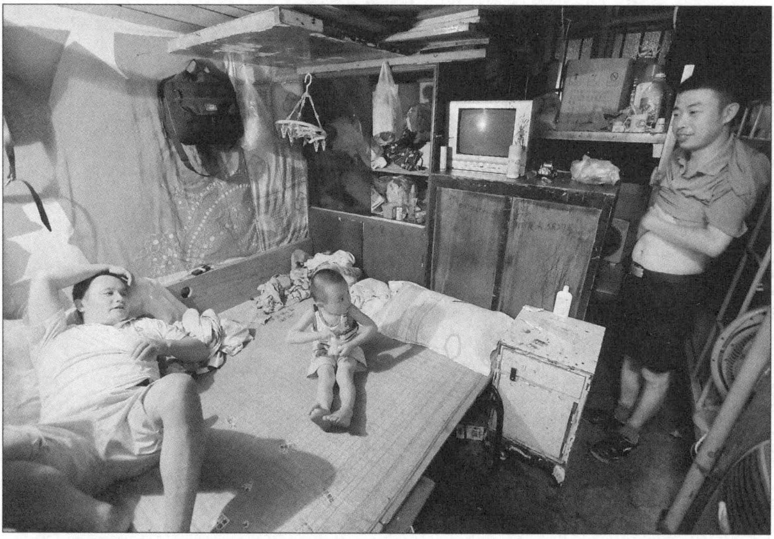

陈志斌的老婆已经被送到精神病院进行治疗，他没有去看过他老婆，反过来问我采访他是不是也想从他身上赚钱。

刘祥武在硚口区文化馆看报。

刘祥武的住处。

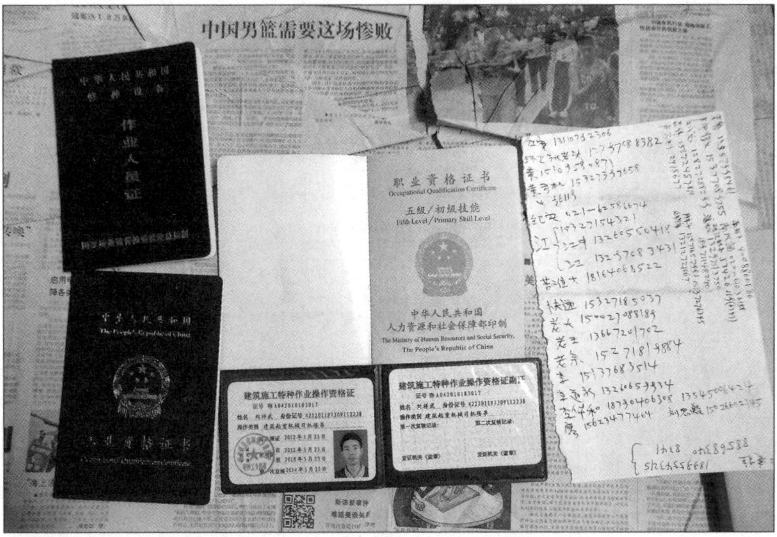

这两年，刘祥武又参加了不少培训，拿到不少证书，但他一直没有固定工作。

刘祥武对我说了他的四个愿望。

口，只有他下楼的时候才会开灯，他们这里没有开关，每次回来只能摸黑上楼。

刘祥武的房间是前后两间，他朋友在里面住。窗户上没有玻璃，用几根钢筋拦着。屋里没有家具，就是一张门板铺就的一张床，上面连床单也没有，垫了很多报纸，有一个薄被单。所有的东西都放在地上，刘祥武也没有什么东西，除了一些他收集的报纸杂志，最值钱的东西就是一个电风扇。电风扇的电线不到一米，够不到地上，只能在一堆杂志上放着。

这间房月租三百元，刘祥武说他每天的伙食费也就十五块钱。早上一碗热干面三块五，午饭五块，晚上也不会超过五块钱。他知道哪里的饭菜最便宜。

其间，“信用乞丐”李华和不停地给刘祥武打电话。我本想见见他，他说自己已经离开武汉回信阳老家了，电话中他跟我说夏季武汉很热，受不了才回到老家去。他跟我说，他还是很感谢刘祥武的，同时希望我们帮他搞些钱，再把他的腿治疗一下。

第二天，我陪刘祥武去买鞋，他脚上的一双靴子已经开了口子。在宾馆楼下的商店里买，他嫌贵，非要带我去一家卖二手衣服的地方。他说：“我身上穿的T恤和裤子才十块钱。”

在汉口菱角湖万达广场外的步行街后面，游人稀落的地方有一家卖闲置衣服的小店，刘祥武跟店主还挺熟。店里挂了很多牛仔裤、西服，四季的衣服都有。店里的工作人员正在整理刚送来的衣服标识。

刘祥武在这里挑了半个多小时，选中两件夹克，一条裤子。一件夹克是“老爷车”的，因为是名牌，要价一百元，另外两件衣服要价二十。

这时候陈志斌打来电话问刘祥武，我们是不是已经发他的稿子赚钱了，他非要刘祥武把这个事情说清楚不可。刘祥武把电话给我，我在电话里对他说：“这个社会没有人欠你的债，如果说谁帮助过你，你就要学会感恩于人家，而不是把别人对你的帮助看成一条生财之路。任何一个记者都不会靠报道你的贫困去赚钱，你这样说话是不道德的。”

刘祥武在楼下看上了一双皮鞋，是丹麦名牌ecco。老板要价一百五，最后以一百元的价格买下。祥武对这双皮鞋的皮子很是满意，不时让我看这双鞋的皮质多么柔软。我让他把脚上的鞋脱下来扔掉，他还是不舍得，说是留着干活儿的时候用，而这双好鞋和“老爷车”的夹克，留着以后去相亲的时候穿。

回到宾馆，刘祥武的第一件事就是打电话要当天的报纸。他说自从过完年就没有正经干过一个长久的工作，靠给媒体提供线索和帮人，就赚了几千块钱，够他用了。

我觉得他离开媒体就没有了快乐，也就找不到自己的位置了。

我让他聊聊给媒体当卧底的事。

“卧底是记者给的线索，像打鱼、坐牢这些事情，一是为了体验，同时也是一部分收入。有的线索是在劳务市场找的，那里面鱼龙混杂，什么人都有，也有专门做这事的人。比如出卖身份证，用一次一百，拿去办各种卡，拿去洗钱。这个事情的起源是湖北的一个市长热线。有一些人在赌场里输了很多钱，感到受骗，就打市长热线举报这个赌场。而现在市长承诺‘治庸问责’，事事有回音，件件有着落。在问责制度下，这个事情必须有结果才能结案，怎么结案就需要一个方式，老板还不能受到损失，人也不能被抓。他们想出这个办法，抓我们顶替，然后给上面汇报说人已经抓到，把案子结了再把我们放出来。来找我们的人谈好价格，我们就到那个赌博的地方，把赌局摆好开始玩。这时候老板就给公安局打电话，派出所出警到赌场，把我们都给抓起来，再送去拘留所。拘留十五天，每天给我们三百元。”

“你去替人坐牢，是为了正义吗？如果不给你钱你做不做？”

“正义也有，钱也有。钱是其次，我主要是净化社会。如果媒体跟我恳求的话，我就把这个事情爆料出来，估计公安要受处分的。”

“你坐牢和媒体没关系吧？”

“怎么没关系，去坐牢之前我给媒体打电话，跟他们商量这个事。记者很愿意跟踪这个事情的真实情况，说这个事情可是个猛料。”

“记者纵容你去的？你是为了记者和钱去的？”

“对，他肯定纵容我去。他知道我提供的是真材实料。记者登出来的话，是给这个社会起促进作用啊！能把这个漏洞堵住，让这个违规的事情得到处理。”

“做这些的结果是什么？得到名和利了吗？”

“这个事情不要搞，等我的婚事解决了，我就把这么多年的日记拿出来，里面有很多故事……”

“别拿你的婚事给我谈条件。”

“没有控制你的意思，我就是一个可怜之人，做这些事就是可恨之处。在人生的阅历上我见得非常多，但是在关键时刻把持不住。我感悟到我自己就是一个傻子，不能像你们大家一样随波逐流。我现在的愿望有四个：第一，我想做一个弱者帮扶中心，帮助那些走投无路的人，让他们吃不到饭的时候能在这里吃饱，冬季不再露宿街头被冻死。因为他们是一个特殊的群体，没有了尊严，抛弃了人格，降低了荣辱，是在正常与非正常的状态中生活着的人。第二，我爷爷带给我们家族的基因都不错，我们家族里有个堂哥学习很好，很有出息，所以我还有一个愿望就是想去台湾把爷爷的骨灰拿回来，让他回到老家入土为安。但是去一次台湾来回需要很多钱，我没有这么多的钱，现在放在心里当成一个愿望。第三，希望能把哥哥的病治疗一下。第四，把自己的婚事给解决了。怎么样，你看我说话有水平吧！有幽默感吧！”

本文图片除署名外均由马宏杰摄。

社会新闻内部版

阿狐哥哥

摆几个与新闻有关的“龙门阵”。

“阿狐哥哥”是个网名，在网络世界有近十五年的历史了。现实世界中的阿狐哥哥，在成都某报社工作，从业期间，主要做社会新闻的采访与编辑。

在都市报纸版面上，本地社会新闻是重头，既是媒体争取读者的利器，也是媒体间竞争的重要战场。由于各种原因，很多新闻稿件没有见报；就是见报的，内容也可能有若干折扣；另有很多采访编辑过程中的特别背景，就更加无法与读者见面。我选了几个自己经手的社会新闻事件，给大家来一个联播。这些事件已经不是新闻，但是有故事。也正因为时过境迁，才好把一些相关背景和当初只能内部掌握的材料一并带出——有些内幕如果披露太及时，就是不合时宜。

在这些龙门阵中，事件的“五个W”都是落到实处的，但由于涉及一些个人隐私，因此对一些人、单位、地点的名称会做一点“技术处理”。阿狐哥哥对本文的真实性负责。如有雷同，纯属巧合，切勿对号入座。

车勾勾传奇

“车勾勾”是个职业，也是个很复杂的身份。他们给非法营运的黑出租（川人称为“野的”）司机下套，把“野的”送到运管执法部门的伏击圈内一举拿下，还要取证、协助调查，以此取得不菲的奖金。

在运管部门的正式话语体系里，他们的身份只是有觉悟的群众，他们的举报出自义愤，与运管部门没有利益关联；而运管部门对他们的奖励，与处罚非法营运没有直接关系。但“野的”司机却认为车勾勾就是跟运管部门串通好的，所以落入被处罚过的“野的”司机手里的车勾勾，结局一般都不妙，挨揍是常规待遇，为此送了命的也有。

一般大众对“野的”和车勾勾这一对食物链上的冤家，并没有天然的道义爱憎，有时候乘坐“野的”是出于实用，并且是迫于无可选择。在具体的事件中，更多时候同情心是倾向“野的”一方的。因为在被处罚的“野的”中，确实有一些不是职业的，而是自己的小贪心加上车勾勾的设计引诱，导致被钓鱼执法的运管机构抓住并处以巨额罚款。

如今依靠车勾勾来打击非法营运的手段在一些省份还时有发生，但在四川早已经被政府叫停。在促进这一进步的过程中，媒体起到了一定的舆论监督作用，阿狐哥哥所在报社也是出了一把力的。

事情就从一个姓何的牙医的遭遇说起。

何牙医在成都干个体牙科诊所，买了一辆帕萨特轿车。他本来不用开黑车，也有不菲的收入，但敌不住本街一个婚礼花车行老板的说项，时不时为收费性质的婚礼车队凑凑数，收一点小钱。对于车勾勾这个行当，他基本上是无知状态。但这并不等于人家不打他的主意。

2003年9月5日，两个陌生男人找到何牙医诊所，礼数周全地请他去距离成都百余公里处的眉山市丹棱县出诊，为其老娘装全套假牙。开始何牙医不想去，嫌路远当天回不来。但两个男子的拳拳孝心感动了他，于是说好做假牙的费用按挂牌标准收，另收一点汽油费算出诊费，就开车载上两个大孝子上路了。

到了丹棱城边，孝子叫停车，其中一个下车跑到驾驶座前，掏出一张百元钞在何牙医面前摇晃，然后收回了钞票。

何牙医正莫名其妙，只听一声断喝："不要走，你这个'野的'！"几个穿交通运政稽查制服的男女围住了帕萨特，一个稽查抢上前拔走车钥匙，何牙医就成了丹棱县运管所砧板上的一块鱼肉。

后来才知道，那个孝子在他面前摇晃钞票，是让运管所埋伏的摄像机取得他非法营运收费的铁证。

识时务的何牙医在交了八千元罚款，得到五千元收据，并在执法处置认定书上签字之后，狼狈逃回成都。

痛定之后，何牙医辗转找到我的同事袁记者，诉说了上当始末。我就分配袁记者去搞清楚这件事。谁知道这一搞，竟然搞出一系列大事情，导致省领导联名给运输管理部门写信，最后废止了"有奖举报非法营运"这个制度。当然这是两年后的事了。

接着说何牙医。他的遭遇见报以后，我觉得丹棱县运管所操作如此熟练，肯定还有更多的冤大头送钱去，就在报纸上征集类似遭遇的人提供证据。几天里，十多个曾经被罚得跳的人给袁记者提供了令人震撼的证据，登载出来，成为热门新闻话题。值得指出的是，车勾勾诱人上当的创意之高明，设计之精密，好莱坞编剧也要叹服的。比如勾勾们拿着野外测量标杆很无助地站在路边招手，就把愿意帮他们转移工地的车整成了"野的"；还有时尚男女勾勾拿着摄像机装影视外景队，女勾勾装孕妇，老年勾勾装迷路，体弱勾勾装生病，少年勾勾装逃学。总之，有的是让心怀挣顺路钱想法的司机上当的手段。

在运管所方面，修理被逮冤大头也是很有办法的。每个叙述者都说到一个场景：一个三十多岁、姓丛的女稽查是丹棱运管所管钱的角色，她一见冤大头来了，就用一根食指挡在嘴上，示意出声是要吃大亏的。这个女人在收钱时，收八千元只给开三千元或五千元收据，甚至商量不给收据。如果冤大头要求开全额收据，那就马上把罚款额上浮甚至成倍翻。

说到这个女人时，冤大头们都是一脸愤恨。记者到丹棱采访时，在运管所的院子里公示板上撕下这个女人的照片，得到了冤大头们的指认。后来眉山市和省运管局调查，主要的查处对象也是这个女人。她收的钱，据查进入了一个私人账户，极可能是集体小金库。

在新闻做得热闹时，一个自称是职业车勾勾的人出来凑热闹，他打电话给袁记者，说愿意披露车勾勾的内幕。

我立即布置接待。

所谓接待，是准备好摄影录音设备，以便取证。有时候新闻事件情节太曲折、太凑巧或太圆满，读者就会生疑，主管部门也会怀疑是假新闻而干预，证据就成为记者保护自己的必要手段。

这个自己找上门的车勾勾很难对付。他打电话时说自己在文武路。从该处到报社开车也要十分钟以上，可是摄影记者还没有赶到报社院子里的大银杏树旁埋伏，录音笔还没来得及开机藏好，一个高个子男人就出现在记者办公区门口。他主动打招呼："我是给你们打电话的黄某某，哪位是袁记者？"

黄勾勾很坦率，严格地说是肆无忌惮。他很直白地说了跟运管所之间的合作关系、运作手段等，还主动建议我们录音，好向上面交代，可以给他的手部照相，他可以配合做出对自己所说内容签字认可的样子供拍摄，但是绝对不准照脸部，侧面背面也不行。

我在一旁，感觉到这一回合输了，就想补救，于是悄悄到外面打电话，让摄影记者到院子里设伏，等黄勾勾出去时偷拍。谁知这个电话才打完，就看见黄勾勾起身了。摄影记者赶到院子里，晚了。

主管领导一听是这个状况，就扔下一句话："你必须弄到这个车勾勾的照片！否则新闻不能做，所有后果都由你负责！"这句话有三重含义：一重是职场规则，谁大听谁的，下属没有价钱可讲；二重是这个记者辛苦操作好久的新闻连续报道不能断，打退堂鼓是不可能的，如果中断的话，记者的名誉、收入和阿狐哥哥的脸面都会输得很惨；三重是万一上面追究假新闻时，所有板子都要打在阿狐哥哥的屁屁上。总之，就是一定要有这个车勾勾的照片。

如果看过《穿普拉达的女王》这部电影，看到那个女助理在雷暴之夜全国飞机停飞而无法为老板找到夜间航班时的绝望状态，就能理解我这个时候的处境。于是跟袁记者商量，死马当活马医，用一个最古老其实是最无奈的办法，打电话请黄勾勾吃饭。

谁知这个很笨的办法竟然奏效，黄勾勾一口答应，约定的时间是晚上七点半，距离此时还有两个小时。

我想，你再厉害，总不会又是立马就空降吧！赶快到报社附近的一家大餐馆订了一个临街靠落地玻璃窗的桌子，悄悄告诉经理，这是有特殊用途的，一定要保留。然后安排一辆采访车停在餐馆街对面，让摄影记者用长焦距镜头时刻监视餐馆。

七点二十分，没有黄勾勾的音讯。这期间餐馆领班几次打电话来催，说要这个桌子的客人很多。

七点二十五分，黄勾勾的电话来了。他故技重施，说还在城西的实业街，半个小时以后到。已经懂得套路的阿狐哥哥知道已经来了，就叫袁记者赶快在餐馆门口恭迎。

果然，路口的红绿灯才变过，黄勾勾就从一辆雅阁轿车里钻出来，随行还有一个满脸横肉的壮汉。

潜伏在街对面的摄影记者还没等到一个没有过往汽车干扰的机会，黄勾勾就坚决地说："换个地方！"袁记者只好同意。黄勾勾转身就把袁记者带到了旁边一家档次稍低的餐馆。看来他对这一带很熟；一个暗中支援的同事立即把信息报告给我。

更严峻的考验到了。这个餐馆较小，没有临街窗口且大门内有屏风，在门外根本看不到内堂。怎么拍得到照片？配合袁记者的人不断地把情况汇报回来，急得团团转的我只好通过短信叫袁记者继续上啤酒，拖住黄勾勾，这边赶紧想办法。

这时一群下班的年轻记者说说笑笑往外走，突然，灵光闪现，我拦住这群男女，给他们一个光荣而不艰巨的任务：阿狐哥哥买单，请他们去餐馆吃夜宵。当然也是有纪律要求的，纪律是不准和袁记者打招呼，连眼神交流都不准；还要求他们进餐馆就不停地大声说话笑闹，惟恐人不知道他们是记者；直到让所有的人厌烦，不想再看他们。一个摄影记者要装酷一般挎着两部照相机进去，把照相机放在桌子上，瞅到黄勾勾等人放松警惕时，伺机抢拍。

这个办法奏效了，半个小时后，摄影记者压低声音打来电话："成了，效果不太好，但是看得清楚！"

照片拿回来，我马上请何牙医前来辨认。他开车赶到，见到电脑上的照片，很激动地指着陪同黄勾勾的那个壮汉说："就是他把我骗到丹棱的！"

上级后来向报社核实这个新闻的真实性，其中黄勾勾爆内幕一段很受质疑，是这张照片让我以及袁记者过了关。

袁记者说，当天晚上啤酒喝高兴了，黄勾勾的话也多。他说其实勾勾的处境还是很难的，从运管所那里拿奖金有诸多潜规则，被"野的"司机抓住还有性命之忧，这些运管所是不会管的。

此事报道后，省交通厅公路运输局开始调查。一天晚上，报社来了几个很有派头的男女，自称是眉山某部门的。他们用软硬不吃的话，说这个报道有损当地良好投资环境，要求停止继续报道。

我跟这些人说不清楚，只好一套太极打发了他们。当然，报道没有停止。我知道，丹棱运管所的事肯定是不了了之，最多是下不为例。因为这个"有奖举报非法营运"是个行政行为，如果说涉嫌引诱公民违法，属于违法行政，这也是制度化集体违法。

省运管局表了一些很原则的态。记者问处理结果，也是拖着没有明确答复。

没有想到的是，到了2006年，车勾勾再掀风波，发生在什邡的"段玖春事件"等一系列钓鱼执法事件，导致了在四川叫停"有奖举报非法运营"制度。其中主持"段玖春事件"报道的，还是阿狐哥哥和袁记者。

2006年2月11日，一个叫段玖春的彭州市致和镇复兴村农民成了车勾勾的目标。

他买了一辆新的微型面包车，开到位于郫县犀浦镇的成都车管所上牌照。在大门外，被一个热情的男子拦住，说办上户手续繁杂，人很多排长队，他只收二十元手续费就可以帮忙搞定。段玖春同意了，让其上车。上车后，男子提出新建议："在德阳市上户每年可少交千余元规费，至少成都的'五路一桥'年费就可以省五六百。"

就这样，没有经验的段玖春被勾勾骗至什邡市城北收费站，遭守候在此的运管人员一举挡下，扣下了新车，以其涉嫌非法营运处罚款九千元。

四十二岁的段玖春血气方刚，当然不服这样莫名其妙的处罚，多次到什邡运管所讨要。车没有讨回，还跟一个科长打起来，在当地派出所留下案底。警方对这事缘由心知肚明，所以没有立即处罚段玖春。

走投无路的段玖春，经人指点到报社找到了袁记者。袁记者邀一家电视台的记者带着隐蔽摄像设备，以段玖春亲友的身份，陪他去交涉讨还汽车，暗中记录下了讨车的过程。就是这些拍摄资料，后来让省上有关部门也看不下去：运管所的有些人，很直白地承认就是设局勾你罚你，你不服不行，还保证你无处申冤！

取证后，报纸和电视台从3月16日至3月31日连续报道此事：新车首次上路办照，竟然成了"野的"。

报道引起了各方面的关注，其中就有省里某机关。该机关的工作人员找到袁记者，要求去介绍情况。开始，该机关并不是以肯定的态度看待这个报道，但是在听取详细报告和研究了电视台暗拍的资料后，他们表示支持袁记者的采访，并在此后经常找袁记者等了解段玖春事件解决的进程。

在新闻报道期间，一位成都有名的律师为段玖春提供免费法律援助。律师先派助手跟段玖春到什邡运管所交涉，准备走法律程序。这个运管所是少见的"牛单位"，面对媒体和社会舆论，他们毫不理会，仿佛与己无关。无论是段玖春、记者或者律师找上门，都是一如既往的强硬。从双方协商段玖春和该运管处某科长打架的事，就可见其强硬态度之一斑。

在什邡城北派出所主持下，双方反复磋商，段玖春觉得认错对讨回车有利，承认与某科长冲突中有过错，愿意支付某科长的医疗费，他自己被打的医疗费自行承担。但是说到车的问题，运管所还是没有丝毫回旋余地。此时，省上某机关已经在调查该运管所的问题了，这个被钱胀昏了头脑的单位根本没有意识到问题的严重性。

段玖春失去了信心，准备带一批亲友去强行夺回汽车。在记者和律师劝告下，才悻悻罢手。就在此时，不幸的事发生了，3月27日和3月30日，段玖春的父母相继因病去世。据段家人说，两个老人的死，多少与汽车被扣而引发的气恼有关。在其父母临终前，都说到了，车没有讨回死不瞑目。

第一位老人去世后，面对强大的舆论压力，什邡运管所态度依然强硬。段玖春终于失控，带着亲友冲向什邡，声称车不要了，要以激烈手段与运管所拼个鱼死网破。袁记者和律师助理在半路堵住段玖春的队伍，百般苦劝，才把红了眼的段玖春劝回去。

段家在三天后为第二位老人送终的事经媒体报道后，轮到什邡运管所坐不住了。段玖春这时反而没有表现出多少愤怒，他已经被悲哀压垮了。

当运管所把车“有条件”送还段家时，头上包着孝布的段玖春抱着车哭得很伤心。他说现在有没有这个车已经不重要了，他一个农民买辆车不容易，本想拉着父母到处走走享享福，现在只能让父母的骨灰盒坐车了。旁观者无不动容，运管所人员却告诉段玖春，车暂时还了，不等于非法运营不存在，处罚决定还没有最后做出来。

在段玖春讨车的同时，省上某机关对什邡运管所以及“有奖举报非法营运”现象的调查一直在进行。据透露，省上两位主要领导都曾在一份有关材料上做了批示。当时机成熟以后，四川省委书记张学忠、省长张中伟联名，给全省运管系统写了一封《关于纠正损害群众利益突出问题致全省各市、州党政主要负责同志的一封信》的公开信，这封信在报纸上刊登后，引起这个行业的巨大震动。

随着省领导的指示下发，省上某机关的调查也出了结果，段玖春事件被定性为某些工作人员的个人违规行为，相关的一些人被撤职或者调整工作岗位。但这些当时都没有公布，是在几个月以后总结这次“整顿”成果时才公布的。

袁记者多次跟该运管所当事的某科长联系，对方坚决拒绝采访，说吃饭交朋友都可以，这件事免谈。

值得欣慰的是，随后不久，省运管局发出两项通知，在全省禁止有奖举报非法营运。也就是说，这个备受争议诟病的行政制度在四川终于被叫停了。不过发了文件并不等于成为全体运管部门的共识，在此后的很长时间里，零散的钓鱼执法依然存在，只不过那些涉案的运管机构不能再公开地理直气壮了。

此外，还在全省交通系统对行政执法人员进行了一次据称是规格最高、规模最大、力度最强的整顿。

在后面公布的整顿成果中，彭州市交通局公交出租汽车管理所与车勾勾结谋取私利被撤销编制。据公布，从该运管所领“举报奖金”最多的勾勾个人，月收入“奖金”达十多万元。

省上某机关对袁记者的工作予以充分肯定，但是该机关很低调的态度也使报社方面不得不低调行事，见好就收。

站在合法运营车主的立场上，限制并惩罚“野的”是运管所的责任，“野的”的确应该被制止。但是，“有奖举报非法营运”这个制度的设计有问题，明知真正合法的举报和取证是极其困难而且有限的，只有车勾勾和运管所合谋或者至少是默许而设计的陷阱，才能请君入瓮。这个制度没有对这些可能导致执法者和“举报者”违法的问题加以界定限制，也没有相应的监督机制。一个也许是从良好愿望出发的制度，变成了少数运管所人员和车勾勾合谋分赃的专利。而真正的“专业野的”富有经验，很少会上当，倒霉的大部分是何牙医这样的“业余野的”和段玖春这样的无辜受骗者，合法运营车主的利益并没有得到有效的保护。

2007年2月2日，阿狐哥哥再次派袁记者到段玖春家回访。

段玖春穿一件红色夹克，人更胖了，情绪不错。他说，讨回车上了牌照，现在经营油料、酿酒等，总体收入还不错。省里、德阳市、什邡市的一些相关部门先后派人到段家进一步调查，他自己也去过几次什邡运管所等处交涉，但是没有人给他一个最终结果。从严格意义上讲，他的汽车只是暂时领回的，最终了账还要等什邡运管所出一个正式定性的通知。然而，这个通知不知道什么时候出来。他说，在此期间，还有过“江湖朋友”光顾过他家说过威胁的话，但是对方没有说受何人委托。

段玖春是我少见的一个愿意与媒体交往的人。一般有困难受冤屈找媒体帮忙的人，都是直奔目标而来，媒体经常陷入尴尬境地。如果办不成或者一时受挫，有些人要么扬言另找援助，要么发怨气。有时候办成了事，媒体依然讨不了好，甚至闹得不欢而散。更有些受害者刚刚达到一定目的，就撇开媒体或同情他的社会舆论人士，跟加害者握手言欢了。而段玖春始终对媒体保持信任。这个彭州的血性汉子，在几次盛怒之下要做出不理智举动时，都接受了记者的劝告，回到理性交涉的轨道。

他在整个事件中基本保持头脑清醒，无论运管所的少数人怎样威逼利诱，他都坚决不在处罚认定书上签字，而这一点让他和支持他的媒体以及有关部门不至于陷入被动境地。在此前的很多被“勾”被罚的车主找媒体或找政府投诉，都因为当时出于害怕或暂时妥协的心理，在处罚认定书上签了字，从而无法洗清自己。大多数涉嫌“野的”的车主被运管所逮住时，都是很无奈地正视现实，叫签字就签，先拿回车再说。谁知这个签字在事后的讨说法过程中就成了不利于自己的证据。像段玖春这样坚持到底的汉子很少。也许正因为他是极少数，所以什邡运管所就没有把他放在眼里。

在回访段玖春的前一天中午，袁记者来到何牙医的诊所，再说起那件事时，何牙医仿佛在讲述别人的遭遇。他说，当初他充满信心到省运管局等部门奔走投诉，但不久就失望了，“省运管局领导都说他们违规了，但对我的无理处罚却丝毫没有改变”。

他说，丹棱县运管所等有关部门负责人专程到成都来找过他了解情况，但就此没有了下文。他苦笑着说：“我难道要去跟他们打官司？没有必要。还未必打得赢！”最后何牙医很伤感地说：“现在再听到患者要求我出诊时，我就很受刺激，第一反应就是：对方会不会是车勾勾喔？”

2007年7月，2006年度四川新闻奖公布，“段玖春事件”系列报道获三等奖，这是袁记者所在的报社当年度获得的唯一一个四川新闻奖奖项。

（本段人物中，段玖春是真名，袁记者、何牙医、黄勾勾的姓氏是真实的）

四十年前，我们被抱错了

2002年初，就在全国媒体争相报道吉林省通化市几个家庭互相抱错儿子的新闻后，在成都又爆出一个类似的抱错儿子事件，只是此事件中被抱错的当事人已经四十岁了。

在活了四十年后才知道自己被“搞错”，在成都开饭馆的仲小磊感到惶惑又气愤。虽然他与亲生父母一家已经相认，但想到自己的养父母为自己的“来路不明”而婚姻破裂，他最初还找了律师咨询，准备把为自己接生的医院告上法庭。但是最后，这个官司没有打，甚至连家庭格局也没有改变。这是怎么回事呢?

仲小磊说，他发现自己的身世之谜颇具传奇色彩。

仲小磊原来是成都一家国企的经营人员，企业破产后自己做生意，做了几轮，都没有挣到什么钱，就在人民公园背后的一条小街上开了一家卖中餐的饭馆，生意很一般。

2002年2月27日中午，几位客人来吃饭，突然，他的妻子指着其中一个客人说：“你看，他和你弟弟简直是一个模子里铸出的！”仲小磊观察了那位客人许久，对方的相貌言谈举止的确酷似他的弟弟。

仲小磊在家里排行老二，上面有个姐姐，下面有个弟弟。姐姐、弟弟都长得像父母，惟独他的长相“不着边”。因此从小他周围的人就说他长得不像父母，他也就常常怀疑自己并非父母亲生。因为心理上有这些疑惑，他便和那位客人聊了起来。

“哥老倌，你长得很像我弟弟哦！”仲小磊与那位客人搭讪。

“是吗？我姓曹。既然如此，那这顿饭你要免单了。”这位客人是刚刚调到附近派出所的警察曹铭，他以为这是生意人在和自己套近乎。

“那让我猜猜你的生日是哪天……你是1962年3月16号出生的吧？是在成都妇幼保健医院出生的！”仲小磊就像一个神算子，将曹铭的生日和出生医院脱口说出。

曹铭一听傻了眼，果然千真万确；怕是记不清，再掏出身份证看看，他半天没有话说。

仲小磊并非神算子，因为他也是1962年3月16日在该医院出生的。两人同年同月同日同时在同一家医院出生，这真是巧合吗？但当时仲小磊并没有想清楚，说出自己的出生年月是什么原因，只是冲口而出。

本来就对自己的身世有疑惑的仲小磊立即打电话给母亲，询问他出生那天的情况。母亲一听就委屈地哭诉起来：“生你那天，在产房里我清楚地记得有两个男婴同时出生。当时接生医生告诉我，我生的是个儿子，有七斤多重呢！可是到了出院那天，你的体重就足足少了一斤多，我还对医生说，婴儿还会缩水吗？”

仲小磊说，当他十多岁时，邻居们常常开玩笑地说他长得不像父母和姐弟，父母也有同感。从小就生活在“可能不是父母亲生”的舆论阴影中，他的性格渐渐与这个家庭格格不入，他成为家里挨打最多的孩子。仲小磊是O型血，但父母和姐弟却没有一个人是同型血。为了安抚他的情绪，母亲曾努力寻找其家族中是O型血的人，最后找到了他的伯父是O型血，“算是暂时解决了血型的问题”。但当大家追问仲小磊究竟长得像家里的谁时，母亲只得牵强地说他长得像奶奶。

仲小磊的父亲曾是建设单位的野外工作者，经常不在家。就因为这个问题，他怀疑妻子不忠，导致二人感情破裂离婚。仲小磊说：“在这件事情上，我的母亲很懦弱，她知道自己被冤枉，但却实在拿不出证据证明我的来历和她的清白，于是一直承受着不白之冤。”

其实，这个新闻最早是成都另一家报纸做的独家报道。阿狐哥哥看见人家做了独家新闻，心里很难受，就想抢夺这个报道的主动权。这在媒体竞争中是常有的事。往往是一个好新闻出来后，如果还有剩余价值可挖，同城媒体就要跟着挤进来做。如果先做的媒体守不住独家资源，后进入的强势切入，就有可能被后进入者抢了风头。这次是我把人家的风头夺了过来，跟我报社同场竞技的还有另一家强势媒体。上半场是首发的那家报社领先，下半场是阿狐哥哥所在报社领先，加时赛是那家强势媒体领先——因为人家的实力太强了，仲小磊又难以抵御“封口费”的诱惑。

我接过这个新闻线索，赶紧强势介入，派女记者涓涓带一个实习生追到仲小磊的小饭馆，得到了很多此前没有报道过的细节。

仲小磊说，在遇到警察曹铭之前，他正打算将饭馆转出去。但在2月27日巧遇曹铭后，他一直不敢转让饭馆，而是每天盼望能再与曹铭见面。

过了几天，曹铭终于再来仲小磊的饭馆吃饭，其实他就在附近的辖区派出所上班。

仲小磊立即打电话叫来自己的弟弟和姐姐，就在弟弟仲小鸣与曹铭对视的那一刻，两人都大吃一惊，过后都说感受：“就像自己在照镜子一样！”在场的人也很震动，见过相像的人，没见过这么相像的。

很快到了3月16日，这是仲小磊和曹铭两人的生日。仲小磊叫来了自己的姐姐和弟弟，曹铭也叫来了自己的两个姐姐。六个人对望时，眼里都噙满了泪水。太像了！仲小磊的长相像曹家人，曹铭则长得像仲家人。于是他们合照了一张“全家福”。

拿到相片后，仲小磊再次将照片拿给他的朋友们辨认，让朋友们指出“谁和谁是一家人”，以打消他们六个人在情绪激动时的错觉。结果，朋友们都毫不犹豫地将他和曹家的两个姐姐划为一家人，而将曹铭与他现在的姐姐和弟弟划在一起。

阴差阳错四十年后的相认，让仲小磊和曹铭都激动不已。虽然还没有做医学鉴定，他们就认定了要“认祖归宗”，各自与自己认为的亲生父母相认。

仲老爷子见到自己的“亲儿子”曹铭后，痛哭着对已经离异了的妻子说：“是我对不起你啊！”

仲小磊说，或许是冥冥中有一种感应，自己已经四十岁了却没有要小孩，而曹铭也没有孩子，或许这是件好事。因为如果没有这次巧遇揭开身世之谜，其两个家族的血脉将永远“错”下去。他说他现在改变了主意：“我突然想要个孩子了！”

激动过后，仲小磊很恨。恨谁？恨给他们接生的医院。他和姐姐、弟弟都说要找医院讨说法，曹铭也同意。仲小磊说，医院工作的差错造成一个家庭的破裂，造成了他四十年的痛苦生活。为了给自己、给母亲讨回这许多年来所蒙受的屈辱，他们都将做亲子鉴定，如果科学证实了他们的确是被抱错了，就要把当年接生的医院告上法庭。

过了一天，记者涓涓在上午又来到仲小磊的饭馆。但是他一改往日态度，不跟涓涓说一句话，很冷淡地让她尴尬地站在门前，进不得也出不得。

涓涓只好打电话回报社，报告仲小磊“变脸”的情况。涓涓算“脸皮厚”的记者了，她都说没办法，可见真的有什么问题了。

我没有办法，只好自己出马。来到仲小磊的饭馆，远远见涓涓和实习生可怜兮兮地站在饭馆对面的工地围墙边。此时已是下午三时许，午饭卖过了，仲小磊和伙计们正在吃饭。我没有客气，走到他们吃饭的桌边，自己端凳子，拿筷子，再拿一个啤酒杯，伸到仲小磊面前，说：“倒一杯，跟你碰一下！”

仲小磊面无表情，给我倒了一杯啤酒，碰一下，仰头喝干，然后吃饭。

我看见他的脸色确实不好，想必有焦心的事，就不说采访的事，聊起了天气突然升温，要注意身体，特别是老人。

喝到第三杯啤酒，满脸焦虑的仲小磊说话了。原来他在为曹老爷子的身体及心理健康担心。他说：“他已七十四岁了，身体不好。我真不知道自己把这个真相挖出来后，对他老人家到底是不是好事？”自从错抱的双方各自相认后，他已回“家”看望老人多次了，但每次都很拘谨，“就像到别人家里做客一样”。他说，至今搞不清楚好些长辈究竟谁是谁。

我赶紧示意涓涓记录，仲小磊白了涓涓一眼，没有制止。

说起现在的生活，仲小磊不大满意。他认为，亲生父亲在公安机关工作，“要是不抱错，我现在应该是警察，而不是个开小饭馆的下岗职工”。而“养父母”则是高知家庭，从小就管得很严，他必须按父母的规划发展，所以“总是充满了叛逆”。他说，“养父母”非常支持他认祖归宗的决定，并随时准备和他到医院做亲子鉴定，也支持他向医院讨说法。但是，养母当年在该医院生产的住院、收费等凭证已经没有了，这无疑是出庭时举证的障碍。为了应对出庭举证，养母已开始多方寻找知情者。据说受托作证的人都表示愿意出庭。

谈到仲小磊多次提到想要个孩子的事，他担忧地说："如果我要了孩子，他将来跟哪家姓？这件事肯定要影响起码三代人的生活。"

谈到他的"养父母"当初离婚的原因是否该归咎于他的长相时，他说："他们离婚也不能把责任全部归罪于我。"

但是最近有了微妙的变化，仲父对仲母说过"是我对不起你"，两位老人都未再婚，是否有再续前缘的可能呢？仲小磊说，如果老人有此想法，他全力支持。

对于认祖归宗是否会引起财产纠葛的问题，仲小磊说："我不会染指别人的财产！我只是想甩掉这块关于我长相问题的石头！对于两个家庭的父母，今后我都会尽到赡养的义务，会多扛起一份责任。"

说到这个份上，他笑了笑，告诉我，之所以不让涓涓来采访，实在是因为另有媒体的记者给仲小磊许诺，如果让该媒体独家报道他这事，会给他一笔酬劳。

这种酬劳，媒体圈子内叫"封口费"，是个别财大气粗记者的个人行为，当然不排除得到单位的默许。独家新闻在媒体内部的考核中，奖励可观；得奖记者不一定是单纯冲着钱这样做的，除了钱，对晋级、提拔等方面也是有很大支撑力的。

显然，仲小磊对我是有一定信任度的，否则，他不会交这个底。

从仲小磊的谈吐中，我感受到他对即将要进行的亲子鉴定很有信心，对可能出现的"意外"结论也有明智的态度。他说："我的血型已经证明了我不大可能是现在父母的亲生子；而且我跟曹铭是同年同月同日生在同一个医院，世上哪有那么巧合的事？当然，科学的鉴定才是最权威的。就算鉴定出来我和曹铭没有被抱错，我们的相认和已经有的交往也是古今罕见的缘分，我们都会珍惜的。"

仲小磊说，他现在家庭的父母、姐姐和弟弟对他的想法与做法都很理解；曹铭那方面的家庭成员也是如此。自从两家相认以来，他已经去过曹家多次了。他说，他这个年龄的人思想是成熟的，不管事情怎样发展，都会理智地对待和处理，“即使不存在亲情，人间真情也是弥足珍贵的。”

但是另一位男主角警察曹铭却一直没有浮出水面，虽然仲小磊一直说他也是非常通情达理的人，但记者多次向仲小磊询问曹铭的联系方式，仲小磊总是以“为了保护他”为由拒绝透露。两天后的中午，仲小磊终于提前通知，“曹铭可能要到我这儿来吃饭”。涓涓赶忙来到饭馆等候，可惜这次还是空等，曹铭太忙了。

警察曹铭最终还是被“逮”住了。扑空后的次日下午二时许，我带着涓涓来到仲小磊的饭馆，刚到门口，他就指着与他对面坐着的一个穿便装的男人说：“他就是你们一直想见的‘真人版’。”

晃眼一看，此人与在照片上所见的仲小磊的弟弟仲小勇非常相像。见到涓涓惊讶的表情，曹铭从包里拿出一沓相片：“看了这些后，你更要吓一跳！”

这些照片是两人各自“认祖归宗”时与自认的亲生兄妹及亲生父母照的相。每张相片上，曹铭都笑得很开怀，特别是一张他坐在亲生父母中间，紧握老人双手的照片。他说：“那时我真是幸福、高兴地笑啊！”

再仔细观看曹铭与亲生姐弟的合影照，三人的发际线、眉毛、耳朵……就像是“从一个模子里铸出来的”。曹铭说，因自己小时候说话不太清楚，曾剪过“舌系带”，而自己的“亲兄弟”仲小勇也做过同样的修剪术。另外自己先天患有咽部悬雍垂分裂，而其生母和仲小勇也同样是先天就有此病症。他甚至说，自己的声音和仲小勇都是一模一样的。他的一位同事从事监听工作，辨别声音的本领自不用说是非常专业的，他听了仲小勇的声音后，也惊讶地告诉曹铭：“你俩说话的音调简直一个样，用常理很难解释！”曹铭也称，自己当警察多年，稀奇古怪的事见得不少，但这么多的巧合重合在一件事情上，就不好说是“巧合”了。

曹铭讲述了他和仲小勇第一次见面时的场景，“就像表演模仿秀”。虽然那已经是2月27日的事情了，但他说起来就像是昨天才发生的一样。“那天中午下班，我和朋友来到这条街上找地方吃饭。我认为这家还干净，就鬼使神差地走了进去。头一次吃饭时，他（仲小磊）就说我像他弟弟。虽然他说出了我的出生日期把我镇住了，我还是没当真。第二次去，再说起这个事，我就问他‘哪个是你弟娃儿嘛，让我看看’。他指着门口坐的一个胖娃儿让我看，才转过头去看了一眼，我就赶紧扭过头举起酒杯对朋友说‘喝酒！喝酒！’其实那时我的心咚啊咚地跳得好厉害……后来仲小勇被招呼一起入座喝酒，我就更紧张了。我们两人都不敢说话、做动作，更不敢对视，因为我俩的举手投足太相像，就像是双方都在故意模仿对方似的，有点吓人。”

当天，仲小磊的姐姐专程跑来看这个“弟弟”，当曹铭问她“姐，你见到我有何感觉”时，仲姐没有说话，只有眼泪夺眶而出。

仲、曹二人3月16日生日前几天，仲小磊的养母不停地打电话问仲“他（指曹铭）来吃饭没有”。而据曹铭说，此前一天，老母滴米未进，整夜不眠。3月14日，曹铭在与自认的亲生父母见面时，兄弟姊妹给老人先玩了一个障眼法。仲小勇被大家藏在花园里，而让曹铭与父母见面。仲父竟一点没有怀疑，还奇怪地问道：“你好像长高了？”几分钟之后，仲父才察觉眼前的人并不是自己的小儿子，当即目瞪口呆。

当晚，曹铭在仲家留宿。他说他与老人见面后就有一种血脉相通的感觉，觉得自己肯定就是他们的儿子，他感受到了四十年来从没有过的另一种家庭温暖。他向仲母提出“今晚要在妈妈家睡”的要求：“我要感受这种母爱和她带给我的安全感。这四十年来，这是我第一次这么安稳、放心地入睡，只过了两分钟我就熟睡了。”

曹铭说，以前自己并不经常回家，但自从这件事情发生之后，他回家的心情就非常急切了，而每次他都要回两个家，看望两家父母。他说：“今后我们两家人就是一个大家庭了，人丁多了，吃饭只有吹哨子集合了……”他说，他和仲小磊能在四十年后见面，只能用“有缘”来解释；他们相互认祖归宗并不是在乱认，“世界上的财物可以乱认，但我认为没有人会为自己再乱认一个父母”。他感慨地说：“我们这两个被抱错的人，四十年的时光都错乱了，这个损失用金钱能赔偿得起吗？再说两边的父母都已经七八十岁了，我们还能再尽四十年的孝道吗？我们想把事情搞清楚，当然不排除打官司，目的只是为了还自己、还父母一个清白和清楚。”

曹铭和仲小磊都说过，并不想因为此事就打破自己原有的宁静生活，两边的父母都是父母，“我们各自认祖归宗后只有再多一份责任、多一份孝心”。

涓涓第四天再次踏进仲小磊的饭馆，还是下午两点多，他照例在吃饭。

仲小磊已经绝口不提采访费的事了。他说，经过媒体的报道，现在邻居及朋友几乎都知道此事，也没什么可隐瞒的了。仲、曹两家均表示要做亲子鉴定。话虽然这样说，到了要做之前，却又是顾虑重重。毕竟还是有很多事需要统筹考虑。他说，他与曹铭已到华西医大咨询过亲子鉴定的相关问题。被告知为了证实两家抱错了孩子，需要交叉做亲子鉴定，也就是两方都要做。

仲小磊说完默默地低下头吃饭。过了一会儿，他说，这一来，费用在万元以上。这对他们双方来说都是个不小的数目；他们目前正想办法筹集资金。

事情过了一个月，亲子鉴定有了结果：两人真的是抱错了。

涓涓闻讯来到四川大学华西基础医学与法医学院，该院亲子鉴定中心的李主任说，通过对大部分遗传标记的检测，可以断定仲小磊与四十年的养母陆某非血缘关系；而曹铭与养母曾某也是如此。“但他们是很幸运的，都同时找到了自己的‘家’。”李主任说，只要把仲小磊母子和曹铭母子的DNA遗传基因数据做交叉检测，就可以初步认定他们确实于四十年前互相错抱了孩子，省去了再做遗传基因鉴定的烦琐环节。

涓涓想找两位当事人了解情况，曹铭一直无法联系上。得知仲小磊要到法医学院，她等了好久，却与其失之交臂，最后还是午后在餐馆里见到了他。

仲小磊说：“我现在真希望这结果既是真的，又是假的。”他说，对这个结果他和家人并不感到诧异和怀疑，“但是四十年的相濡以沫，到亲子鉴定书真正到我们手中的时候，心情还是会波澜起伏的。我相信这个鉴定结果是真的，因为和我们预先的猜测一致；但我又希望它是假的，因为四十年我和他们生活在一起同甘共苦，我一直深爱和尊重的父母都不是亲的，这种心情不是谁都能体会，这需要勇气去面对”。其实双方家人对这个鉴定结果心中有数，但这使双方父母都很受伤，“这四十年来他们都养了人家的娃娃”。仲小磊说，作为仲家的养子，那种亲情间的随意没有了，以前他敢和父母赌气顶嘴，甚至负气甩门而去，但现在他不敢和养父母作任何“对抗”了，因为他是养子，“但我会留在现在这个家里，同时赡养双方父母”。

记者准备离开时，问仲小磊下一步作何打算，他抱着头说：“我现在脑子里乱得很……”

因为很复杂的原因，仲小磊和曹铭都没有打官司告医院。两人也都没有改变原来的生活格局，都还在原来的家庭生活着。

（本段中人物均为化名）

抢兰草杀人案

2006年10月28日发生在四川崇州的抢劫名贵兰草血案，造成四死二伤的严重后果。案发后，警方立即介入侦破，11月3日就把逃到云南的主犯卢云燕捉拿归案（另一案犯赵征川被群众当场抓获）。2007年4月13日，成都市中级人民法院以抢劫罪判决卢云燕、赵征川死刑，剥夺政治权利终身，并处没收全部个人财产。两被告不服上诉，四川省高院二审维持原判。同年11月15日，卢云燕和赵征川被执行枪决。这个案件轰动一时，国内很多媒体都作了详细报道。其实，警方照例没有把侦破细节全都透露给媒体，在案件移交检方后，阿狐哥哥有机会在警方看到一个该案的视频证据，其震撼程度连一些多年从事刑侦工作的老警察都为之心惊。所以，本文所披露的部分真相，也是第一次公开见诸文字。

2006年10月28日十四时三十分许，早有预谋的卢云燕、赵征川带着自制手枪、刀、编织袋、榔头等作案工具，开着借来的汽车，以购买兰草为由，再次敲响位于崇州市崇阳镇滨江新城的西河兰协会会长李应军家的门。卢、赵来这里，目标是这家人养的名贵兰草。在兰草业界，名贵兰草就意味着大笔财富，李应军家里养了若干名兰，在当地已不是秘密。正因为害怕树大招风，所以李宅三层楼楼顶的兰苑用钢筋将四周密密麻麻围起来，外面还加了铁丝网。据说那屋顶的种植园大约有二百平方米，栽种的名贵兰草估计价值在两千万元以上。

在当日上午十点左右，卢、赵二人就来到李应军家街对面的茶馆寻找作案机会。一个多小时后，赵征川给李应军打电话，说自己是王凯，要带表哥来李家买兰草。王凯这个名字李应军应该还记得，就答复说“来就是了”，因为每天找上门跟他来谈兰草生意的人络绎不绝。赵征川在电话中听到李家有很多人在说话，于是两人继续等。午后一点过，两人以兰草客户的名义通过了小区守门大爷的盘问，进入李应军家客厅。他们看到还有七八个人在跟李应军谈话，就找个借口离开了。

一个多钟头后，两人返回李应军家敲门。进到客厅后，两人凶相毕露，拔枪对准屋里的人。这时屋里有李应军和妻子张丽君、张丽君的姐夫李茂林、李应军的姨妈董智清，他们看见枪口，吓得都大声哀求。李应军说，要钱就给钱，请别伤害人。卢、赵二人将四人的手捆绑，然后让他们蹲在沙发边。这时响起了敲门声，卢、赵二人猛地打开门，将敲门者拖进房内，原来是李应军的妻弟张平来串门。张平见状不妙欲反抗，李应军也站起来冲上前，卢云燕对着李应军的颈部就是一枪，将其打倒在地。然后两名凶手对失去反抗能力的屋里人大开杀戒，赵征川举起带来的铁榔头，轮番反复猛敲被害人的头部，将五人全部打翻在地。接着，两人破坏了监控系统，抢走两袋名贵兰草，以及手机、照相机等财物，迅速逃离现场。

卢云燕、赵征川逃到李家楼下时，被前来找李应军的朋友李健和王某碰见。两人见卢、赵二人从李家冲出来，情知出事，就上前阻挡。卢云燕将手枪抵在王某的太阳穴上，提着一袋兰草独自跑开。李健追着跟赵征川扭打，被赵刺两刀，但是李健奋力反抗，提起街边的凳子砸中赵征川。在邻近群众的围堵下，赵最终被群众按住。卢云燕扔掉抢来的兰草，乘出租车逃走。

警方迅速赶到，受害者被运到医院抢救。除李应军的妻子留了一口气外，其余四人命丧卢、赵之手。

逃走的卢云燕身份很快被确定，警方布置抓捕。11月3日，卢云燕在云南被抓获，旋即押解回蓉。

赵征川为什么能敲门顺利进入李应军的家呢？因为在这年的9月初，赵征川化名“王凯”，以重庆兰草种植户的身份到李应军家里“学习交流”过。赵征川表现得谦恭有礼，有一些兰草养殖的知识，不是个外行。2006年10月12日上午，赵征川带着“表哥”卢云燕再到崇州李家踩点，他俩向李应军表示想合作做兰草生意。把自己装扮成兰草经营户，这是二人的手段之一。

卢、赵二人是什么样的人呢？卢云燕，四川青神县人，1967年10月出生，已婚，有一个四岁的女儿，据说与妻子感情不好。赵征川比卢云燕小两岁，四川郫县人，2001年4月曾因犯盗窃罪被判刑一年缓刑两年。两人曾在郫县某水电单位工作，私交很好，后二人因违反纪律被单位辞退。

生活窘迫的卢、赵两人在2006年初商议，要找个发大财的门道摆脱贫困。由于赵征川时常看一些兰草养殖鉴赏的书刊，知道成都周边很多养殖大户有钱，二人就决定抢劫养兰大户。他们买了一支仿制式手枪和榔头、尖刀等作案工具，打扮成兰草商在崇州、彭州等地寻找抢劫对象。起初选的两个对象因防范严密而放弃，后来从一本兰草杂志上看到了李应军。经过实地探访，认为待人热诚大方的李应军防范意识不强，安全措施有隙可乘，于是确定抢李家。为便于上门踩点时麻痹对方，二人恶补兰草知识，像学生复习一样互相抽背书刊上的相关要领。在作案前的一段时间，他们开始强化体能训练，卢云燕还教赵征川格斗和跨越障碍技巧。经过两个月的周密筹划，二人终于犯下惊天大案。

赵征川被抓后，警方很快搞清楚了逃犯卢云燕的身份。因为卢的手里还有一支手枪及两发子弹，必须尽快使其归案，于是悬赏万元，发出B级通缉令追捕卢云燕。警方派出大量警力在成都的交通要道、食宿点等处全面布控，围绕卢云燕的社会关系网络等线索，派员到乐山、眉山、重庆、云南等地调查摸排。

卢云燕曾在云南武警某部服过役，跟一个云南元谋籍的李姓战友关系较好，前不久那位已经退役的战友还来四川见过卢云燕，警方就把追缉的重点指向云南。果然，云南方面的消息传过来，卢云燕就在元谋县那位李姓战友家中藏匿。

警方已经知道，卢云燕在部队时就是擒拿格斗战术训练的尖子，还被委派执行过死刑，身心素质都比较高，而且还有带枪的可能；他藏匿的村庄又地处偏远，地形复杂。因此警方设计了避免强行抓捕的方案，先找到那位姓李的战友了解情况，得知此人并不知道卢云燕杀人犯罪的事，于是说服了他协助抓捕卢云燕。

11月3日凌晨，户主李某按警方要求打开房门，八个警察带着一支枪冲进卢云燕住的小房间，将正在熟睡中的卢云燕死死按在床上。清醒过来的卢云燕没有反抗，说："我愿意配合，我做了事情该受处罚。"警察追问作案用枪的下落，他说枪和子弹已扔在了崇州案发现场附近。

卢云燕向警方交代，与赵征川分头跑开后，他抱着兰草袋子，跃过小区一道两米多高的围墙后，仍然没有摆脱群众的追赶，只好扔掉袋子。狂奔了一段路后，搭上一辆公交车，还没开出多远，他胁迫司机停车跳下，然后拦住一辆出租车，掏出刀子威胁司机快走，这才甩脱追兵。他赶回家收拾了几件衣服，就匆忙逃往云南。

还有一个情节耐人寻味。在首次开庭那天，一个语气强硬的妇女在法院门口拦住了成都某媒体记者，自称是卢云燕的妹妹。"昨晚看到电视说今天要开庭，我早上八点就从乐山赶过来，还是没赶上！"她用几乎是吼的声音说，"卢云燕是个老实人，平时连脏话都不说一句。"她认为卢云燕的问题是社会的问题。记者问她："那他自身究竟有没有问题呢？"她很干脆地说："绝对没得！"

案发后，卢、赵两人抢走又扔掉的兰草被送到崇州市公安局。因为这些"涉案"的名贵兰草代表着巨额价值，离土时间长了会影响成活，于是警方找来当地兰草协会的人帮忙，连夜在会议室一株一株地登记，每一株系一个编号牌子，然后采取临时植保措施。29日，这批兰草由兰协的朋友重新种回了李家兰苑。

此案在崇州及周边的兰草种植大户中造成恐慌，此前也发生过一些非常离奇的名贵兰草被盗案，大家却没有料到作案手段竟然到杀人抢草，于是一些兰草种植协会便要求警方开专题安保讲座，而且升级安保设施，当地兰草种植业的安保水平因此提高了很大一个档次。

案件侦破后不久的一个下午，崇州公安机关的一间会议室，坐着来自成都市公安局的几位干部和三家媒体的人，我也在座。该机关负责人叫来刑侦部门的人，叫他从保险柜把“那个碟子”拿出来给客人们看。接着拿来一台笔记本电脑，放进一张光碟。在播放之前，那位负责人对在座的人说，这个碟子里的内容相当惨烈，要有点心理准备。对警察同行也要打这个“预防针”，是不是有点夸张呢?

接下来的播放让观看者莫不发指，这个视频就是卢云燕和赵征川抢劫杀人现场的实况全记录。阿狐哥哥不忍详细描述犯罪过程，只说两个感受。

其一，没有想到人这个物种里面还有像卢、赵这样丧失底线的异类。受害人被捆住后，五人都苦苦哀求，但是卢、赵还是毫不手软地把子弹射向受害人，把铁榔头砸向受害人。特别是赵征川，砸人头如同砸石头，每砸一下，都传出清晰的头骨碎裂声。他把人砸倒在地丧失知觉还不罢休，数次反复挨个砸；开始还边砸边逼问钥匙在哪里，后来有的受害者可能已经死了，他还继续砸。李应军挨枪击后，意识渐失，已经说不出话了，一只手机械地伸出来，赵征川还上前照头上再猛砸了数次，生怕死不了。我生平没有看过这样惨绝人寰的残害生命的场景，当时觉得仿佛心跳停止，手脚发软，冷汗直流。一同看碟的警察们，也都是脸上拧得出水。

其二，这段视频的产生似乎证明了有神异力量的存在。视频来自一个李应军新买的有摄像功能的数码照相机，放置的地点就在行凶现场——李家客厅的电视机上。根据对该视频的内容和电池容量的分析，其摄像功能是在李应军开门之前才打开的，从卢、赵进门到仓皇出逃，全景式无遗漏地记录了行凶过程。然而这个毫无遮蔽、公然放置的照相机竟然没有被两名凶手看见。他们在镜头前杀人，在镜头前数次换手套，在镜头前翻箱倒柜找财物，在镜头前逼问受害者钥匙在哪里，全然没有留意。而警方赶到现场后，立即发现了照相机，当时照相机的电池已经耗尽，他们接到电脑上查看，一打开视频功能，警察们都惊呆了。这段视频，为迅速锁定凶手、判断案情提供了有效的线索，也为在案件审判中使凶手认罪伏法提供了最有力的证据。对此，负责这个案件侦破的公安局长很感慨地说：这就是天网恢恢，疏而不漏；干坏事的人，老天不容啊！

我看这个视频的时候，案件尚在检方审查阶段，还没有提交法院。那位公安局长说，此时两个凶手还不知道有这么一个视频存在，他们完全可能在庭审期间试图推脱罪责，如果凶手要狡辩，到时候就让他们看看这个！

为什么李应军要在开门之前把摄像功能打开并放在电视机上？是无心之举还是有意为之？李应军已经死去，这只能成为一个永久的谜了。两个凶手可能至死也未必想明白，他们丧心病狂行凶时，在那台电视机面前来来去去好多趟，赵征川还在楼上卧室里搜出一部手机和一个数码相机，在行凶现场为什么就没有看见一个镜头打开且指示灯闪烁的照相机毫无遮拦地摆在他们面前呢？

此案发生后，国内多家媒体作了深度或追踪报道，但是他们基本都不知道还有这段视频的存在。因此，在那些报道中，有的说法就不太准确甚至是空穴来风。根据这个视频记录的事实，那些报道中至少有三个说法是应该修正的。

第一个是："卢云燕在被抓时向警方交代，案发当天他逃离李家后，并不知道事情的严重性。次日看到媒体报道，这才得知他们打死了人，赵征川已被抓，'事情闹大了'。"

从视频中可以看到，两个恶人当时的行为就是按照计划进行，他们非常明白自己在做什么，知道自己做了什么，其杀人手法之果断、狠毒，完全是以不留活口为目的而进行的。说"不知道事情的严重性"，应该是妄想减轻罪责的推脱之词。

第二个是："赵征川望着满屋的鲜血，害怕地说：'卢哥，我们杀了五个人，却连一分钱都没抢到，怎么办啊？'卢云燕见赵征川吓得浑身发抖，骂道：'看你这没出息的样子！李应军不是养兰草的吗，我们拿一些名贵兰草，照样发大财！'"

这一段在视频中并没有出现过，视频记录了行凶的全部过程，所以这一段文字是写报道的人想象并发挥的。

两个凶手此番行动就是直奔兰草而去的，他们知道李家的财富就是那些名贵兰草，何况他们在之前已经下过不少工夫了，还犯得着在杀人之后才讨论该抢什么东西吗？在后来公布的庭审记录中，他们也明确向公诉方承认了去李家的目的就是抢兰草。事实上他们迅速从兰园里拔走了最值钱的二百多株兰草。而且赵征川在行凶过程中一直很冷静，目的性很强，毫不手软，十足冷血，没有表现出丝毫迟疑、观望和害怕的神情，更没有"吓得浑身发抖"。

第三个是："在庭上检察官出示证据，卢云燕、赵征川才知道，他们在李应军家抢劫时，虽然带走了一个像是监视器的东西，但他们的罪行早被李应军家一个秘密的摄像设备全程记录下来。"另一个类似说法是："可能是被害人李应军事先已有预感，之前有所防备，并打开了房内的监控录像，但终归没能有效阻止这一惨案的发生，而卢云燕和赵征川行凶的全过程却被完整地记录下来，成为铁证。"

事实上，两个凶手的事前准备做得很充分，他们知道李家有监控摄像设备，所以在控制了受害人之后就找到监控设备，把线路和摄像设备都破坏了。记录下行凶过程的设施，是那个李应军临时放在客厅电视机上面的数码照相机，这个照相机镜头对着客厅门的方向，拍摄角度较大，基本涵盖客厅内部，所以全部行凶场景都被拍摄下来。

我了解过很多刑事案件的深层次背景，如果说某些案件中罪犯还有些"情有可原"因素的话，此案中的二犯丝毫不存在这个因素。这不是我带情绪的看法，当时在一起看那个视频的人，都是这样评价的。

在这里，我们只能对那些编织如此丰富细节的文章作者冷笑一下了。

（本段中人物均为真实姓名）

策划个“川北硬汉”

2004年2月下旬的一天，阿狐哥哥所在报纸刊登了这样一条新闻：川北某市青年陈易放弃考大学，打工供弟弟读本又读研，其间还要为身患绝症的母亲治病。不料弟弟竟在读完硕士后“失踪”，老母临终前想见一面，他也避而不见！当这个故事登上《知音》杂志的子刊《打工》后，三十多岁仍孑然一身的陈易的经历不仅引起了央视等多家媒体的关注，也引来了女性的示爱。

这个陈易在成都的出场，就是在火车北站广场找工作。当时报纸这样描述：

昨日下午六时许，记者在火车北站广场看见一个从出站口走出的小伙子，从包里掏出一张白纸展开，上写三个大字——找工作。

“小伙子，找工作要到九眼桥劳务市场！”行人纷纷指点。

“我知道，但我必须立即找到一份工作！”小伙子向人们解释道。

小伙子从行李包中取出一本杂志递给记者：“这里面写着我的故事，我急着找工作，就是为了挣路费到甘肃见女友。”

记者看见这篇文章，标题叫“大难来临，我的硕士弟弟你躲在哪里”。

据陈易说，他家的事上了《打工》杂志后，弟弟陈栋也看到了，春节赶回老家为母亲上了坟。同时，陈易接到了一个从甘肃省白银市打来的电话，一个叫高梅的姑娘被他的事迹所感动，向他表达了爱意。

高梅希望陈易到甘肃相见，知道陈易经济困难，还提出寄路费过来。陈易却说：“男子汉自己挣钱！”于是便出现了成都火车站的一幕。

当晚，记者拨通了高梅的电话，她听说陈易在成都找工作的事后非常激动。在报道中，记者还呼吁爱心企业给陈易提供工作机会。

编辑做了一个很煽情的“知音式”标题：“孝心打动外地女孩芳心，川北硬汉打工挣钱看女友”，于是，“孝子”陈易又有了“川北硬汉”的称号。

表面上看，陈易当得起这个称呼：个子高大，相貌英俊，举止得体，显得孤寂又略带忧伤。这个模样对有同情心的女人很具杀伤力。

就连自以为阅人无数的阿狐哥哥，也对苦孩子陈易顿生好感。但当时完全没想到，这个英俊男人会是一块险些砸了阿狐哥哥及其同事脚背的“石头”。

实际上，这个事件是“策划”出来的。报社不是始作俑者，而是接过了一个“职业策划人”传递过来的一块烫手山芋。自觉或不自觉地参加过这个游戏的媒体不少，包括央视和《打工》杂志等，差别只在有没有被这块山芋烫着或者烫得轻重之分。

始作俑者是住在成都的自由撰稿兼职业策划人“冬天”，这个人曾经在媒体工作过。他是《打工》杂志那篇文章的作者，但署名却是阿狐哥哥的女同事范记者。

原来，“冬天”跟范记者认识，一次“冬天”借了范记者一笔钱，没有给老婆讲，因此就拿写陈易这篇文章抵债还钱。范记者没有想到，就是这个还债方式，带累自己被陈易的弟弟陈栋告上法庭。

当范记者来说这个事的时候，不明前因的阿狐哥哥还是仔细问了一回，看到范记者拿出来的《打工》杂志，我才放了心，至少这件事的前因有出处，就让范记者按照她的想法进行了。陈易在成都火车站“找工作”之举，完全是事先策划的，是谁的主意不清楚，但我是点了头的，想到陈易就是作作秀，不会干扰社会秩序。

这次看似按照规矩做事，没有用“冬天”给的一个字，但还是落入了“冬天”的陷阱，因为他写给《打工》的稿件真实性就有问题。

范记者很精明，她在本报的报道中，讲述陈易此前的经历基本引用《打工》的文章，而且还不断说明出处，这使得她和报社在陈栋的维权官司中逃脱一劫。她并没有先见之明，只是坚持记者的职业做法而已：在引用资料时，如实介绍来源。

关于“川北硬汉”的报道，早在2003年岁末成都及外地部分媒体就有过一回。那次不是陈易的爱情，而是他“感天动地”的孝悌之举，我所在的报纸没有加入。究竟有多少个版本无法统计，在这里举例两个文本。

2003年12月8日，上海××报转载成都×报的报道（摘要）：

四川省肿瘤医院的一间病房，憔悴的男子陈易守在母亲的病床前，母亲是乳腺癌晚期，患脑溢血的父亲住在另一家医院。母亲现在最想见到小儿子陈栋，但已两个月没有陈栋的音讯了。

陈易说，三年前，曾经受过工伤的父亲在这个医院照顾母亲时突发脑溢血，后来瘫痪在床。此后三年，陈易便留在成都照顾父母。今年7月，他患上强直性脊柱炎，由于无钱治疗，已经无法弯腰。

弟弟陈栋，比他小九岁，学习特别好，考入上海××大学。为了给弟弟凑够一年一万多元的费用，陈易四处借钱，还到医院卖了三次血！

今年陈栋研究生毕业后，进了一家合资企业。但是今年夏天毕业后就没有回过家，两个月前打了一个电话来问了一下。

陈易说，母亲已经到了生命的最后时刻，如果弟弟不回来看看父母，可能就没有机会了。

在2004年6月11日湖南家庭×报的文字中，陈栋的形象就更不好了（摘要）：

2003年的年终，对于三十五岁的陈易来说极不平常：12月21日凌晨一点，他身患绝症的慈母离开了人世；三天后，患脑溢血的父亲也在医院辞世。然而，最令他悲恸的是，他辍学打工十八年，牺牲了自己的一切，供其在上海某名牌大学读完研究生的亲弟弟却拒绝为两老尽孝送终，甚至拒绝家人知道他的行踪。

陈易一手托起父亲的骨灰盒（这也是“冬天”挖的一个陷阱，陈易父亲当时没有去世），一手托起母亲的骨灰盒，咬着牙忍着泪，回到了老家。

但是，早在2001年9月，成都某报一则不长的新闻却给出了一个与上述报道截然相反的陈栋的形象，标题是“为看护重病双亲，孝顺研究生辍学”。在文中，说在上海××大学读研的儿子为照料父母，毅然辍学回家，这一事实在省肿瘤医院无人不晓。据几位病友说，陈栋是个孝子，为了既节约钱又可照顾母亲，他整日就睡在病床床沿上，看了叫人心疼。陈栋说，父母现在最需要照顾，如果自己真的因此而辍学，他也不后悔。

2004年2月25日，阿狐哥哥所在报纸刊登“为见女友硬汉成都找工作”一文后，在读者中造成了一些影响。这天，我安排了人陪同陈易去找工作，同时安排记者收集读者反馈。

当日上午八时许，陈易到九眼桥劳动力市场找工作，该市场秩序部马部长看过关于陈易的报道，认出了他，表示免收求职费用，并尽力提供方便。

在市场转了一圈后，陈易的眼神黯淡下来。他说，服侍父母亲时积劳成疾，患上了脊柱炎，因此对曾经干过的钳工、电焊工等难以胜任了。

陈易又来到报社，在热线办公区，当他听到有读者愿意帮助他的消息时，表现出感动的神情。报社热线平台要把每一位读者打进的电话详细记录在册（当时是手工记录，后来是电脑文字加语音记录），没有想到，陈易对这个登记制度上了心，后来他在这个问题上把我和同事搞得焦头烂额。

范记者随即与热心读者通话，他们有的愿意提供工作岗位，有的愿意负担陈易赴甘肃的费用。

成都某市场管理办王主任请陈易下午去面试，他们正急聘一名保安队长。下午二时，范记者陪同陈易到了市场。市场的陈总经理称，陈易的故事感动了大家，故对其开出特殊条件：试用期包住，月薪八百元；正式聘用月薪一千元。陈易表现出浓厚的兴趣。

听说陈易缺钱，目前住九眼桥三元钱一晚的大通铺旅社，王主任当即塞给他一百元钱应急。

中午，一位自称小学教师的女子打电话给范记者："我认为陈易可以在成都找个顾家的女友。我有固定工作，有住房，希望能与他单独谈谈。"

听了范记者的转述后，陈易表示，他要先去甘肃见上高梅一面，看看两人是否有缘分。但是他话锋一转说："我希望能找个在成都工作的女友，这样方便照顾父亲。"

陈易这番话应该是真实的期望，后来他的另一面暴露出来，我赶紧叫范记者给这个女教师打了招呼。陈易知道后，气急败坏地要跟我"算账"。

当晚九时，范记者再次拨通了白银市高梅的电话。听说陈易正在好心人的帮助下购买至兰州的车票时，高梅语气平静地说："希望我们能有做朋友的缘分。"

媒体的传播力不可忽视，这两天陈易在成都，俨然是个明星：

——章先生资助陈易赴甘的单程卧铺车票款。

——一位匿名的先生送给陈易五百元。

——表示愿意招陈易当保安的成都某公司夏副总给陈易预支一个月工资八百元。

——在陈易赴甘肃的当天上午，一位出租车司机在路上认出了他，主动免费把他送到报社门口。

2月26日下午二时，范记者带一个女实习生陪同陈易踏上了北上的列车去见高梅。次日下午二时抵达兰州，兰州媒体记者到车站接范记者一行。他们在兰州的情况，当地的报纸是这样报道的（摘要）：

到达白银，记者将电话打到高梅家，希望她能到记者站与陈易见面。接电话的却是高母，她说高梅不在家，还语气坚决地表示："他们俩真的不可能！"

下午六时，记者与高梅取得了联系。高梅说，她父亲去世，母亲怕她离开，所以反对她和陈易联系。由于当天高梅是从家里偷跑出来打电话的，她没有与陈易见面。

在宾馆里等高梅的陈易告诉记者，他这次来白银并不是抱着"相亲"的心态，只想交一个真心朋友。无论高梅情况如何，他都想见她一面。

记者与高梅商定，28日上午在白银公园安排她和陈易见面。

以上内容，阿狐哥哥所在报纸刊登了，但是之后陈易和高梅的会面一段，却没有专门写稿，只是在最后收场的稿件中带过而已。究竟是什么原因？先看甘肃报纸的报道：

2月28日上午九时许，记者与高梅在电话中约定，在白银市金鱼公园门口与陈易一起等她。

十时整，高梅穿着一套朴素的黑西服赶到了公园。两人一见面，都没有拘束，边走边谈，陈易向高梅赠送了从成都带来的小礼物。

中午十二时许，高梅提出，她要尽地主之谊，请陈易吃一顿便饭。

下午二时许，高梅与陈易到达记者站。高梅说，她和陈易谈得挺好，感到陈易很诚实，很有毅力。但她说，由于难以离开母亲，所以不可能和陈易走到一起。

当日下午三时许，记者与陈易一起准备离开白银。高梅提出，自己要到兰州办点事，想与记者一行同车到兰州。

抵达兰州，高梅向陈易道过保重后，说了一句“对不起，让你白跑一趟”，便悄然走入人海。

其实这些报道都回避了很实质的问题。在成都，陈易与高梅就通了一次电话，得知对方只有一米五高，体重在一百五十斤左右，陈易就非常犹豫，还开玩笑地说，要让对方减肥。范记者感觉到，陈易在知道成都的女教师抛绣球后，似乎就对去见高梅没有了期待。事实上高梅的情况真的很糟，连穷小子陈易都看不上。高梅不漂亮是肯定的，但这不是她的错；她的个人生活经历，有让人不好接受的内容，但这是她的个人隐私。还有一个重要原因，陈易当下除了缺女人，更缺钱，而高梅的经济状况对陈易毫无吸引力。

陈易和范记者都是败兴而回，但是回程的待遇不同，麻烦就开始了。陈易坐火车回成都，范记者急于赶回来，则带实习生乘飞机，这事被陈易在心里记下一笔账。范记者说，兰州分手时，从陈易那隐含怨愤的眼光里，她就隐约感到一些不安。

这个连续报道以低调结束了。

但是我和范记者心里却惴惴不安。因为在首次报道见报的当天，省肿瘤医院的一位护士就打电话到报社，留话给范记者，说关于陈易尽孝的报道与事实有很大出入。在这天晚上，我又接到一个从上海打来的电话，对方自报家门说是陈栋，他索要一个电子邮箱，要传一个信件。他简单地说，本报关于他的报道都不是事实。

范记者和陈易一行还在赴兰州的火车上，我就接到陈栋的电子邮件。陈栋说，陈易的话都是假的，《打工》杂志的文章显然是偏听了陈易的说法，为什么不采访双方呢？（“冬天”后来的解释是：他找陈易要陈栋的联系方式，陈易说根本不知道陈栋在哪里。陈栋后来到报社来时，说到这个问题，他说陈易完全知道他的所有联系方式。）

陈栋说，他上小学和中学时，家里完全供得起；他读大学是在1996年，那时收费不多；他读研究生是在2000年，考的公费名额，更没有陈易打工卖血供他读书的事。关于不管生病父母的事，陈栋说，都是陈易的不实说法。

陈栋的信语气平和，看得我很心虚。信中还列了很多线索让媒体去调查。

阿狐哥哥感到问题很严重，一个可能说了假话的“孝子”正在报社记者的导演下表演“硬汉”的形象，蕴含着很大风险。在往常报社应对的名誉侵权类官司中，有这样三个规律性现象：一般都是报社当被告；一般都是报社输官司；一般都是同类现象反复发生。我给刚抵达兰州的范记者打电话，要求低调处理，再伺机淡出。这就是后来兰州“相亲”的段落在成都这边报道很敷衍的原因。

范记者出于负责，第二天就把这封邮件给甘肃的同行看了，所以当地媒体没在稿子里提陈栋的事。

现在反思，当时我如果有勇气把陈栋的出现引入新闻报道，扭转角度的技术手段是有的，改变报道立场的方法也是可以找到的。但是我和范记者都对陈易本人以及事件背景缺乏深入了解，对陈栋的了解更肤浅，所以丢掉了主动权。当时还有一些担忧，就是害怕这个事情被同城竞争对手知道后，会使本报处境尴尬。在报社内部，如果谁招惹了这种糗事，一般是自己擦屁股，惹出麻烦者还可能受处罚。

陈栋邮件的阴影还笼罩在头上，“硬汉”陈易回来了。他下了火车就径直来到报社，一是来取他存放在报社的牛仔布双肩大背包，再就是寻衅生事。

他先找到范记者，一改过去的寡言恭顺，桀骜不驯地数落起范记者来。他抱怨媒体利用了他；再抱怨回程让他一个人坐火车；又抱怨范记者写稿挣了钱，却不给他好处。他还很得意地说出偷听到的范记者跟实习生的谈话，刚开始报道时，范记者还希望这事能有个好的结局，争取挣个奖什么的。他挖苦地说：“你还想得奖，得个屁哦！”范记者差点晕倒。

陈易最恼怒的是另外两件事：一件是他偷听到了我叫范记者给那

位向陈易表示过好感的女教师打电话，提醒对方要谨慎对待；另一件是他臆想的，他认为报社截留了读者给他的电话和钱物，为此要求给他报盘，把所有的原始记录给他过目，否则他不会善罢甘休。

陈易跑到热线值班室外的楼道大吵大闹，我带着他到楼下的收发室坐下。针对他的说法，我耐心给他讲报社的规矩，解释报社没有必要截留他的钱物；很多读者虽然关心他，却未必同意把电话留给他。

陈易听不进去，坚决要求看记录。

经与热线值班室负责人商议，决定让陈易看相关记录，目的是让他无话可说。陈易看完，很张狂地说有的记录是假的，而且不全。

我警告陈易不要挑衅，你跟“冬天”搞的什么鬼名堂心里清楚，知趣就早点走。陈易却又跳又闹，跟他的三十六岁年龄很不符合。陈易说，事情确实是“冬天”策划的，你报社不接招我会来吗？“冬天”是个体户，我不赖报社赖谁？！

报社大院里演起了这么一场闹剧，很多人来看热闹。见人多了，陈易越发起劲，干脆说，不给他找工作，不给他解决吃住，他就不走了，说着就要拉开牛仔布包打地铺。

看热闹的人渐渐散去，值班室只剩下我和陈易两个人。

我只好拿出最后也是最没有把握的一手，先是把脸上的肌肉拧紧，用最低沉的声音给陈易下了最后通牒：“要么马上爬开，可以给点路费；要么……”省略号后面是什么，我没说出来，其实是无计可施，没有可说的。因为在此前连要报警都说了，江湖儿女陈易根本不怕，他懂点法律，警察能把他吃了？

听到我这句半截话，陈易的态度却松动了。我在言语之间表露出知道陈易的“底牌”，这可能也是让他打退堂鼓的原因之一。

陈易败在了心理对决战上，但还是让阿狐哥哥掏光了身上带的几百元钱才走的。他无耻地说：“你们报社的人挣钱多，就是该给我一些！”

我从他手里抽回一张十元的钞票，对着不解的陈易说：“走啊，出门你就知道了！”

在报社门外，我拦住一辆三轮，把磨磨蹭蹭的陈易掀上车，十元钱给了车夫，告诉车夫，就这十元钱，你能把他拉多远拉多远！

陈易走后不久，陈栋带着一个律师来到成都找到报社，交涉有损于他名誉的事宜。陈栋是个稳重理性的人，他个头比较高大，比陈易稍微胖一点，穿着朴实，交涉过程中他说话很诚恳，川北口音没变。这次交涉主要是针对《打工》上的那篇由范记者署名的文章。

我给他们说了范记者署名的原因，他们没有表态，毕竟不是法庭执证的程序，人家未必要信，不过态度有了很大改变。

陈栋还说，《打工》的文章说，陈易的父亲和母亲相继逝世，实际上父亲并没有去世。在陈栋控告《打工》杂志和“冬天”的诉状中也有这个内容。

当天陈栋还说了一些哥哥以及家庭的事。他说，陈易这个人，“水很深”，相当胆大妄为。他就凭着一副父母给的好模样，在外面干了很多难以启齿的事。“陈易说他积劳成疾，腰部有伤，你到××厂保卫科去问一问，是不是他在干锅炉工的时候，想非礼女职工被打的……”陈栋很平静地说，哥哥很能骗，家乡的一个市领导都被他骗过，曾经有过老家的亲戚联名写信控告他行骗的事。

我问，成都媒体当初在报道“孝子”陈易的时候，陈母还在医院治疗，为什么也帮着陈易说？

陈栋说，那是什么都不能自主的母亲在陈易的威胁下说的违心话。

2004年6月份，范记者收到上海市杨浦区法院第一次寄的传票，陈栋把范记者列为名誉侵权案的第三被告。第一被告是知音集团，第二被告是《打工》杂志。当时说是8月2日开庭，由于《知音》方面认为稿子发在武汉，事发在成都，跟上海没关系，要求改地方审，这案子就被耽误了。

范记者写了答辩状说明事情原委，还让“冬天”写了一个关于文章署名原因的说明寄给法院。法院最终决定在上海开庭，“冬天”被列为第四被告。

范记者并没有去上海应诉，也没有委托律师。在庭审中，“冬天”自己承担了所有采访和写稿的责任，所以在法院的判决书中，就没有了范记者的责任。

范记者了解到，法院判决知音集团及《打工》杂志社和作者“冬天”名誉侵权成立，除了判令道歉消除影响外，还判赔偿经济损失，据称总共不超过四万元。

阿狐哥哥过后才知道，“冬天”是想借媒体的力量实施他的策划构想，让陈易来成都作秀，媒体当冤大头接待，完事后他给《知音》写报道挣稿费。《知音》的稿费给得很高，当时就是千字千元。

那个“冬天”后来哄着几个新记者又搅和了几个所谓策划的新闻事件，都没有搞大，最后因为经济犯罪，被判了刑，如今出来好久了吧。

还得说一个小插曲。

2012年秋天的一个晚上，阿狐哥哥乘公交回家途中，前面座位一个男人大声地打电话，不无夸张地说“我在夜色中欣赏成都的美景……”这声音和背影立即让一个名字跳了出来——陈易！

下车之前，我走到那人前面看到，果然是他。面容沧桑了一些，精神还好，怀里抱着个跟几年前一样的那种牛仔布大双肩包。他应该也认出了盯着他的人是谁，但是他的眼光只跟我触碰一下就闪开了，然后扭头看窗外，直到我到站下车。

其实阿狐哥哥是想跟他招呼一声的。

（本段中人物均为化名）

古巴行记[1]

何塞·曼努埃尔·普雷托[2]

人民已经做好了准备，等待政府允许他们像一个成年人那样生活。

当我去取唯一的一班纽约直飞哈瓦那的机票时，航空公司给了我一份可以携带的物品清单：十公斤的药品和最多二十公斤的食品，免税。虽然古巴遭受美国禁运是事实，但同时也是美国及在美国的古巴流亡人士团体支撑着这个国家。那一天的航班上，我的许多同行乘客满载着大量食品药品、原包装的等离子电视、音响设备和家用电器。2010年，有三十二万四千名游客像这次一样搭乘直飞航班从美国抵达古巴。一些经济学家估计，每年从美国寄到古巴的汇款总额超过十亿美元，约占古巴年度外汇收入的百分之三十五。

---

① 原文标题是：Havana:The State Retreats（哈瓦那：国家在撤退），刊于2011年5月26日《纽约书评》杂志。本文标题为译者自己所加。

② 何塞·曼努埃尔·普雷托（José Manuel Prieto），古巴小说家、翻译家和学者。1962年5月22日生于哈瓦那，现居纽约，在塞顿霍尔大学教授文学，主要作品有《俄罗斯帝国的夜蝴蝶》、《国王》等。

但所有这些帮助仍然是不够的。抵达哈瓦那何塞·马蒂国际机场后，我发现这座城市实际上处于停电状态，著名的哈瓦那时代广场——位于第二十三号大街和L大道的拐角处——到晚上十点就空无一人，犹如遭受了一次灾难的袭击，有一种持续的、不祥的被遗弃的感觉和危机感。我的这个印象与古巴现任领导人劳尔·卡斯特罗在2010年12月18日——就在我抵达古巴后的数日内——对古巴议会发表的诊断书并无多大区别。劳尔·卡斯特罗说："要么我们纠正我们的路线，要么我们耗尽沿着悬崖边蹒跚前进的时间，就此沉没下去，我们将沉没下去……付出整整一代人的努力。"

当然，古巴深陷危机的迹象早已在空气中存在了至少二十年。现在，继续将危机怪罪于美国的封锁或是苏联的解体显然是远远不够的。这可以从菲德尔·卡斯特罗2010年8月对美国记者杰弗里·戈德堡和拉美学者朱莉娅·史威格说的一番令人吃惊的评论中窥见一二。他说："对我们来说，古巴模式已经失灵了。"

他说的古巴模式是什么呢？其实就是强制国有化的苏联模式。古巴革命是治疗1959年以前国家慢性虚弱症的一种疗法，苏联的榜样，如1957年成功发射"斯普特尼克"人造卫星的成就，似乎证明苏联模式是一条希望之路。这对古巴非民选的领导人具有很大的吸引力。

现在，离开古巴十年后，当我再度踏上这片土地时，我有机会去观察古巴历史进程逆转的第一个迹象：原本强大的国家功能在解体，显而易见在退出很多领域。我目睹了一个功能紊乱的经济带来的灾难，以及由货币双轨制加剧的一场深重的金融危机留下的碎片。人民的不满情绪和异议人士在激增。

在哈瓦那我租赁的私人房屋附近，我买了报摊上出售的每一份印刷出版物。作为一个外国游客，我对这种乏人问津的出版物抱有不寻常的兴趣。我问有没有最近发行的官方出版物《经济和社会政策方针草案》，但它卖光了。一个年纪较大的摊主告诉我："所有的哈瓦那人都在读它。"最终，我从一个听到我们谈话的路人那儿买到了一份二手货，价格是原来的十倍。

这是一本二十九页、包含二百九十一点内容的小册子，它提出了即将“更新”的古巴模式。古巴共产党党报《格拉玛报》宣称，“方针”的内容荟萃了民意调查的意见。2007年7月26日，劳尔·卡斯特罗宣布向民众广泛征集意见，“四百多万古巴人提出了一百多万条建议”。在某种程度上，“方针”试图减少庞大的国家规模，使之变得更紧凑，成本更低。

“方针”像一本畅销小说那样被所有哈瓦那人阅读和讨论，在收集和深入解读这本小册子的技术术语之后，我知道，争论的关键问题在于，国家应当扮演什么样的新角色：你能够想象国家更像是一个裁判而不是球星，同时又确保它对权力不失去控制吗？当然，毫无疑问，执政党必须继续掌权，以“保卫革命的成果”。

我渐渐明白，实际上古巴共产党正在努力适应转变，减少政府干预，让古巴人按照自己的意愿生活。政府就像一名将军，当他的军队溃败时，必须组织一次“有秩序的撤退”。“方针”只是保持队形而已。

这里的生活是国家和个人之间一场永恒的猫鼠游戏，一方面国家傲慢地要守护它作为社会唯一推动力的地位，另一方面个人持续进行着与国家间的游击战，黑市在国家一元化统治的表面下暗流涌动，在很大程度上，是黑市让古巴社会维持了运转。也许有人会说，国家现在正通过一种或多或少可控的方式钻一些自流井，允许水流冒出地表来控制个人这股力量。

古巴人现在可以买到的街头食品数量之多让我感到惊讶，这与1991年开始的所谓“非常时期”的饥饿年代形成强烈对比。沿着位于哈瓦那历史中心的圣拉菲尔街，我数了一下，至少有十家小吃摊，大多数小吃摊用古巴比索做生意。当然，价格不菲，对大多数人来说有点望而却步，但市场存货充足（按照古巴的标准），仍有一些买家。依靠国营商店，古巴人要养活自己和一家人比较艰辛，但出现了以自由市场价格出售商品的私人杂货店之后，古巴人的生活改善了不少。这个国家百分之八十的消费品依靠进口，每年要花费近二十亿美元。2007年，政府开始把将近三百万公顷的土地承包给个人种植，几乎占国家农田面积的一半。不过，年轻的古巴经济学家帕维尔·比达尔·阿莱扬多接受杂志采访时指出，“打破国家对农业市场化的集中垄断”的任务还远未实现。影响古巴农民生产积极性的主要因素是国家财政补贴，而不是经济欠发达或飓风等因素。

古巴宣布将很快取消购货本。对许多人来说，这似乎是有生之年可以实现的一个梦想。并不是因为这是发达社会主义必然会实现的经济好处（正如我们被告知，苏联的社会主义就没有购货本），而是因为国家现在几乎没有什么东西可以拿来分配了。我每天早上要经过的一家酒店——我曾用过那儿的一部公用电话——仍然门可罗雀，就跟我童年时的情况一样。那时我母亲为了争购那点配额永远不足的配给面包，不得不努力创造各种奇迹。

当我深夜拜访我的朋友、作家维克多·福勒时，他告诉我：“尽管古巴提议，但中国人并不想加入到支援遥远的古巴的游戏中，就像俄国人那样。”曾经被称为古巴的“糖爸爸”，拿出数十亿美元援助古巴革命三十多年的苏联在1991年消亡了，取而代之的是委内瑞拉，它每天向古巴销售十万桶石油，以换取古巴的医疗服务。但由于乌戈·查韦斯的失误和委内瑞拉自身岌岌可危的处境，这种模式也开始出现一些问题。因此，政府最终被迫向最后的债权人——不是别人正是古巴人民自己——求救。政府不再谴责那些抛弃了国家经济的人，把他们称为投机者和寄生虫，而是冠之以一个新的名称：个体户。这是最后的手段了。

第一步是公布一份允许个体户进入的一百七十八个行业的清单，在不经意间显得有些滑稽。这份清单包括一些外来的职业，如小丑和“按钮家具商”（button upholsterer），但谨慎地忽略了其他行业，如医生和计算机程序员。这些领域的教育经费是由革命政府提供的，尤其是医生这个行业，它是这个国家的主要收入来源之一。古巴不仅在委内瑞拉，还在南非、玻利维亚和其他许多国家保留着所谓的“医疗队”。

这份清单受到了极大的欢迎。据《格拉玛报》报道，2010年11月之前，有八万名古巴人申请个体户经营执照。为此，政府宣布，将进口价值一百三十亿美元的商品，开设一个批发市场，这些新的创业者可以从批发市场买到他们所需要的原材料。但吊诡的是，按照“方针”的规定，仍将由国家来制定价格和税收收入。有些人担心，价格和税率如此之高，将会削弱羽翼未丰的企业。这些悖论存在一个意识形态基础，那就是劳尔·卡斯特罗在前面提到的讲话中宣称的：“没有人必须因为这个被骗。”

“方针”确立的是一条适合古巴的通向社会主义的未来之路，而不是通向被革命所推翻的新殖民主义和资本主义的老路。这个经济的显著特点是保持国家计划，而不是实行自由市场经济，正如“一般方针”第三条规定阐述的那样，不允许资本集中。

哈瓦那人谈论的其他政策还包括裁员。2011年年底以前，政府将裁员五十万人，随后三年裁员人数将高达一百三十万人。当我在纽约看到这则新闻时，吓了一跳，但在古巴，我被两件事情震撼。

首先，我交谈过的所有人中，包括我的朋友，以前的同学，还有我在大街上遇到的人，没有一个人在国营单位工作。有一个跟我交流过的医生，为了能够随时移民，不对国家有任何亏欠，甚至辞掉了工作（那些想离职的医生，会被政府惩罚，延迟五年上岗）。

其次，我感觉古巴人对裁员无所谓。也许是因为在古巴，工资只是一种象征，在这种情况下，谈论裁员没有多大意义。由国家支付的微薄工资——每个月十五美元到二十美元不等——几乎毫无价值。在古巴，一部手机的费用每月要四十美元，手机用户只有一百万户，显然，民众要使用手机，只能从国家之外的某个地方赚钱才行。一位朋友告诉我，他把裁员看作“一种解脱”，“对很多人来说也是一个机会”，“这是国家停止干预的起点，最终让我们自食其力”。这样做风险会很大，但也意味着个人生活的自由度会更高。

重要的一点是，对像古巴这样一个国家使用的任何词语，你必须非常小心地进行审视。一个“失业”的人往往不是失业，一场“示威”不是示威，而是政府组织的一个活动，如此等等，不一而足。正如维克多·克莱普勒解释的：首先是在语言层面上颠覆现实。

针对这种语言的颠覆，古巴的博客写手和独立媒体进行了反颠覆。我跟踪了一些在这个岛屿上写作的博客，尤其是雅妮·桑切斯的博客，她用大家能够理解的方式介绍古巴的灾难，获得了西班牙《国家报》颁发的2008年奥尔特加·加塞特数字新闻奖。作为一个真正的新闻自由职业者，雅妮做了庞大的官方报纸《格拉玛报》不能做的事：她准确记录了古巴人民的日常生活。果不其然，她被指控为美国中央情报局工作，但没有人相信。许多古巴人知道，表达异议并不意味着你在为外国势力服务。

即便如此，博客的影响还是有限的。这些人之所以被允许继续写博客，显然只是因为古巴的上网人口比例很低，只有一百五十万人（占古巴人口的百分之十四）。那些未经国家批准的人上网，成本会非常昂贵。而且，古巴的网速慢得让人恼怒。当我在国民酒店——被称为镀金时代的建筑瑰宝——的新闻发布室收发我的电子邮件时，我知道我只能对古巴的互联网望网兴叹了，于是漫步到花园去看孔雀，听音乐家在不间断地排练布埃纳维斯塔社交俱乐部的怀旧曲子。

我在这里与三十九岁的另一名博客写手奥兰多·路易斯·帕尔多会面。他原先是哈瓦那科学中心的科学家，曾花费数年时间研究重组DNA来“生产疫苗”。他谈起“白衣女士”，她们是2003年“黑色春天”受害者的妻子，当时有七十五名反对派成员入狱。他们中有许多人是独立记者，根据所谓的言论审查法——第八十八号法令，以“保护古巴的民族独立和经济”为由被逮捕。政府指控他们是美国的代理人，有的异议分子被判处长达二十六年的徒刑。

他说，现在最重要的事情是，那些女士——她们身着白色衣服，手举剑兰，步行在哈瓦那街道上进行抗议——多年来第一次没有被人攻击，人们开始对她们报以同情。导致这一变化的一个原因是，2010年2月，政治犯奥兰多·萨帕塔·塔马约在狱中绝食抗议而死，激起国际社会的强烈抗议。来自“白衣女士”的压力，另一名政治犯吉列尔莫·法里纳斯（获得2010年欧洲议会颁发的萨哈罗夫奖）的绝食抗议，加上古巴天主教会及其在古巴最显著的代表、红衣主教海梅·卢卡斯·奥尔特加的调解努力，最终让这些持不同政见者获得了自由。2010年7月，被政府承认的五十多名政治犯与其家人一起被送到西班牙。最近，另一批三十七名政治犯及其二百个家属也被释放。许多人相信，这些举动的目的是对这些持不同政见者进行政治流放，以消除他们在古巴的影响力。

最知名的持不同政见者是四十九岁的古巴医生和反堕胎活动家奥斯卡·比斯塞特。1997年，比斯塞特创立了一个非政府组织劳顿人权基金会，旨在促进《世界人权宣言》的目标。2003年他被判入狱，是2011年3月11日最后获释的“黑色春天”囚犯之一。他现在还留在古巴。“现在处于某种停战状态，”帕尔多说，“双方都在等待。”

哈瓦那近乎遭遗弃的蛮荒状态简直太显眼了。除了修复一新的哈瓦那旧城——它现在就像是迪斯尼公司建造的一个模型城镇，在著名历史学家和经验丰富的企业家尤西比奥·里尔的亲手指导下，那儿主要经营半私人性质的画廊和餐馆——这座城市的衰败是显而易见的。许多曾经优雅的建筑如雨后春笋般重现，显得笨拙而又偷工减料，我从未见过有这么多的铁门：在窗户和阳台前安装铁栅栏，在楼梯口和门廊上安装安全格栅。这似乎是国家退出社会的另一个显著证明：它从原先提供保护伞的地方撤退，给犯罪势力留下了空间。

的确，一个游客经常会听到袭击和抢劫的新闻。我的教母跟我讲了一个特别惊心动魄的故事，说的是一辆巴士被武装分子劫持。“就像在墨西哥一样。”她补充道。谣言是如此持久，以致国家通讯社两天以后不得不竭尽全力去辟谣。

即便如此，哈瓦那仍比我居住过的大多数城市要安全得多。更重要的是，它拥有大海。我沿着濒临哈瓦那海堤的马莱孔大道作漫长的步行，然后爬上一辆1956年的老爷车，尽管老掉牙了，但仍是哈瓦那人出行最主要的交通工具。公交车一贯难找，我看见很多人聚集在公交车站等车，尽管古巴从中国进口了一批新的巴士。我惊讶地得知，这批巴士竟然有空调，我从未想过在这个炎热无比的国家，我会活着看见这种东西。尽管如此，像老爷车这种私家车仍然给古巴的交通运输带来了明显的改善，缓解了国家公交系统的压力，票价为十比索，或约五十美分。

与我一起坐在后座的两个女孩在说中文普通话，我以为她们是游客，因为在哈瓦那的外国游客随处可见。古巴报纸《造反青年》宣称，2010年1月至10月，访问古巴的外国游客达到了创纪录的二百万人。结果，这两个女孩原来是在塔拉拉度假区学习西班牙语的中国留学生，这个度假区位于哈瓦那郊外，实行封闭式管理。我都忘了，古巴仍然是外国学生留学的一个目的地，在古巴的外国留学生约有三万人，包括一群人数有一百名的美国留学生，他们在拉丁美洲医学院学习医学。

古巴的教授仍然非常稀缺，与我年轻时读书相比，古巴的教育今非昔比，超过一半多的教室实现了电视教学。我重游了上个世纪七十年代我上过的列宁职业学校，这所昔日具有苏联巨人症的建筑风格、可容纳四千名学生的学校，如今依然矗立在郁郁葱葱的热带植物中。虽然它只是对1975年由列昂尼德·勃列日涅夫宣布建成的苏联职校的苍白复制，但回想当年，它提供的教育仍令人印象深刻，特别在职业培训方面非常强大，同时也大量灌输意识形态教育。当我重游宿舍和学生食堂时，我才意识到，那时候的生活条件是多么的艰苦朴素。

现在，许多父母为数学课和科学课雇请私人家教。这在国家教育经费占国内生产总值的比例超过百分之十五的情况下不仅不可思议，而且也完全没有必要。一个同学告诉我："如果我不这样做的话，我女儿就无法做好准备参加大学入学考试。"她的女儿在列宁职业学校的学业还有最后一年，这所学校仍是全国最好的学校。她跟我说，学校经常发生盗窃，甚至床垫都被人从学生宿舍里偷走了。

多年以来，古巴政府不允许作家在国外出书。一些作家（比如现代知名作家雷纳尔多·阿里纳斯）因此而入狱。上世纪九十年代，情况发生了戏剧性变化，古巴的出版业崩溃了，大多数作家开始寻求到国外出书。但那些书，包括我自己的书在内，都无法在这个岛上发行流通。不过，也有一些事情比这轻松得多。受古巴重要诗人雷纳·玛丽亚·罗德里格斯的邀请，我在该国唯一一家非官方的文化场所朗读我下一部小说的一个章节，这个场所是罗德里格斯凭着极大的智慧和毅力才创建起来的。

在去参加读书会的路上，我拐进主教街一家仍在营业的书店逛了逛，以前这条街上遍布着书店。书架上只摆放着由国家出版社出的书，进口书籍一本都没有，也没有一本批评政府的书，一切都在意料当中。这表明，国家还不打算放弃对人们生活的控制。古巴最后由私人出版的书籍出现在革命刚开始的时候，后来就以这些书具有颠覆性为由查禁了。其中一本禁书是奥威尔的《动物农场》，古巴的出版商很早就试图警醒读者，古巴面临着变成一个全能的极权主义国家的危险。古巴执政党现在开始小心翼翼拆除的正是这样一个国家，因为它担心这个国家会在自己手里爆炸。

从《格拉玛报》刊登的有关越南的文章以及最近一些古巴经济学家访问越南和老挝可以看出，古巴倾向于选择中国和越南的模式。1968年以前，古巴还是混合经济，有多达六万户小企业，如鞋店和食品摊，这让人们的生活稍微好过一些。但菲德尔·卡斯特罗终结了这一切。他在一个冗长的演讲中说道："特权精英人士仍然存在，他们从别人那儿攫取财富，看着别人工作，生活又比别人过得养尊处优。四体健全的游手好闲之徒，开个食品小店或做其他生意，每天都在违反法律，违反卫生，违反一切……却能日进五十比索。很多人可能觉得奇怪，什么样的革命会在九年之后还允许这种寄生虫阶级继续存在？他们有充分的理由怀疑。简而言之，我们是要社会主义呢，还是要食品小店？先生们，如果我们没有一场革命，就无法建立正确的商业！"

在那些难忘的日子里，这个国家连最后一点私有财产也消亡了。在很多消失了的东西中，有我们学校一年级小学生喜欢的小吃，我的父母会给我二十分硬币来买它。接踵而至的是失控的通货膨胀，伴随着一切物资的匮乏。这是我童年时期最早的政治记忆之一。另一件消失的东西是漂亮的进口围巾，我母亲为此花了昂贵的八十比索，但它在一次狂欢节的晚上被抢走了。

对一些人来说，他们担心，极权暴力对数以百万计的古巴人造成的道德伤害会深埋于心底，甚至影响到民族的未来，这并非毫无道理。古巴政权是否能够在伴随数百万人下岗的规模缩减的新形势下学会生存，仍有待观察。我可以想象，一旦度过经济困难，或是找到新的赞助者来资助国家，古巴很可能重回老路。

虽然现在情况有所不同，但紧随私有化和改革之后出现巨大的倒退也不会是头一次。2011年4月19日，古巴共产党第六次全国代表大会宣布，八十岁的坚定的老党员何塞·拉蒙·马查多为古巴政权第二号领导人，这个举动看起来更像是回到过去，而不是走向未来（尤其是因为他恰好和古巴革命前的总统、独裁者赫拉尔多·马查多同名）。然而，我渐渐开始怀疑是否会发生这种情况，不是因为权力不想继续保持国家控制的旧体制，而是因为权力已经无能为力。即使政府进行了精简，但古巴政权与该地区其他国家相比，规模仍然相当庞大。要改变这种情况，古巴可能需要几年的时间。

在我旅行之前，一个朋友给了我一个私人房子的地址。这种房子属于私宅，有政府允许出租房间的经营执照。这一创新出现在上世纪九十年代危机时期，当时政府急需房子接待外国游客。这所房子位于原来中产阶层居住的豪华住宅区，距离"美国利益代表处"两个街区。

这不是一个旅游区，所以一到晚上街头小吃就无迹可寻。就在我离开古巴前的一个晚上，我正走路回到我的住处时，发现一个指示牌，上面写着：出售食品。于是，我拐进两栋房子之间一条狭窄的小巷，看见有户人家在看巴西电视剧。在邻近的一个窗口，一个年轻女人正在把牛排放入一个熏黑的锅里，在热油中油炸。还有一种典型的古巴食品是用大米、豆和煮木薯做成的。这些小吃价格二十比索，约合一美元，用一个小纸盒装着，非常有古巴味道。当女人把它递给我时，她说："小心点，这很烫。"她没有说"烫哦"，而用"很"。

我不知道自己为什么会被这细微的语言差别深深打动。它表明，人民已经做好了准备，等待政府允许他们像一个成年人那样生活。正在撤退的承担着保护者角色的国家，在教育和指导人民的同时，也让人民养成了对国家的依赖，整个国民长期被束缚在一个童年时期。

时间会逐渐让他们成长起来的。

徐龙华　译

塔窟东来

王　南

一如佛教高僧对佛经之翻译，源于印度的佛教建筑、雕刻与绘画等诸般造型艺术，也被中国古代匠师“翻译”成为中国佛教艺术自己的语言。

每当有人问及师徒四人从哪里来、要到哪里去时，唐僧总会程式化地答道：“贫僧从东土大唐而来，去往西天拜佛求经。”《西游记》的故事脱胎于唐代高僧玄奘西行赴天竺取经的真实历史。在古代中国人心中，天竺似乎与“十万八千里”之外的“西天”、“极乐世界”等同。我们今天自然知道，天竺其实并没有十万八千里那么远，更不是最远的“西方”。

这个神秘的西方被汉代人称作“天竺”或者“身毒”，玄奘则在《大唐西域记》中根据其梵语（Sindhu）正音将其译作“印度”。中国古代文化第一次受到来自西方的重大影响，当数佛教文化的传入：佛教由印度本土沿丝绸之路经中亚、西域进入中原地区，一路东来，恰与玄奘西行的方向相反。比玄奘远赴印度学习佛法、取得佛教经典并倾尽毕生精力翻译佛经更早发生的，是佛教及其文化、艺术一路东渐，特别是佛教建筑诸如佛塔、佛寺、石窟，在中国各地渐次传播，落地生根。一如佛教高僧对佛经之翻译，源于印度的佛教建筑、雕刻与绘画等诸般造型艺术，也被中国古代匠师“翻译”成为中国佛教艺术自己的语言。其中，除了木结构的山门、佛殿、廊庑、僧舍等建筑群更多地受到中国传统木构建筑影响之外，佛塔与石窟则深深打上了印度佛教建筑的烙印。

佛教早在东汉即传入中原，然而佛塔与石窟这类印度建筑真正在中华大地上长足发展，却是在战乱频仍、动荡不安的魏晋南北朝时期。在中国古代建筑史上，魏晋南北朝常常被视作汉与唐两座建筑高峰之间的过渡时期，由于这一时期的木构建筑与汉代一样荡然无存，因而对其主要建筑面貌的了解依旧模糊不清。所幸有佛教东来，随之产生了佛塔与石窟寺两大重要建筑类型，南北朝时期又是此二类佛教建筑最重要的开创时代，在很多方面甚至一举达到了顶峰，尤其是北魏洛阳永宁寺塔的建造，以及敦煌、云冈、龙门三大石窟的开凿。其中，永宁寺塔估计是世界历史上最高的木结构建筑，北魏之后虽然再未有超过永宁寺塔之高，然而佛塔的繁盛却从未止步，历朝历代均兴建不衰，形式、材料更是变化万千，大小浮图遍布中华全境，成为古代建筑中最普遍的类型之一。佛经曾言阿育王建八万四千塔，自是印度人惯用的夸张之辞，然而却不经意间在中国实现了浮图万千之盛况。云冈石窟则是北魏石窟的巅峰之作，规模气魄均超过其印度鼻祖；龙门与敦煌石窟在北魏时已颇具规模，隋唐以降更是后来居上，尤其敦煌壁画，成为中国石窟艺术的华彩乐章，反而令其印度原型——阿旃陀石窟成为陪衬，后者常常被称作“印度的敦煌”。

天竺塔窟，一路东来，幻化出中国佛教千姿百态的建筑奇观，这既是中国古代建筑史中极富趣味的论题，也是世界艺术史中一段佳话。中国佛塔、石窟两项比之印度，虽雕琢之繁复精细方面有所不及，但类型之众多，规模之宏伟，体量之巨大，空间之丰富，建筑与自然结合之密切等诸方面，则青出于蓝。而附属于石窟、佛塔中的绘画与雕塑艺术，中印则各擅胜场。本文旨趣重在两大方面：其一，且看中国古代能工巧匠如何若佛教高僧译经一般消化、吸收外来建筑样式，结合中华各地不同风土人情、文化习俗，创造出中国独特的佛教建筑、雕刻与绘画，由此产生佛塔与石窟在中国各地的丰富变化，一如《西游记》中孙悟空的七十二变；其二，再看中印两大古老文明，在塑造相似的佛教艺术象征主题，诸如佛、菩萨、女神、飞天、金刚之时，却呈现出迥然不同的艺术气质与追求，可谓同归而殊途。

天竺原型

佛塔与石窟寺，是印度佛教建筑的重要类型。由于印度早期的木结构建筑都已毁去，因此佛塔与石窟成为印度佛教建筑的最重要遗存，从中我们可以隐约窥见中国佛塔与石窟的原型。附属于佛教建筑的造像艺术，是包括佛、菩萨、药叉、药叉女、飞天等等的一个庞大体系，它们同样成为中国佛教雕刻与绘画的原型。

印度第一个统一的王朝孔雀王朝（约公元前321–前185年）的第三代帝王阿育王时期，相当于中国战国末期，佛教在印度举国范围内弘扬，佛教的基本建筑类型诸如佛塔、佛殿、僧舍及石窟等均得以草创。

印度的佛塔称为窣堵波（即梵文stupa的音译，为玄奘所译），象征的是释迦牟尼（即佛陀，约公元前565–前486年）的坟冢，是埋藏释迦牟尼（或其他佛教圣者）的遗骨即舍利（sarira）之所，供佛教徒礼拜。由于早期佛教反偶像崇拜，故不立佛像，窣堵波就是信徒最重要的礼拜对象，足见佛塔在印度佛教中的重要地位。

早期窣堵波的外形以建在基坛上的一个半球形为主体，内部土心，外部砌筑砖石，形如一只倒扣的碗，因此中国古代称为“覆钵”。这个半球形覆钵象征着宇宙，造型宛如天穹，梵文为“安达”（anda），原意为“卵”，象征印度神话中孕育宇宙的金卵。覆钵顶上是一个立方体的平台，中国古人译作“宝匣”，宝匣的顶上立有三重伞盖，亦称相轮，平台和伞盖象征围栏与圣树（菩提树）；伞柱进一步象征宇宙之轴，三层伞盖代表诸天——整个窣堵波处处充满象征意味。信徒礼拜的主要仪式是沿顺时针方向的右旋绕塔仪式。窣堵波外围有石头仿木结构建造的围栏与塔门，是早期窣堵波雕刻装饰的重点部位。实心的窣堵波内部埋藏着封存在石函内的金、铜、水晶等珍贵材料制成的佛舍利容器。相传释迦牟尼涅槃火化后，舍利被分为八份，建塔保存；阿育王皈依佛教后开取其中七塔舍利，敕建八万四千塔分布各地。玄奘于七世纪上半叶赴印度取经时，在印度各地目睹阿育王所建的窣堵波尚有一百余座，高者达二百余尺，有的“宝为厕饰，石作栏槛”，有的“崇基已陷，覆钵犹存”。

现在保存最为完好的早期窣堵波是位于印度中部的桑奇大塔。桑奇一共有三座窣堵波遗迹，标志着印度早期佛教建筑艺术的一个高峰。其中桑奇大塔即一号塔，为印度早期窣堵波的典型代表：直径约三十六点六米，高约十六点五米，其半球形覆钵的核心据推测始建于阿育王时代，体积仅及现有大小的一半；公元前二世纪中叶巽伽王朝时代扩建，在覆钵土墩外垒砌砖石，涂饰银白色与金黄色灰泥，在覆钵顶上增修一方平台（宝匣）和三层伞盖（相轮），底部构筑了砂石的基坛、双重扶梯、右旋绕塔甬道和上下两道围栏，使其具备了今天的规模，故桑奇大塔主体形成于中国西汉时期；而公元前一世纪晚期至公元一世纪初叶的早期安达罗王朝时代，在大塔下层围栏的东西南北四方建造了四座华美的砂石塔门。整座窣堵波造型朴拙有力，通体毫无装饰，却一派庄严大气，颇有罗马万神庙的气度。而与万神庙不同之处在于，此塔有外而无内，全部实心，与其说是建筑，倒不如说是一尊巨大的象征性雕刻。与大塔简朴的外观形成鲜明对照的是四座塔门浑身上下布满的雕饰（大多出自象牙雕刻匠师之手），这样强有力的对比手法使得塔身愈加雄浑，塔门愈加绮丽，加剧了桑奇大塔震撼人心的表现力。

公元一到三世纪，贵霜王朝时期的犍陀罗窣堵波受到了希腊、波斯的影响，显著的变化是出现了正方形平面的基座，各面由希腊或波斯样式的壁柱分为若干开间，柱间设有佛龛，其中典型者如塔克西拉（旧译呾叉始罗，位于犍陀罗以东、今巴基斯坦境内）西尔卡普城址

桑奇大塔全景。李路珂　摄

桑奇大塔及西塔门。李路珂　摄

桑奇大塔北塔门背面雕刻，右侧可见窣堵波浮雕。李路珂　摄

的双头鹰窣堵波基座遗址，其科林斯壁柱之间的壁龛包括希腊神庙样式、雕饰双头鹰的印度马蹄拱样式和冠以一个鹰头的桑奇塔门样式，可谓希腊与印度的混血塔基。而由塔克西拉窣堵波出土的陶塑小奉献塔的方形基座中，可以更加清晰地看到三重塔基层层缩进的造型，每层各面均为壁柱分为三开间，其间的三座佛龛包括马蹄形拱和梯形拱两种造型——我们将会在云冈石窟的中式佛塔中再次看到它们。塔克西拉出土的另一座小奉献塔造型十分完整：基座包括五重圆台，层层收进，上部为覆钵、宝匣和七重相轮，整体比例更加高耸纤秀，而且基座在全塔所占比例接近一半，相轮部分所占的比例也大大增加，原来作为主体的覆钵大为缩减，雕饰也不再集中于围栏塔门，而是直接围绕窣堵波的重重塔基展开，这是贵霜王朝犍陀罗窣堵波的总体特征，东汉年间传入中国的佛塔样式当是以此为基本原型。

窣堵波之外，印度佛教建筑的另外两个重要类型是支提和毗诃罗。支提为礼拜场所，包括安置象征性窣堵波的塔庙、讲堂或佛殿。毗诃罗为僧人居住的僧房、精舍或寺院。原始的木结构支提与毗诃罗

塔克西拉的西尔卡普城址双头鹰窣堵波基座遗址。图片来源：《东方建筑》

左图：塔克西拉窣堵波出土的陶塑小奉献塔的方形基座。图片来源：《东方建筑》

右图：塔克西拉出土的小奉献塔（约公元四世纪或五世纪）。图片来源：《印度美术》

也片瓦无存，遗存至今的都是仿木结构的岩凿石窟寺，与支提和毗诃罗相对应，石窟也分为支提窟和毗诃罗窟两大类。

支提窟即塔庙窟，平面为纵长的矩形，尽端作半圆形，中央靠后立有一座窣堵波，窟顶凿成筒拱造型，平面形状酷似古罗马的巴西利卡（多功能集会大厅）或者基督教早期的教堂。由于印度支提窟不是在平地上建造而是由岩壁上凿出，因此可谓“负的巴西利卡”，甚可玩味。外部入口通常雕刻马蹄形尖拱券门或采光大窗，这一特殊尖拱造型据学者推测来自印度古老的草庐屋顶，在石窟壁画中可以见到。支提窟中央的窣堵波可谓桑奇大塔的具体而微者，不过比例要更加瘦高，有时还有双重基座的处理。后期如阿旃陀石窟支提窟中的窣堵波还有前部开龛造像的做法。石窟寺的早期代表有西印度的巴贾石窟（开凿于约公元前150年至前100年间）和卡尔利石窟（开凿于约公元40年至100年间），相当于中国的西汉至东汉初年，而这时候中国也出现“因山为藏”的崖墓建筑，可谓历史的巧合。其中，卡尔利石窟的支提窟属于仿木结构，内部中殿两旁排列着八角形石柱，柱础呈瓶状，柱头雕刻着骑象或骑马的王室伉俪，构成墙面与屋顶之间华丽的装饰带，半圆形后殿中央立有一座简朴的岩凿窣堵波，信徒可以在支提窟中对窣堵波进行礼拜，包括右旋绕塔的仪式。

毗诃罗窟即僧人修行的僧房窟，早期十分简朴，通常为方形平面，中央是大厅，周围设方形小室，一如带有方形中央庭院及回廊的寺院布局。后期毗诃罗窟如阿旃陀石窟第一、二、十六、十七诸窟，有带门廊的正立面，内部大厅亦有雕饰华丽的列柱，后壁中央还开龛设像，已兼具佛殿功能。石窟寺的开凿与佛教崇尚禅修有关，据佛经记载，释迦牟尼常在山中的石窟内坐禅，因为可以远离城市喧嚣并且冬暖夏凉，故僧人禅修的僧房窟应该是石窟寺的起源。印度石窟寺通常以一座支提窟为中心，周围围绕若干毗诃罗窟，形成石窟群。

与窣堵波这一“有外无内”的建筑类型正好相反，石窟寺是“有内无外”，外部虽有象征性的仿木结构入口，但没有整体建筑造型，通常以天然崖壁作为建筑外观，二者构成印度佛教建筑的两种极为特殊的原型。窣堵波可谓典型的“加法建筑”，自下而上、自内而外垒

巴贾石窟十二号支提窟内景。图片来源：《东方建筑》

巴贾石窟外观。图片来源：《东方建筑》

片岩浮雕《拜访婆罗门》（公元一世纪末叶）。白沙瓦博物馆藏。图片来源：《印度美术》

阿旃陀石窟第十九窟支提窟及窣堵波，中央佛像为笈多萨尔纳特风格的“裸体佛像”。
李路珂　摄

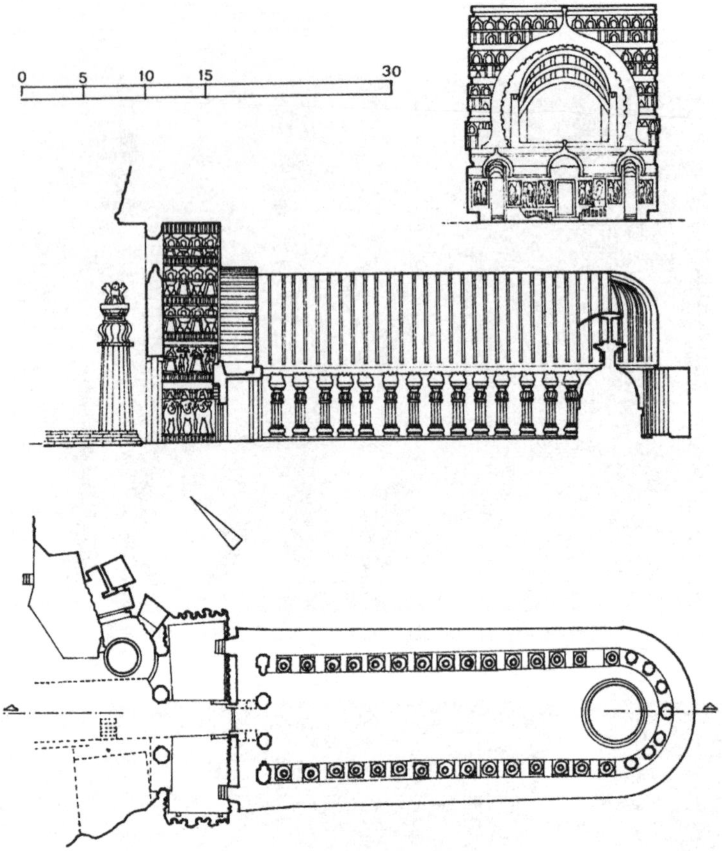

卡尔利石窟支提窟平面、立面、剖面图。图片来源：《东方建筑》

叠而成；石窟则是纯粹“减法建筑”或曰“负建筑”，完全从岩壁山崖中凿出；前者凸出于地表，后者凹陷入山中，实在耐人寻味。

佛塔与石窟仅仅提供佛寺的外壳，附丽于佛教建筑丰富多彩的造像艺术，才是佛教艺术更加精微的呈现。影响中国佛教造像艺术最重要的印度原型包括犍陀罗艺术和笈多艺术。

贵霜时代（公元一到三世纪，贵霜人原系中国敦煌与祁连山一带游牧民族月氏的一支）的犍陀罗艺术是希腊、罗马与印度佛教艺术的混血儿，有时被称作“希腊-罗马式佛教艺术”。犍陀罗位于古代印度西北部、今巴基斯坦白沙瓦一带，自古为印度西北门户，东西方文化交汇的十字路口。由于大乘佛教的兴起，原本反偶像崇拜的佛教开始造佛像（在此之前，佛教雕刻中仅以菩提树、台座、足迹、伞盖等物件象征佛陀），运用希腊、罗马雕刻技法，仿照希腊、罗马神像特别是太阳神阿波罗造型，创造了著名的犍陀罗佛像。有学者形象地概括，犍陀罗佛像等于希腊化艺术的写实人体加印度佛教的象征标志。犍陀罗佛像从整体上看酷似希腊太阳神阿波罗，披着罗马式的长袍，但使其区别于希腊罗马雕像的是一些象征佛陀超人的精神内涵的肉体标志，取自印度传说中伟人所具备的“三十二相”，其中几种妙相被用于佛陀外形的塑造：包括头顶上的肉髻（天生为戴王冠而长的肉瘤，蕴藏着超凡的智慧）、眉间的白毫（智慧的光源）、头后的光环（白毫辐射出的光晕圈，以白毫为圆心，这是犍陀罗艺术的发明，后来同时被沿用到东方圣者和西方神明身上）、拉长的耳垂（象征佛陀原为太子时佩戴沉重的耳环所致）等等。于是典型的犍陀罗佛像特征包括：头部呈阿波罗式希腊美男子面容，脸形椭圆，眉毛细长而微弯，深眼窝，薄嘴唇，鼻梁笔直隆起并与额头直接连通而没有丝毫凹陷——这是典型的“希腊鼻子”，黑格尔在其《美学》一书中曾连篇累牍细致分析，希腊雕刻这样的巧妙处理使得代表智慧的额头与鼻口等欲望器官消除界限，从而提升了整个面部造型的“精神性”，成功表现了“神性”。以上是佛陀的希腊化特征，此外耳垂明显拉长，头顶的肉髻通常覆盖着希腊雕刻常见的波浪式鬈发，眉间白毫用一个凹入的小圆洼或者凸出的小圆点表示，脑后是朴素无雕琢的光环，身披类似罗马长袍的通肩式僧衣，偶有袒露右肩的造型。犍陀罗佛像面部表情平静、祥和，通常双目半闭，呈现沉思内省的精神气质，加上主要使用青灰色片岩，幽暗沉着，更显庄严肃穆。十八世纪著名艺术史家温克尔曼形容希腊雕刻的“高贵的单纯与静穆的伟大”，同样适用于犍陀罗佛像。犍陀罗艺术的可贵之处在于，用印度传说中的一些特殊妙相加以象征性点缀，瞬间改变了希腊化雕刻的精神气质，使其符合佛教的精神需要，是对希腊化艺术的印度化翻译和诠释。

犍陀罗艺术中，贝格拉姆地区的“迦毕试样式”独具特色，其佛像不若典型犍陀罗佛像一般具有希腊罗马雕刻古典的气质，而是呈现一种反古典的、更加朴拙的所谓“硬直式”，强调佛像正面的抽象化表现，忽视写实性再现，造型略呈笨重稚拙，身材格外短粗（头身比为一比四），衣褶刻画粗硬，如渔网垂身，喜爱表现“焰肩佛”（亦称燃灯佛）即两肩喷出火焰、背光周围也雕饰一圈火焰的造型，总体感觉比典型犍陀罗佛像更拙、更愣，因此反而具备了一种“刻板的力量”。这种带有火焰装饰、颇有些刻板的“迦毕试样式”比之古典唯美的希腊化造型，似乎更加适合表现佛陀的神秘象征意味，更加富于宗教情感的表达，特别在中亚和中国的佛教造像中产生巨大影响。

笈多王朝（约320–550年）是印度历史上次重要的统一王朝，时间大致与中国东晋十六国、南北朝相当，被誉为印度古典艺术的黄金时代，其成熟的印度古典主义艺术对中国北朝石窟艺术产生了重要影响。比之犍陀罗佛像的印欧混血，笈多佛像可谓更加纯粹的印度式佛

左图：犍陀罗佛像（公元二或三世纪）。白沙瓦博物馆藏。图片来源：《印度美术》
右图：舍卫城神变——迦毕试样式焰肩佛像（约公元三世纪）。巴黎吉美博物馆藏。图片来源：《印度美术》

像，代表了印度古典艺术的最高成就。

笈多式佛像又分为马图拉样式（即“湿衣佛像”）和萨尔纳特样式（即“裸体佛像”）两大类。

曾是贵霜王朝夏都的马图拉（旧译秣菟罗）实现了把犍陀罗佛像印度化的重要功业。笈多马图拉样式的佛像特征为：印度人的脸形，希腊式的鼻子（佛陀回归印度人但保留了希腊雕刻的神性因素），更加低垂的眼帘展现冥想的眼神，整齐的呈右旋造型的螺发（告别了希腊鬈发），嘴唇尤其下唇异常宽厚，嘴角微笑自然，下巴圆润丰满，颈部出现三道明显褶痕（三十二相之一“颈部三折”），明显比犍陀罗佛像更“肉”了，已接近中国人熟悉的佛像造型；背光变为硕大华美的光环，中心是盛开的莲花，周围是各式花纹环环相套、错杂如锦，象征了佛陀沉思冥想的光华灿烂的精神世界；修长匀称的身材，通肩式僧衣，最重要的是单薄的僧衣紧贴着身体，犹如被水浸湿了一样呈半透明状，隐约凸显出全身的轮廓——因此马图拉佛像被称作“湿衣佛像”。中国北齐画家曹仲达原系西域曹国人，以善画“外国佛像”著称，北宋郭若虚以“吴带当风，曹衣出水”并举——这“曹衣出水”的佛像画法，显然是受笈多湿衣佛像影响得来的妙境，故笈多马图拉佛像也可称“佛衣出水”。

笈多萨尔纳特样式的佛像造型一如马图拉佛像，不同之处仅在于僧衣更薄，可谓薄如蝉翼，乍一看佛陀恍如裸体，仔细辨别才能发现领口、袖口与下摆几丝透明衣纹，故而称作“裸体佛像”。雕琢这些佛像的作者似乎有心与创造了“佛衣出水”的大匠们一较高下，以近似白色大理石的浅灰色楚纳尔砂石（较之马图拉红砂石更加细腻而纯净）雕刻出佛陀僧衣几近透明的薄纱质感，真可谓妙到毫巅的惊人创造。

湿衣贴身或薄如蝉翼的透明衣物，不但没有破坏佛陀的庄严神圣，反而由于这种高超卓绝的雕刻技艺，使得佛陀罩上了一层超人的神光，大大超越了犍陀罗佛像中罗马式长袍的处理。希腊人引以为豪的大理石衣褶雕刻，被印度人以更加匪夷所思的“佛衣出水”和“透明无衣”取代（意大利文艺复兴巨匠波提切利倒是非常热衷于刻画女性裸体外罩上的薄如蝉翼的纱衣）。如果说身着罗马长袍的佛陀只是

笈多时期马图拉佛陀立像（所谓湿衣佛像，公元五世纪前半叶）。马图拉政府博物馆藏。图片来源：《印度美术》

笈多时期萨尔纳特佛陀坐像（所谓裸体佛像，约470年）。萨尔纳特考古博物馆藏。图片来源：《印度美术》

由于特殊的“妙相”而与希腊罗马神像简单加以区分的话，那么笈多佛像由于湿衣贴身或者薄纱罩身这两项神来之笔，真正笼罩上了神圣的光环，加之面部特征的更趋印度化，笈多佛像真正塑造出完美的印度佛陀典型。笈多佛像对于中国、南亚和东南亚佛像艺术的影响，比犍陀罗佛像还要广泛与深远。

薄纱与湿衣的创造，应该是从印度人的半透明衣物以及沐浴习俗中获得灵感。正如希腊人由于地中海式气候只需披一块布即可御寒，由此产生欣赏人体美的风尚并形成伟大的人体雕刻艺术，印度酷热的天气也同样造就了印度人比西方更加不加修饰和遮掩的裸体习俗与艺术。古代印度人的裸体习俗、沐浴仪式、静坐、苦行（梵语tapa，原义即热）、穴居、林栖、森林玄学等等，恐怕都与印度炎热的气候相关。与此相应，中亚与中国更多受到笈多“湿衣佛像”的影响，而同为热带气候的南亚与东南亚诸国则更青睐“裸体佛像”。

无论犍陀罗或笈多佛像，其手势和坐姿都遵循固定的程式。梵语“手势”（mudra）一词原义为印章、手势、表情、姿态等，汉译佛经译作“印”、“手印”等。在印度传统艺术中，各种身体姿态与手势由舞蹈、瑜伽（Yoga，原义为联系、响应，是印度传统修炼方法，包括静坐、调息、禅定等，为印度各宗教所沿用）和禅定姿势演化而来，可以表达人物的内在精神与情感，犹如第二表情，被称作“肉体的花朵”、“灵魂的手势”等。佛陀立像手势通常为“施无畏印”，右臂向前平伸，右手掌心向前，五指向上；佛陀坐像的手势通常为“禅定印”，双臂下垂，双手上下相叠，掌心向上，平放在盘曲的腿上，或“转法轮印”，双臂下垂弯曲，双手端放胸前，右手掌心向外，以大拇指接触食指，左手掌心向内，以中指和小拇指接触右手，此为佛陀说法的造型，尤为生动优美。除以上基本手势外，还有多种变化。佛陀坐姿通常是“莲花座”，即按照印度人沉思的习惯结跏趺坐，双脚交叉，足心向上，平放在相对盘屈的大腿上。

假使仅有上述希腊罗马式或者印度古典式的精美佛像，那佛教的造像世界未免太过冷清。一系列佛教神像以及装饰图案共同构成瑰丽奇幻的西方极乐世界，最主要的配角包括药叉、药叉女、菩萨、飞天等，其中药叉女、飞天等女神形象往往喧宾夺主，成为印度佛教艺术的亮色。

药叉与药叉女是印度民间信仰中自然之神及生殖之神，是印度原始的生殖崇拜传统的重要体现。在佛经中，药叉被列为护佛的“天龙八部”之一，佛教建筑中常于门前供奉药叉与药叉女雕像，可起到守护大门的作用，同时又是造像艺术的重点。其中孔武有力的药叉形象后来逐渐演化为佛教护法天王、金刚（甚至一度是马图拉佛像的蓝本）。

而药叉女则是印度女性人体造像艺术的最佳典范，可谓各式佛教女神的标准模特。早在孔雀王朝时期的药叉女形象已经是接近裸体，半球形双乳浑圆高耸，腰肢纤细，臀部丰满异常，全身佩戴各种首饰。而桑奇大塔东门的药叉女形象则更进一步，她同样是乳房浑圆、细腰美臀，裸体上佩戴丰富华美的饰物更添性感魅力。更加迷人的是她手攀硕果累累的一株芒果树枝，轻盈地悬挂在塔门一端，是印度造型艺术中最动人的造型之一。桑奇药叉女经典的站立姿势称作“三屈式”，即现代S型，这一经典造型使其成为各类印度女神造像鼻祖。药叉女造型奠定了印度女神丰乳细腰肥臀、“三屈式”站姿的程式化造

桑奇大塔东门药叉女正面（左）及背面（右）的经典“三屈式”造型。李路珂　摄

左图：持剑起舞的药叉女（公元二世纪），新德里国立博物馆藏。
右图：带鹦鹉的药叉女（公元二世纪），加尔各答印度博物馆藏。
图片来源：《印度美术》

型，其登峰造极的作品是贵霜时代印度北部马图拉的斑点红砂石雕刻的药叉女形象，将药叉女的肉感魅惑表现到了极致。如果说笈多佛像是最庄严的圣者，那么马图拉药叉女就是最魅惑的女神。她们在桑奇药叉女奠定的三屈式基础上，变幻出多种动作造型，其中尤以布台萨尔耆那教窣堵波遗址出土的《带鹦鹉的药叉女》为最诱人的杰作：丰美性感的药叉女以三屈式站立，脚踩代表土地繁殖能力的侏儒药叉，右手提着一只方形鸟笼，左手抚摸胯间的金属环饰，一只鹦鹉停在她支起的左臂肩头，附在她耳边窃窃私语，药叉女侧耳倾听，露出会心的微笑……

菩萨也是佛教重要的神，梵语原义为“觉有情”或“觉悟众生”，即候补佛陀或未来佛陀，悉达多太子成佛之前亦称菩萨。菩萨为救度众生而推迟了自己进入涅槃的时间，普度众生至极乐世界。相比庄严的佛像，菩萨像往往被塑造得更富于人情味，可以突破千佛一面的模式，为艺术家提供了更多发挥的空间。犍陀罗菩萨像的题材是悉达多太子、弥勒菩萨和观音菩萨，主要取材于风度翩翩的印度王子，一如印欧混血的美男子，蓄小胡子（可能来自贵霜人的蓄须习惯）；与此形成鲜明对比的是马图拉的菩萨（或佛像），更像是一介武夫，强壮豪迈，一如药叉造型。此外，佛教密宗中有一类女性菩萨称多罗，据称是观音菩萨的慈悲眼泪化成（藏传佛教称度母），佛教圣地那烂陀出土的黑色玄武岩雕刻《多罗》（约公元十一世纪）将三屈式造型发挥到夸张的极致，有“印度的断臂维纳斯”之称。

飞天也是印度造像艺术的重要形象，将在后文与举世闻名的敦煌

犍陀罗王子菩萨（公元二世纪中叶）。巴黎吉美博物馆藏。图片来源：《印度美术》

左图：勇武有力的马图拉菩萨立像（约81年）。萨尔纳特考古博物馆藏。
图片来源：《印度美术》
右图：那烂陀出土的黑色玄武岩佛教密宗雕刻《多罗》（约公元十一世纪），被誉为“印度的断臂维纳斯”。新德里国立博物馆藏。图片来源：《印度美术》

飞天比较论之。此外，佛传故事（即讲述佛陀生平事迹的神话传说）和本生故事（讲述佛陀前世的各种化身的寓言故事）也都是佛教雕刻、绘画中最常见的题材，一如基督教的雕刻绘画以《圣经》故事为题。其余纷繁复杂的动物、植物装饰题材更是不计其数。

以上种种，从窣堵波、支提窟到毗诃罗窟，以及整个佛教造像艺术的大家庭纷至沓来，于东汉之后源源不断涌入华夏大地，历时千百年，不绝如缕，犹如把一个西天极乐世界输入东土。中国本土匠师以绝高的创造才能，将这一大批完全陌生的建筑、雕刻与绘画原型一一加以消化吸收，最终翻译成中国的佛教艺术，蔚为大观，非有大智慧者不能为也。

浮图千尺

中国汉地佛教建筑肇始于东汉，三国至南北朝是其开始发展并趋于昌盛的重要时期。东汉明帝永平年间（67–75年），明帝派往天竺求取佛法的使者携经像并西域僧人返回洛阳，为此于洛阳西门外立寺，即著名的白马寺，通常被视为中国建佛寺之始。三国时曹魏洛阳、东吴建业均有佛寺，西晋时都城洛阳已有佛寺四十二所。东晋、十六国时期，南北方各有佛教中心，南方为东晋建康，北方则为后赵邺城和前秦长安，十六国的北凉、北魏、北燕、西秦、后秦诸国，佛教俱兴。南北朝佛寺均走向极盛，南朝建康有“南朝四百八十寺，多少楼台烟雨中”盛况，梁武帝时期南朝境内佛寺近三千所。而北朝更是有过之而无不及：北魏太和元年时，都城平城（今山西大同）已有佛寺百所；太和十九年（495年）迁都洛阳，北魏洛阳盛期城郭内佛寺达五百余所，而北魏境内佛寺则多达三万余所，盛况空前。

佛塔即窣堵波是早期佛寺最重要的礼拜对象和标志物，由印度和中亚（古称西域）来中国弘扬佛法的僧人，最高的目标就是令所到之处皆立佛塔——立塔是建寺的最重要步骤，也成为佛教传入一地区的标志。汉魏西晋时期的佛寺建筑均以佛塔为主体，时称“浮图”、“浮屠”或“佛图”，很长一段时间汉地存在着“浮图”与“寺”称呼上互相混同的现象。早期佛寺规模有限，主要包括中央的佛塔与附属的阁道、寺舍，洛阳白马寺和丹阳浮图祠为其中典型代表。

据东魏人魏收的《魏书·释老志》记载：“自洛中构白马寺，盛饰佛图，画迹甚妙，为四方式。凡宫塔制度，犹依天竺旧状而重构之，从一级至三、五、七、九。世人相承，谓之‘浮图’，或云‘佛图’。”足见中国最古老的白马寺中已建有佛塔，并有绘画装饰，甚为华丽。白马寺塔应是按天竺样式，即当时贵霜王朝的犍陀罗窣堵波建造。所谓“四方式”应指方形的塔基，根据《牟子理惑论》记载，白马寺塔“于其壁画千乘万骑，绕塔三匝”，故可推测白马寺塔有三重方形塔基，上部应该是覆钵与相轮造型。

晋陈寿《三国志·吴书·刘繇传》记汉献帝初平年间（190–193年）丹阳人笮融“大起浮图祠……垂铜盘九重，下为重楼，阁道可容三千余人”。类似的记录还有南朝刘宋范晔《后汉书·陶谦传》：“（笮融）大起浮图寺。上累金盘，下为重楼，又堂阁周回，可容三千许人。”这些关于笮融所建浮图寺（祠）的记录比白马寺更加清晰，最关键的是记录了中国式佛塔的设计原理，即“上累金盘，下为重楼”。所谓“重楼”，即中国古代楼阁，至迟在西汉时期中国已有大量楼阁建筑，西汉长安未央宫、建章宫皆有楼台林立，尤其汉武帝因受方士蛊惑，认为“仙人好楼居”，故大起楼阁建筑以迎仙。民间求仙思想也极盛，在汉墓画像砖石和建筑明器中均有大量楼阁即重楼的形象，类型包括仓楼、望楼、水榭、百戏楼等等，为汉代建筑一大特色。“上累金盘”、“垂铜盘九重”均是指印度窣堵波状的“塔刹”，金盘和铜盘指窣堵波上部的相轮。在桑奇大塔之后，印度窣堵波向着加高台基（甚至重层台基）、增加相轮层数发展，笮融的佛塔就用了九层相轮。大约是半球形的覆钵状窣堵波这一造型对于汉末三国时期的中国人而言太过奇异，于是中国匠师大胆地把同样具有宗教求仙功能的楼阁（即重楼），与印度传来的具有重重方形台基的窣堵波造型加以结合，成为不折不扣的中国“楼阁式佛塔”。将印度窣堵波翻译成中国楼阁式佛塔的任务并非在笮融的浮图寺中首创，因为年代更早的四川什邡东汉画像砖中的佛塔造型已经清晰无误地绘作“上累金盘、下为重楼”的三层楼阁式木塔。据此我们可以清楚地确定，在东汉白马寺浮图与三国时期笮融浮图寺佛塔之间，中国匠师已成功完成了从印度窣堵波到中国楼阁式佛塔的翻译：关键是用中国木结构重楼（楼阁）代替犍陀罗窣堵波的方形重层塔基，然后将覆钵和相轮这一象征性的造型加以保留，成为重楼顶部的塔刹。

从大同云冈石窟中的佛塔造型，也可清楚地看到“上累金盘，下为重楼”的例子，其中包括一层、三层、五层和七层的佛塔，下部为

东汉晚期明器——三层红釉陶望楼，高八十厘米。
图片来源：《河南博物馆藏汉代建筑明器》

四川什邡东汉画像砖上的三层楼阁式佛塔造型。图片来源：《中国古代建筑史》（第二卷，傅熹年主编）

一、三、五、七层的中国木结构建筑，上部的塔刹其实就是一个缩小的印度窣堵波：台基、覆钵、宝匣、相轮一应俱全，甚至在覆钵外还特意雕饰了山花蕉叶作为装饰，看来中国匠师实在不太习惯覆钵这一造型，于是将其进行了修饰。

虽然佛塔的翻译最终使得印度的窣堵波造型几乎不易察觉，但我们实在不可低估窣堵波所具有的强烈象征意义：塔刹是佛塔最重要的象征，无刹者，即便高耸如颐和园佛香阁，仍称作“阁”，其顶部以宝顶作为结束；有刹者，即便为单层建筑，亦称为单层佛塔，如山东历城神通寺四门塔，若将四门塔的塔刹改作宝顶造型，则摇身一变成为一亭或

云冈石窟第十一窟中的三层佛塔雕刻。图片来源：《云冈石窟》

云冈石窟第五窟中的象驮五层佛塔雕刻。
图片来源：《云冈石窟》

山东历城神通寺四门塔（隋）。王南　摄

小屋也，诚可谓“塔不在高，有刹则灵”。印度窣堵波最终化作塔刹，立于千姿百态的中国式佛塔顶端，标志了这一独特外来建筑的最初起源。很多时候，整个佛寺都被称作“古刹”，可见窣堵波变成的塔刹不仅可以象征佛塔，还可象征佛寺，保持着恒久的象征意义。

笮融所建浮图寺应是以楼阁式佛塔为中心，四周环以阁道（亦称复道，即两层高的廊道），可容三千人礼拜，规模已十分可观。后世随着佛寺规模的扩大、功能的增加，佛寺格局逐渐发展为前塔后堂

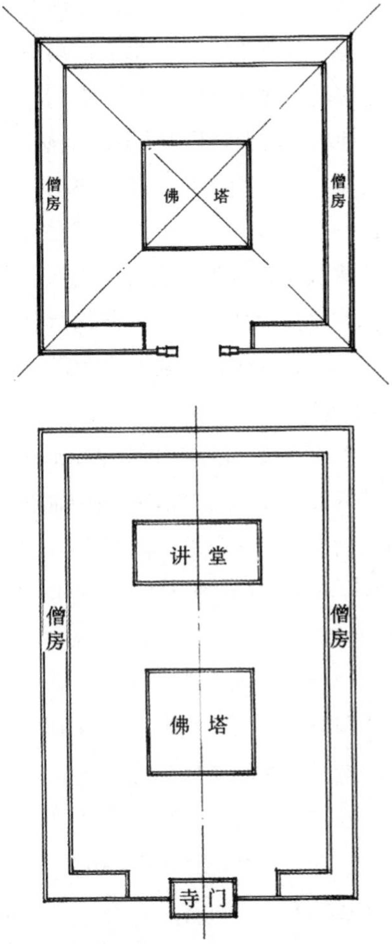

中国早期佛寺以塔为中心的布局与前塔后堂的布局示意图。
图片来源：《中国古代建筑史》（第二卷，傅熹年主编）

（即讲堂）的平面格局。而随着中国南朝“舍宅为寺”（即富贵人家以宅第改建为佛寺）之风的兴盛，按照中国传统建筑群庭院式、南北中轴线布局的佛寺逐渐取代中心塔式的佛寺布局，佛塔在佛寺之中虽然还是高出建筑群天际线的标志，然而已不再居于中心地位。此为中国佛寺建筑群布局变化的总体趋势，这一变化趋势在石窟寺的窟室布局中亦将再现。

据文献记载，汉魏西晋时期尚未出现三层以上的佛塔，东晋、十六国时期，开始大量出现五层佛塔，间或出现四层、六层佛塔（如荆州四层塔、长安六重寺塔等），但后世逐渐淘汰了偶数层的佛塔。南北朝时期出现了七层塔，北魏平城（山西大同）永宁寺塔（建于467年）及刘宋建康庄严寺塔（建于454–465年）均为七层。《魏书·释老志》描绘平城永宁寺塔“高三百余尺，基架博敞，为天下第一”，为北魏前期佛塔建筑的一个高峰，与约略同时期开凿的云冈石窟同为北魏前期都城的最重要佛教建筑奇观。然而这座永宁寺塔其实只能算作后来一座同名佛塔的“具体而微者”——北魏乃至整个中国古代建筑史上木构佛塔的巅峰作品是北魏洛阳的永宁寺塔，应该也是世界历史上出现过的最高木结构建筑。

北魏洛阳永宁寺塔建于孝明帝熙平元年（516年），至神龟二年（519年）“装饰功毕”。塔位于北魏洛阳城中轴线大街“铜驼街”西侧，东北距宫殿南门阊阖门约一公里，位置显要。时人杨衒之《洛阳伽蓝记》开篇即绘声绘色描写了这座北魏第一浮图之无限壮观：

永宁寺，熙平元年灵太后胡氏所立也。在宫前阊阖门南一里御道西。中有九层浮图一所，架木为之，举高九十丈。有刹复高十丈，合去地一千尺。去京师百里，已遥见之……刹上有金宝瓶，容二十五石。宝瓶下有承露金盘三十重，周匝皆垂金铎。复有铁鏁四道，引刹向浮图四角；鏁上亦有金铎，铎大小如一石瓮子。浮图有九级，角角皆悬金铎，合上下有一百二十铎。浮图有四面，面有三户六牕，户皆朱漆。扉上有五行金铃，其十二门二十四扇，合有五千四百枚。复有金环铺首。殚土木之功，穷造形之巧，佛事精妙，不可思议，绣柱金铺，骇人心目。至于高风永夜，宝铎和鸣，铿锵之声，闻及十余里。

这段描写至为精彩，将永宁寺塔的远景、近景、特写乃至高风永夜下塔铃声声的意境尽皆勾画出来。除了塔高的数字值得商榷之外，其余关于木塔周身上下的造型以及细节的描写都使人读后如身临其境，也与后世我们所见的中国楼阁式木塔造型意象相吻合。

关于塔高的记载，《洛阳伽蓝记》所言的一千尺虽然听来动人，但其实过于夸张，将近三百米的木结构建筑几乎可以断定是不可能的。相比之下，北魏著名地理学家郦道元《水经注》的记载更加可信："永宁寺，熙平中始创也，作九层浮图。浮图下基方一十四丈，自金露柈（盘）下至地四十九丈。取法代都七级而又高广之。虽二京之盛，五都之富，利刹灵图，未有若斯之构。"与之类似的记载是《魏书·释老志》称永宁寺塔"佛图九层，高四十余丈"。

根据永宁寺塔遗址的考古发掘，塔基有上下两层夯土台，底层台基东西一百零一米，南北九十八米，高逾二点五米，是佛塔的地下基础部分；上层台基位于底层台基正中，四周包砌青石，长宽均为三十八点二米，高二点二米，是地面以上的基座部分。上层台基上有一百二十四个方形柱础遗迹，内有残留的木柱碳化痕迹。郦道元称塔基方一十四丈，北魏一尺约在二十五点五至二十九点五厘米之间，十四丈即三十五点七至四十一点三米之间，与考古发掘所得的三十八点二米颇为吻合。若按十四丈等于三十八点二米折算，那么郦道元记载的塔高四十九丈等于一百三十三点七米——中国现存最高、也是世界最高的木塔是山西应县木塔，高度为六十七点三米，永宁寺塔几乎是其两倍！应县木塔外观五层，永宁寺塔九层，高度为其两倍也合情合理。更重要的依据是同时期的云冈石窟中有不少石刻的佛塔造型，显然是石雕仿木结构佛塔，虽然其细部未必精确，但塔的整体高宽比例不至于太过失真：其中三层塔、五层塔的高度为底层宽度的三倍左右，七层塔、九层塔的高度为底层宽度的五倍左右。另外，大同出土的北魏曹天度造像塔同样为方形、九层，简直可以看作永宁寺塔的模型，其高度与底层面阔之比为四倍余。而根据永宁寺塔遗址发掘可知，塔的底层宽度约为十一点二五丈，与四十九丈之比为一比四点三五，与云冈石窟及曹天度石塔比例相符，应该是比较真实可靠的记录。尤其基方十四丈，塔高四十九丈，二者之间还有二比七的精确数学关系，应当是中国古代匠师的常用造型手法。至于《洛阳伽蓝记》的千尺之说，当是文人的夸张之辞，自不及郦道元作为学者的记录可靠。

欧洲最高的古建筑类型是哥特式大教堂高耸的钟塔和文艺复兴大教堂巨大的穹顶，其中欧洲第一高塔是德国乌尔姆大教堂的钟塔，高一百六十一点六米，完成于1890年；德国科隆大教堂双塔高约一百五十七米，完成于1880年；世界最高的穹顶则是梵蒂冈圣彼得大教堂的穹顶，由米开朗基罗设计，高一百三十八米，完成于1593年；而中国建成于519年的永宁寺塔竟然使用木材创造了一百三十三点七米的高度，早于上述建筑一千余年乃至一千三百余年，其高度超过大量以钟塔高耸入云著称的西方哥特式大教堂，实在是一项不可思议的成就。

除了耸入云霄的外观，永宁寺塔的另一项创造亦对后世影响深远。此前的佛塔除了第一层开辟室内空间可供信徒礼拜之外，上部皆不可登临；而永宁寺塔内部设有楼梯可供登高览胜，恢复了中国古代楼阁的功能。《洛阳伽蓝记》称："装饰毕功，明帝与太后共登浮图；视宫内如掌中，临京师若家庭……衒之尝与河南尹胡孝世共登之，下临云雨，信哉不虚。"自此，印度原本"有外无内"的窣堵波彻底被中国改造为内外兼备的建筑类型：内部不但可供信徒礼佛，还可供游人登临观景，而其外部也由于楼阁式高耸的造型而从此成为中国名副其实的古代摩天大楼。杨衒之还写下了一段达摩观永宁寺塔的

北魏洛阳永宁寺塔遗址。图片来源：《中国古代建筑史》（第二卷，傅熹年主编）

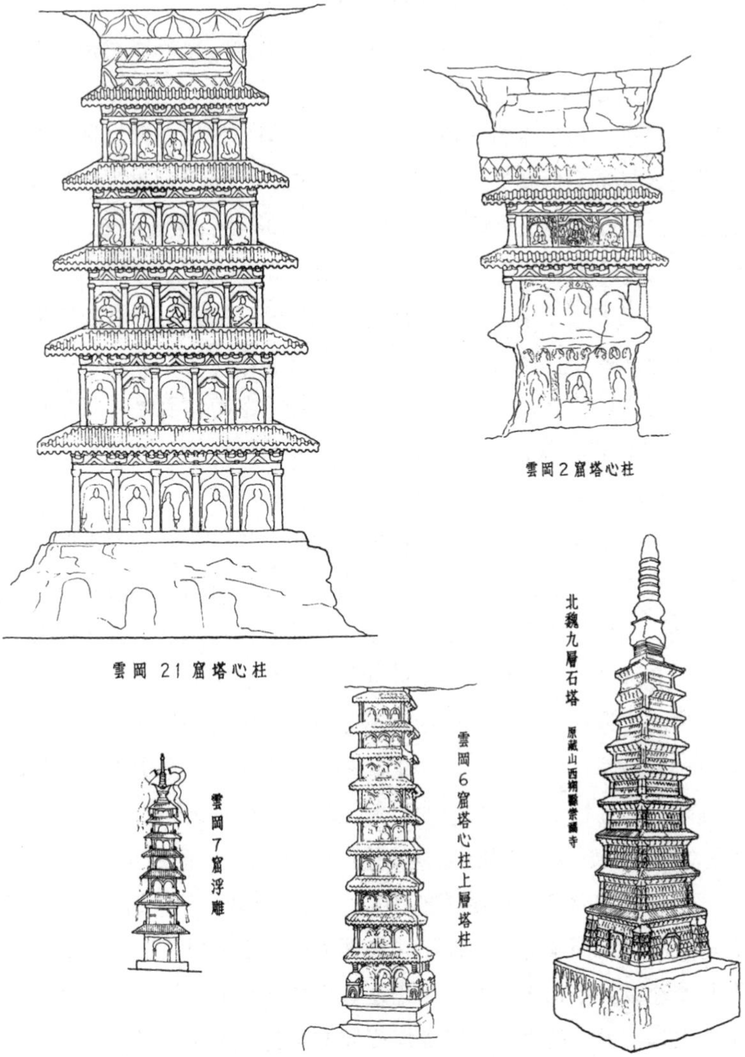

云冈石窟中的石刻佛塔与北魏曹天度造像塔示意图。
图片来源：《中国古代建筑史》（刘敦桢主编）

故事：

时有西域沙门菩提达摩者，波斯国胡人也。起自荒裔，来游中土，见金盘炫日，光照云表，宝铎含风，响出天外，歌咏赞叹，实是神功。自云年一百五十岁，历涉诸国，靡不周遍；而此寺精丽，阎浮所无也。极佛境界，亦未有此。口唱南无，合掌连日。

达摩观塔之逸事难辨真假，但这座中国第一佛塔对西域僧人的震撼效果应该是可想而知的。只是可惜这一中国乃至于世界古代建筑史上的奇迹仅仅存在了十八年，于永熙三年（534年）毁于火灾。《洛阳伽蓝记》记载了此塔火灾时惊心动魄的场面：

永熙三年二月，浮图为火所烧。帝登凌云台望火，遣南阳王宝炬、录尚书长孙稚，将羽林一千救赴火所；莫不悲惜。垂泪而去。火初从第八级中平旦大发，当时雷雨晦冥，杂下霰雪，百姓道俗，咸来观火，悲哀之声，振动京邑。时有三比丘，赴火而死。火经三月不灭，有火入地寻柱，周年犹有烟气。

对比前文对永宁寺塔高风永夜庄严意境的描写，这段弥漫悲戚之情的文字读来更加令人浩叹。据杨衒之称，永宁寺塔掘基时曾得“金像三十躯”，太后胡氏认为是大吉兆，故而“营造过度”。《魏书·释老志》亦称“其诸费用，不可胜计”。北魏皇室倾尽财力物力，殚土木之功、穷造形之巧，建成这座不可思议、骇人心目的木构杰作，却不想一夜之间化为灰烬。这一年，北魏亦告灭亡，用中国人的古话来说真是“气数已尽”。如今我们仅能从学者依据云冈石刻佛塔、曹天度造像塔以及遗址考古所作的复原图中一窥此塔之身影了。

可以与北魏永宁寺塔媲美的佛塔，有南朝梁武帝大通元年（527年）建造的建康同泰寺九层浮图，虽无太多关于此塔高度的信息，但是南北朝建筑技艺相去不远，二塔建造年代亦十分接近，估计规模不致相差太远。另一座堪与永宁寺塔相较的是位于犍陀罗（今白沙瓦近郊）的迦腻色迦大塔，可能是古代印度最高的佛塔，由宫廷匠师阿吉西勒斯督造，据玄奘《大唐西域记》记载，大塔高“踰四百尺。基址所峙，周一里半。层基五级，高一百五十尺……其上更起二十五层金铜相轮”。杨衒之《洛阳伽蓝记》亦载有贵霜国王迦腻色迦见童子

北魏洛阳永宁寺塔立面复原示意图。图片来源：《中国古代建筑史》（第二卷，傅熹年主编）

“累粪为塔”的神迹，遂建雀离浮图与之比肩，塔基方形，周三百余步，层基五级，高一百五十尺，其上建十三级木构塔身，上又有金盘十三重，合去地七百尺，“西域浮图，最为第一”。可惜该塔与永宁寺塔一样灰飞烟灭，仅存遗迹。若依照《洛阳伽蓝记》中的数字，永宁寺塔合一千尺，迦腻色迦大塔（雀离浮图）七百尺，不及永宁寺塔高（依玄奘所谓四百尺亦不及永宁寺塔）；并且该塔系立于崇基五层之上，其木构部分更加不及永宁寺塔。西方有些学者真的按照《洛阳伽蓝记》记载的“七百尺”进行换算，认为该塔高二百余米，其实是不甚了解中国古代文人的行文风格，否则永宁寺塔将高达近三百米，此为木结构所不可企及的。但无论如何，北魏永宁寺塔都堪称木结构建筑中的巴别塔。

北魏之后，隋唐年间又建造了一些高大木塔，但始终未能超越永宁寺塔，亦未能逃脱毁于火灾或战乱的命运。所幸中国漫长的木结构佛塔建造史中，还有建于辽清宁二年（1056年）的山西应县木塔留存至今（除应县木塔外尚有一些中小型木塔留存，然规模远不及应县木塔），虽然高度仅及永宁寺塔的一半，依然雄居世界现存木结构建筑高度的第一位，同时也是最古老的木塔遗存。其平面作八边形，双重台基，外观五层，加上内部四暗层共九层，全塔比例不若永宁寺塔高瘦挺拔，颇为粗壮敦厚，表现了辽代建筑雄浑粗犷的作风。塔身木构架以内外两圈立柱为主体，构成双层套筒式结构。第一层塔身之外增设“周匝副阶”即外廊一圈，形成第一层的重檐形制；以上四层均下为平坐（即阳台），上出檐，层层相叠，塔身逐层收进。内外柱之上均施斗栱，各层内外斗栱共有六十余种，把木结构机能发挥至淋漓尽致。该塔建成九百余载，历经多次地震仍岿然屹立。最上层檐为八角攒尖屋顶，其上立铁制塔刹：相轮、铁索、铜铎悉如永宁寺塔，登临斯塔，环廊四顾，高风永夜，一样是宝铎齐鸣；若有群雁飞过，更增沧桑之感。应县为一小县城，房屋皆低矮，赴县城之途中，远在数十里之外已可遥见浮图高耸于地平线之上，壮伟无匹，一如一千五百年前赴北魏都城洛阳的旅人遥望永宁寺塔之观感。

叙述了永宁寺塔焚毁的悲剧之后，《洛阳伽蓝记》颇有意味地

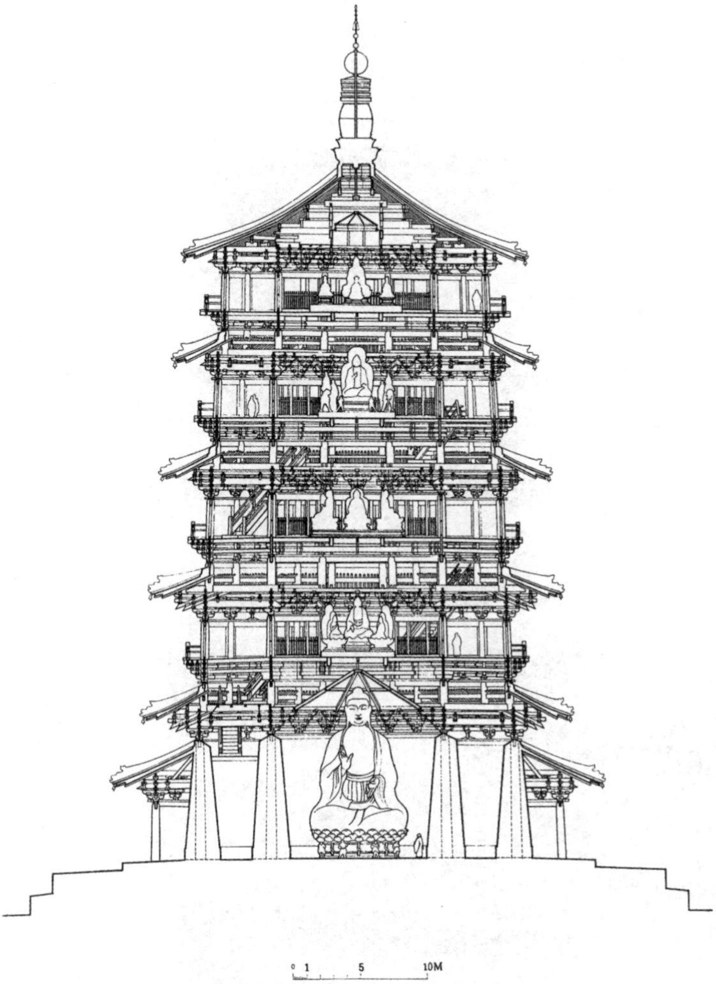

山西应县木塔剖面图。图片来源：《中国古代建筑史》（刘敦桢主编）

山西应县木塔旧影。图片来源：清华大学建筑学院中国营造学社纪念馆

加了如下一段传闻："其年五月中，有人从东莱郡来，云：'见浮图于海中。光明照耀，俨然如新，海上之民，咸皆见之；俄然雾起，浮图遂隐'。"这个关于永宁寺塔火中逝去、海上重生的故事，语气酷似秦汉方士对秦皇汉武描绘海上遇仙的桥段。这个海市蜃楼般的故事所具有的真正象征意义是：永宁寺塔虽然毁去了，但其海上幻影却预示着佛塔这一建筑类型在中国大地的恒久流传。既然木塔如此难于永久，中国匠师开始努力探索砖石塔的建造。

几乎与永宁寺塔同时期的一座砖塔幸存至今，成为中国现存最古的佛塔，即河南登封嵩岳寺塔。这座比邻少林寺的佛塔建于北魏正光四年（523年），仅比永宁寺塔晚七年，距今已一千四百九十年。这座中国第一古塔如天外来客一般降临，其造型之独特真是"前不见古人，后不见来者"：塔平面呈十二边形，极为特殊，为国内孤例；塔的造型则属于单层密檐式，虽然后世有大量此类佛塔，然而这一类型究竟如何产生，至今仍然是未解之谜。所谓单层密檐式塔，如果不仔细观察，很多粗心的观者会将其混同于前面提到的楼阁式塔。要辨别这两种中国古代佛塔最重要的类型，最关键是弄清二者的主要差别：楼阁式塔的主体是楼阁部分，一如中国木结构楼阁，一层一层累叠，每层都有完整的立柱、横梁、斗栱、屋檐（有的二层以上还带有一圈阳台，称作"平坐"），其每层楼的宽度越往上越收进一些，与此相应，每一层的高度也是越往上越减少一些，顶层为攒尖屋顶，以塔刹结束；单层密檐塔乍一看与楼阁式塔非常类似，但仔细辨别即可发现，所谓单层，是指这类和楼阁式塔一样高耸的佛塔其实只有一层塔身，即第一层塔身，具有完整的立柱、横梁、斗栱和屋檐，再往上各重屋檐密密相叠，每两重屋檐之间或是直接相连，或是象征性留出一小段"塔身"，但与第一层真正塔身的高度相比却远远不及，这些层层累叠的屋檐也是每层宽度收进一些，最后在外轮廓上形成特有的优美的弧线，使得整个塔身呈现犹如玉米或春笋一样动人的造型，顶部同样以塔刹结束。这就是中国最主要的两大类佛塔之外观区别。对于楼阁式塔，我们一般称三层塔、五层塔、七层塔等等，对于单层密檐式塔，则应当谓之三重密檐塔、五重密檐、七重密檐塔。两者在造型上形成截然不同的韵律：楼阁式塔犹如均匀的节拍由下而上，单层密檐式塔自下而上则是先来一个长拍子，而后是一大串急促的短拍子；外轮廓方面，楼阁式塔层层收进形成方锥形的体形，而密檐式塔则往往呈雨后春笋般曲线形轮廓，二者一刚一柔，恰成对比。同是建于唐代的长安大雁塔与小雁塔，正好是楼阁式与单层密檐式砖塔的典型代表，二者一雄浑、一纤秀，恰是这两类塔的最佳代言。

嵩岳寺塔为单层十五重密檐塔，总高三十九点五米，塔底直径约十点六米，内部中央塔室为八角形，直径约五米，墙体厚二点五米。由下而上分别为台基、塔身、十五重密檐和塔刹，除了塔刹为石雕外，通体用灰黄色砖砌成。单层塔身立于简朴的台基上，分上下两部分。塔身东南西北四个正面有贯通上下两部分的券门，半圆形拱券上方有马蹄形

河南登封嵩岳寺塔旧影。图片来源：清华大学建筑学院中国营造学社纪念馆

西安大雁塔（左图）和小雁塔（右图）是中国唐代楼阁式砖塔与密檐式砖塔的典型代表。王南、曾佳莉　摄

尖拱券面装饰，为典型印度样式。其余八面下半段为素面，上半段则各砌出一座单层方塔形壁龛，形制与云冈石窟单层塔造型类似。同时上半段砌出十二根角柱，柱下有砖雕的覆盆形柱础，柱头饰以砖雕的垂莲和火焰，为印度、波斯混合样式。塔身之上是十五重密檐，为叠涩式出檐（用砖层层出挑或者收进的砌筑方法称“叠涩”，大雁塔、小雁塔亦用砖叠涩出檐），且每层直径逐步内缩，塔的外部轮廓呈轻快秀美的抛物线形，美不胜收。密檐之上为石造的塔刹，自下而上分别为覆莲、须弥座、仰莲、相轮和宝珠，覆莲造型尤为饱满有力。此塔之前，未有任何印度、中亚或是中国的原型留存下来，其十二边形的平面形状只在中国近两千年的造塔史上昙花一现，而其发展出的单层密檐塔也是来源难辨：似乎是因为追求更多的层数，但又囿于高度的局限，遂将第二层以上诸层塔身尽量压缩乃至于取消，以取得层数繁多、屋檐累叠的韵律感，在各层高度被大大压缩之后，楼阁式佛塔层层收进的习惯性做法无意中导致迷人曲线的产生？然而此塔规模宏大，造型精美，显然是此类佛塔的成熟期作品，却犹如从天而降，真令人费解。有学者注意到《魏书·释老志》、《洛阳伽蓝记》中的一些相关记载：熙平元年（516年）明帝诏遣沙门惠生出使西域，采诸经律。正光三年冬，还京师。其

间惠生礼拜了著名的雀离浮图，并“减割行资，妙简良匠，以铜摹写雀离浮图仪一躯”。惠生回国禀命之时，正值嵩岳寺塔始建，且嵩岳寺为明帝离宫，故嵩岳寺塔的建造也许与惠生的西域之行有关，然而由于雀离浮图具体造型难知，故中国单层密檐塔的来源仍是一个谜题。

随着北魏永宁寺塔与嵩岳寺塔的建成，中国佛塔最主要的类型——楼阁式塔与单层密檐式塔均已成熟，后世历代不过是对其进行各式各样的发挥而已，如唐塔以四方形平面为主，玄奘的舍利塔——西安兴教寺塔也是一座方形仿木结构五层楼阁式砖塔，为唐代佛塔中之极俊逸者；唐以后佛塔则逐渐以八角形居多；除了木塔之外，砖石结构的佛塔得以更大发展并最终成为主流；又有于砖石塔外壁用琉璃砖瓦加以装饰者，遂成为最华美的琉璃塔。开封祐国寺铁塔即留存至今最早实例，名曰铁塔，实则以褐黄色琉璃砖装饰，远望如铁，为北宋汴梁的罕贵遗存；而明永乐时期建成的南京报恩寺大琉璃塔为此类

西安兴教寺玄奘舍利塔（唐），方形五层楼阁式砖塔。

王南　摄

左图：山东长清灵岩寺辟支塔（北宋），八角形九层楼阁式砖塔（顶部塔刹的基座接近一层高度，故容易予人十层的错觉）。王南　摄

右图：北京天宁寺塔（辽），八角形十三重密檐式砖塔。王南　摄

左图：福建泉州开元寺镇国塔（南宋），八角形五层楼阁式石塔。王南　摄

右图：河南开封祐国寺铁塔（北宋），八角形十三层楼阁式琉璃塔（砖塔外饰以琉璃砖瓦）。王南　摄

型最奇伟之巨构，惜毁于太平天国之役；如今在清代各皇家御苑多有琉璃塔的倩影。而所谓单层塔者，数量种类造型也十分丰富，但皆可以看作是一层楼阁式塔或者单层密檐塔去掉二重以上的密檐。

至于造型酷似印度原始窣堵波的所谓喇嘛塔，直至元代才开始风行——主要由尼泊尔大匠阿尼哥传入中国，如今最著名的遗存包括北京妙应寺（俗称白塔寺）与山西五台山塔院寺的大白塔，皆出自阿尼哥手笔；喇嘛塔在中国的顶峰之作，则是建于明初的西藏江孜白居寺十万佛塔，足称美轮美奂。另有印度的金刚宝座塔样式，早已传入西域，新疆交河故城、敦煌壁画中皆有其雏形，但直至明永乐年间始由番僧带入北京，于成化年间建成北京真觉寺金刚宝座塔，下为金刚宝座，上立五塔，象征须弥山五方佛，塔身各处雕饰繁丽华美异常，并

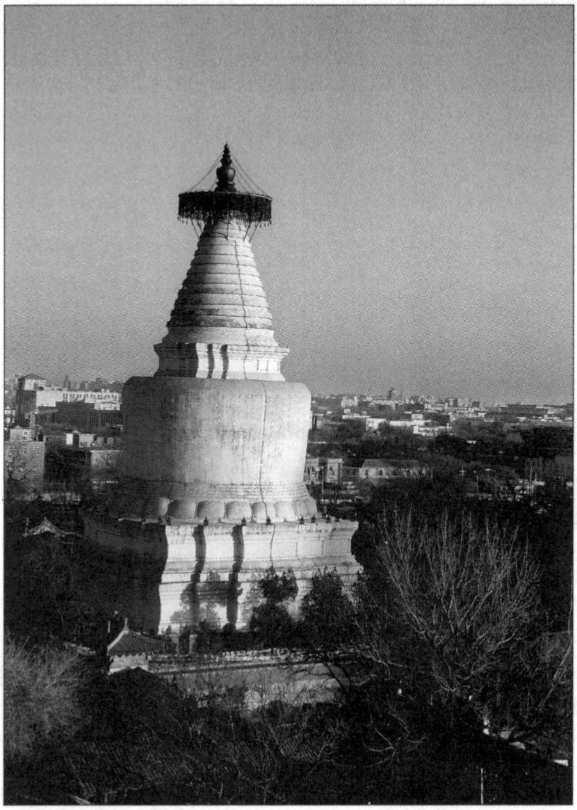

北京妙应寺白塔（元）。王南　摄

西藏江孜白居寺十万佛塔（明）。王南　摄

北京真觉寺金刚宝座塔（明）。王南　摄

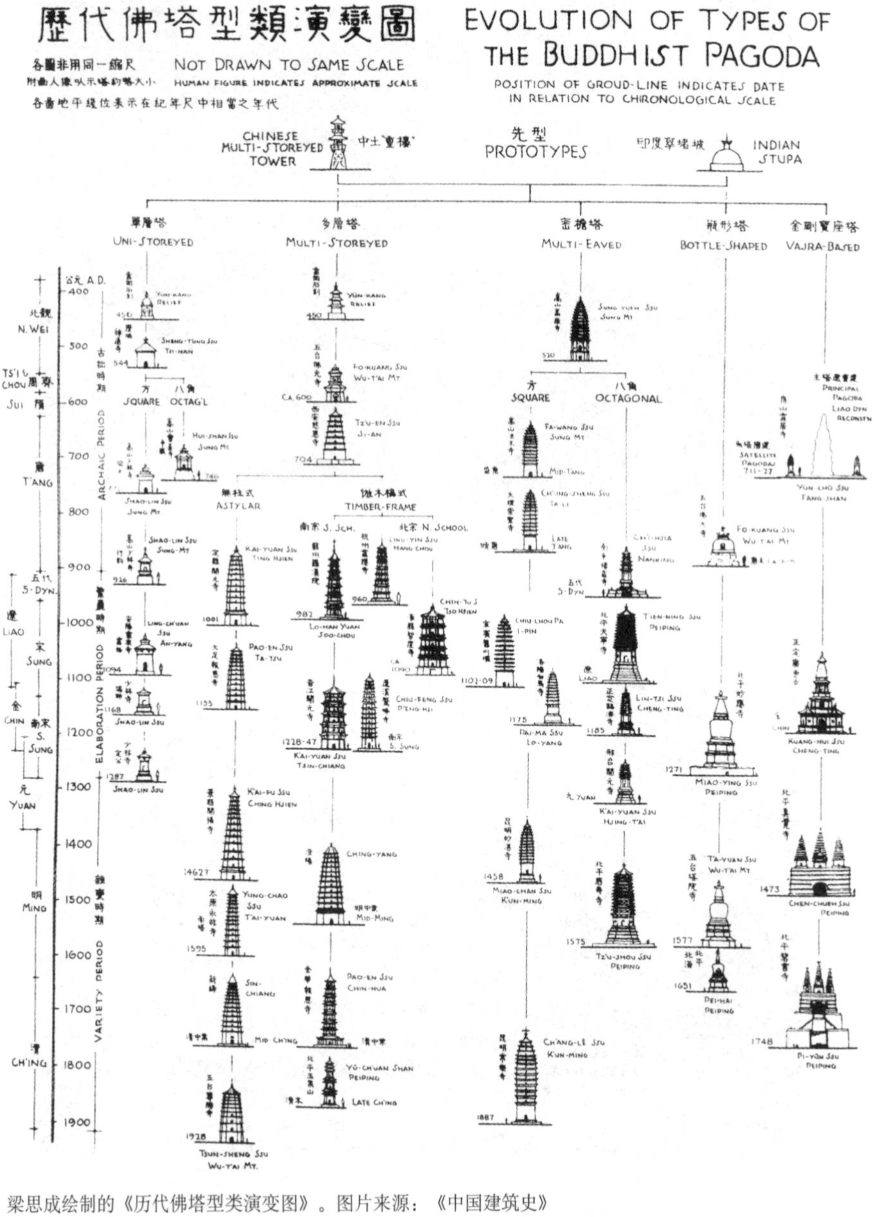

梁思成绘制的《历代佛塔型类演变图》。图片来源：《中国建筑史》

且带动北京及内蒙古、云南各处建造颇多，为一数量较小类型。其余诸如花塔之类，都是佛塔的特殊品种，均未能成为主流。

以上大致勾勒出印度窣堵波如何纷至沓来，逐步影响中国佛塔的创生与流变，演化出千姿百态的造型，成为中国古建筑中造型多变的特殊类型。然而在其变化多端的造型背后，由重楼与塔刹结合的楼阁式塔，以及可靠来源尚付之阙如的单层密檐塔，为最基本的中国式原型，而诸如喇嘛塔、金刚宝座塔及花塔之流，为后续东来中土者，始终只是主流中国式佛塔的点缀。梁思成曾绘制中国佛塔演变图一幅，可视作历代重要佛塔形成的一份大家谱。虽然最为原始的半球形窣堵波如桑奇大塔并未能在中国广为流行，然而其具有的宇宙之卵的象征寓意，却有着无比惊人的能量：从这只巨卵中竟然孕育出千姿百态的中国佛塔，几乎遍布古代中国每座城镇乃至于乡村（中国传统乡镇常有风水塔），甚至比佛教教义本身更加深入中国人内心。

云冈凿岩

比佛塔稍晚一些随佛教东来的还有石窟寺，其在中国之兴建虽不及佛塔持久和广泛，却也极为可观（中国境内知名石窟寺遗址共有五十六处，总体规模胜过印度本土），早期石窟建筑的保存状况更是远胜佛塔，尤其是十六国与北朝时期的石窟数目众多，规模宏大，是中国此段建筑史的最重要实物遗存。石窟中所保存的建筑题材的雕刻与壁画，更是研究此时期木结构建筑的珍贵线索，云冈石窟中的石刻佛塔对于还原北魏永宁寺塔造型的关键作用即是一例。因此，石窟建筑之于魏晋南北朝，一如墓葬建筑之于两汉，是最重要和无可替代的建筑类型。

由于中国汉代尤其是东汉时期已有大量开凿崖墓的经验，故对于石窟这种因山凿岩的建筑类型其实并不陌生，亦不会心生排斥，例如北齐北响堂山石窟的开凿即是借开石窟寺之名、行建造高齐王陵之实，而北朝麦积山石窟第四十三窟即为西魏乙弗后墓窟。此外，附丽于石窟中的佛教造像艺术包括壁画、雕刻、彩塑之类，也多是中国此类艺术中的杰作，石窟寺之珍贵又加一等。

中国境内石窟寺的开凿始于公元三世纪末，最早出现于丝绸之路北道沿线及河西走廊一带，即龟兹、焉耆诸国及十六国的西秦、后秦、北凉等地，最重要的发扬光大期在北魏，唐朝则达于极盛，宋元之后渐趋低潮。石窟沿丝路东来，在西域以龟兹克孜尔石窟（位于今新疆库车西北）为典型，开凿于公元三至七世纪（相当于西晋末年至初唐，历时三百余年）；在河西走廊以敦煌为核心（始凿于东晋并一直延续至元代），附近有凉州石窟（主要包括张掖金塔寺、千佛洞、观音洞、马蹄洞，酒泉文殊山，武威天梯山和玉门昌马下窨石窟，约始凿于十六国北凉时期）、麦积山石窟（开凿于十六国西秦时期直至隋代）陪衬；在中原一带则以北魏开凿的云冈和龙门两大石窟为最，云冈周边有天龙山北齐石窟，龙门附近则有巩县北魏石窟、响堂山北齐石窟等。隋唐以后，除莫高窟、龙门石窟继续大加兴建外，四川等地石窟也有所勃兴。石窟寺可谓一步一个脚印，在中土形成一串佛之足迹，其中不乏雕凿数百年的巨构——特别是对于中国这个素来以木结构建筑为宗，建造迅速同时破坏亦迅速的民族而言，这样“石头的史书”实属罕见。

北魏花费最多精力开凿的石窟当数云冈石窟。北魏统治者为鲜卑族人，曾经统治中国北方的鲜卑族人有众多分支，其中十六国时期的鲜卑人慕容皝、慕容垂、慕容德、秃发乌孤曾先后建立前燕、后燕、南燕、南凉，其中前燕一度以蓟城即今天的北京为都。金庸小说《天龙八部》塑造了慕容博、慕容复父子都以“光复大燕”为终身志向，即是作家虚构的鲜卑族慕容氏后裔。而北魏统治者则是鲜卑族之拓跋氏，其先祖原是居住在黑龙江上游额尔古纳河与大兴安岭北段鲜卑族的一支，经千里迢迢的迁徙与南征北战，鲜卑族拓跋部终于统一中国北方，于398年定都平城，在494年孝文帝迁都洛阳之间的近一百年中，北魏均以今日的大同为国都。北魏开国之君道武帝拓跋珪佛道兼信，当时高僧法果称“太祖明睿好道，即是当今如来”、“能鸿道者人主也，我非拜天子，乃是礼佛耳”（《魏书·释老志》），将拓跋珪比作当世如来，使得佛教备受北魏统治阶层青睐。这就如同《高僧传·释道安传》所云“不依国主，则法事难立”，北魏佛教始终紧密依靠世俗王权，虽然太武帝于太平真君七年（446年）下诏灭佛，然而文成帝即位后立即下诏复法，佛教反而更加兴盛。云冈石窟的开凿，即以文成帝复兴佛法为背景，是专为北魏皇室祈福而建的国家工程。在高僧昙曜主持之下率先开凿的五座大窟史称“昙曜五窟”，分别以五尊大佛象征北魏开国五帝，正是法果帝王即当世如来思想的直接象征。

云冈石窟原名武周山石窟寺，亦名灵岩寺，郦道元《水经注》记载其“凿石开山，因崖结构，真容巨壮，世法所稀，山堂水殿，烟寺相望，林渊锦镜，缀目新眺”，一派诗情画意。石窟寺在大同西北武周川（今名十里河）北岸上层台地的南向陡壁之上开凿，大小洞口鳞次栉比，东西绵亘长达一公里。洞窟始凿于北魏和平年间（460–464年），最晚至正光五年（524年），前后营建达六十年之久，其

云冈旧影。图片来源：《东方建筑》

云冈石窟外观，右端是第五、六窟的木构窟檐，可由此推想昔日“山堂水殿、烟寺相望”之景象。李路珂 摄

中主要部分完成于前三十年中即北魏迁都洛阳之前。现存大小窟龛二百五十二个，共存大小造像五万一千余尊，为中国石窟雕像数量之最，其中最大者高十七米，最小者仅高两厘米。主要石窟四十五座，由东至西编号，按时间则可分作前后三期：一期为著名的“昙曜五窟”，即第十六至二十窟，前后历时三十余载；二期包括四组双窟和一组三窟，开凿于孝文帝即位至迁都洛阳期间（471–495年），中途停工的第三窟亦始凿于此期（后室三尊大像估计为初唐补刻）；三期包括剩余诸窟及附属于大窟内外众多小龛，均凿于孝文帝迁都洛阳之后，为留居平城的官贵僧俗所经营。原来各窟外壁大多建有木结构窟檐，窟前空地上还有木结构殿宇，包括讲堂、僧舍之类，因此北魏时才会有“山堂水殿、烟寺相望”的景象；辽代皇室又在窟外建造大量木结构窟檐，成十座大寺；后大多不存，现仅有清代顺治八年（1651年）修建的第五、六窟的窟檐，均为三、四层楼阁外观，正在石窟入口正对处，颇是壮观，可供人怀想昔日盛况。至今许多人尚不知晓石

窟算是古建筑，其实石窟原本皆是石窟寺，不仅其洞窟之内属于特殊的建筑空间类型，并且中国石窟寺较印度原型的差异，更在于在窟外往往因崖构筑木构窟檐，并布置有地面附属建筑群，形成完整佛寺的格局，一改印度石窟有内无外的属性，变为“内石外木”的特殊佛教建筑形式，亦可谓石窟寺的中国化。

云冈的石窟类型主要包括三种：大佛窟、佛殿窟和塔庙窟，这也是中国石窟寺的最主要窟室类型。其中一期昙曜五窟全都是大佛窟，窟内造巨像，主要是三世佛（过去燃灯佛、现在如来佛、未来弥勒佛），采取一佛居中、两佛居侧格局（唯第十九窟两侧佛像置于主窟外两旁耳洞中）。各窟中央主佛高度在十四至十七米不等，故大佛窟内空间极为高峻。昙曜五窟为中原地区首次尝试如此巨大的佛窟及造像，此前龟兹克孜尔石窟曾有大佛窟高达十六点三米（第四十七窟），高度在十米左右的大窟亦不在少数，昙曜五窟应是吸收了龟兹大佛窟的经验且加以发展，并一举取得震撼人心的艺术效果。

其中第十八、十九、二十窟为同一类型，洞窟平面及空间形式皆为巨像量身开凿，平面大致呈椭圆形，进深不及宽度一半，后壁、侧壁与顶部连成一体形成佛像背光，洞窟前壁开有巨大的门洞和上部方窗，给窟内带来神秘的光线效果。整个窟室与其说是窟，不如说是巨型佛龛更加合适，特别是最著名的云冈大佛（即第二十窟），由于窟室前壁坍塌，呈现为一处露天大龛，也有学者认为这种椭圆形带类似穹隆形的窟室空间是仿印度传统草庐形式。第十六、十七窟是第一期较晚完成的，第二期第五、十三窟亦为大佛窟，平面渐趋方整，形成较为完整的窟室，已向着佛殿窟过渡。

昙曜五窟的中央巨像分别象征北魏开国五帝，由西向东分别对应道武帝、明元帝、太武帝、景穆帝和当时在位并发起石窟开凿的文成帝，一帝一窟的模式酷似古罗马帝王一人一座广场，可谓是个人的纪念碑，这与鲜卑人的大人（即英雄）崇拜传统相契合。其中最为观者熟悉的云冈头号大佛即第二十窟大像，象征北魏开国之君道武帝拓跋珪，由于窟室前壁坍塌，这尊巨像露天袒呈于千百年来万千信徒与游人面前，成为云冈石窟最震慑人心的一幕。大佛坐像施禅定印，

云冈石窟第二十窟外观。李路珂　摄

高肉髻（但素平无螺发），面相丰圆，鼻梁高直，巨耳双垂更胜印度佛像，双唇微带笑意，仔细观察发现佛像还有两撇微微上翘、不易察觉的胡须。佛像身躯壮硕伟岸，双肩齐挺，着袒露右肩的袈裟，衣纹刻画硬直厚重，背光火焰纹饰，具有典型的犍陀罗“迦毕试样式”风格。有学者推测，最先传入中国新疆的犍陀罗佛像即迦毕试样式，并一直影响到敦煌、云冈和龙门石窟的佛教造像，云冈头号佛像即其典型代表。值得一提的是，印度佛像不论犍陀罗或是笈多风格，皆是双目低垂、作沉思内省状，故眼珠并不刻意突出，一如希腊雕刻——希腊雕刻的“有眼无珠”与鼻子额头相连具有异曲同工之妙，意在加强神性刻画。但中国古代艺术却十分重视眼神刻画，素有“画龙点睛”的追求，常以眼神表现人物之“传神”，即大画家顾恺之所谓“传神写照正在阿堵中”。雕琢云冈大佛的匠人精心选择光亮质感的石料来刻画眼眸，经过高超精妙的处理，令佛像目光熠熠生辉，并且带有深邃的慈悲之情，成为中国佛教造像最具深刻意蕴的表现，与印度垂目深思之内省意境大异其趣。这一画龙点睛式的妙笔，使中国佛像瞬间获得了自己的造型语言，诚可谓鬼斧神工。

与第二十窟朴拙的迦毕试风格形成鲜明对照的是第十九窟南壁西侧佛立像，呈现为典型的“曹衣出水”式造型，明显受到笈多湿衣佛像影响。第十七窟因为象征未即位就死去的景穆帝，故中央主像雕作交脚弥勒菩萨，与其余四窟区分。除第二十窟因前壁坍塌而露天外，其余诸大佛窟现状均呈现了原始设计效果，即“山前看山”——因为窟室前壁与大像距离很近，于是观者进入窟室必须仰视大佛，有高山仰止之感，加之明窗带来的神秘光线，大大加强了震撼人心的宗教崇高感。

云冈二期的大量佛殿窟与塔庙窟，显示了石窟汉化的一些重要翻译与创新手法，这与孝文帝拓跋宏大力推行“汉化”的政策是相一致的。印度石窟一路东来，其汉化的一大关键时期就是云冈二期。

云冈石窟第二十窟大佛局部。图片来源：《云冈石窟》

云冈石窟第十九窟南壁西侧佛立像的“曹衣出水”风格。图片来源：《云冈石窟》

云冈石窟第十八窟仰视。李路珂　摄

先看佛殿窟，为石窟模仿木结构佛殿样式。第七、八窟是第二期最早开凿的双窟（这一时期广泛建造东西并列的双窟模式，与孝文帝时期尊孝文帝与文明太后冯氏为“二皇”或“二圣”相应，具有强烈的象征意义），二窟并联，形制相同，均为前廷后室格局：前廷面阔九米，进深八米，无前壁，一如一个前庭院；后室面阔九米，进深五点四米，高十二点八米，前壁正中开门洞及明窗，后壁设上下两座大龛，侧壁与前壁两侧各开上下四层佛龛，四壁佛龛之上雕一圈天宫楼阁，窟顶作仿木结构的六格平棊天花，即用木枋划分的方格形天花板，平棊中心以及格条相交处雕饰莲花，其余空间满雕飞天，此为云冈最早出现的中国式仿木构天花造型，雕饰图案莲花与飞天等又出自印度。开凿于太和八至十三年（484–489年）的第九、十号双窟为另一典型佛殿窟型即前廊后室型，为云冈最具代表性的窟型之一：双窟间以实墙相隔，各有前廊、后室，前廊上设门相通，前廊平面为长方形，面阔十一点四米，进深四米，三间二柱，柱高约八点四米，由于洞窟外立面风化严重，故从外观看酷似一座六开间殿堂，然原始外立面是东西并列两座三开间殿堂样式。极可宝贵的是前廊侧壁上层雕作木结构殿堂形佛龛，同为三开间佛殿样式，清楚地表现出立柱、横额（即阑额）、斗栱（包括一斗三升和人字栱两类）、檐椽以及庑殿式屋顶，屋顶正脊两端还有典型的鸱尾造型，为北朝木结构殿堂尤为写实的形象资料。佛龛中央为交脚菩萨造型，两侧菩萨作“游戏座”（酷似跷二郎腿）造型，生动之极。前廊顶部一如第七、八窟作平棊天花，后壁中央开门洞及明窗，门雕作中国木结构门楼造型（门两旁有类似希腊爱奥尼柱式造型），明窗则保留了印度马蹄拱样式，为后室带入光线。前廊后室的窟室格局整体看来就是一座带三开间前廊木结构佛殿的石头版本，以三开间前廊作为外立面，实现了将印度石窟的马蹄拱大门及明窗翻译成中国传统建筑语言的任务。两组石窟巨大的立柱作八角形平面，下部雕作大象驮柱状，柱各面满雕千佛，仍极具异域风情，尤其是柱廊各开间的高度大大超过宽度，仍是西方石结构建筑的比例，尚未完全“进化”为中国木结构建筑。后室象征佛殿，包括主室与后部甬道，主室面阔十米余，进深六米，后壁正中雕主佛像，其两侧向后凿出回形甬道，可供信徒绕佛一周；窟顶在佛像顶部雕天盖，其余部分雕平棊。

再来看塔庙窟或曰中心塔柱窟。洞窟平面作长方形或正方形，中心设仿木结构佛塔的塔柱（第一、二、三十九窟）或者四面开佛龛的方柱（第六、十一窟），这是对印度支提窟的翻译：在支提窟原型中，末端中央为窣堵波供信徒礼拜，既然窣堵波已在东汉时期被楼阁式塔所代替，那么塔庙窟中央设置中国式佛塔造型的中心塔柱则顺理成章。第一、二、三十九窟中心塔柱分别雕作二层、三层、五层木结构佛塔造型，唯顶部由于结构需要不作塔刹，而改作天盖及须弥山造型与窟顶相接，因此中心塔柱也可视作“宇宙之轴”的象征，延续了印度窣堵波的传统含义。这些塔庙窟的四壁也常有浮雕佛塔，成为北朝佛塔的真实写照，一如佛殿窟内壁所雕木构佛殿式佛龛，都是对同一艺术母题的强化手法。其中第三十九窟的五层塔，每面五间，木柱之间设置圆拱壁龛或梯形拱壁龛，让人想起塔克西拉窣堵波出土的陶塑小奉献塔方形基座的壁柱与佛龛的设置；同时类似的造型还能在新疆吐鲁番的高昌西克普（SIRKIP）大塔残迹中看到，清晰地反映了犍陀罗窣堵波一路东来演

云冈石窟第八窟平棊天花。李路珂　摄

云冈石窟第九、十双窟前廊。李路珂　摄

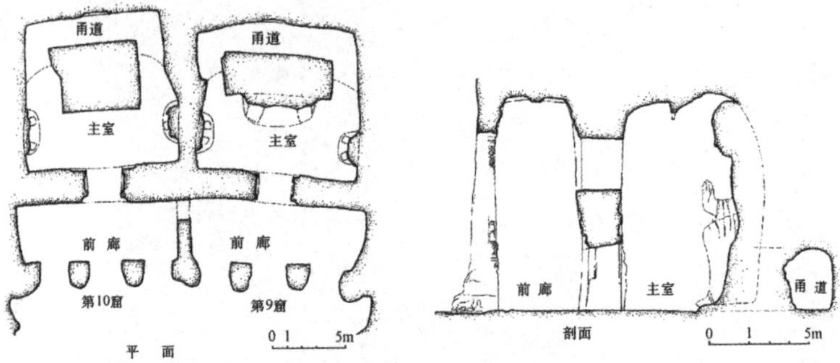

云冈石窟第九、十双窟平面、剖面图。图片来源：《中国古代建筑史》（第二卷，傅熹年主编）

云冈石窟第九窟前廊侧壁三开间佛殿形佛龛。李路珂　摄

云冈石窟第九窟后室入口中国式门楼及两侧类似希腊爱奥尼式立柱。李路珂　摄

云冈石窟第九、十双窟外观。李路珂　摄

左图：云冈石窟第一窟中心塔柱（二层佛塔造型）。李路珂　摄
右图：云冈石窟第二窟中心塔柱（三层佛塔造型）。李路珂　摄

左图：云冈石窟第三十九窟中心塔柱（五层佛塔造型）。李路珂　摄
右图：新疆吐鲁番的高昌西克普（SIRKIP）大塔残迹。图片来源：《中国古代建筑史》（第二卷，傅熹年主编）

云冈石窟第六窟中心方柱仰视。李路珂　摄

变的轨迹。第六窟为中心方柱窟，大约凿于太和晚期，规模宏大，面阔十三点八米，进深十三点四米，高十四点四米，几乎为一立方体，面积达一百八十五平方米。中心方柱宽七点九米，深七点三米，柱身分上下两层，下层四面设龛，角部饰千佛柱；上层空透，四角以白象背负四座方形九层仿木构佛塔，犹如四座永宁寺塔模型，为云冈塔庙窟表现佛塔造型之极致，极为壮观，当中为四尊背靠背佛像。

云冈二期中汉化的不仅仅是佛窟的建筑形制，还包括几乎所有的造像艺术，相比于一期大像窟之庄严宏大，二期转而营造一种清秀绮丽的风格。首先二期的佛像已少有雄伟的大像，佛面相肥瘦适中，表情少了肃穆威严，更趋恬静，增加了汉人儒雅的风度，尤其太和十三年（489年）后出现了身着褒衣博带式佛装的佛像，典型者如第五、六窟内三世佛及周围小佛像的僧衣都雕作褒衣博带式，大衣内着僧祇衣，由衣内引出下垂的双带，直接采用了南朝士大夫的常服式样，这与孝文帝改革中的太和十年（486年）“始服衮冕”紧密相连。云冈三期佛像及其他人物造型较之二期更加汉化，不仅身着汉服，连身材也由西域或游牧民族的壮硕体形改为长颈削肩，面部则愈加清瘦，被总结为“秀骨清相”，一派汉族士大夫风骨。大量供养人造像以队列的阵容出现，代表了这时期云冈石窟的世俗化，供养人也由早期的鲜卑族“夹领小袖”装束逐渐改穿汉族宽服，供养人往往刻画为笑容可掬的形貌，与佛像庄严慈悲之神性形成鲜明对照。其中绝佳的作品是第七窟后室南壁拱门上方的六个胡跪式女供养人，欢愉之情溢于言表，被誉为“六美人”。堪与六美人媲美的作品是第十二窟前廊北壁的大批伎乐天，扭腰耸胯，凌空飞动，形成一支空中歌舞团，展现出天宫楼阁仙乐飘飘的意境。其中各类乐器包括吹指、齐鼓、排箫、筚篥、竖箜篌、细腰鼓、义嘴笛、法螺、琵琶等共计十四种四十七件，这组伎乐天雕刻一方面继承了印度传统，将舞乐用于烘托佛国世界的美妙，同时又有大量中国传统乐器展现。此外，中国独特的书法艺术也出现在石窟之中，第十一窟东壁上方有北魏太和七年（483年）开窟造像之题记，魏体书刻，遒劲有力，成为著名魏碑，此为印度石窟原型中不曾有过的全新艺术类型。

云冈石窟第五窟后室西壁立佛。李路珂　摄

云冈石窟第五窟褒衣博带式小佛像。李路珂　摄

云冈石窟第三十窟（第三期）北魏晚期佛像，“秀骨清相”之典型。图片来源：《云冈石窟》

云冈石窟第七窟后室南壁拱门上方的“六美人”。图片来源：《云冈石窟》

云冈石窟第十二窟前廊北壁之伎乐天，宛若一支天上歌舞团。李路珂　摄

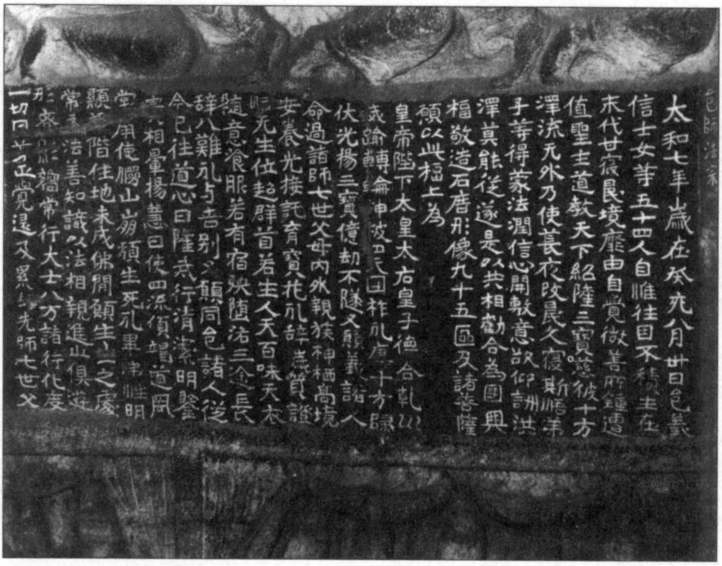

云冈石窟第十一窟东壁北魏太和七年（483年）开窟造像之题记。图片来源：《云冈石窟》

石窟的开凿实为“负建筑”之建造，比中国传统木结构建筑费时费力无数。据南北朝史料记载：当时建造一所大型木构殿堂，工期一般不超过十个月，而一座窟室的凿成，因岩石软硬不一，少则几年，多则十几年甚至几十年。例如龙门石窟石制坚硬异常，故宾阳三洞的开凿，自景明元年至正光四年（500–523年），“用工八十万二千三百六十六”（此处一个“工”即一名工匠一天的劳动量）仍只完成了窟体大部与北洞造像，中国各大石窟的开凿，真是无数匠人以“情专穿石之殷，志切移山之重”的意志才得以完成的。且石窟之雕凿不是一般体力活，而需周密规划、精心施工，因为是“减法”的建筑，故稍有缺陷雕凿过当，则难以补救，不若土木结构的“加法”建筑，可以随时拆改、反复垒砌。地面“加法”建筑为由下而上建造，石窟“减法”建筑则恰恰是自上而下凿成。窟室前壁门洞的上方往往开有明窗，既是窟室采光的必要设计，更是施工的首要步骤之一：正是明窗的开凿使得整座窟室的开凿有了上部的起始点和工作面，自明窗洞口凿入，逐步将窟室上部空间凿出，废石由明窗及门洞渐次运出，一步步实现对整座窟室的凿岩工程。云冈大佛窟中，

云冈石窟第十六窟高山仰止。李路珂　摄

明窗位于大像胸前部位，观者在窟外透过明窗方洞正好欣赏到大佛庄严慈悲的面部与目光，这是云冈石窟感人至深的一幕。我们可以尝试在这幅画面之前闭目想象：北魏的大匠们起初对着这面原始的峭壁，脑海中已如米开朗基罗所言，在石壁后方看到了大佛的造型和洞窟的空间形象，只是盘算如何把多余的石块凿去而已；于是他们在壁面先凿出高处的方形窗洞，进而进洞开凿大佛头部周边的空间，小心翼翼留出大佛头部的轮廓，以备继续对其精雕细刻，碎石粉末飞扬四溅，一堆堆废料从窗口运出；随着时光流逝，工匠们所在的地面由高处逐渐降低，周边空间越来越宽敞，可容更多人一起劳作，大佛的头部与上半身逐渐“浮出石面”，碎石开始由窗洞下方开凿的门洞输出。直至数年艰辛砍凿后的一日，最后一批碎石渣由大门移出，大佛雏形最终呈现于巨大的洞窟中，当然这些巨大的石胚还等待着被顶级匠师们雕琢出肉髻、面庞、耳垂、躯体，以及来自西域或中原风格的衣纹、微妙地反映出内心世界的手势、背光中各色华丽的装饰，当然最后还要用最瑰丽明亮的石块安在眼眸位置上进行“画龙点睛”……此时此刻，由高大的方窗与门洞射进神秘莫测的光线，照着依旧烟尘弥漫的

黑暗窟室，原来只在统领大匠脑海中那峭壁后面
在数十万工时一锤一凿的奋战后，呈现在所有
眼的匠师们眼前……那一瞬间他们所感到的心
匆匆过往、走马观花的游人之上吧?

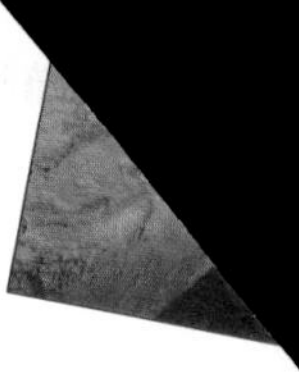

敦煌绘壁

敦煌位居丝绸之路要冲，是西域龟兹石窟与中原云冈、龙门石窟之间的重要过渡地区，与凉州石窟、麦积山石窟一起组成河西走廊浩浩荡荡的石窟群落。敦煌石窟主要包括莫高窟、榆林窟与西千佛洞三处，其中莫高窟可谓“石窟中的石窟”，为中国石窟中开凿时间最久、洞窟数量最多、艺术造诣最高的杰作。现存自北凉至元代带有壁画、彩塑洞窟四百九十二座，另外还有僧窟、瘞窟等，共计七百三十窟。莫高窟始凿于东晋，存于第三三二窟内的唐《李克让修莫高窟佛龛碑》记载了莫高窟的始凿年代与两位开创者：秦建元二年（即东晋升平十年，366年），“有沙门乐僔尝杖锡林野，行止此山，忽见金光，状有千佛，遂架空凿□，造窟一龛……次有法良禅师从东届此，又于僔师龛侧更即营建。伽蓝之起滥觞于二僧”。可惜目前东晋窟龛早已湮没，无迹可寻。据考证现存最早的石窟是十六国北凉时期的三座石窟，即第二六八、二七二、二七五窟。

莫高窟位于敦煌东南的鸣沙山东麓，坐西朝东，由于山壁中部塌陷，自然分作南、北二区，沿宕泉河西岸绵延一千六百八十米，其中北区主要是僧房窟与杂用窟，南区为莫高窟主体部分。北朝石窟三十六座位于南区中部，绝大部分为佛殿窟及塔庙窟，伴有少量僧房窟；窟室空间类型则以中心方柱窟与覆斗顶窟为主，后者是云冈未有的新创造。隋唐为敦煌石窟大发展时期，尤其唐窟在敦煌数量最多，又以南北两座大像窟最为宏巨，至晚唐时莫高窟崖壁已至“状若蜂巢”地步。自五代以后仅能在崖壁上见缝插针开窟或改建、重绘旧窟。

据佛经称，僧人习禅应“山栖穴处”，先入塔观像，然后入窟思

莫高窟第二六八窟（北凉），僧房窟。图片来源：《敦煌石窟全集22 · 石窟建筑卷》

莫高窟第二五四窟（北魏），中心方柱窟带人字坡顶前堂。图片来源：《敦煌石窟全集22 · 石窟建筑卷》

念，如此循环往复，直至解脱。敦煌莫高窟现存洞窟中年代最早的第二六八窟即典型的僧房窟（印度所谓毗诃罗窟），采取当中甬道、两侧各设两座禅窟的布局方式，可容四位僧人禅修，甬道尽端开一浅龛设像，以供观像，酷似在一条走廊两侧分配四间僧人“宿舍”。莫高窟早期石窟开凿是僧人禅修与为世俗造像祈福两方面兼顾，后来随着世俗化加剧，有将僧房窟改作造像窟之趋势，故保留至今的僧房窟极少。

莫高窟的塔庙窟皆作中心方柱窟，没有将方柱雕作佛塔的做法。中心方柱窟始凿于北魏中后期（500年前后），窟室为长方形，进深约为面阔的一点五倍，后部为一正方形中心方柱窟，前半部接一个带双坡顶或人字坡顶的空间，一如在云冈石窟的中心塔柱窟前加了一座仿中国木结构的前廊或前堂，可供僧侣聚集。方柱四面设龛，其中正面辟一大龛安置主佛像，其余三面设上下层龛，上层龛常雕作双阙形式（阙为中国两汉以来常见的建筑形式，用作高等级建筑入口标志），称作“阙形龛”，内设弥勒菩萨像。阙形龛在此象征弥勒所在的兜率天宫。敦煌碑刻文献中有“中浮宝刹，匝四面以环通”及“刹心内龛”的记载，足见中心方柱亦是塔的象征。人字坡坡面塑出仿木结构的椽子，椽间的望板绘满装饰图案，在椽子上端和下端塑出仿木结构的榑（清代称桁或檩，是承托椽的木构件），个别窟室如第二五一窟还在栱的两端安装从窟室侧壁挑出的木质斗栱，并在斗栱后部的墙面上绘制承托斗栱的木柱和栌斗（清代称坐斗），一直落到地面，形成由真实的木质斗栱、浮塑的栱和椽子以及彩绘的柱子组成的完整仿木结构框架，实在是匠心独运。特别是坡顶两端挑出的木质斗栱为全中国最古老的斗栱遗存（北魏时期），至为罕贵。莫高窟的人字坡顶与中心方柱窟的结合是石窟进一步汉化的全新创造，同时满足了在前堂聚集礼佛和右旋绕中心塔柱仪式的双重功能，是其他石窟几乎未见的妙笔（唯武威天梯山第十八窟有人字坡的意味）。

隋代立国时间虽短，却在敦煌大兴石窟，三十余年开窟近百座，超越此前二百余年两倍，且窟型丰富，后世各类新窟型均在此时肇始。隋代典型的中心方柱窟为第三〇二、三〇三窟，其人字坡与中心柱窟的组合一如北朝，但中心柱造型大异，下部方座，中部方台四面

莫高窟第二五四窟（北魏），中心方柱阙形龛及思惟菩萨。图片来源：《敦煌石窟全集22 · 石窟建筑卷》

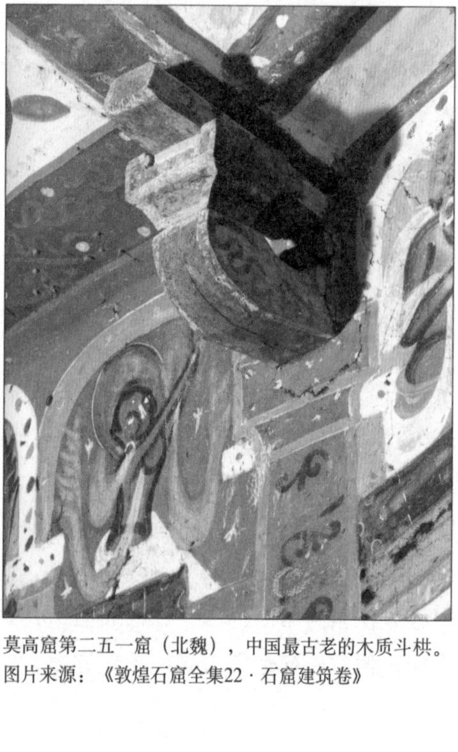

莫高窟第二五一窟（北魏），中国最古老的木质斗栱。图片来源：《敦煌石窟全集22 · 石窟建筑卷》

莫高窟第三〇三窟（隋），倒塔状中心柱窟。图片来源：《敦煌石窟全集22 · 石窟建筑卷》

设龛，上部作七层圆形倒塔并四龙环绕，有学者认为是表现须弥山与龙王的造型。隋代晚期大型中心方柱窟可视作由中心柱窟向佛殿窟的过渡类型，方柱退居进深的一半以后，窟室前半为人字坡，后半为平顶，方柱仅侧面和后面设龛，正壁与窟室侧壁均不开龛，而是各设立像一铺，在窟室前半部形成完整的人字坡顶、三面设像、宛如佛殿格局，中心柱则沦为分隔前后室的隔墙。与中心塔柱退居次要地位相应的另一趋势是佛龛的空间局限也被突破，直接采取壁前立塑像群的方式可以塑造高大的佛像，获得更加震撼的效果。事实上中心塔柱窟总体变化的趋势是从礼拜佛塔变为礼拜塔柱上佛龛中的佛像，再到最后直接礼拜佛像。中心方柱窟延续至唐中期以前，之后便逐渐绝迹，来自印度原始支提窟中窣堵波的痕迹遂消失殆尽。中心塔（方柱）窟为北朝重要窟型，与北朝佛寺以塔为中心（或前塔后堂）的布局相呼应，其在石窟窟室类型中逐渐淡出，与佛塔在隋唐佛寺中逐渐失去主导地位是相辅相成的。

莫高窟的佛殿窟大多为覆斗顶窟，所谓覆斗顶即四面坡加顶部一个中央平顶，形如倒扣之斗，亦称“盝顶”，为敦煌石窟中最常见的屋顶形式，取代云冈石窟中的各类平顶。早在北凉时期的第二七二窟已出现介于西域穹隆顶与覆斗顶之间的窟顶形式，覆斗顶窟在北朝后期成为主流，其中西魏第二四九、二八五窟为典型代表。第二四九窟面阔四点四米，进深六点二米，顶高五米，后壁正中开大龛。窟顶当中为方形斗四天花，所谓“斗四”图案是指大小不等的一系列正方形互相呈四十五度角环环相套的造型，为中国传统建筑中最富生命力的装饰图案之一。这一造型与古建筑中的窗即古文的“囱”字密切相关。《说文解字》解释：“囱，在墙曰牖，在屋曰囱，象形，此皆以交木为之，故象其交木之形，外域之也。”说明“囱”即斗四图案的象形，可能来源于西域中亚游牧民族带天窗的帐篷式居室，逐渐演变为中国窗户和天花中流行的装饰图案，由呈四十五度相交的木材构成的造型母题。阿富汗巴米扬石窟、新疆克孜尔石窟均有大量斗四图案，今日帕米尔高原的塔吉克族民居屋顶上仍有用原木层层累叠的斗四形天窗，而美籍华裔建筑大师贝聿铭亦酷爱斗四图案和菱形母题，在苏州博物馆的天窗中用钢结构延续着这一木结构的原型。与斗四天花相伴的艺术处理是覆斗顶四坡对“帐”的模仿：斗四天花四角以带状纹饰与窟室四隅相连，摹拟帐顶的意象，第二八五窟的覆斗顶中甚至绘出华丽的双重垂幔、兽首、流苏等装饰，使窟顶变成惟妙惟肖的帐顶。帐为中国古代室内大型家具，《西京杂记》记载汉武帝曾杂错天下珍宝造了甲乙二帐，用甲帐居神，乙帐自用；著名的河北满城汉墓的中央墓室即陈设有两顶帐，分别象征墓主刘胜与其妻窦绾的灵位。用豪华的帐来供佛，应该是当时寺庙佛殿中的高级陈设，隋代壁

莫高窟第二四九窟（西魏），覆斗顶佛殿窟，顶部中央为斗四天花。图片来源：《敦煌石窟全集22 · 石窟建筑卷》

左图：贝聿铭设计的苏州博物馆大厅天窗，使用“斗四”造型母题。王南 摄
右图：莫高窟第二八五窟（西魏），覆斗顶绘华盖、双重垂幔、兽首及流苏图案。图片来源：《敦煌石窟全集22 · 石窟建筑卷》

画中即有许多佛坐于盝顶形帐中——覆斗顶的佛帐形意象与壁画中的盝顶形佛帐直接呼应。通过斗四天花象征窗户，使得原本幽暗的石窟内“仿佛若有光”，而佛帐的绘制则使本是坚硬的石壁显得柔软轻盈，这些都是匠师精心构想的巧妙造型语言。窟室四壁顶部仍沿用云冈的语言，绘制一周天宫楼阁及伎乐天，为已经变得明亮柔和的窟室带进仙乐飘飘的情境。

唐以前的覆斗顶窟多采取三壁三龛的设像格局，如隋代第四〇一、四二〇窟。初唐盛唐时期覆斗顶窟逐渐只在正壁开一大龛，而将南北两面侧壁全部留出，用于绘制巨幅“经变画”（即画师根据佛经内容，加上自己的理解与想象，绘成形象化展现佛经内容的绘画），为敦煌画工留出了充分发挥的空间，遂成就敦煌壁画之辉煌。这些宏幅巨制的经变画往往以净土变相为题材，多以一组宏大壮伟的建筑群为背景，表现佛经中描述的西方极乐世界，顺便为后世留下了关于唐代大型建筑群的形象资料，大大弥补了中国唐代木构建筑仅余下可怜的四座殿堂之巨大缺憾。窟顶天井周围画垂幔，四坡画千佛，其下不再绘天宫栏墙，为一代新风尚，重点被集中在中央主像和两壁巨画上，简洁明快而重点突出。盛唐长安佛寺亦多于大殿东西侧壁绘制巨幅经变，吴道子等人均在长安寺庙壁上留有杰作，敦煌唐窟壁画亦为时代风尚之一斑。

继北朝之后，隋唐造大佛之风更盛，尺度也更巨大，于各石窟寺开凿的大佛窟往往成为该石窟的最重要标志，著名者包括麦积山第九十八窟阿弥陀佛坐像（高十六米）、洛阳龙门奉先寺卢舍那佛坐像（高十七点一四米）、陕西邠县大佛寺阿弥陀佛坐像（高十八点五米）、宁夏须弥山第五窟弥勒佛坐像（高二十点六米）、敦煌莫高窟

莫高窟第四二〇窟（隋），覆斗顶佛殿窟，三壁三龛式。图片来源：《敦煌石窟全集22 · 石窟建筑卷》

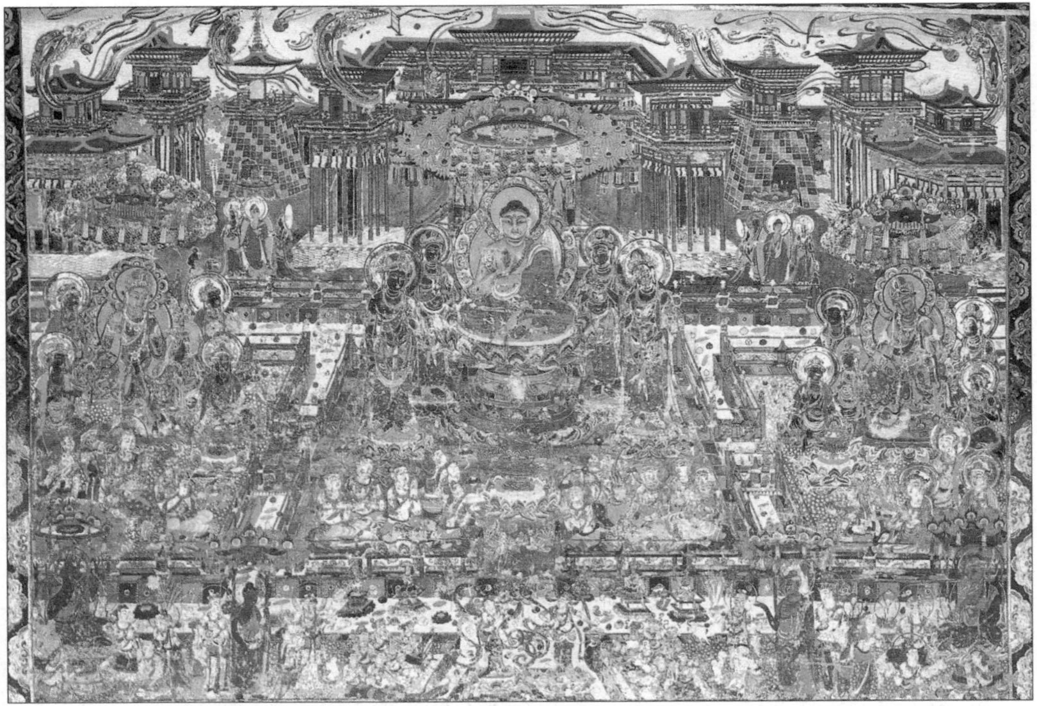

莫高窟第二一七窟（盛唐），北壁巨幅观无量寿经变画，可看作盛唐大型佛寺之写照。图片来源：《敦煌石窟全集21·建筑画卷》

莫高窟第三二八窟（盛唐），覆斗顶佛殿窟，一壁设龛，其余绘壁画。图片来源：《敦煌石窟全集22·石窟建筑卷》

第一三〇窟弥勒佛坐像（高二十七米）、甘肃永靖炳灵寺第一七一窟弥勒佛坐像（高二十七米）、敦煌莫高窟第九十六窟弥勒佛坐像（高三十五点二米）、四川荣县大佛（高三十六点六七米）、四川乐山凌云寺弥勒佛坐像（即著名的“乐山大佛”，高七十一米）。

莫高窟第九十六窟即北大像窟，于初唐武则天证圣元年（695年）开凿。据记载，唐永昌二年（690年）僧法明等撰《大云经》称武则天是弥勒下生，同年九月武则天以周代唐，颁诏天下各州建大云寺，故北大像窟的开凿当与武则天有关。与此类似的工程还包括洛阳龙门石窟奉先寺巨像的开凿，武则天也十分重视，“助脂粉钱二万贯”。常有人称奉先寺巨像系依照武则天容貌镌刻，其实不论昙曜五佛象征北魏五帝为当世如来，或是武则天立龙门巨像象征自己是弥勒下凡，都仅仅是一种象征主义，而非写实主义，佛像之雕凿自有其程式化的艺术手法以及艺术家自己的创造，如刻意追求神似某个凡人，反而失去普遍的“神性”。洛阳龙门奉先寺巨像之精彩，不在于是否像武则天，而在于其宏伟的尺度、精妙的雕凿所反映出的庄严沉静、岿然天地之间的气度，尤其巨像与伊阙山水形胜的结合，使之更具气势，由河对岸遥望卢舍那大佛及两侧弟子、菩萨并金刚力士一众造像，宛如漂浮于天河之上，气势更胜云冈敦煌。莫高窟北大像仅次于四川乐山大佛和荣县大佛，通高三十五点二米（超过故宫太和殿，相当于十二层楼高），洞窟几乎通到崖壁顶，高约四十米，外部即成为莫高窟象征的“九层楼”木结构窟檐，前壁上有三层明窗，可以采光以及登临瞻仰巨像（当然也是最初开凿大佛窟的起始点）。南大像窟开凿于盛唐开元九年（721年）至天宝年间（742–756年），历时约三十年。窟高二十八点三米，像高二十七米，石窟断面作钟形，窟顶近似覆钵形。这尊雕于开元盛世的大像虽尺度不及北大像，然而气象庄严犹有过之，配上晚唐、西夏时期的繁丽壁画、窟顶的五龙藻井及大像华美的背光，加之明窗中射进的柔和光线弥漫全窟，为中国大像窟中的精彩杰作。

印度作为石窟发源地却鲜有大像窟，倒是位于今阿富汗境内的巴米扬石窟东西两端的龛状窟内，各有一尊砂石与灰泥雕塑的巨型佛陀

洛阳龙门石窟奉先寺巨像庄严。王南 摄

莫高窟第一三〇窟即南大像窟（盛唐）。图片来源：《敦煌石窟全集22 · 石窟建筑卷》

阿富汗巴米扬石窟西大佛（约公元五世纪初叶），高五十五米。图片来源：《印度美术》

立像，即世界闻名的“巴米扬大佛”，西大佛高达五十五米，约作于公元五世纪初叶；东大佛高达三十八米，约作于公元五世纪后半叶。玄奘《大唐西域记》称其“金色晃曜，宝饰焕烂”，并一度以为其为铜铸佛像。上世纪末，两尊大像虽面部残损，但硬直的正面与薄衣贴体的衣纹受到犍陀罗迦毕试样式与笈多马图拉式佛像的综合影响依旧清晰可辨，佛陀背光内的雕刻壁画均精美异常。西大佛自公元五世纪雕成以来一直是世界之最，直至唐开元十八年（730年）才被乐山大佛超越。可惜这两尊稀世巨像在伫立了一千五百余年后，不幸在2001年3月12日被阿富汗塔利班政权炸毁。

与大佛窟相似的另一新窟型是大型涅槃窟，其中第一四八窟（建于唐大历十一年，776年）内设十四点四米长的大佛卧像，即所谓涅槃像（俗称卧佛，各地卧佛寺皆取此意）。大佛右胁而卧，绕佛而立的七十二尊群像中，包括菩萨、天龙八部、十大弟子和各国各族徒众，形成巨型群塑，气象万千。围绕涅槃巨像满壁全长二十余米的涅槃经变画，全面呈现盛唐之磅礴大气。第一五八窟（吐蕃时期，约790–840年）规模与第一四八窟相若，像长十五点六米，为敦煌最大的涅槃像，周围群像以壁画《举哀图》方式呈现，又是一番气度。涅槃窟中一众群像面对佛陀涅槃的悲伤神情，素来为这一场景艺术表现之要旨，一如西方“哀悼基督”的经典题材。印度阿旃陀第二十六窟的涅槃佛像凿于600–642年，像长七点二七米，已是印度最大佛像，玄奘在《大唐西域记》中曾有记载，不知敦煌石窟之涅槃窟是否受其影响。

莫高窟窟型的演变历程，一方面与历代佛寺格局变迁相伴随，另一方面也为适应敦煌特殊的地质条件，为石窟造像、壁画艺术提供最佳的“舞台”。敦煌石窟属酒泉系砂砾岩结构，由于石质过于坚硬，开凿出的窟室表面坚硬而粗糙，故不适合对其精雕细琢，绝不可能如云冈般大规模雕刻造像，因此造像多采用木骨泥塑与石胎泥塑技法（为雕、塑、彩绘相结合的精妙创造）。敦煌石窟从中心方柱窟到覆斗顶佛殿窟，从多组佛龛到三组雕像群再到正壁一组雕像、两侧壁满绘经变画，可以看出莫高窟的窟室发展向着不断简化窟室建筑空间，加强塑像与壁画的表现力，为其尽情发挥创作空间（用西方文艺复兴

莫高窟第一五八窟（中唐），涅槃窟。图片来源：《敦煌石窟全集22 · 石窟建筑卷》

阿旃陀石窟第二十六窟涅槃像，是印度最大的佛像。李路珂　摄

的概念就是走向独立艺术）创造条件，最后至盛唐时的趋势已经很明显，窟室为简单的覆斗顶大空间，除了正面一组群塑外，其余的壁面全是绘画的天地，因此壁画最终成为莫高窟之灵魂。

先来看敦煌之造像。敦煌石窟现存历代塑像三千余身，其中大佛如南北大像或涅槃像使用“石胎泥塑”，即于开凿时留好大像石胚，外部再以草泥塑形，对手指的塑造尤其精细，以木为骨，再捆扎芦苇，最后以泥塑造。其他众多小像则使用中国传统的“木骨草胎泥塑”技法制作：工匠用捏、塑、贴、压、削、刻等技法塑出各色形体，再以点、染、刷、涂、描等绘画技法赋彩、润饰肌肤，绘出细节，凸显质感，唐人称为“塑容绘质”。

敦煌早期塑像亦同云冈一样，经历了由受西域风格影响逐渐转向汉化的过程。隋唐为敦煌彩塑盛期，其一铺标准配置的雕像群往往包括一佛、二弟子（阿难与迦叶）、二胁侍菩萨（观音与势至）和二天王（或金刚力士），有时增加一对胡跪造型的供养菩萨，大致与真人等大：其中佛像端严，二弟子往往以老成与稚嫩造成对比，天王为印度武夫式药叉与中国武将乃至于神怪造型的糅合，有极大发挥空间，而整队群像之中，尤其以稍稍侧身以半侧面对着观者并呈微微“三屈式”造型的胁侍菩萨最富韵味，继承了印度药叉女三屈式的柔媚，又综合了印度王子式菩萨造型的俊逸，形成了具有中性风格、含蓄细腻的敦煌式菩萨特有之丰神，曾被形容为“人物丰浓，肌胜于骨”，成为敦煌塑像的巅峰。早期菩萨像多为男像，一如印度原型，而隋唐以来渐趋女性化，正如唐代僧人道宣所言：“造像梵相，宋齐间皆唇厚、鼻隆、目长、颐丰，挺然丈夫之相。自唐来，笔工皆端严柔弱，似妓女之貌，故今人夸宫娃如菩萨也。”这种菩萨的女性化，其实为菩萨造像带来特有的美感，使得一组阳刚为主的群像中加入无限柔美；加之菩萨肌肤涂白，与弟子、天王赭红的肤色形成醒目对照，更显菩萨熠熠生辉、脉脉含情，亦使整铺造像获得高度和谐之感。值得一提的是，菩萨立像的微屈式造型，并非如印度石雕般程式化，而是有着很微小的差别，这是由于在对其进行“木骨泥塑”时，匠师们特意选择了自然弯曲的木料作为骨架，因此最后形成的菩萨站姿随着天然木料本身的微妙差异而呈现出极其自然而丰富的体态，可谓中国文化的绝妙体现。除了立像，观音、势至菩萨以“游戏座”姿势坐于莲台上，一腿盘曲，一腿下垂，更添亲近风度。供养菩萨低身之跪姿亦楚楚动人。

最后我们把目光投向敦煌石窟保留的四万多平方米壁画——如果全部铺在地面上，将超过二十座故宫太和殿的占地面积。敦煌壁画至今保存较好，除气候极度干燥外，壁画制作技艺之精良也是重要原因。较之意大利文艺复兴大师达·芬奇在其巨作《最后的晚餐》中尚未正确掌握壁画技巧导致壁画严重损毁，敦煌画工们的工艺要娴熟得多：首先于粗糙的石窟壁面涂抹“地杖”（北宋《营造法式》术语，即建筑壁画之衬底），隋唐时期地杖包括一层草泥、一层掺和麻刀（麻的纤维）的细泥、一层用细泥掺和蒲绒的表面层；地杖干后再刷一层极薄的白粉作为颜料之衬地，显色效果极佳；早期壁画先以土红或淡赭石的线条起稿，

莫高窟第四十五窟（盛唐），一铺佛像之标准配置：一佛、二弟子、二胁侍菩萨、二天王（金刚）。图片来源：《敦煌石窟全集22·石窟建筑卷》

莫高窟第三八四窟（盛唐），菩萨立像。图片来源：《中国石窟雕塑全集1 · 敦煌》

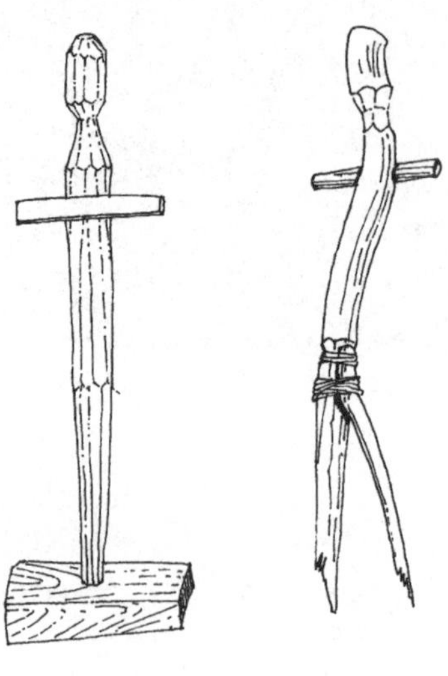

敦煌石窟木骨泥塑骨架示意图：左为一般立像，右为三屈式菩萨立像。图片来源：《敦煌石窟全集22 · 石窟建筑卷》

莫高窟第三一九窟（盛唐），菩萨“游戏座”坐像。图片来源：《中国石窟雕塑全集1·敦煌》

莫高窟第三八四窟（盛唐），供养菩萨像。图片来源：《中国石窟雕塑全集1 · 敦煌》

再行着色、细描，许多土红色线描小稿留存至今，一如达 · 芬奇的红铅笔小素描一样精妙动人；而千篇一律的满壁千佛造型则用土红线弹出重要控制线（一如建筑施工之法），再由多人一齐“生产”。色彩欲与地杖紧密结合需使用特殊的胶，其中成功者逾千年颜色依旧光鲜如新，尤其其中朱砂、石绿、石青俱明艳夺目，与白粉相互映衬，令敦煌洞窟内绚烂至极。也有一些颜料日久变质，如红色颜料丹铅逐渐变作棕黑色，使得壁画中大量佛像、菩萨、飞天原本肉红色的面目全部变作灰黑，不过反而透出一种年代沧桑感或者介于写实与抽象之间的画意，具有一种

敦煌石窟壁画脱落处可见地杖材料。图片来源：《敦煌石窟全集22 · 石窟建筑卷》

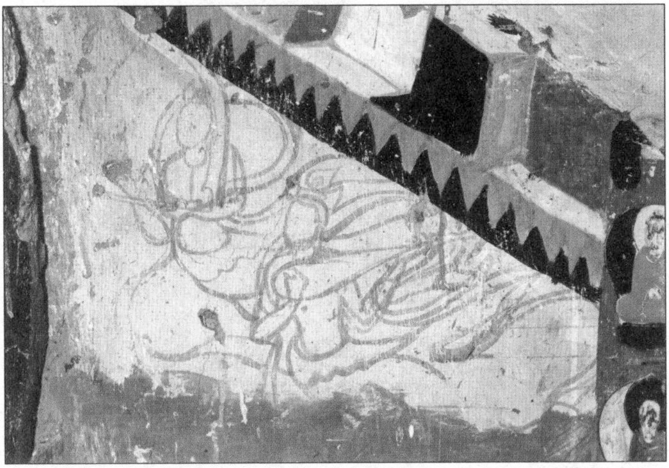

敦煌石窟壁画土红色线描稿。图片来源：《敦煌石窟全集22 · 石窟建筑卷》

莫高窟第三二一窟（初唐），敦煌石窟壁画中的朱砂，千百年后色彩如新。图片来源：《敦煌石窟全集22 · 石窟建筑卷》

莫高窟第十六窟（西夏），敦煌石窟壁画人物肌肤变色，呈现标准的“敦煌黑”，与壁画中沥粉贴金的装饰形成强烈对比。图片来源：《敦煌石窟全集22 · 石窟建筑卷》

令当代观者极度迷醉的莫可名状的魅力——谓之“敦煌黑”亦无不可。敦煌本就地近西域，壁画里出现皮肤黝黑的人物造型更添异域风情，给了观者无限想象空间。

敦煌壁画为中国石窟壁画艺术之冠，其中又尤以飞天的刻画最深入人心。没有哪一类佛教造像，能比飞天的演变历程更能生动说明印度造像艺术的中国化历史了。印度本土的飞天主要是在佛像背光上方两侧成对出现，如贵霜时期马图拉佛像两侧的飞天，表现了佛说法时天人散花的场景，其身体僵直而侧倾，一腿前跨一腿微微后抬，成为后世飞天的标准姿势。阿旃陀石窟中多有成对男女飞天之模式，并且这些男女飞天一如药叉和药叉女，常常表现为欢爱亲昵的爱侣，梵语称为“密荼那”，意谓一对男女、一对雌雄、性交、交媾、双子星座，西方人干脆将其译为“色情男女”。爱侣飞天的造型重点是两性之人体美与互相之间的亲密态度，飞天皆是裸体或半裸上身，有少量飘带的刻画，与其说在飞翔，不如说更像半坐半卧于天地间。女性飞天的形象与药叉女肖似，重在展现丰乳肥臀。印度教神庙凯拉萨神庙墙上的飞天是上述一腿前跨、一腿后扬的登峰造极版本，终于呈现出

印度马图拉佛像上部飞天。图片来源：《飞天艺术：从印度到中国》

印度阿旃陀石窟第二窟壁画中的飞天。图片来源：《飞天艺术：从印度到中国》

印度埃罗拉石窟第十六窟的印度教飞天。图片来源：《印度美术》

印度犍陀罗雕刻中的飞天，一如希腊小爱神丘比特。图片来源：《飞天艺术：从印度到中国》

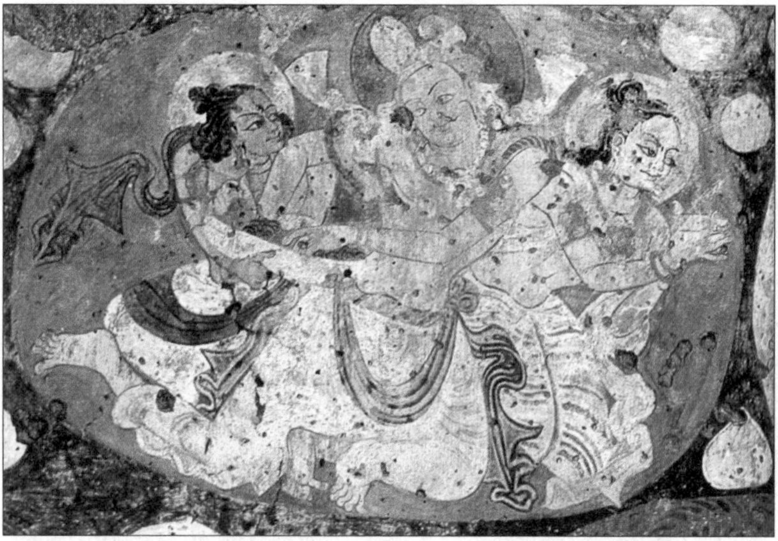

阿富汗巴米扬西大佛窟顶壁画中的飞天。图片来源：《飞天艺术：从印度到中国》

新疆克孜尔石窟第三十八窟伎乐天。图片来源：《飞天艺术：从印度到中国》

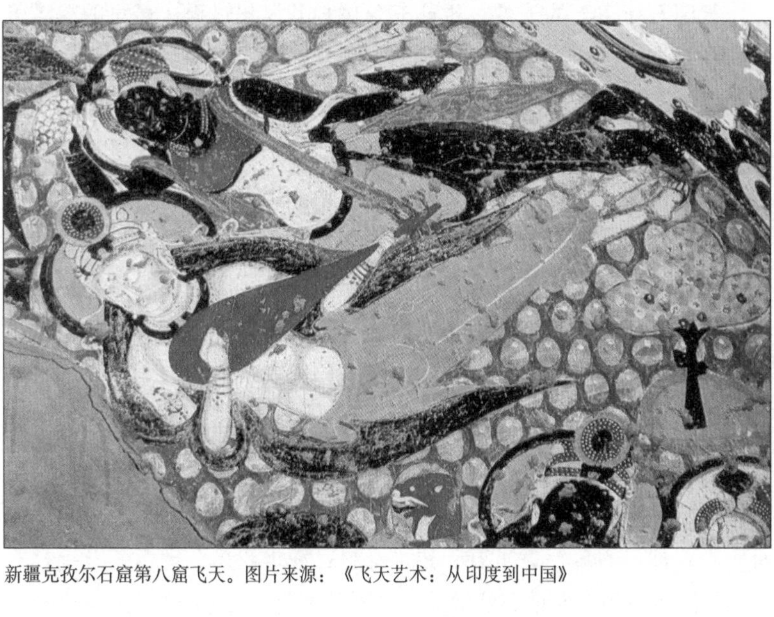

新疆克孜尔石窟第八窟飞天。图片来源：《飞天艺术：从印度到中国》

飞天的腾跃之感。深受希腊化艺术影响的犍陀罗雕刻中，飞天则呈现希腊小天使丘比特的神韵，体若孩童般肥胖稚嫩，还带有双翼。

中亚、西域的飞天，较之印度又是另一番面目：巴米扬石窟西大佛龛顶飞天壁画皆为一男二女组合，半裸上身，眉目刻画极为精彩，一望便是鲜明的中亚人种特征，其中左侧一天女一边捧花一边含情脉脉望向中央天人，而天人一面回身取花，眼神亦复深情回望天女，二人暗送情愫之状又在印度爱侣之上。新疆克孜尔石窟第三十八窟壁画中的伎乐天则一男一女成组，都是裸体半身像，在天宫栏楯畔奏乐，天人头戴三珠宝冠，天女戴花冠并裸露浑圆的双乳，二人肤色一作深棕一作洁白，对比鲜明，二人一面沉浸在音乐的默契合奏中，一面依旧不忘眉目传情。第八窟飞天同为男女成组，肤色变为男白女黑，男飞天在下，赤裸上身，下身着翠绿长裙，持鲜红琵琶；女飞天为难得的着衣飞天，上身着紧身衣，下身着裙，更显婀娜身材，两身飞天均是身材颀长，双腿微微交叉后扬，身体成水平漂浮，加之飘带斜飞，比之印度原型，龟兹飞天已经真正能自由飞翔天际了，而其色彩鲜丽夺目，堪为敦煌之滥觞。

云冈石窟飞天的演变，也能充分体现其汉化过程。最早的昙曜五窟时期，第二十窟大佛背光两侧的飞天，体形硕大健壮，上身半裸，斜披天衣，身体弯曲较为生硬，飞得颇令人担心。云冈二期雕刻中，飞天遍布石窟所有的壁面，成为最耀眼的装饰主题，尽管身材依旧丰满，动态依旧程式化（以印度式为主，但亦出现如克孜尔石窟双腿后扬者），然而通过大批飞天的组合，呈现了单独的飞天难以获得的动感：包括两组飞天相向直线飞行（位于中国式门楼斗栱之下）、两组飞天沿马蹄形龛楣飞行（位于明窗上部）、大队飞天在莲花丛中自由飞行（位于平棊天花中），最美者是八身飞天（有时四大四小，有时两两一对）环绕一枚大莲花飞行，最具动势。与印度、西域飞天不同在于，云冈二期飞天已不辨男女性别，即便一对飞天齐飞也不再暗示男女情爱色彩。云冈第六窟出现了穿着汉化“时装”的新型飞天：上身着半长袖口的短衫，下着长裙，身材已经远较第一期苗条纤细，衣袂飘带随风飞舞，面带悠然微笑，已颇具中国神话中的仙人风采。

云冈石窟第二十窟大佛背光中的飞天。图片来源：《云冈石窟》

云冈石窟第十窟前廊平棊天花中的飞天，朝向各方向自由飞翔。李路珂　摄

云冈石窟第三十四窟西壁飞天。图片来源：《云冈石窟》

龙门石窟古阳洞飞天。图片来源：《飞天艺术：从印度到中国》

龙门石窟宾阳中洞飞天绕莲天顶。图片来源：《中国古代建筑史》（第二卷，傅熹年主编）

传为顾恺之所作《洛神赋图》中的洛神（左图）与仙女（右图）。图片来源：《飞天艺术：从印度到中国》

比云冈二期飞天更加中国化的飞天出现在龙门石窟中。以魏碑著称于世的龙门古阳洞中，有着精美绝伦的飞天造型，如北壁中层第二龛内的飞天，几乎以汉画像石的浅雕手法刻出，身材愈加苗条纤秀，一派秀骨清相，衣服如薄丝贴体，多股飘带随风飞舞，虽然身体未有太大动作，但飞动之势全出，真有吴带当风之感。而环绕莲花旋转翻飞的构图在龙门也达到极致，不论是宾阳中洞还是莲花洞，顶部皆是一圈飞天（八身或六身）环绕巨大浮雕莲花（莲花洞顶石雕莲花直径达三点六米），由于身体轻盈纤细，加上多股飘带飞舞，真足以令满室风动，恰如顾炎武《历代宅京记》描绘后赵邺都宫室中“佛座帐上刻作飞仙，回圈右转，又刻紫云飞腾，相映左转，往来交错，终日不绝”。龙门飞天显然融入了中国汉代画像石以及魏晋绘画技法，尤其吸收了中国传统表现天仙的造型元素，诸如清瘦的体态和随风舞动的衣袂与飘带，正如《洛神赋图》中的洛神与仙女。龙门飞天形象也真如曹植《洛神赋》所言：“翩若惊鸿，婉若游龙”，“肩若削成，腰如约素”，“仿佛兮若轻云之蔽月，飘飘兮若流风之回雪”，无愧“中原风格”称谓。

敦煌早期飞天一如云冈一期，形体健硕，身体呈硬邦邦的V字形，赤裸上半身，因受西域影响而采用凹凸阴影画法，随着年代久远皮肤晕染都变成了粗黑线条，成为极其粗犷的表现。北魏飞天如第二五七窟双伎乐天，上面一身展臂飞舞，双腿上翻，如自上而下飘落；下面一身仰面弹奏琵琶，双腿后扬，如悠然上升，二者姿态配合无间，极具动感，红蓝衣裙及飘带漫天飞舞，虽仍作V字体态，但飞动感已远胜早期。当龙门的中原风格成熟以后，也逐渐影响到敦煌石窟，典型者是第二八五窟南壁上部十二身伎乐天，于云气飘扬、鲜花纷飞的背景中，一组上身半裸、下着长裙的飞天，头上高梳双髻，面庞清秀，浅笑嫣然，一边弹奏乐器，一边随风飞动——观者若屏息凝神，可以依稀听到耳畔的风声与乐音，似乎满眼的云气与花朵都是音符在翻飞一般，实是敦煌壁画中将速度与音乐结合的绝妙之作。隋代画工积累了此前众多经验，将飞天的飞行推向前所未见之高度：第四二七窟四壁上部一圈的天宫栏槛上，共绘伎乐飞天一百零八身，一身接一身在蓝天和流云形成的背景中急速飞行，并且奏乐散花，由于变色的缘故，肌肤全作深黑的剪影效果，剩下下身长裙与飘带的艳丽色彩与狂放动态，千姿百态，令人目不暇接；第四〇七窟藻井上，飞天绕莲的经典构图也被隋代画工推向新的境界，本已华丽无限的华盖式藻井，中央为双层八瓣莲花，黑红二色的八身飞天绕莲疾飞，还加入两名身披袈裟的僧人，众多飘带与流云形成巨大的旋涡，包围着画面中心，在莲花中央竟是三只急速奔跑的黑兔，并且三只兔子一共就绘出三只耳朵，组成一个三角形，细看之下每只兔子又都是两只耳朵，画家既表现了三兔旋转飞奔之动感，又和观者开了个小小的玩笑，足见此时的画工已经是何等放松的心情。然而这依旧不是画师的极限，第四一二窟西壁佛龛画了二十六身飞天，各具姿态，主要剩下黑色肌肤与一些白色、蓝色乃至黑色长裙及飘带，真如张衡《观舞赋》所言“裙似飞燕，袖如回雪”，但这些飘逸潇洒的飞天却被大胆地置于浓烈的土红色背景中，乍看竟像是一群在烈焰中纷飞的飞天——毋宁说是凤凰！至此隋代匠师将飞天飞翔之动态刻画于极致矣。

但唐人毕竟大气，并未被隋代飞天的架势吓倒。如果说早期画工们的努力是尽力使飞天腾飞，唐代画工们谙熟了飞的秘诀后，开始悠然自得、不慌不忙地转而进行别的探索了，这时的飞天不再如隋代

莫高窟第二七二窟北凉飞天。图片来源：《飞天艺术：从印度到中国》

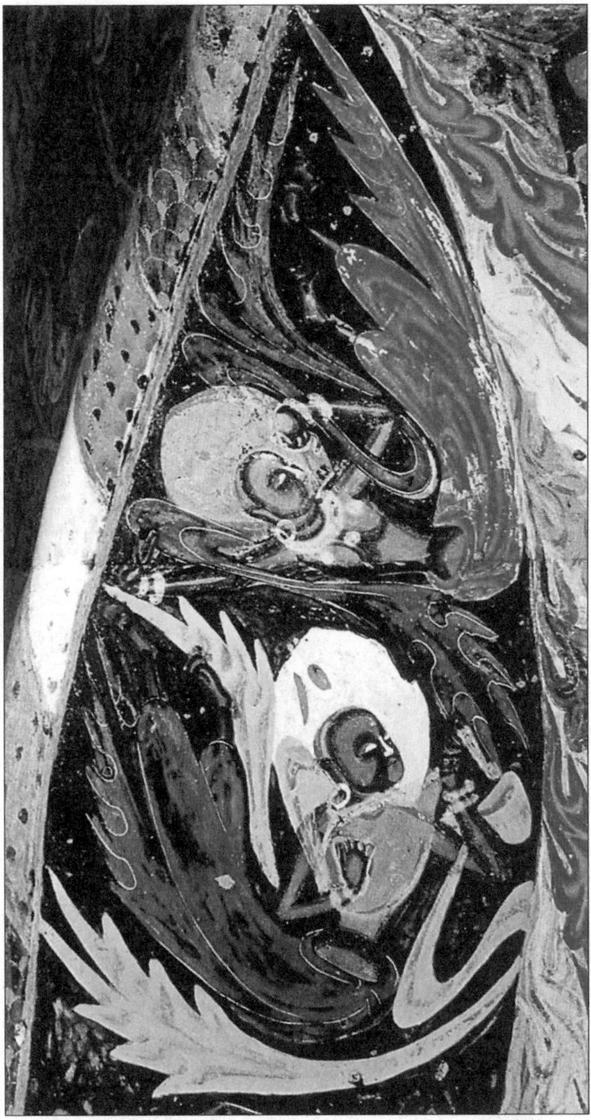

莫高窟第二五七窟北魏飞天。图片来源：《飞天艺术：从印度到中国》

莫高窟第二八五窟西魏飞天。图片来源：《飞天艺术：从印度到中国》

莫高窟第四二七窟隋代飞天。图片来源：《飞天艺术：从印度到中国》

莫高窟第四〇七窟覆斗顶隋代飞天，中央为三兔奔跑造型。图片来源：《飞天艺术：从印度到中国》

莫高窟第三二九窟覆斗顶唐代飞天。图片来源：《飞天艺术：从印度到中国》

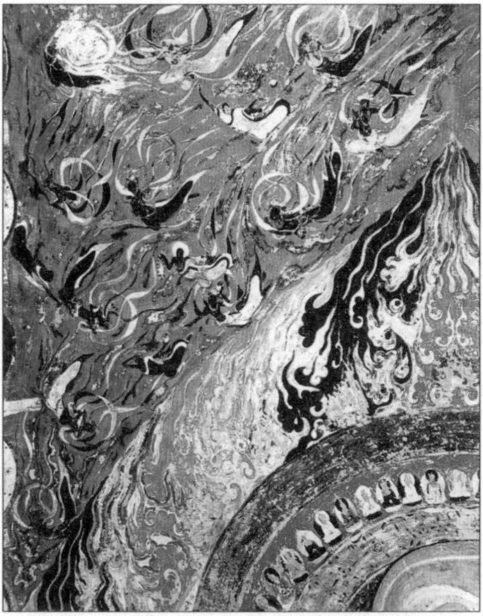

莫高窟第四一二窟隋代飞天，如凤凰涅槃般灿烂。图片来源：《飞天艺术：从印度到中国》

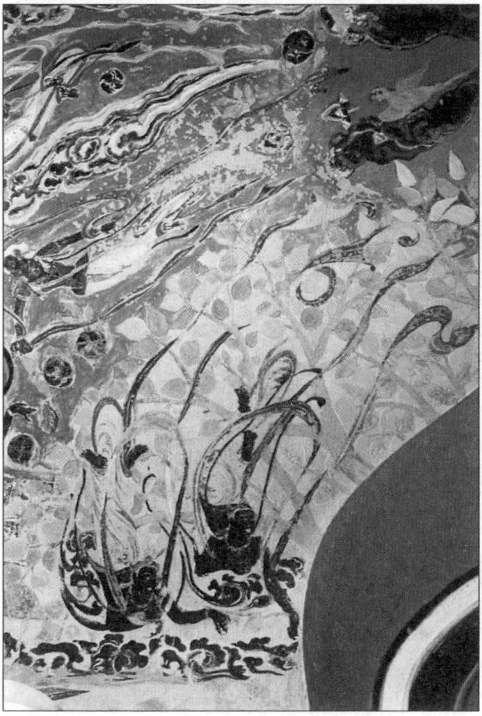

莫高窟第三二一窟唐代轻歌曼舞的双飞天。图片来源：《飞天艺术：从印度到中国》

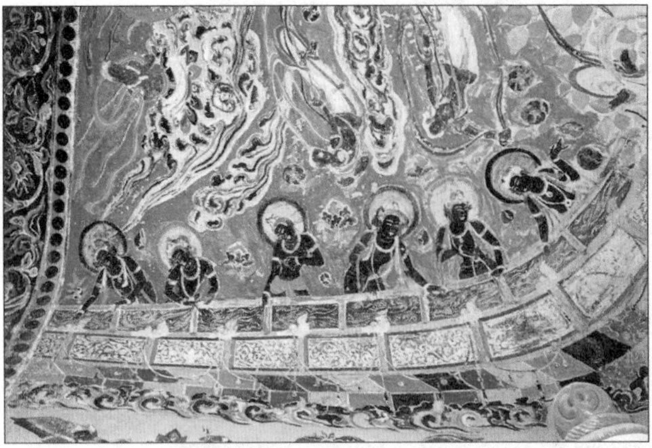

莫高窟第三二一窟唐代凭栏眺望的伎乐天。图片来源：《飞天艺术：从印度到中国》

莫高窟第一七二窟唐代双飞天。一上一下，右边的这位双手抱头，轻轻松松袅袅升起。图片来源：《飞天艺术：从印度到中国》

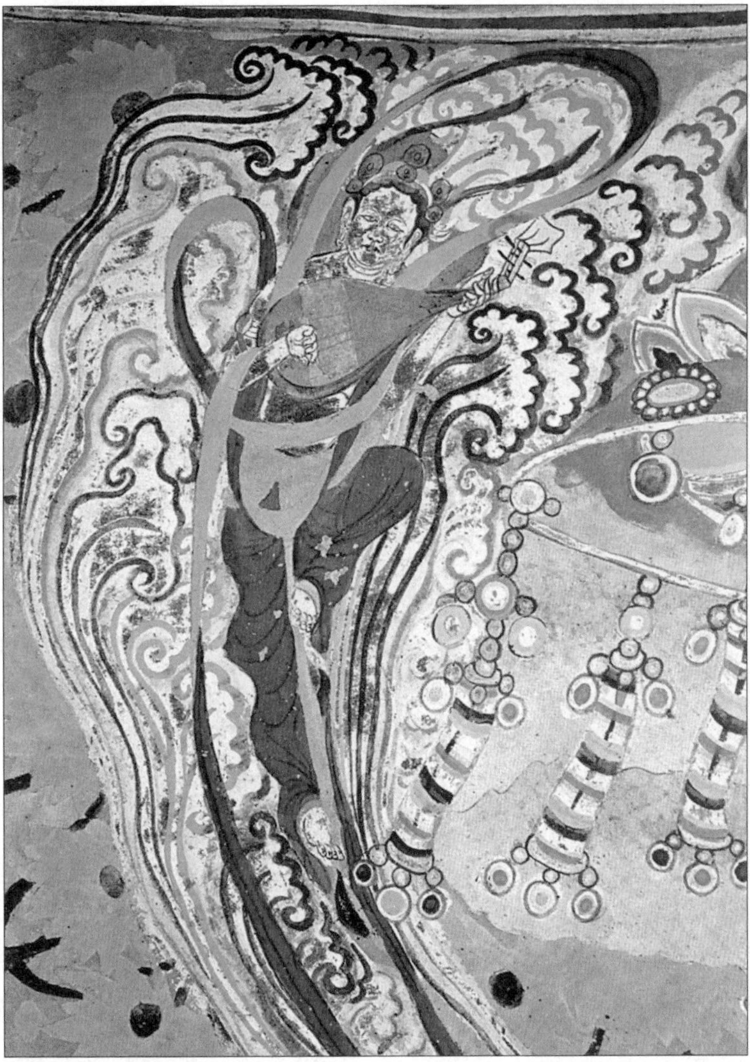

莫高窟第四十四窟唐代享受音乐、思考人生的飞天。图片来源：《飞天艺术：从印度到中国》

飞天一味急速飞翔，而是在空中轻歌曼舞了。同样一幅绕莲构图，唐代第三二九窟改作四身飞天，节奏瞬间减慢，周围却反而海阔天空；华盖四周十二身飞天也是悠然自得，连身周的云和花草亦悠闲不少，一下子将唐代与隋代的气度区分开来。唐人的飞天有悠然曼舞者，有凭栏张望者，有双手抱头不作飞翔动作亦可袅袅升起者，有一腿上提即冉冉上升顺便沉思音乐真谛者，有于仙宫楼阁中来去自如穿梭如烟者，有于一片苍茫天地间翩然腾起飘渺自如者……画工到了此时已进入自由自在、随心所欲的境界。米开朗基罗在西斯廷礼拜堂独自绘制《创世纪》之际，哪曾知道千百年前，中国敦煌的这些画工亦曾自由自在挥写他们心中的佛国净土呢？所不同者只在：米氏的创作从一开始就是艺术家签名的作品，而敦煌壁画则永远是无名氏的杰作。

至此我们终于窥探到中国飞天飞翔的奥秘，其实也是飞天汉化的两大关键步骤：一曰轻盈，二曰乘风。从造型艺术的角度而言，欲令飞天自由飞翔，核心问题是要尽可能消除其“体积感”（即重量感）；其次是以浅浮雕代替圆雕和高浮雕，故龙门、巩县石窟中传统画像石浅浮雕的技法代替云冈等早期石窟的高浮雕，轻盈之感顿生；再次是绘画代替雕刻，这就是敦煌的飞天最后成为飞天之冠的原因；而最后是敦煌后期的中国传统线描代替早期受西域影响的凹凸阴影画法，这就将体量感减至最少，最终仅剩下中国画所谓“春蚕吐丝”般的线条，彻底消除了飞天的体积感。使之可以自由起飞了。这时，只需一阵风即能将轻飘飘的飞天吹起，于是唐代绘画中的“吴带当风”就成为解决飞天自由飞翔的第二大关键——通过飘带、裙摆之辅助，可以达到“生风”、“乘风”的效果。中国艺术几乎从不给仙人安插翅膀，而是通过衣袂飘飘来解决飞翔功能，正所谓“飘飘欲仙”也。早在吴道子于长安佛寺描绘巨作之前，敦煌画工已经掌握了“吴带当风”的技巧，并且自由运用，令无数飞天自由翱翔于天际。如今虽然吴道子真迹不可再见，敦煌飞天艺术却正是“吴带当风”的典型写照。大批默默无名的敦煌画工是画圣的同行乃至前辈，正如丹纳在《艺术哲学》一书中的观点：“画圣”吴道子的华丽表演，离不开整个大唐画家群体在其背后的美妙和声……

极乐世界

佛教东来，使得印度与中国两个古老的艺术传统相互交融，化生出内容博大精深乃至青出于蓝的中国佛教艺术。就建筑而言，极大丰富了中国古代建筑艺术的面貌，一方面佛塔改变了中国每座古代城镇的天际线，成为中国历史上最重要的高层建筑，一如西方大教堂钟塔或穹顶对于城市天际线的意义；另一方面石窟寺集建筑、雕塑、绘画于一身，为中国古代艺术的庞大宝库，由于其永久性的特质，保留了魏晋南北朝以及隋唐的大宗建筑、绘画与雕塑遗产。

印度佛教艺术一方面传入和影响中土，一方面也在沿着自身的道路继续发展，甚至由于文化交流也多少受到中国佛教艺术的反作用。阿旃陀石窟被誉为“印度的敦煌”，把目光重新转回到印度，将阿旃陀石窟的壁画艺术与敦煌做一番比较，有助于我们加深对这两个伟大艺术传统的理解。

阿旃陀石窟位于印度中部德干高原，为印度最大的石窟群，共二十九窟，其中五座为支提窟，由大约公元前二世纪至公元七世纪开凿，近千年不辍，石窟群沿高约七十六米的玄武岩陡壁东西绵延五百五十米，约为云冈一半长度。石窟按年代分前后两期：前期开凿于公元前二世纪至公元二世纪，可谓中国石窟的原始鼻祖；而后期约开凿于450–650年间，与云冈石窟始凿时间相若，结束于初唐时期。其中艺

阿旃陀石窟远眺。李路珂　摄

阿旃陀石窟第十七窟壁画天女（约500年）。图片来源：《印度美术》

术造诣最卓绝的壁画大都是第二期作品，与中国石窟发展的高峰期相当，虽不及敦煌壁画规模宏巨，但若单论艺术造诣，却是各有千秋。

较之敦煌壁画以红白蓝绿为主调的明艳瑰丽色相，阿旃陀壁画色泽以深棕、朱红、淡黄与烟黑为主调，点缀少量白色与金色，浓郁幽邃，加上室内十分昏暗，呈现神秘莫测的氛围，与敦煌壁画之灿烂明朗大异其趣。更耐人寻味的是二者在展现佛传故事、本生故事以及佛国净土、极乐世界等相似题材方面，风格、气质却迥乎不同。如阿旃陀第十六窟《难陀出家》描绘佛陀回乡，劝诱同父异母兄弟难陀出家的故事，其中最精彩的一幕是《垂死的公主》，刻画公主（难陀的新婚妻子）得知难陀出家悲痛欲绝，其悲伤之姿刻画绝妙自不待言，然而在这样一个悲剧性场面中，公主的侍女都呈皮肤黝黑的半裸造型，公主更是全裸白皙的身体，体态丰腴，娇美无限，色彩的强烈反差加剧了人体美的表现，一如新疆克孜尔石窟所见。第十七窟的大幅壁画《须大拿本生》更是此类绘画的极致：表现宫廷生活的须大拿太子与妻子在凉亭卧榻缠绵的景象近乎春宫图，男黑女白的裸体进一步烘托了画面的情欲气氛，女主人公眉目流盼之际极富挑逗意味；而即便是下一段落太子一家遭放逐的悲惨场景中，公主与侍女一样是诱人的裸体形象。第二窟壁画《维度拉潘迪塔本生》中位于凉亭中荡秋千的蛇公主伊兰达蒂及其侍女更是摇曳生姿。而此窟的《女信徒献祭》将阿旃陀女性人体塑造推向顶峰，尤其是一系列身材修长至极、微作“三屈式”站姿的女裸体被施以印度传统的渲染技法，将人物躯体由棕红色的轮廓边缘逐渐向内晕染，慢慢淡化为棕黄以至于浅黄，呈现为光洁闪耀的肤色，华贵至极。有学者将其与意大利文艺复兴时期画家波提切利的《春》相提并论，二者实在是颇多相似之韵致。第一窟前室两幅巨型菩萨像乃阿旃陀石窟的代表作：二菩萨一左一右，一白一黑，白皮肤者称“持莲花菩萨”，被认为是观音菩萨，而黑皮肤者称“执金刚菩萨”，可能是大势至菩萨。二菩萨均作中性造型，半裸上身，头戴宝冠，白菩萨装饰简约，黑菩萨浑身金饰璀璨夺目，二者均作三屈式造型，执莲花菩萨右手拈花造型优美绝伦，而长眉细目，内省冥思，慈悲之情跃然壁上。将这两身菩萨壁画与敦煌莫高窟第四十五窟经典的胁侍菩萨塑像相比较，真有“相看两不厌”之感。然而就是在如此仪态万方、悲天悯人的菩萨身边，亦不乏半裸的公主、侍女形象，抑或成对爱侣、孔雀，同样渲染出一派情欲缠绵的意境。除了壁画，第十九窟前廊的蛇王、蛇后（等同于药叉和药叉女）同样是情欲气息十足，而类似这样的大小爱侣雕刻，在阿旃陀石窟乃至于印度各类佛教建筑中比比皆是。

以上诸般奇特意味，有学者称为印度艺术中的“艳情味”。要理解这种“艳情味”的成因，须在印度传统美学中找答案。印度经典美学著作《舞论》（约成书于公元二至五世纪），地位堪比亚里士多德之《诗学》在希腊美学中的位置。《舞论》的核心是“味”论，“味”即梵语rasa，原义为汁液、滋味，《舞论》中指审美情感、审

阿旃陀石窟第十七窟壁画《须大拏本生》局部：上为宫廷生活，下为遭放逐场面（约500年）。图片来源：《印度美术》

阿旃陀石窟第二窟壁画中荡秋千的蛇公主（约550年）。
图片来源：《印度美术》

左图：阿旃陀石窟第二窟壁画《女信徒献祭》局部（约500年）。图片来源：《印度美术》
右图：意大利文艺复兴画家波提切利《春》局部（1477年）。图片来源：《西方绘画大师·波提切利》

阿旃陀石窟第一窟壁画《持莲花菩萨》（左图）与《执金刚菩萨》（右图）（约580年）。图片来源：《印度美术》

莫高窟第四十五窟（盛唐）胁侍菩萨。图片来源：《中国石窟雕塑全集1 · 敦煌》

美经验，书中共包含八种“味”，即艳情、滑稽、悲悯、暴戾、英勇、恐怖、厌恶、奇异。其中“艳情味”即“性爱味”，在《舞论》中高居八味之首，可见艳情、性爱意味在印度舞蹈中的显赫地位。《舞论》进一步指出“艳情味”产生于表现男女欢爱和相思的各种“情”：眼光的流盼、眉毛的挑动、甜蜜的语言、表情、姿态、动作等等。《舞论》影响极大，为印度传统美学的核心，不仅适用于戏剧、舞蹈、音乐和诗歌，也被扩展到绘画、雕塑等造型艺术领域，现代电影艺术自然也不例外。印度画论经典《画经》（《毗湿奴往世书》第三部分）即声称“不知《舞论》，难解《画经》”，同时仿照《舞论》观点，将“味画”即能够表现诸“味”之画看作绘画的上品。可以说舞蹈是印度艺术之魂（一如雕刻为希腊艺术之魂），印度教大神湿婆的“舞王”造型常被视为印度艺术中表现身体律动的最高典范，法国雕塑家罗丹对其推崇备至。印度建筑中的雕刻与绘画亦皆以舞蹈的律动为其核心，其最重要的造型意味自然也是艳情味——印度美学特别是《舞论》倡导的艳情味与印度文化的生殖崇拜传统密切

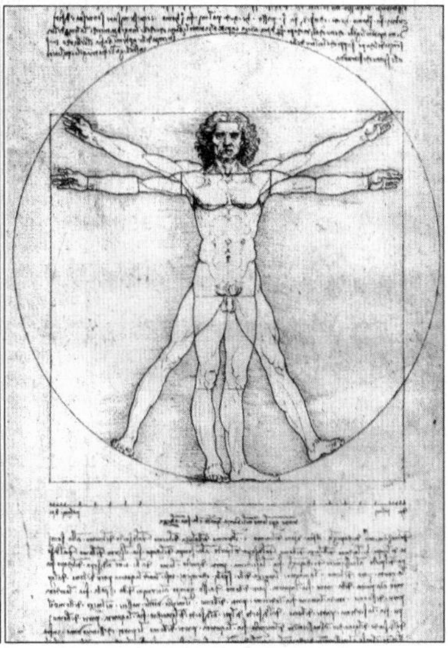

左图：印度舞王湿婆铜像被视为印度艺术中表现身体律动之最高典范（约公元十一世纪），新德里国立博物馆藏。图片来源：《印度美术》

右图：文艺复兴时期达·芬奇笔下的维特鲁威人（表现完美的人体比例）。图片来源：《达·芬奇笔记》

印度卡久拉霍印度教神庙外墙雕刻群。李路珂 摄

相关，印度原始土著居民达罗毗荼人的农耕文化盛行生殖崇拜，可以追溯到古老的印度河文明（公元前2500年至公元前1500年）对司掌动植物繁殖和人类繁衍的“母神”的崇拜（此外还包括对公牛、男根的崇拜等等）。

在《舞论》所说的八味之中，佛教艺术诸如阿旃陀石窟壁画以“艳情味”与“悲悯味”为根本基调（偶尔夹杂其余诸味），其中悲悯味多见于佛像、菩萨像以及出家者；而艳情味多用于爱侣、宫廷中的女性、舞女等等，用于渲染极其浓烈的眷恋世俗的情绪。至于教义更加趋向神秘主义的印度教神庙中，艳情味的倾向愈加鲜明，压倒一切其他情感表现，乃至于“明目张胆”呈现大批性爱造型的雕刻于巨大的印度教神庙周身，呈现奇异诡谲、情欲迷狂的景象。约略与《舞论》同时成书（约公元三至四世纪）的还有著名的印度《爱经》，印度教神庙的性爱雕刻一如《爱经》的插图。

除了根深蒂固的生殖崇拜传统外，印度佛教艺术之所以赤裸裸表现艳情与性欲的内容，似乎是刻意要于艳情中见悲悯，于恋世中求解脱。

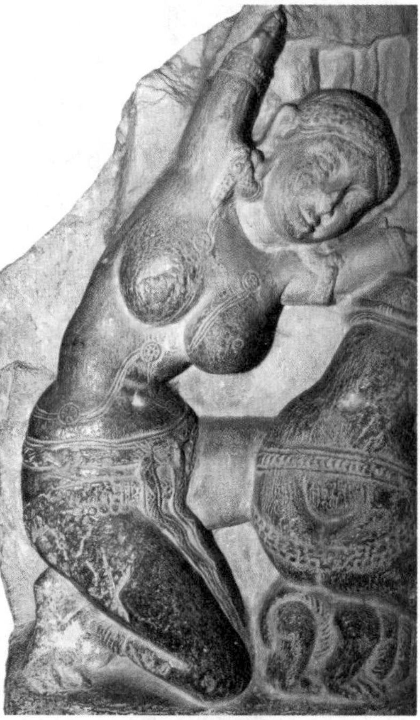

阿马拉瓦蒂石灰石雕刻《妇女礼佛》局部（公元二世纪中叶）。马德拉斯政府博物馆藏。图片来源：《印度美术》

犍陀罗片岩雕刻《苦行的释迦》（公元三世纪）。拉合尔中央博物馆藏。图片来源：《印度美术》

创作者似乎有意渲染情欲之迷人与世俗之可恋，用以反衬佛教徒出家与解脱之决心，这恐怕才是印度佛教艺术的深意所在。学者王镛将其总结为印度文化矛盾互补的特性：“既虔信宗教又眷恋世俗，既寻求解脱又执著人生，既崇仰精神又沉迷肉感，既敬重苦行又陶醉爱欲……”如果我们将被誉为“犍陀罗艺术最高典范”的作品《苦行的释迦》，与阿马拉瓦蒂出土的一组充满“艳情味”的雕刻《妇女礼佛》（阿马拉瓦蒂雕刻被印度艺术史家称为“印度雕刻的最娇艳最纤秀的花朵”）相比较，就可清楚地看到印度佛教艺术的两大极端：既有刻画肉体、情欲深入骨髓的女人体杰作（即便礼佛的虔诚妇女亦被刻画为极端饱满诱惑的裸体造型），又有面对尘世中无尽的爱欲诱惑而坚持苦行以至于形容枯槁，但依旧岿然不动、一派悲天悯人之相的佛陀造像，足以表明印度艺术于艳情中见悲悯的独特气质和极端哲学。

中国文化讲求“乐而不淫，哀而不伤”，于是自然摒弃了印度佛教艺术中最具“印度特色”的部分，即过分艳情的造型表现，当然也就随之抛弃了其中所蕴涵的犹如“色即是空”一般的哲学意味。贵霜时代马鸣的长诗《佛所行赞》，其公元五世纪的汉译本中便删除了过于露骨的艳情诗句；阿旃陀第一窟壁画《降魔图》与第二十六窟雕刻《降魔》中以色相诱惑佛陀的魔女，全裸或半裸，极具媚态，而中国敦煌石窟第二五四窟表现同一题材甚至构图相仿的壁画《降魔变》中的魔女却全身着装；佛传故事中的“托胎灵梦”，表现摩耶夫人梦见一头白象钻进自己的右胁，于是怀孕并诞下悉达多太子即未来的佛陀，中国云冈石窟的版本与印度本土的版本相比较，一样是尽改摩耶夫人与众侍女们诱人的半裸造型。总体看来，除了当时位于西域的龟兹石窟之外，中国石窟尽其所能将所有印度佛教艺术中涉及艳情味的部分予以删除。

虽然受到“删减”，印度还是为中国佛教造像艺术带来大量舞动的造型，特别是飞天及菩萨的优美姿态，皆含有舞蹈美感。不再着眼于女性人体美的夸张表现，中国匠师代之以中国绘画所追求的“气韵生动”，于是创作出造型含蓄婉转的菩萨和飘逸飞动的飞天——前者是印度王子与药叉女造型的混合，正好褪尽药叉女的性感特质，保留

《托胎灵梦》（公元前二世纪）。加尔各答印度博物馆藏。图片来源：《印度美术》

云冈石窟第三十七窟《托胎灵梦》（北魏晚期）。图片来源：《云冈石窟》

莫高窟第一七二窟唐代飞天。恰如李白诗篇所咏："素手把芙蓉，虚步蹑太清。霓裳曳广带，飘拂升天行。"图片来源：《飞天艺术：从印度到中国》

笈多时代马图拉湿衣佛像（公元五世纪）。新德里总统府藏。图片来源：《印度美术》

其女性的温柔娇媚，“三屈式”药叉女与敦煌菩萨相较，前者肉感魅惑，后者含蓄微妙，都达于造型艺术炉火纯青的境地；最有意思的还是飞天，通过让印度丰满的飞天“减肥”，再结合曹植《洛神赋》的中国仙人风韵，诞生了“吴带当风”式的飞天系列。中国飞天于是成为与西方维纳斯、印度药叉女并列的人体艺术瑰宝。

古时翻译佛经的高僧曾经指出：天竺好繁、秦人尚简。此就佛经语言方面而言，若从造型艺术归纳，我们可以说天竺好味、中华尚韵——前者喜好艳情味、悲悯味的情感表现，而后者崇尚自然气韵生动之超逸风骨。如果说印度石窟艺术的核心在于表现艳情与悲悯、现世与解脱的深刻主题，那么中国石窟艺术转向表现佛国净土、极乐世界的庄严华美，令信徒从艺术所营造的幻象中获得心灵超脱的源泉。不妨再看一眼敦煌石窟所营造的极乐世界意象：掌灯进入幽谧的莫高窟深处，一个个绚烂至极的“五彩琉璃世界”在膜拜者眼前展开，顶部的华盖与佛帐宛若天幕低垂，其上闪耀着千佛的光环，其下四周是天宫楼阁与连串飞翔的伎乐天人，奏起流动的仙乐；四壁全是佛国净土，各色天宫楼阁层层叠叠，庭院深深，佛于莲池上说法，万千菩萨弟子默听，天上彩云间诸天做天女散花；而极乐世界的正中间，或是高塔耸峙若须弥神山，或是佛像庄严、弟子温和、菩萨俏立、天王勇武；最后仰视佛像头顶，仙姿绰约的飞天环绕巨大盛放的莲花翩翩飞旋，周而复始，永无止境，一如极乐世界之恒久常驻——正如敦煌碑记所言：“方太室内，化尽十方，一窟之内，宛然三界。”

佛法有云：色即是空。如果非说这一切美妙的艺术也是幻象，我还是希望在心中默默印下最后两个“幻象”：敦煌的一身飞天和笈多时代的一尊湿衣佛像，前者是自由飞翔、极致的动，后者是禅定内省、绝对的静；前者若羽化升仙，后者如涅槃入定；二者皆是对佛教极乐世界的艺术探索中难以企及的高峰。或许，笈多佛像深沉寂灭的内心世界，正如飞天翱翔于风中一样绚烂至极吧。

舌染红尘

荆　方

吃货吃四方。

糖梨悲情

上大学的时候，班里的男生徐建国爱上了隔壁音乐系女生李晶晶。徐建国憨头憨脑、认真执著，李晶晶巧笑倩兮、媚眼如丝。我跟李晶晶住同一个宿舍，跟徐建国又是老乡，自然而然地被徐建国当作亲善大使，做一些拉近他和李晶晶关系的事情。

徐建国做得最多的事情，就是同时请我和李晶晶去夜市吃糖梨。开封夜市很繁荣，一到晚上一片灯海，各种小吃摊档琳琅满目，味道可口，多晚去都能找到吃的。为此，夜市也是青年男女最爱去的场所。而对于我们这些圈在校园里的孤男寡女来说，去夜市更是浪漫和暧昧的行为，所以他只能带上我这个电灯泡，单独请李晶晶，怕人家

不好意思去。

开封小吃甜食不多，糖梨算是珍贵的一款。开封的糖梨全称是冰糖煮梨，制作方式是：挑个头适中的雪花梨或者黄梨，洗净，连皮带核放进水里，然后加入冰糖、枸杞、银耳等，慢火炖至梨软汤浓，炖好的糖梨皮呈金褐色，饱满圆润。卖糖梨小贩总是用一口宽沿大铜锅盛梨，把煮好的糖梨一圈圈码放在锅沿上，糖梨表面刷上蜂蜜，褐色的糖梨闪着金灿灿的光。锅里是小火煨炖的梨汁，香味随着热气氤氲上升，环绕在一排排的糖梨之间，远远看去就撩人食欲。吃糖梨的时候，将一只整梨盛到兰花小瓷碗里，浇上滚热的梨汁。吃糖梨的勺子不是瓷勺，而是金属勺子，边沿比较薄，用它来切开煮得酥软的糖梨，被切开的糖梨梨肉牙白，清甜可口，中间梨核部分甜里带酸，也很销魂。其实我并不太爱吃糖梨，以我的性格，与其吃糖梨，还不如给我买十串嗞嗞冒油的羊肉串，多加辣椒。但禁不住徐建国的百般哀求，又加上他平时对我的多方照顾，于是勉为其难地当起了这个红娘加灯泡的角色。

李晶晶爱吃煮糖梨，她是学声乐的，喜爱一切对嗓子有好处的吃食儿。就算看不上徐建国，她也无法拒绝煮糖梨的诱惑，所以每次我邀请李晶晶去夜市吃糖梨，她都含羞带怯地答应。一下宿舍楼，看到等在路边的徐建国，她还会甜糯糯地打个招呼："徐建国呀。"光听这一声，徐建国就酥了半边。他把自行车支架一踢，双手握住车把，脚不沾地跳上车座，然后用一只脚支地，回头对李晶晶说："上来吧，我带你。"李晶晶害羞地低着头，一拧屁股坐到车后座上，坐稳后发出一声娇叹。徐建国听到这一声娇叹就像战士听到了出征的战鼓，一猫腰双脚一使劲，自行车"噌"地一下射出很远，害得我弯腰蹬半天才能追上。

后来，李晶晶终于被一个高年级师哥撬走了。当看到李晶晶公然跟高大英俊的师哥有说有笑时，我们全班都替徐建国不值。而我更是义愤填膺，因为我是徐建国的同谋啊，为了促成这桩美事，我忍着胃酸吃了多少碗煮糖梨啊！

徐建国自从看到李晶晶和师哥出双入对之后，整个人就萎靡了，头发胡子留得老长，天天阴沉着脸，跟谁都不说话，好像谁都欠他一百碗煮糖梨似的。一天晚上我正在画室画画，徐建国进来，冲我一摆头，阴沉着脸对我说："想不想出去走走？"我迟疑了一下，马上回答："好。"

我和徐建国来到夜市，他看也不看那家耳熟能详的煮糖梨摊位，径直走到一个卖凉菜和散装啤酒的摊位坐下，点了一扎啤酒，一盘肉皮冻，一盘芹菜拌腐竹，一盘炒田螺，还从隔壁摊位要了两碗馄饨。这些菜对于穷学生来说太丰盛了，但我知道他是有一肚子怨愤想对我说，所以也没阻拦他自杀式的点菜行为。同时我也充满了对李晶晶光吃糖梨不负责任的愤怒，也有一肚子话要说。徐建国两扎啤酒下肚，终于抛开了男人的自尊，悲愤地诉说自己的委屈。他不停地伸出五个手指头，冲着我嚷：“三个月，三个月啊！多少碗煮糖梨？多少钱？嗯？天下有没有这样的女人？！嗯？有没有？”我埋头吃炒田螺，“嗯嗯”着回应徐建国的话。徐建国说着说着，突然停住话头，用充满血丝的眼珠子盯着我，我吓了一跳，以为自己吃的那些糖梨也被他算进去了。他连我一起恨上了？我急忙停住吃田螺的手，抬起眼尽量严肃地回看他。他看了我一会儿，伸出一只手搭在我的肩上，换了一种口气说：“你怎么不是这样的？你不是女人吗？你为什么对我这么好？”说到最后一句他声音里已经带了哭腔。我的心跟着他的哭腔一软，同时也为自己吃了那么多糖梨而略感心酸。我同情地轻拍他的手，没想到徐建国突然反手抓住我的手，捂在脸上无声地啜泣起来。看着他耸动的肩膀，我突然感觉气氛不对：不是吧？难道我当完灯泡再当替身？想到这里，我轻轻抽出我的手，坐直身子，脸上的表情尽量恢复庄严。

事实证明是我多虑了，徐建国那晚说的都是醉话，第二天酒醒后，他依然阴沉着脸谁都不搭理，依然好像谁都欠他一百碗煮糖梨。而他和李晶晶的这段逸事，也像那被消化了的煮糖梨一样，不多久就被大家忘怀了。

偷情羊双肠

羊双肠是开封的著名小吃，用羊肠子灌入羊血制成。具体制作是这样的：把刚宰杀放出的新鲜羊血过滤、去掉污物，加少许淀粉和盐，灌入洗净的羊肠子内，将整段灌好羊血的羊肠子煮熟，就成了羊双肠。吃的时候，把羊肠子横切片，一片片圆形的羊肠子，外边是白色肠衣，中间是深红色羊血，码在碗底很漂亮。然后浇上老火久炖的滚烫羊肉鲜汤，撒上香菜，浇上辣椒油，还没喝到嘴里，那股香味就扑鼻而来！喝一口汤，鲜香醇厚，再吃一口碗底的羊双肠，滑软筋道，养胃暖身，确实是对食者的一大褒奖。

但是对羊双肠的感情，开封人始终是纠结的。喜爱它的人如飞蛾扑火，无怨无悔；不喜欢的人视如敝屣，避之不及。而不喜欢它的人并不是因为它的味道，其实它跟纯羊肉汤的味道一样，但喝纯羊肉汤的人大大多于吃羊双肠的。不喜欢它的人都是因为它的卫生问题。过去开封羊双肠一直是传统的各家各户作坊式制作，没有工厂，没有统一的卫生标准，而羊肠子的清洗过程很繁琐，无论哪道工序出了问题，轻者臭不可闻，重者吃过的人上吐下泻。现在情况有所改善，但卫生问题仍是羊双肠的死穴，因此羊双肠一直是开封小吃里备受争议的一款，就连很多土生土长的老开封也从来不吃羊双肠。我小时候还听说过一个做羊双肠的商家，全家都不吃自家的羊双肠。

作为医生的妈妈不允许我们吃这种令人生疑的食物，在家里也从不谈论羊双肠。我上高中后才知道这款食物，跟同学一起吃过几次

后，立刻爱上了这独特的味道。我每次在外面偷偷吃完，都要销毁证据：抖掉身上的膻味，擦去衣服上的辣椒油污渍，剔除牙缝里的香菜，再嚼一块口香糖。总之我吃完羊双肠后，一定要装扮成一个洁身自好、远离丑恶肮脏的小白兔。

对待羊双肠的这种心理，让我想到对待另外一些事物的态度，比如一夜情。

当你在酒吧偶遇一个秋瞳如水、巧笑倩兮的女郎，或者是一位温文体贴、春风和煦的绅士。TA对着你，就如同诗人对着明月，老酒对着花生，说不尽的般配，道不完的灵犀。这时的你，一方面为这意外的发现蠢蠢欲动，一方面又怕这甜蜜的意外之外还有其他意外。你带着兴奋、紧张甚至探险的心情，自己跟自己做着不大不小的思想斗争，迈着迷离的步伐走向那诱人的陷阱。一切尘埃落定后，你带着满足回到原来的生活轨迹，这时的你，又是一个严肃的人，一个高尚的人，一个从来不被低级趣味纠缠的人。无人知道你心底的那份惊喜和满足，无人知道你貌似平静的心里曾经充满了疯狂的欢愉和无可比拟的感官享受。但是，你的心还是有点忐忑的，因为对于一夜情来说，未知的危险太多了，无论哪一个环节出问题，都会对日后道貌岸然的生活形成毁灭性打击。正是这种种担心和恐惧阻止了人们踏入一夜情的脚步，可首次一夜情一旦成功，你轻轻松一口气，发现一切都是虚惊，自己的行为像一颗落入湖中的石子，只在你自己心湖里激起了一圈涟漪而已，对其他任何人都没有产生什么影响，甚至你自己都慢慢忘了这是一次冒险。于是你不安分的小心脏又开始蠕动起来，有意无意地开始着手准备下一次的艳遇。在一次次的有惊无险里，你欲罢不能。

我离开故乡多年以后，有一次冬天回乡，天寒地冻中，想到那羊肉汤的鲜香和羊双肠的滑嫩，我顿时满口生津。避开妈妈，我凑到老爸跟前试探着说："爸，我离开家这么多年，也不知道鼓楼那家羊双肠汤馆还在吗？"

同样身为医生的父亲，听了我的话莞尔一笑，悄悄对我说："其实鼓楼那家不好吃，我带你去我常吃的那家吧，城西的孙家，那味道更好！"

就这样，我和老爸分别骑着自行车从家里跑出来，在寒风凛冽的街头，我们相对一笑，心里荡漾着同道中人的惊喜，为即将到嘴的美味而欣喜，同时又有一种避开监视的得意和刺激。

少年酒滋味

据说，原始社会就有了酒。我说，人类有了欲望就有了酒，有了烦恼就有了酒。如果把人生比作一场你争我抢的球赛，那酒就是专属于你的拉拉队。她们美丽，热烈，爱你没商量，她们不能代替你将球送进对方篮筐，但她们能在你大败之时仍然给你最热烈的拥抱，让你面对无情的对手、残忍的规则以及薄情的观众时，心灵能保留一点点麻醉的慰藉。让你在现实丝毫不变的情况下，瞬间改变心境，暂时抛弃纷繁世事，沉浸到一个只属于自己的小小乌托邦里，在残忍的真相背后，拥有一刻虚幻的喘息。

父亲喜欢喝酒，每天中午吃饭都要喝一杯。我从记事起就经常在父亲喝酒的时候，用筷子头伸到他的杯子里点一下，然后放进自己嘴里咂摸。一咂摸就是十几年，但我的酒量一直是筷子头的大小，从没越界，更谈不上醉酒。我真正第一次喝醉酒，是在中央美术学院进修的日子。

在去北京进修之前，我从没离开家这么长时间，我上大学都是在家乡所在的城市，毕业分配工作也在同一个城市。到北京进修班的开头几星期，我兴高采烈，新鲜劲儿没过呢。后来渐渐意识到，周末不能回家了，家在很远很远的地方，半年内都别想见到了，这时候我悚然而惊，抓心抓肝地想念家乡，想念亲人。那时候我大学刚刚毕业，除了失恋没受过任何挫折，这种思乡让我无比痛苦。跟我同宿舍还有一个比我小一岁的女生叫丽霞，她的情况跟我一样，所以我们俩经常谈起家乡的一草一木，在谈到各种美味时，更是眼泪和口水同时泉涌。终于在一个周末下午，我们偷偷去小卖部买了一瓶二锅头。并不是我们喜欢喝这一口，是因为小卖部卖的酒只有红星二锅头。

二锅头买来以后，我们觉得还需要一些下酒菜，于是就跑到学校食堂买了三两卤鸡肝。回到宿舍，我们俩关上门就开始喝。第一次喝白酒根本不知道怕，我们俩是用白瓷茶缸喝的，一口就下去半两，然后还像模像样地吃一口鸡肝。二锅头太难喝了，跟我用筷子头沾爸爸的酒杯完全不是一个味，为了躲避酒的冲味，我闭住气大口灌。不一会儿，一瓶二锅头只剩下四分之一，我俩也彻底醉了。我们用毛笔敲着酒瓶子唱歌，狂笑狂唱。我们的动静惊动了其他宿舍的同学，他们立刻去报告了班长。班长火速赶来，他在门外绅士地敲敲门，然后就轻轻推开了房门。他刚一露头，我俩一声怒吼："滚出去！"然后我抄起桌子上一个当笔洗用的玻璃罐头瓶子，向门口掷去，罐头瓶里还有半瓶洗毛笔的黑墨水。罐头瓶在门框上炸开，里面的墨水淋漓尽致地洒满了白墙和地面。幸亏班长躲得快，不然飞溅的墨水就将他浇成

非洲兄弟了。砸完罐头瓶我就倒在床上不省人事。半夜醒来，我吐得翻江倒海，把上辈子的饭都吐出来了。我发毒誓再也不喝酒，再也不吃卤鸡肝。

但是我俩的第二次醉酒仅仅在一年后就又发生了。那是进修的最后一学期，在北京中央美术学院的这一年我过得如梦似幻，已经不想回小城去完成我循规蹈矩的一生，但对于辞去铁饭碗在一个陌生的城市当北漂，我心里又十分没底。而丽霞爱上了一个北京男孩，两个人即将天各一方，可能永不相见，在这种情绪下我俩又一次醉酒。那是槐花盛开的季节，我俩拿着晚上聚餐喝剩下的几瓶葡萄酒，去了操场。坐在校园操场边的长椅上，我们俩没怎么说话，拧开葡萄酒的瓶盖就开始喝起来。相比起第一次醉酒的理由，这一次的理由有了太多的现实和绝望，而真正的现实总是让人无语。喝闷酒很易醉，不一会儿她喝得酩酊大醉，躺在大槐树下默默流泪，而我跪坐在她身边号啕大哭。后来看到我们的同学都说，他们以为丽霞死了，我正跪着哭丧。

那次酒醒后，我没有发誓戒酒，我知道此生大约是离不开酒了。后来我辗转于北京、海南、广东，酒一直不离左右。跟后来所有醉酒的理由相比，第一次令我悲伤欲绝的醉酒理由，只能算是年少轻狂的为赋新词强说愁。

梦断菠萝蜜

我有个发小叫美兰，高考落榜后赋闲在家待了两年，就去投奔在三亚工作的叔叔。去了不久，就赶上海南岛举办首届国际椰子节。刚改革开放时，这“节”那“节”非常多，目的只有一个：招商引资。美兰凭关系进了椰子节组委会接待处，在那里吃香喝辣，兴奋之余就想到了我，写信让我来海南共谋大业。相比那些“十万大军下海南”的艰苦创业者，我的海南之行充满了高人一等的优越。我一出车站，一辆白色桑塔纳迎着摩托拉客仔们艳羡的目光，停在我面前。车门开处，打扮得犹如海外侨胞的美兰，以海外侨胞的潇洒将我迎进车里。

椰子节的主旨是“文化搭台，经济唱戏”，所以各种企业家穿梭在接待处，企业家都希望借助椰子节的平台找到合作方，所以对我和美兰极尽阿谀奉承之能事。而我和美兰就住在组委会的宾馆豪华常包房里，除了偶尔画个宣传牌之外，主要工作就是跟着组委会主席吃吃喝喝。这些生活给我造成了一个错觉：海南是一个不用弯腰就能捡到金子的地方，而且，保不齐哪块金子还镶着钻石。

为期一个月的椰子节很快结束了，用“树倒猢狲散”来形容组委会的解散十分合适。我和美兰提着简单的行李走出宾馆，没有了空调房，也没有汽车，还没有钱，组委会不发工资，只管吃住。无奈之下美兰给叔叔打个电话，婶婶有个堂弟在海口住，叔叔就安排我们先到

婶婶的堂弟家暂住，以后找到工作再搬。我和美兰像溺水的人捞到一片浮萍，心内稍安。倒了三次车，拐弯抹角找到美兰婶婶的堂弟家，一进门才知道我们并不被欢迎。她婶子的堂弟我们叫小叔，小叔和小婶都是地道海南人，两口子有个两岁的小男孩，家里还请了一个叫阿秀的小保姆，经济并不宽裕。那位小婶从我们俩一进门就拉下了脸，面孔绷得像刷了一层糨糊。他家住的是祖上留下的一栋小楼，虽破旧倒也宽敞，小叔安排我和美兰住在楼下一间小房里，和阿秀的房间是隔壁。阿秀十六岁，但长得矮小瘦弱，看上去就像小学生。她从我们进门到给我们铺好床，始终不说一句话，我们跟她说话时，她只是慌乱地点头或者摇头，但在我们不注意她的时候，她就偷偷打量我们，目光里流露出惊异和羡慕。

我和美兰整理完房间，安顿好行李，天色已近黄昏。过了一会儿，门外飘来饭菜的香味，我们一天水米未打牙，闻到这个味道顿时感觉饥肠辘辘。但是一直到饭香味越来越淡，也没有一个人进来邀请我们出去吃饭。身处在这个陌生、闷热的小房间里，听着门外叽里咕噜的海南话，我和美兰明白，我们的海南梦已经结束，真正的漂泊开始了。房间越来越暗，美兰站起来打开灯，但是灯没有亮。“停电了。”美兰自语，我没说话。从早晨到现在，巨大的落差下我心乱如麻，已经有点感觉迟钝了。

这时门被轻轻敲响了，是很轻很轻的，像小猫挠门一样。美兰打开房门，门外站着阿秀。阿秀手里举着一支白蜡烛，蜡烛的光把她的小脸映出了一抹橘色，她看着美兰羞涩地一笑，把手里的白蜡烛递给美兰。我听见美兰连连说：“谢谢，谢谢你，阿秀！”阿秀转身走了。美兰关好门，拿出自己在组委会喝咖啡用的描花骨瓷杯，毫不犹豫地把瓷杯扣在桌子上，然后小心翼翼地把白蜡烛焊在杯底。这时候，门又被轻轻敲响，我站起来去开门，门外还是阿秀。这次阿秀手里捧着一个搪瓷大碗，看到我，她把手里大碗一伸，递给我说：“你们漆。”我在惊喜中接过碗，刚要说谢谢，阿秀用手在嘴边摆了摆，示意我不用说话，然后笑眯眯地回身走了。

瓷碗里的饭菜还是温热的。半碗是米饭，半碗是菜。菜是炖肉，但是那肉不像北方炖肉一样是红褐色，那肉是白色的，没加酱油，而且也不像北方那样炖得很烂，淡褐色的肉块硬硬的，上面板结着雪白的脂肪块。和肉一起炖的是一种扁扁的大豆子，我和美兰都不认识那是什么豆子。我俩没敢动那白色的炖肉，只吃了几颗大豆子，发现味道不错，有点像蚕豆，沙沙糯糯的，又没有蚕豆的豆腥味。于是我们把大豆和米饭狼吞虎咽地都吃完了。在摇曳的烛光和白色的炖肉里，我和美兰终于完成了在海南岛从梦幻到现实的软着陆，可惜是脸先着地。

小叔小婶家，我们只住了一个多月就搬走了——我们俩都找到了工作。阿秀后来告诉我们，那天给我们吃的那种豆子是菠萝蜜的籽。菠萝蜜是一种热带水果，以我当时的味觉经验，怎么也想不通水果能跟菜肴联系起来。后来经常在街上看到菠萝蜜，却再也没吃过菠萝蜜籽做的菜。时隔多年想起这段日子，我还是想对素昧平生的小叔和小婶说声谢谢，焉知阿秀那些日子偷偷端给我们的饭菜，不是小婶睁一只眼闭一只眼的结果？记得那段日子阿秀最常跟我们说的一句话就是："录夹某？"这是海南话，意思是："你吃了吗？"

咖啡屋

我和美兰寄住在小叔小婶家的时候，每天看报纸找工作。报纸上招聘启事很多，但那些向我们伸出橄榄枝的，都是我们不屑一顾的。我们就这么高不成低不就地晃荡着，为了不给亲戚留下游手好闲的印象，我俩每天上午都穿戴整齐出门，去附近一家咖啡馆消磨时光。

我们住的那条街对面，有一个类似茶楼的地方，但他家只卖咖啡不卖茶。说它是咖啡馆吧，这家店的风格又完全是中式的，几十张没上油漆的木头桌子紧密地排在一间辽阔的大厅里，大厅的顶棚都是竹子搭建的，大厅的隔间用竹席围着，乍一看很像水泊梁山的聚义厅。别看这么简陋，生意却红火得很，每天早晨都人声鼎沸，三两个人占据一张桌椅，叫一壶咖啡，要两碟点心，看报纸，聊闲话，一直消磨到中午才三三两两地离去。这里的饮品只有一样——海南兴隆咖啡。在这之前我只喝过速溶雀巢咖啡，根本不知道中国还出产咖啡这种洋玩意儿，更没喝过现磨现煮的咖啡。而这家茶馆的咖啡是现磨现煮的，原料新鲜，没有奶精和植脂末那些添加剂，不酸不涩，浓香可口，跟我之前喝过的速溶咖啡完全是两个概念。我是不会喝咖啡的人，但也能喝出此咖啡不是彼咖啡。他家的咖啡是煮好后灌在一个搪瓷大壶里端上来的，已经加了白糖，一搪瓷大壶可以倒六七大茶杯，喝完免费续壶，所续的咖啡稍淡一点，没有加糖，但还是那么馥郁芬芳。何况，一搪瓷壶的咖啡只要六毛钱。

我和美兰囊中羞涩，俩人通常只要一壶咖啡，一碟桃酥，有时候连桃酥也不买，干喝。喝完一壶再续一壶，除了不停上厕所，我们丝毫不觉得尴尬。直到有一天，我们正在喝着咖啡的时候，一个瘦小、黝黑的男人突然坐在我和美兰之间的椅子上，把我俩吓了一跳。因为他个头实在太矮了，又黑，所以他什么时候靠近我们的，我们根本没

察觉。我们俩戒备地看着他，他比我们更紧张，黑脸绷得紧紧的，嘴里吐出一串字符。

“你说什么？”我和美兰同时问。

他更紧张了，嘴里依然吐出那串字符。我和美兰不耐烦了，大声问：“你到底说什么啊？”

他停顿了一下，艰难地用普通话问：“你们，多少钱？”

这下我和美兰都听懂了——靠！这个王八蛋把我俩当成出来卖肉的了。我俩顿时面红耳赤，羞愤交加，我恨不得照那黑色刀条脸上扇一巴掌！我刚要动作，却听到周围一片肆无忌惮的哄笑声，抬眼一看，周围黑压压地坐着的全是男人。我一下子明白了，这个男人可能就是被周围这些男人派来问价的。此地不可久留，我拉着美兰站起来就走，边走边用眼角扫视整个大厅，这才发现整个大厅喝咖啡的人里，除了我和美兰，没有一个女人。我和美兰就像两只不知死活的菜粉蝶，飞舞在一片大张嘴巴等待食物的青蛙丛林里。我们几乎用逃跑的姿势，窜出了这个咖啡馆。

后来在海南待久了我才知道，在海南只有男人才有资格泡茶（咖啡）馆，而女人需要出去耕田、打工、赚钱养家。我这才明白为什么我在街上看到挑担子卖水果的总是女人，而咖啡馆里却清一色的全是男人。而我和美兰每天打扮得花枝招展在咖啡馆闲坐，当然就被男人们以为是来这里找“工作”的。经过这次耻辱，我和美兰很快找到工作上班去了。那段泡咖啡馆的时光我一直羞于对人提起，尽管那咖啡是我喝过的最好喝的咖啡，还是我喝过的唯一国产咖啡。

凄凉方便面

方便面对我来说，基本是失败的代名词：做人失败，没人缘的人才自己躲家里吃方便面；事业失败，没钱只能吃方便面；品位失败，居然用方便面搪塞自己胃口。所以我对方便面提不起热情，一看到它就想起失意的日子和败坏的胃口。豪华版的方便面呢？加肉加蛋加料的方便面呢？嗯，如果你想把方便面的凄凉和悲惨发展到自欺欺人的地步，那就去买这些豪华版和加料版的方便面吧！每次电视广告里看到这些极尽华丽包装的“美味”方便面，我都替人类感到由衷的悲凉。

我当年打工的公司有个死党小静，是一个和我一样的待嫁女孩。她的单身公寓里四大皆空，翻遍橱柜只能找到几包“康师傅”，而她的冰箱里只放丝袜、化妆品，还有各种美容保健品，顶多放几条黄瓜几个鸡蛋，也不一定用来吃，可能是用来做面膜的。对于单身女性来说，一个放丝袜的冰箱，比放满了各种美食的冰箱更科学。因为美食不能帮你钓来金龟婿，反而会帮你钓来脂肪，而丝袜和化妆品才是钓金龟婿的必需装备。这几乎是剩女的共识。

小静每次恋爱，都煞有介事地带着男朋友逛超市，大包小包地采购一堆厨房用品。不过并不是她下厨，这些东西最终都是男朋友做给她吃，因为小静根本不会做饭，她的厨艺仅限于煮方便面卧鸡蛋。每次恋情终结，厨房用品都还没用完，发霉的食物和过期的调料，随着旧恋情一起扔进垃圾箱了事。

有一年春天，小静终于遇到了她的真命天子，一个IT界男孩，大高个，笑起来眼睛细细的，永远穿着平整的衬衣和干净的鞋子。小静这次动了真格的，一心一意要嫁给他。IT男每天晚上加班回来很晚，为了省钱，两人不出去吃夜宵，小静守在家里为他做夜宵。小静只会煮方便面，她就天天做给他吃。IT男将方便面吃得呼呼作响，小静看得心花怒放。虽然只是给IT男煮了几餐方便面，小静俨然以少妇自居，言语间有了“成功人士”的泰然和安恬，遇到别人祝福，她就鼓吹“丝袜冰箱成功论”，引得公司里待嫁的小女生们纷纷效仿，一时间公司里黑丝乱晃，香奈儿飞扬。

小静和IT男同居了半年，就在我们纷纷猜测两人好事将近时，一个周末晚上，小静打我电话，让我马上去她家，她说她不想活了。人命关天，我立刻出门直奔小静的出租屋。

一进房门，就看到小静两只眼睛红得像桃子一样，整个人瘫坐在地板上。房间里很安静，显然IT男没在家。小静抬头看我一眼，用手指指电脑让我看，电脑屏幕上有一封电子文档，是IT男留给小静的

信。我匆匆浏览一遍，信的大意是，他觉得小静是个好女孩，他很爱小静，但是觉得两人共同生活还不合适云云。小静被IT男甩了！我不由得恶向胆边生，质问为什么。小静抽泣着细说原委：IT男公司的客户里有一个熟女，成熟、聪明，经常对IT男嘘寒问暖，极尽关心温柔之能事。她尤其会做一手好菜，IT男经常受邀和同事们去她家吃饭。开始小静根本没把这个对手放在心上，那熟女比IT男还大三岁，长得更是不如小静。小静从没想到IT男会为了她叛变。弄明白了事情的来龙去脉，我心里也替小静冤得慌，真不知道她输在了哪里。

小静像怨妇一样擤着鼻涕和眼泪，哭得梨花带雨。突然，她停止抽泣，跳起来冲向桌子。我刚要拦她，她已经以迅雷不及掩耳之势用胳膊横扫过桌面，把桌面上一碗方便面扫到地板上，随着“哐当”一声脆响，一碗微热的方便面连瓷碗一起破碎在地板上。

我看着碎尸一样散乱在地板上的方便面，注意到这碗方便面的不寻常：除了惨白的面条，里面还有鲜红的西红柿和碧绿的青菜，另外，天可怜见的，在碗底的汤汁里居然还泡着几只黄黄的小虾仁。这是一碗多么有诚意的方便面啊！但是，再有诚意的方便面，它也只是一碗方便面。它成不了一碗腊味煲仔饭，也成不了一碗鸡汤大馄饨。任它放了多少小虾仁调味，放了多少西红柿调色，也掩盖不住主料的简陋和寒碜，说到底它还是一个用色素和味精勾兑出来的速成食品。这碗破碎的方便面，就像小静本人，即便有花花绿绿的容貌护体，但对于婚姻来说还是过于空泛和单薄。如果说那个情敌熟女是羽翼丰满准备好下蛋的小母鸡，那小静充其量是一个站在河边顾影自怜的小鸡崽儿。在这场婚恋争霸战中，熟女占尽先机。这一场力量悬殊的战役，小静输得没有悬念。

这件事情的发生，彻底颠覆了“丝袜冰箱成功论”。公司里的小女生们在小静的失败面前都悚然而惊，渐渐明白婚姻不只是丝袜口红、两情相悦那么简单。

追腥逐臭

作为一枚吃货，我对“臭”的热爱和追求，像其他苦辣酸甜味道一样，从不手软。小时在开封，奶奶用豆腐块自制臭豆腐乳，那做好的臭豆腐乳无论色香味，都堪比王致和。吃的时候一定要滴几滴小磨香油，我喜欢把细腻的臭豆腐乳抹在烤好的馒头片上，随着臭豆腐乳均匀地平摊其上，那浓郁的味道往往使周围群众掩鼻而逃。这时“我自横臭向天笑”，独有一种得意和豪迈在心头。小时候我还特别爱吃一样臭东西——臭鸡蛋。现在臭鸡蛋是被扔掉的，但那时候鸡蛋很珍贵，即便臭了也想尽办法要吃掉，这样一来反而形成了一道独特的美食。臭鸡蛋炒尖椒是我家的保留曲目，臭鸡蛋一定要配尖辣椒来炒，臭鸡蛋打散，尖椒切丝，大葱切碎，和着臭鸡蛋入油锅爆炒，炒出来又辣又臭，用刚蒸出的热馒头一夹，吃得满头大汗，舌头火辣辣发木，那才过瘾。

后来到北京，喝到了豆汁儿。对豆汁儿我并不是一见钟情，如果说臭豆腐乳和臭鸡蛋是将军，豆汁儿只能算是个秀才。将军们臭得轰轰烈烈、大张旗鼓，秀才则臭得暧昧含蓄——欲臭还酸、酸里有臭、臭中带酸，让人很难把握。不过我后来渐渐爱上了豆汁儿，正是因为它滚烫的酸腐臭味，配上脆生生的焦圈和辣咸菜丝，给口舌以强烈的冲突，味蕾和胃在冲突中找到和谐，归于平静。一顿豆汁儿焦圈咸菜丝下肚，通身微汗，内外熨帖。

有了这两种臭味的熏陶，我到深圳，立刻就爱上了臭咸鱼。我第一次吃的咸鱼是梅香，我就爱上了梅香，也叫霉香。广东的咸鱼分很多种，腥臭程度各有不同。据说真正昂贵的好咸鱼并不太臭，而是保

持着鱼的鲜香味。但我吃来吃去，最爱的还是梅香，因为在所有咸鱼里它最臭。在广东还结识了一位重量级的臭家族成员榴莲。榴莲的加入，给我的逐臭史加上了浓墨重彩的一笔。原来吃的臭都是咸味的，榴莲填补了一项甜臭空白。

中国地大人多，口味差异巨大，但对臭的热爱，却殊途同归，不一而足。北京有臭豆腐乳，湖南有臭干子，江浙有臭冬瓜、臭榄菜、臭毛豆，安徽有臭鳜鱼，广东有臭咸鱼，真是臭味相投啊。有史学家说臭味食物的产生是因为过去储存条件差，食物没有保存好变质而成的，意指那些臭不可闻的食物都是偶然、被迫形成的。史学家的说法固然有根据，但我觉得人类的味蕾除酸甜苦辣咸之外，本身也需要臭，对臭的欲望就像有人爱吃酸有人偏爱辣一样，是天生的、正常的需求。单凭偶然原因，逐臭的队伍不可能蓬勃发展到今天这么庞大。

作为和五味一样重要的味道，臭却没有和五味一样的江湖地位和良好声誉。这是为什么呢？原因很简单，因为它的味道实在跟某些令人厌恶的不洁之物太相像了。前不久一则新闻披露说，不法商贩用粪汤炮制臭干子，销路居然很旺。此言一出举国皆惊，那些厌恶臭馔的有识之士腰杆子更硬了。我说句公道话，其实区别大了！

说到底，臭馔就是在钢丝上跳舞，在奇香与恶臭之间寻找一个微妙的边界。其实我们的人生哪一刻不是在钢丝上跳舞呢？激情与疯癫，情爱与淫欲，善良与昏聩，强悍与残忍，我们每时每刻都活在是与非的剃刀边沿。想明白了这些，不妨放养自己的欲望，把欲望的洪水猛兽控制在一个合适的范围，比死死拴住这只猛兽要安全得多。有了这种平常心，你才能在岁月下一个转弯处，淡然面对任何诱惑。

榴莲魅惑

榴莲是我见过最有争议的水果，爱者赞之，恨者鄙之。

刚来广东时，我在深圳打工。深圳榴莲相对少，一是因为物价贵，榴莲也成了昂贵的高档水果；二是因为深圳北方人多，大部分北

方人对榴莲都深以为恶。在金钱和舆论的双重压力下，我从来没有爽快地吃过它。而且每次吃榴莲的时候，若不幸被同事、朋友看见，他们都极力夸张自己的厌恶和震惊，极尽讽刺挖苦之能事，仿佛我精神错乱正捧着一碟金灿灿的大便狂吃乱舔。在这种环境压力下，我对榴莲的欲求被无情地压制了。

后来在广州定居，我蓦地发现广州是榴莲的天堂，一到夏天，街边的水果摊到处是剥开的榴莲，整买零买随便你。每个超市都有大堆的榴莲卖，还有专门的人为你现剥现开，一点不用担心味道会影响到他人，因为这里是爱吃榴莲的广东人的世界。那真是欢乐的场景啊！街上卖榴莲的姑娘们倚着榴莲摊肆无忌惮地边吃边卖，臭飘千里，怡然自得。她用那沾着榴莲肉的玉手帮你扒开硬壳，托出一块粉黄肥嫩的榴莲肉，一把伸到你鼻子下面：“豪航嘎！”这举动对于不吃榴莲的人来说，可能会一下被熏死过去。但我深吸一口那馥郁芬芳的腐臭味，心里为自由的广州山呼万岁。

爱吃榴莲的男人比女人少，而北方男人更是少之又少。但来广州几年后，我渐渐发现黄河流域的男士们也不乏榴莲爱好者，在我的追问下，他们每个人都会羞涩地讲一个从厌恶到接受、再到欲罢不能的故事，榴莲可真是一个魅惑的尤物。慢慢地，我周围聚集了一群吃榴莲的人，人不分男女，地不分南北，对榴莲的爱使大家亲密而知心。去饭馆聚会的路上，路边摊十元一盒剥好的榴莲，买上两盒携带进场，往餐桌子上一放，立刻引来一片欢呼，在臭烘烘的甜香里，气氛幸福而和谐。

我觉得榴莲那让人不能自拔的魅惑，首先来自榴莲肉，榴莲肉质极其细腻肥嫩，绝对的入口即化；其次榴莲不酸不涩只有一个甜，冷热酸过敏的人、没牙齿的人，吃起来也没有任何障碍，但它的甜又不是直甜，它是一种绵甜，一种蔓延你整个口腔的软甜。还有，榴莲营养十分丰富，广东人说“一只榴莲半只鸡”，它被誉为水果之王。而榴莲最特别的就是那味道，一闻使人恶，二闻使人喜，三闻使人迷，最后你心甘情愿地坠入到它绵甜软糯的温柔乡里。许多热带水果都带有巫术般神秘的副作用，寒凉啊、上火啊、湿热啊等等，但我吃榴莲还从没有过不适，据说吃多了有点上火，但我还没见过吃榴莲上火的人，因为还没吃到上火的量，你就撑得吃不下了。它具有热带水果少见的平和、养人的性质。

榴莲这么受欢迎，相关的衍生品也非常多，榴莲糖、榴莲酥、榴莲干，但这些产品完全没有抓住榴莲的精髓，反而把榴莲的优势弄没了。就像西瓜不能做成蜜饯，只能榨西瓜汁；而香蕉烤成香蕉干是最好吃的，把它弄熟了做拔丝香蕉，那肯定会又涩又苦。水果的衍生产品一定要发挥出它的优势，否则不如去吃新鲜的。而榴莲做的蛋糕，我认为是最能表达榴莲精髓的衍生产品，它甚至比鲜榴莲更肥美、更甜滑。榴莲蛋糕是选用熟透的榴莲肉，去掉靠近籽的稍硬不甜的那些果肉，只要那些烂熟软甜的部分。将榴莲肉加入鲜忌廉，然后尽力搅打，使忌廉和果肉彻底融合，变成淡黄的榴莲忌廉。再把这个榴莲忌廉涂满蛋糕胚，像普通的忌廉一样，上面点缀水果。而下面的蛋糕胚是两种材料分层叠放的，其中一层是用榴莲和面粉、奶油等做成的圆煎饼，口感稍韧，能够消除榴莲忌廉带来的肥腻，另一层是普通蛋糕，两层交替铺成一个完整的蛋糕胚。整个蛋糕充满榴莲的香味，口感上也保持了榴莲的绵甜软糯，点缀的酸甜水果又使蛋糕不那么腻口。

记得第一次吃榴莲蛋糕是我过生日，朋友送了一个过来。当场喝酒吃菜没怎么细品，聚会结束榴莲蛋糕还剩很多，带回家放进冰箱。第二天早晨从冰箱取出，不得了啦！榴莲忌廉冷藏后柔韧冰凉，比鲜榴莲更有一番风韵，而冷冻后的榴莲香味被锁在蛋糕里，放进嘴里后香味尽情释放，更加浓郁，那口感好得让人不忍下咽。我早饭和午饭都没有吃，沏了一杯酽茶，将榴莲蛋糕往腿上一放，一勺接一勺，就这样吃完了整整一磅榴莲蛋糕。幸好喝的是酽茶，不是咖啡，如果加糖加奶的咖啡配上如此丰腴的榴莲蛋糕，那吃完这一次，估计我半年都不会再碰榴莲蛋糕——太肥美了。

图书在版编目(CIP)数据

读库．1401/张立宪主编．—北京：新星出版社，2014.1
ISBN 978-7-5133-1382-7
Ⅰ.①读… Ⅱ.①张… Ⅲ.①文学-作品综合集-中国-当代Ⅳ.①I217.61

中国版本图书馆CIP数据核字(2013)第307708号

读库1401

出版发行：新星出版社
出 版 人：谢　刚
社　　址：北京市西城区车公庄大街丙3号楼　100044
网　　址：www.newstarpress.com
电　　话：010-88310888
传　　真：010-65270449
法律顾问：北京市大成律师事务所

经销电话：010-80897213
官方网站：www.duku.cn
邮购地址：北京市海淀区万寿路邮局67号信箱　100036

印　　刷：北京尚唐印刷包装有限公司
开　　本：645mm×925mm　1/16
印　　张：20
版　　次：2014年1月第一版　2014年1月第一次印刷
书　　号：ISBN 978-7-5133-1382-7
定　　价：30.00元

目　录

村上春树何以为村上春树

（代译序）

林少华

村上春树(1949—)，这位居住在我们东方邻国的作家，不动声色之间，已经使自己成了同时下任何一位世界级作家相比都不逊色的十分了得的人物。在他的母国日本，其作品的发行量早已超过了1500万册这个可谓出版界的天文数字。在我国大陆，其中译本也在没有炒作的情况下执着地向四十万册逼近。仅《挪威的森林》，不到半年便重印四次，但仍不时脱销。

人们不禁要问，究竟是什么因素使这位日本作家如此占尽风光，甚至连诺贝尔文学奖获得者川端康成和大江健三郎也相形见绌呢？回答自然多种多样。从我们中国读者角度来说，同是日本作家，川端也好，大江也罢，读之总觉得是在读别人，中间好像横着一道足够高的门坎，把我们客气而又坚决地挡在门外；而读村上，我们则觉得是在读自己，是在叩问自己的心灵，倾听自己心灵的回声，在自己的精神世界中游历，看到的是我们自己。简而言之，也就是村上引起了我们的共鸣：心的共鸣。

那么，引起我们心的共鸣的又是什么呢？下面就让我就此(也可能不完全就此)谈三点感想或看法。实质上涉及的也就是村上作品的独特魅力问题——村上春树何以为村上春树？

一

虽说村上的小说译了几本，评论性文章也写了几篇，但我心里总好像还塞着一个谜团，或者说总在琢磨这样一个问题：村上作品中最能打动我个人、作为四十几岁中年人的我个人的东西究竟是什么？

不错——如同以前我在《村上春树精品集》新版总序中所说——小说中现实与非现实的错位，别具一格的行文，时代氛围和个人感性，田园情结和青春之梦，都足以令人沉潜其中。不过老实说，那类文章，我大多是从一个译介者和一名大学教员的角度来写的，很大程度上带有"公"的色彩，而多少压抑了纯属个人的、即村上所说的"私人性质"的东西。我认为那也是对的。在译介初期，有必要循规蹈矩地归纳村上作品的一般特点，有必要把日本以至国际上有关评论转达过来，否则对读者是不公正的。当然，一方面也是因为我的"私人性质"的感受还处于混沌状态。

近来，感受逐渐趋于清晰——其实村上作品中最能让我动心或引起自己共鸣的，乃是其提供的一种生活模式，一种人生态度：把玩孤独，把玩无奈。

大凡读者都读得出，村上文学的基调就是孤独与无奈。但较之孤独与无奈本身，作者着重诉求的似乎更是对待孤独与无奈的态度。

我仿佛听到村上在这样向我倾诉：

人，人生，在本质上是孤独的，无奈的。所以需要与人交往，以求相互理解。然而相互理解果真是可能的吗？不，不可能，宿命式的不可能，寻求理解的努力是徒劳的。那么，何苦非努力不可呢？为什么就不能转变一下态度呢——既然怎么努力争取理解都枉费心机，那么不再努力就是，这样也可以活得蛮好嘛！换言之，与其勉强通过与人交往来消灭孤独，化解无奈，莫如退回来把玩孤独，把玩无奈。

于是，孤独和无奈在村上这里获得了安置。就是说，这种在一般世人眼里无价值的、负面的、因而需要摈除的东西，在村上笔下成了有价值的、正面的、因而不妨赏玩的对象。实质上这也是一种自我认同或曰对同一性（identity）的确认，一种自我保全、自我经营、自我完善，一种孤独自守、自娱、自得、自乐的情怀。作者藉此在熙来攘往灯红酒绿瞬息万变的世界上建造了一座独门独院的“小木屋”，一个人躲在里面一边听着爵士乐，啜着易拉罐啤酒，一边慢慢地细细地品味孤独与无奈。电视则绝对不买，报纸绝对不订，电话也只是在响了六七遍之后才老大不情愿地拿起听筒。

“小木屋”的主人自然是“我”——一个再普通不过的小人物，年龄大多在二十九至三十四岁之间，基本是刚刚离婚或老婆跟人跑了。这里，主人公本身就是孤独的象征。他已被彻底“简化”，无妻（有也必定离异）、无子、无父母（有也不出场）、无兄弟（绝对独生子女）、无亲戚（只在《奇鸟行状录》中有过一个舅舅），甚至无工作（好端端的工作一辞了之），远远不止是我国城镇里的“三无人员”。也正由于“我”敢于简化，敢于放弃，“我”也才潇洒得起来。

然而并不能因此断定“我”得了自我封闭症。“我”有时也从“小木屋”中探出头来，而这时他的目光却是健康的、充满温情的，如对《挪威的森林》（以下简称《挪》）中的直子，对《舞！舞！舞！》（以下简称《舞》）中的雪。当然，如果有人扰乱他自得其乐的"小木屋"生活，死活把他从中拖出，他也绝不临阵退缩（小说情节大多由此展开），如对《寻羊冒险记》（以下简称《羊》）中的黑西服秘书和"先生"，对《奇鸟行状录》中的绵谷升。这种时候的"我"绝对不是好忍的，一定老练地、机智地、执拗地奉陪到底。

主人公身上，恐怕有这样几点需加以注意：对冠冕堂皇的所谓有值存在的否定和戏弄，有一种风雨飘摇中御舟独行的自尊与傲骨；对伪善、狡诈行径的揭露和憎恶，有一种英雄末路的不屈与悲凉；对"高度资本主义化"的现代都市、对重大事件的无视和揶揄，有一种应付纷繁世界的淡定与从容；对大约来自宇宙的神秘信息、默契（寓言色彩、潜意识）的希冀和信赖，有一种对未知世界的好奇与梦想；对某种稍纵即逝的心理机微（偶然因素）的关注和引申，有一种流转不屈的豁达与洒脱；以及对物质利益的淡漠，对世俗、庸众的拒斥，对往日故乡的张望等等。可以说，这同主人公把玩孤独把玩无奈是相辅相成的，是同一事物的两个方面。如此才庶几不至于沦为一般所说的"拿无聊当有趣"。

总之，村上的小说为我们在繁杂多变的世界上提供了一种富有智性和诗意的活法，为小人物的灵魂提供了一方安然憩息的草坪。读之，我们心中最原始的部分得到疏导和释放，最软弱的部分得到鼓励和抚慰，最孤寂的部分得到舒缓和安顿，最隐秘的部分得到确认和支持。那是茫茫荒原上迎着夕晖升起一股袅袅炊烟的小木屋，是冷雨飘零的午夜街头永远温馨的小酒吧。

我甚至突发奇想地觉得，村上春树的作品尽管形式上明显受到美国当代文学的影响，但骨子里却透出东方古老的禅意。在某种意义上，乃是禅的现代诠释。读过村上一篇名叫《电车和电车票》的短文，认为"我"最后采取的态度是以"无心无我"的境界乘车：既然怎么努力车票都要丢，那么，不再努力就是，让它丢好了。引申言之,既然孤独和无奈怎么都排遣不掉,那么不再排遣就是,把玩之可也!

二

一般说来,小说这东西要从头读起。写的人讲究"有头有尾",读的人也是如此,很难不顾头尾地从中间突破。并且,通常看一遍足矣。而村上作品一个神奇之处,就是可以让你随时随地从任何一页任何一处读起,并迅速沉浸其中。就像《挪》中的主人公说《了不起的盖茨比》那样:"信手翻开一页,读上一段,一次都没让我失望过,没有一页使人兴味索然。何等妙不可言的杰作!"不妨说,村上的小说如同一座没有围墙的大观园,从任何一处都可以进入:或小桥流水,或茂林修竹,或雕梁画栋,或曲径通幽,无处不是令人流连忘返的景点,任何一处都既是入口又是出口。

为什么可以有这样的读法呢?我想恐怕主要是作品中的艺术情调、美学韵致和抒情氛围所使然。有人问我村上的小说是"大众文学"还是"纯文学",我说如果前者主要以情节胜而后者主要以韵味胜的话,村上的小说应该归为后者(当然这种分类无甚意义)。说得极端一点儿,村上小说乃主韵的小说——作者擅长的不是天衣无缝的情节设计,不是横扫千军的如椽巨笔,不是深刻重大的主题发掘,不是气势磅礴的场面描绘,而是对情调、韵致和气氛的出神入化的经营。

信手拈出几例:

▲"春天的原野里,你一个人正走着,对面走来一

只可爱的小熊，眼睛圆鼓鼓的。它这么对你说道：'你好，小姐，和我一起打滚玩好么？'接着，你就和小熊抱在一起，顺着长满三叶草的山坡咕噜咕噜滚下去，整整玩了一大天……我就这么喜欢你。"(《挪》)

▲"这么着，整个多愁善感的少年时代我都没有看原原本本的鲸而一个劲儿看鲸的阴茎。在阴冷冷的水族馆式甬路散步散腻了，我便坐在无声无息的天花板极高的展厅沙发上，对着鲸的阴茎呆呆地度过几个小时。"(《羊》)

▲"世界——这一字眼总是令我想起象与龟拼命支撑的巨型圆板。"(同上)

▲"她的笑容稍微有点儿紊乱。如同啤酒瓶盖落入一泓幽雅而澄寂的清泉时激起的静静波纹在她脸上荡漾开来，稍纵即逝。消逝时，表情比刚才略有逊色。我饶有兴味地观察着这细微而复杂的变化，不由觉得很可能有清泉精灵在眼前闪出，问我刚才投入的是金瓶盖还是银瓶盖。"(《舞》)

▲"所谓特殊饥饿感是怎么回事呢？我可以将其作为一幅画面提示出来：①乘一叶小艇飘浮在静静的海面上。②朝下一看，可以窥见水中海底火山的顶。③海面与那山顶之间似乎没隔很远距离，但准确距离无由得知。④这是因为海水过于透明，感觉上无法把握远近。"(《再袭面包店》)

你不能不承认，作者具有非常出众的演绎、发挥、引申的才能，其驾御想象的能力已达到难以企及的高度。由此产生的场景充满诗情画意和象征性。笔法虽有欧化痕迹，但其中的情绪十分古典和浪漫，而童话色彩和调侃意味的加盟，更使情调保持在一个妙不可言的和音上，给人以极大的阅读愉悦和深层启示。

总的说来，村上营造的情境或者说氛围有这样几个特点：

●对濒于瓦解的家园意识的伤怀和修复。或者说在光怪陆离喧嚣浮华的尘世中为我们平静而执着地守护着——像《挪》中的“我”守护直子窗口那微小的光亮一样——一小块精神家园，使我们不至于在都市迷情中彷徨和沉沦，为我们实际上已很贫瘠很焦渴的心田注入营养，洒下甘霖。亦如一首永远在天边回荡的牧歌。

●象征性地推出人生镜头，传达现代人的焦虑、苦闷、迷惘、困窘、无奈和悲凉，点化他们的情感方式和生命态度。同时又给人以梦幻，为我们拾回破碎了的青春之梦，让我们重新踏上自己的情感曾流淌过的河床，进而让我们同心爱的人携手走出那片凄冷的森林，背起行囊奔向远方陌生的街市。用《挪》中主人公的话说，甚至可以摇撼我们“身上长眠未醒的‘我自身的一部分’”，在精神的废墟上聚拢起零星的希望之光。

●似乎有某种破译心灵密码、沟通此岸世界至彼岸世界的神秘力量。正如部分读者来信所说，我们平时语言动作所表达的心灵深处的感受连其十分之一都不到。对于潜在的部分，我们往往急于表达却又苦于没有门路，而村上营造的情境恰恰传导了我们这部分感受，或者说撬开了包拢我们的厚厚的硬壳，使我们的灵魂获得释放，产生一种此岸世界电路与彼岸世界电路瞬间接通时进入澄明天地的惊喜之情。

一贯保持高雅、冷静、节制而抒情的格调。作者虽然经常触及平庸琐碎、微不足道的日常生活小场面，但绝不低就媚俗，而大多着眼于心灵的诉求、心灵的触碰与叩问。他也表现都市的荒谬感和非现实世界的怪诞，但并无猎奇趣味，而始终不失悲天悯人的温情和健全的智性与理性，透示出哲理感悟和人生体验，显现出倜傥不群的文学品位，给人以难以类比的审美享受。

尤其令人惊异的是，作者这种用以营造情境烘托气氛的工笔写意式笔墨并非偶一为之的点缀，而几乎同作品相始终。惟其如此，读者才可能从任何一处切入并马上融入情境之中，去“呼吸草的芬芳，感受风的轻柔，谛听鸟的鸣啭”，去领略“海潮的清香，遥远的汽笛……缥缈的憧憬，以及夏日的梦境”，去窥看“海底火山的姿影……等待汹涌的潮水把自己送往相应的地方”，去等待“大象重返平原”和幸遇“百分之百的女孩”。

三

其实村上作品中，再也没有什么比语言风格或者说笔法更具特色的了。许多读者都提及这一点，甚至认为足可以同世界上少数语言大师相媲美。是否如此，笔者不曾比较，不敢断言。但至少村上在日本近当代作家中笔法独树一帜却是不争的事实。川端康成慢得叫人着急，大江健三郎拖得终而复始，三岛由纪夫叠床架屋且“妖气”弥漫，其语言感染力——至少对中国读者——均不及村上。在明快、幽默这点上大约只有夏目漱石早期的《我是猫》、《哥儿》，在深刻、简洁这点上恐怕只有芥川龙之介的《侏儒警语》多少与之相似。说得武断点，村上小说的总体语言风格绝对不同于其他任何日本作家，村上就是村上。请看下面一段：

> “我至今也不清楚将袭击面包店的事告诉妻子是否属于正确的选择，恐怕这也是无法用正确与否这类基准来加以推断的问题。就是说，世上既有带来正确结果的不正确选择，也有造成不正确结果的正确选择。为避免出现这类非条理性——我想可以这样说——我们有必要采取**实际上什么也不选择**的立场，我便是抱着如此态度的。发生的事情业已发生，未发生的事情尚未发生。”(《再袭面包店》)

这是一种富有书卷气而又不无绅士贵族气味的笔调，一种优雅的饶舌(因而不觉得聒噪)，一种有节制的故弄玄虚(因而不令人生厌)，一种对欧文风格的炫示和确认，也是被日本的村上迷(多为女性)称为“村上春树脑袋瓜就是好使”、“好玩儿”的笔法。你能从别的日本作家那里找出同样的文字吗?

然而，村上并不总是这样拿腔做调。他把笔锋轻轻一转，对话便成了这个样子：

> “结婚了?”“一次。”“离了?”“嗯。”“为什么?”“她离家跑了。”“真的，这?”“真的。看中了别的男人，就一起跑到别的地方去了。”“可怜。”她说。“谢谢。”“不过，你太太的心情似乎可以理解。”“怎么个理解法儿?”(《舞》)

风格简洁、明快、清爽、流畅，而又独具匠心，韵味绵长，丝毫没有传统日本小说那种无病呻吟的拖沓，那种欲言又止的迂回，那种拖泥带水的滞重，那种令人窒息的汗臭——日语这种“粘着语”居然一下子变得如此洗尽铅华，令人耳目一新，且有一种不无顽皮的孩子气，读来甚至产生一种生理上的快慰。

不过最妙的、最别出心裁的还是作者的比喻。这点我在其他文章里一再强调，在此仍不忍割舍。因为比喻是村上文学广场中最吸引人目光的“标志性建筑”，简直可以说舍此也就无所谓村上春树，无所谓村上文体。这样的例子俯拾皆是：

> 桌面摆着五个空了的盘子，俨然已经消亡的行星群/她和她的耳朵浑融一体，如一缕古老的光照滑泻在时光的斜坡上（以上《羊》）/（妻）目不转睛地盯住我的脸，那眼神竟同搜寻黎明天幕中光色淡然的星斗无异/六罐啤酒全部告罄，剩下来的只有烟灰缸里宛如美人鱼身上剥落的鳞片似的六个拉环/衣服简直如破散的彗星尾巴上下翻舞/我具有炼钢炉盖般牢不可破的记忆（以上《象》）/可怜的宾馆！可怜得活像被十二月的冷雨淋湿的三条腿的狗/我像孵化一只有裂纹的鸵鸟蛋似的怀抱电话机/他一直用手指摆弄着耳轮，俨然清点一捆崭新的钞票（以上《舞》）。

一般说来，相似的东西才能用于类比，也就是说相似性是可比性的前提。而村上的比喻则一反常规，完全不循规出牌。如盘子和行星、衣服和彗星、宾馆和狗、鸵鸟蛋和电话机、耳轮和钞票，这一对对之间几乎找不出任何相似性，莫如说其差异性、异质性倒是巨大的。而村上妙就妙在利用差异性和异质性做文章，经过他一番巧妙的整合和点化，我们非但感觉不到牵强附会，甚至会漾出一丝会意的微笑。一般比喻是“似是而非”，而村上的比喻则“似非而是”。其实这类比喻也是一种夸张，一种大跨度想象力的演示。而这又是文学创作中较难把握的一种修辞，它既要在常理之外，又须在常理之中。

大致说来，日本搞文学的人算是比较老实的，不那么想入非非，自古以来就不甚中意李太白的“燕山雪花大如席”。如今这位村上春树却是远远走在了他的祖辈的前面。你能找出第二个手法相仿的日本作家吗？当然，西方作家中是找得出的。如昆德拉就说某人眼睛的忽闪像车窗外一上一下的雨刷——村上受的不是他的母国日本而是西方同行的启示。

不管怎样，村上弄出了一种一看就知是村上春树的“村上文体”。港台地区甚至由此产生一个词叫“很村上喔”，用来形容如此风格的文章、如此风格的言谈、如此风格的人。创作搞到这般水准，成了“这一个”而不是“那一个”，应该算成功的了。这绝非易事。

顺便说几句题外话。其实不光是文章风格，村上本人也颇为“别具一格”。他虽是作家，却很少与文坛打交道，不属于任何作协组织，不喜欢出头露面——不上电视，不大让人拍照，不出席报告会，接受采访也极有限。个人生活方面也大不同于他笔下的主人公，极为中规中矩，有板有眼。早上六点起床，晚间十点就寝，和夫人两人平静地生活，对夫人特别关爱（这点也是他深受女性读者欢迎的一个原因）。作为作家，村上交稿特别守时，绝无迟交记录。记得几年前交涉版权谈到版税的时候，我曾透露过出版社想代之以招待旅游的意思。他让秘书转告说钱多少都可以，但不喜欢什么招待旅游。他就是这么一个人，可以说是另一侧面的村上春树何以为村上春树吧。

最后还是留下我的地址：青岛市香港东路23号，青岛海洋大学外国语学院（邮政编码266071），以便请读者诸君指出我的误译之处。

2000年6月18日

修改于窥海斋

献给许许多多的祭日

第　一　章

三十七岁的我坐在波音747客机上。庞大的机体穿过厚重的雨云，俯身向汉堡机场降落。十一月砭人肌肤的冷雨，将大地涂得一片阴沉，使得身披雨衣的地勤工、候机楼上呆然垂向地面的旗，以及BMW[①]广告板等一切的一切，看上去竟同佛兰德派抑郁画的背景一般。罢了罢了，又是德国，我想。

飞机一着陆，禁烟显示牌倏然消失，天花板扩音器中低声流出背景音乐，那是一个管弦乐队自鸣得意地演奏的甲壳虫乐队的《挪威的森林》。那旋律一如往日地使我难以自已，不，比往日还要强烈地摇撼着我的身心。

为了不使脑袋胀裂，我弯下腰，双手捂脸，一动不动。很快，一位德国空中小姐走来，用英语问我是不是不大舒服。我答说不要紧，只是有点晕。

"真不要紧?"

"不要紧的，谢谢。"我说。她于是莞尔一笑，转身走开。音乐变成比利·乔尔的曲子。我扬起脸，望着北海上空阴沉沉的云层，浮想联翩。我想起自己在过去的人生旅途中失却的许多东西——蹉跎的岁月，死去或离去的人们，无可追回的懊悔。

机身完全停稳后，旅客解开安全带，从行李架中取出皮包和上衣等物。而我，仿佛依然置身于那片草地之中，呼吸着草的芬芳，感受着风的轻柔，谛听着鸟的鸣啭：那是一九六九年的秋天，我快满二十岁的时候。

那位空姐又走了过来，在我身边坐下，问我是否需要帮助。

“可以了，谢谢。只是有点伤感。”我微笑着说道。

“这在我也是常有的，很能理解您。”说罢，她偏了下头，欠身离座，转给我一张楚楚动人的笑脸：“祝您旅行愉快，再会！”

“再会！”

即使在经历过十八度春秋的今天，我仍可真切地记起那片草地的风景。连日温馨的霏霏细雨，将夏日的尘埃冲洗无余。片片山坡叠青泻翠，抽穗的芒草在十月金风的吹拂下蜿蜒起伏，逶迤的薄云紧贴着仿佛冻僵的湛蓝的天壁。凝眸远望，直觉双目隐隐作痛。清风抚过草地，微微拂动她满头秀发，旋即向杂木林吹去。树梢上的叶片簌簌低语，狗的吠声由远而近，若有若无，细微得如同从另一世界的入口处传来似的。此外便万籁俱寂了。耳畔不闻任何声响，身边没有任何人擦过。只见两只火团样的小鸟，受惊似的从草丛中骤然腾起，朝杂木林方向飞去。直子一边移动步履，一边向我讲述水井的故事。

记忆这东西总有些不可思议。实际身临其境的时候，几乎未曾意识到那片风景，未曾觉得它有什么撩人情怀之处，更没想到十八年后仍历历在目。对那时的我来说，风景那玩艺儿是无所谓的。坦率地说，那时心里想的，只是我自己，只是身旁相伴

---

① BMW：Bayerische Motoren Werk之略，即“宝马”，德国名车。——译注，下同。

而行的一个漂亮姑娘，只是我与她的关系，而后又转回我自己。在那个年龄，无论目睹什么感受什么还是思考什么，终归都像回飞镖① 一样转到自己手上。更何况我正怀着恋情，而那恋情又把我带到一处纷纭而微妙的境地，根本不容我有欣赏周围风景的闲情逸致。

然而，此时此刻我脑海中首先浮现出来的，却仍是那片草地的风光：草的芬芳，风的清爽，山的曲线，犬的吠声……接踵闯入脑海，而且那般清晰，清晰得仿佛可以用手指描摹下来。但那风景中却空无人影。谁都没有。直子没有。我也没有。我们到底消失在什么地方了呢？为什么会发生那样的事情呢？看上去那般可贵的东西，她和当时的我以及我的世界，都遁往何处去了呢？哦，对了，就连直子的脸，一时间竟也无从想起。我所把握的，不过是空不见人的背景而已。

当然，只要有时间，我总会忆起她的面容。那冷冰冰的小手，那呈流线型泻下的手感爽适的秀发，那圆圆的软软的耳垂以及紧靠其底端的小小黑痣，那冬日里常穿的格调高雅的驼绒大衣，那总是定定地注视对方眼睛发问的惯常动作，那不时奇妙地发出的微微颤抖的语声（就像在强风中的山冈上说话一样）——随着这些印象的叠涌，她的面庞突然而自然地浮现出来。最先现出的是她的侧脸。大概因为我总是同她并肩走路的缘故，最先想起来的每每是她的侧影。随之，她朝我转过脸，甜甜地一笑，微微地歪头，轻轻地启齿，定定地看着我的双眼，仿佛在一泓清澈的泉水里寻觅稍纵即逝的小鱼的行踪。

但是使直子的面影在我脑海中如此浮现出来，总是需要一

---

① 回飞镖：澳大利亚土著人使用的飞射武器，若不击中目标会自行飞回。

点时间的。而且，随着岁月的流逝，所需时间也愈来愈长。这固然令人悲哀，但事实就是如此。起初五秒即可想起，渐次变成十秒、三十秒、一分钟。它延长得那样迅速，竟同夕阳下的阴影一般，并将很快消融在冥冥夜色之中。哦，原来我的记忆的确正在步步远离直子站立的位置，正如我逐渐远离自己一度站过的位置一样。而惟独那风景，惟独那片十月草地的风景，宛如电影中的象征性镜头，在我的脑际反复推出。并且那风景是那样执拗地连连踢着我的脑袋，仿佛在说：喂，起来，我可还在这里哟！起来，起来想想，思考一下我为什么还在这里！不过不痛，一点也不痛。一脚踢来，只是发出空洞的声响。甚至这声响或迟或早也将杳然远逝，就像其他一切归终都已消失一样。但奇怪的是，在这汉堡机场的德意志航空公司的客机上，它们比往常更持久地、更有力地在我头部猛踢不已：起来，理解我！惟其如此，我才动笔写这些文字。我这人，无论对什么，都务必形诸文字，否则就无法弄得水落石出。

她那时究竟说什么来着？

对了，她说的是荒郊野外的一口水井。是否实有其井，我不得而知。或是只对她才存在的一个印象或一种符号也未可知——如同在那悒郁的日子里她头脑中编织的其他无数事物一样。可是自从直子讲过那口井以后，每当我想起那片草地的景致，那井便也同时呈现出来。虽然未曾实际目睹，但井的模样却作为无法从脑海中分离的一部分，同那风景浑融一体了。我甚至可以详尽地描述那口井——它正好位于草地与杂木林的交界处，地面上豁然闪出的直径约一米的黑洞洞的井口，给青草不动声色地遮掩住了。四周既无栅栏，也不见略微高出井口的石楞，只有那井张着嘴。石砌的井围,经过多年风吹雨淋,呈现出难以形容的浑浊白色,而且裂缝纵横,一副摇摇欲坠的样子。绿色的小蜥蜴"吱溜溜"钻进那石缝里。弯腰朝井内望去,却是一无所见。我唯一知道的就是这井非常之深,深得不知有多深;井筒非常之黑,黑得如同把世间所有种类的黑一古脑儿煮在了里边。

"那可确实——确确实实很深哟!"直子字斟句酌地说。她说话往往这样,慢条斯理地物色恰当的字眼。"确确实实很深,可就是没一个人晓得它的位置——肯定在这一带无疑。"说着,她双手插进粗花呢大衣口袋,觑了我一眼,妩媚地一笑,仿佛在说自己并非撒谎。

"那很容易出危险吧,"我说,"某处有一口深井,却又无人知道它的具体位置,是吧?一旦有人掉入,岂不没救了?"

"恐怕是没救了。飕——砰!一切都完了!"

"这种事实际上不会有吧?"

"还不止一次呢,三年两载就发生一次。人突然失踪,怎么也找不见。于是这一带的人就说:准保掉进那荒草地的井里了。"

"这种死法怕有点不大好。"我说。

"当然算不得好死。"她用手拂去外套上沾的草穗,"要是直接摔折脖颈,当即死了倒也罢。可要是不巧只摔断腿脚没死成可怎么办呢?再大声呼喊也没人听见,更没人发现,周围触目皆是爬来爬去的蜥蜴蜘蛛什么的。这么着,那里一堆一块地到处都是死人的白骨,阴惨惨湿漉漉的,上面还晃动着一个个小小的光环,好像冬天里的月亮。就在那样的地方,一个人孤零零一分一秒地挣扎着死去。"

"想想都叫人汗毛倒立,"我说,"总该找到围起来呀!"

"问题是谁也找不到井在哪里。所以,你可千万别偏离正道!"

"不偏离的。"

直子从衣袋里抽出左手握住我的手。"不要紧的,你。对你我什么都不担心。即使黑天半夜你在这一带兜圈子转不出来,也绝不可能掉到井里。而且只要紧贴着你,我也不至于掉进去。"

"绝对?"

"绝对!"

"怎么知道?"

"知道,我就是知道。"直子仍然抓住我的手说。如此默默地走了一会。"这方面,我的感觉灵验得很。也没什么道理,凭的全是感觉。比如说,现在我这么紧靠着你,就一点儿都不害怕。就是再黑心肠的、再讨人厌的东西也不会把我拉去。"

"那还不容易,永远这样不就行了!"

"这话——可是心里的?"

"当然是心里的。"

直子停住脚,我也停住。她双手搭在我肩上,目不转睛地凝视我的眼睛。那瞳仁的深处,黑漆漆、浓重重的液体旋转出不可思议的图形。这对如此美丽动人的眸子久久地、定定地注视着我。随后,她踮起脚尖,轻轻吻了一下我的脸颊。一瞬间,我觉得一股暖流穿过全身,心脏都好像停止了跳动。

"谢谢。"直子道。

"没什么。"我说。

"你这样说,太叫我高兴了,真的。"她不无凄凉意味地微笑着说,"可是行不通啊!"

"为什么?"

"因为那是不可以的事,那太残酷了。那是——"说到这里,直子蓦地合拢嘴唇,继续往前走着。我知道她头脑中思绪纷纭,理不清头绪,便也缄口不语,在她身边悄然移动脚步。

"那是——因为那是不对的,无论对你还是对我。"少顷,她才接着说道。

"怎么样的不对呢?"我轻声问。

"因为,一个人永远守护另一个人,是不可能的呀。嗳,假定、假定我和你结了婚,你要去公司上班吧?那么在你上班的时间里,有谁能守护我呢?你出差的时候,有谁能守护我呢?难道我到死都寸步不离你不成?那样岂不是不对等了,对不?那也称不上是人与人的关系吧?再说,你早早晚晚也要对我生厌的。你会想:这辈子到底是怎么了,只落得给这女人当护身符不成?我可不希望这样。而这一来,我面临的难题不还是等于没解决么?"

"也不是一生一世都这样。"我把手放在她背上,说道,"总有一天要结束的。结束的时候我们再另作商量也不迟,商量往下该怎么办。到那时候,说不定你倒可能助我一臂之力。我们毕竟不是眼盯着收支账簿过日子。如果你现在需要我,只管使用我就是,是吧?何必把事情想得那么严重呢?好吗,双肩放松一些!正因为你两肩绷得紧,才这样拘板地看待问题。只要放松下来,身体就会变得更轻些。"

"你为什么说这些?"直子用异常干涩的声音说。

听她这么说,我察觉自己大概说了不该说的话。

"为什么?"直子盯着脚前的地面说,"肩膀放松,身体变轻,这我也知道。可是从你口里说出来,却半点用也没有哇!嗯,你说是不？要是我现在就把肩膀放松，会一下子土崩瓦解的。以前我是这样活过来的，往后也只能这样活下去。一旦放松，就无可挽回了。我就会分崩离析——被一片片吹散到什么地方去。这点你为什么就不明白？为什么还要说什么照顾我？”

我默然无语。

“我心里要比你想的混乱得多。黑乎乎、冷冰冰、乱糟糟……嗯，当时你为什么同我一起睡觉？为什么不撇下我离开？”

我们在死一般寂静的松林中走着。路面散落的夏末死去的知了干壳，在脚下发出清脆的响声。我和直子犹如寻觅失物似的，眼睛看着地面在松林小路上缓缓移步。

“原谅我。”直子温柔地抓住我的胳臂，摇了几下头说，“不是我存心难为你。我说的，你别往心里去。真的原谅我，我只是自己跟自己怄气。”

“或许我还没真正理解你。”我说，“我不是个头脑灵敏的人，理解一件事需要有个过程。但只要有时间，总会完全理解你的，而且比世上任何人都理解得彻底。”

我们止住步，在一片岑寂中侧耳倾听。我时而用鞋尖踢动知了残骸或松塔，时而抬头仰望松树间露出的一角天空。直子两手插在衣袋里，目光游移地沉思着什么。

“嗳，渡边君，真喜欢我？”

“那还用说。”我回答。

“那么，可依得我两件事？”

“三件也依得。”

直子笑着摇摇头：“两件就可以，两件就足够了。第一件，希望你能明白：对你这样前来看我，我非常感激，非常高兴，真是——雪里送炭,可能表面上看不出。”

“还会来的。”我说,“另一件呢?”

“希望你能记住我。记住我这样活过、这样在你身边呆过。可能一直记住?”

“永远。”我答道。

她便没再开口,开始在我前边走起来。树梢间泻下的秋日阳光,在她肩部一闪一闪地跳跃着。犬吠声再次传来,似乎比刚才离我们稍近了些。直子爬上小土丘般的高处,钻出松林,快步走下一道缓坡。我拉开两三步距离跟在后面。

“到这儿来,那边可能有井。”我冲着她后背招呼道。

直子停下,动情地一笑,轻轻抓住我的胳臂,两人肩并肩地走那段剩下的路。

“真的永远都不会把我忘掉?”她耳语似的低声询问。

“是永远不会忘。”我说,“对你我怎么能忘呢!”

※

尽管如此,记忆到底还是一步步远离开去了。我忘却的东西委实太多了。在如此追踪着记忆的轨迹写这篇东西的时间里,我不时感到惴惴不安,甚至不由怀疑自己是不是连最关键的记忆都丧失了。说不定我体内有个叫记忆堆的昏暗场所,所有的宝贵记忆统统堆在那里,化为一摊烂泥。

但不管怎样,它毕竟是我现在所能掌握的全部。于是我死命抓住这些已经模糊并且仍在时刻模糊下去的记忆残片,敲骨吸髓地利用它来继续我这篇东西的创作。为了信守我对直子作出的诺言,舍此别无他路。

很久以前，当我还年轻、记忆还清晰的时候，我就有过几次写一下直子的念头，却连一行也未能写成。虽然我明白只要写出第一行，往下就会文思泉涌，但就是死活写不出那第一行。一切都清晰得历历如昨的时候，反而不知从何处着手，就像一张十分详尽的地图，有时反倒因其过于详尽而不便于使用。但我现在明白了：归根结蒂，我想，文章这种不完整的容器所能容纳的，只能是不完整的记忆和不完整的意念。并且发觉，关于直子的记忆愈是模糊，我才愈能更深入地理解她。时至今日，我才恍然领悟到直子之所以求我别忘掉她的原因。直子当然知道，知道她在我心目中的记忆迟早要被冲淡。惟其如此，她才强调说：希望你能记住我，记住我曾这样存在过。

想到这里，我悲哀得难以自禁。因为，直子连爱都没爱过我。

第二章

很久很久以前——其实也不过大约二十年前，我住在一座学生寄宿院里。我十八岁，刚上大学，对东京还一无所知，独自生活也是初次。父母放心不下，在这里给我找了间宿舍。这里一来管饭，二来生活设施也一应俱全，于是父母觉得即使一个未通世故的十八岁少年，也可在此生活下去。当然也有费用方面的考虑。同一般单身生活开支相比，学生宿舍要便宜得多。因为，只要有了被褥和台灯，便无须添置什么了。就我本人来说，本打算租间公寓，一个人落得逍遥自在，但想到私立大学的入学费和学费以及每月的生活费，也就不好意思开口了。况且，住处对我原本也是无可无不可的。

寄宿院建在东京都内风景蛮不错的高地上，占地很大，四周围有高高的混凝土墙。进得大门，迎面矗立着一棵巨大的榉树，树龄听说至少有一百五十年。站在树下抬头仰望，只见天空被绿叶遮掩得密密实实。

一条水泥甬道绕着这棵巨树迂回转过，然后再次呈直线穿过中庭。中庭两侧平行坐落着两栋三层高的钢筋混凝土楼房。这是开有玻璃窗口的大型建筑，给人以似乎是由公寓改造成的监狱或由监狱改造成的公寓的印象，但决无不洁之感，也不觉得阴暗。大敞四开的窗口传出收音机的声音。每个窗口的窗帘一律是乳黄色的,属于最耐晒的颜色。

沿甬道径直前行,正面是两层楼的主楼。一楼是食堂和大浴池,二楼是礼堂和几间会议室。另外不知做何用,居然还有贵宾室。主楼旁边是第三栋寄宿楼,也是三层。院子很大,绿色草坪的正中有个喷水龙头,旋转不止,反射着阳光。主楼后面是棒球和足球两用的运动场和六个网球场。应有尽有。

寄宿院唯一的问题,在于它根本上的莫名其妙。它是由以某个极右人物为中心的一家性质不明的财团法人经营的,其经营方针——当然是以我的眼光看——是相当奇特的。这点只消看一下那本作为寄宿指南的小册子和寄宿生守则,便可知道十之八九。"究教育之根本,在于培育于国有用之材。"此乃寄宿院的创办宗旨,赞同这一宗旨的诸多财界人士慨然解囊……这是对外的招牌,而其内幕,便以惯用伎俩含糊其词。明确地说来,没有任何人晓得实情,称其无非作为逃税对策者有之,谓其沽名钓誉者有之,说其借建寄宿舍之名而采取形同欺诈的巧妙手腕骗取这块一等地产者有之。甚至有人说此中包藏着非同小可的老谋深算,照这种说法,创办者的目的,在于通过在这里做过寄宿生的人,在财政界建立一个地下财阀。确实,寄宿院内,有个清一色由寄宿生中的优秀分子组成的特权俱乐部,详情我自然不清楚。据说一个月总要召开几次邀请创办者参加的什么研究会,只要加入这俱乐部,将来求职便万无一失。这些说法孰对孰错,我无从判断,但所有这些说法有一点却是共通的,即"反正莫名其妙"。

不管怎样,一九六八年春到一九七〇年春这两年时间里,我是在这莫名其妙的寄宿院内度过的。如果有人问起何以在如此莫名其妙的地方竟然呆了两年之久,我也无法回答。就日常生活这点来说,右翼也罢、左翼也罢、伪善也罢、伪恶也罢,并无多大区别。

寄宿院内的一天是从庄严的升旗仪式开始的,当然也播放国歌。如同体育新闻节目离不开进行曲一样,升国旗也少不得放国歌。升旗台位于院子正中,从任何一栋寄宿楼的窗口都可看见。

升国旗是东楼(我所住的楼)楼长的任务。这是个大约六十岁的老年男子,高个头,目光敏锐,略微掺白的头发显得十分坚挺,晒黑的脖颈上有条长长的伤疤。据说此人出身于陆军中野学校,这也是真假莫辨。他身旁侍立一个学生,一副升旗助手的架势。这学生的事别人也不甚知晓。光脑袋,经常一身学生服,既不知其姓甚名谁,也不知其房间号码,在食堂或浴池里也从未打过照面,甚至弄不清他是否真是学生。不过,既然身着学生服,恐怕还得是学生才对——只能如此判断。而且此君同中野学校的那位却是截然相反:五短身材,面皮白嫩,不瘦偏肥。就是这一对令人不快之极的搭档在院子里升那太阳旗。

入住之初,出于好奇,每天我特意在六点钟就爬起身来观看这爱国仪式。清晨六时,那两人几乎与收音机的报时笛同步地在院中亮相。学生服固然是学生服加黑皮鞋,中野学校则一身夹克,脚穿白运动鞋。学生服手提扁扁的桐木箱,中野学校提一台索尼牌便携式磁带收录机。中野学校把收录机放在升旗台下,学生服打开桐木箱。箱里整齐地叠放着国旗。学生服毕恭毕敬地把那旗拿给中野学校。中野学校随即给旗穿上绳索,学生服便按一下收录机开关。

《君之代》。

旗一蹿一蹿地向上爬去。

"砂砾成岩兮"——唱到这里时,旗升到旗杆中间,"遍覆青苔"——音刚落,国旗便爬到了顶尖。两人随即挺胸凸肚,取立正姿势,目光直视国旗。倘若晴空万里,又赶上阵风吹来,那光景便甚是了得。

傍晚降旗,其仪式也大同小异,只是顺序恰与早上相反,旗一溜烟滑下,收进桐木箱即可。晚间国旗却是不随风翻卷的。

何以晚间非降旗不可,其缘由我无从得知。其实,纵然是夜里,国家也照样存在,做工的人也照样不少。巡路工、出租车司机、酒吧女侍、值夜班的消防队、大楼警卫等等——这些晚间工作的人们居然享受不到国家的庇护,我觉得委实有欠公道。不过,这也许并不足为怪,谁也不至于对此耿耿于怀。介意的大概舍我别无他人。况且就我而言,也是姑妄想之而已,从来就没打算寻根问底。

房间的分配,原则上是一二年级两人一房,三四年级每人一间。两人一个的房间,有六张垫席大小,略显狭长,尽头墙上开有铝合金框窗口。窗前,背对背放着学习用的两套桌椅,门内左侧放一架双层铁床。每件家具,其结构都简单得出奇,且结实得可以。除了桌椅铁床,还有两个衣箱、一张小咖啡桌,以及直接安在墙壁上的搁物架。无论怎么爱屋及乌,都难以恭维是富有诗意的空间。差不多所有房间的搁物架上都摆一些日用品,有收录机、吹风机、电暖瓶、电热器,以及用来处理速溶咖啡、袋装茶、方糖、速食面的锅和简单的餐具。石灰墙上贴着《平凡周刊》上的美人照,以及从报刊上剪下的色情电影广告画。其中也有开玩笑贴的猪交尾照片,但这是例外中的例外。一般房间贴的都是裸体照,或年轻女歌手照和女演员照。桌上的小书架里排列着教科书、辞典、小说之类。

房间里因都是男人,大多脏得一塌糊涂。垃圾篓底沾着已经发霉生毛的橘子皮,代替烟灰缸用的空罐里烟头积了十几厘米厚,里边一冒烟,便用咖啡啤酒什么的随手倒进浇灭,发出令人窒息的酸味儿。碟碗则没有一个不是黑糊糊的,里外沾满无名脏物。地板上散乱地扔着速食面包装袋、空啤酒瓶以及什么器皿的封盖之类。没有一个人想起过用扫帚把它们扫在一起或用垃圾铲铲到垃圾篓里。风一吹来,灰尘便在地板上翩翩起舞。而且,每个房间都充斥一股难闻的气味。虽然气味多少有所不同,但其成分毫无二致:汗、体臭,加上垃圾。大家全都把要洗的东西塞到床下。没有一个人定期晾晒被褥,于是那被褥算是彻底吸足了汗水,释放出不可救药的气味。我现在还感到不可思议:在那般混浊的状态中居然没有发生过致命的传染病。

不过相比之下,我的房间却干净得如同太平间。地板上纤尘不染,窗玻璃光可鉴人,卧具每周晾晒一次,铅笔在笔筒内各得其位,就连窗帘每月都少不得洗涤一回,这都是因为我的同室者近乎病态地爱洁成癖。我告诉别人说:"那家伙连窗帘都洗!"但谁都摇头不信。谁都不知晓窗帘乃常洗之物,他们认定窗帘是半永久性垂在窗口的附件,并且说"那小子性格异常",随后又都称其为"纳粹党"或"敢死队"。

我的房间连美人画都没贴,而代之以阿姆斯特丹运河的摄影。我贴裸体画的时候,他开口道:"我说渡边君,我,我可不大欣赏那玩艺儿哟!"然后伸手取下,以运河画取而代之。我也并非就很想贴裸体,便没表示异议。来我房间玩的人看了这运河摄影画,都问是何物,我说:"敢死队看着它手淫来着。"我本来是当玩笑说的,大伙却轻率地信以为真。由于大家信得太轻率了,连我自己不久也以为可能真有其事。

由于我同敢死队住在一起,大家都对我表示同情,但我本人却无甚反感。只要我洁身自好,他便概不干涉。作为我,反倒有些求之不得:地板他扫,被褥他晒,垃圾他倒。要是我忙得三天没进浴池,他便嗅了嗅,劝我最好洗澡去,甚至还提醒我该去理发店剪一剪鼻毛。麻烦的是只消发现一条小虫,他就拿起杀虫剂喷雾器满屋喷洒不止,这时我只好到隔壁的混乱地带避难。

敢死队在一所国立大学攻读地理学。

"我嘛,是学地、地、地图的。"刚见面时他对我这样说道。

"喜欢地图?"我问。

"嗯。大学毕业,去国土地理院、绘地、地、地图。"

于是,我不禁再次感到敬佩:世上果然有多种多样的希望,人生目的也各所不同。我来东京后一开始便有诸多敬佩,此其一。不错,假如没有几个人对绘制地图怀有兴趣和强烈的热情——太多了怕也大可不必——那是有些不好办的。不过,想进国土地理院的却是每说到"地图"两字便口吃之人,也真是有些奇妙。他也不总是口吃,但一说到"地图"一词,便非口吃不可,百分之百。

"你、你学什么?"他问。

"戏剧。"我答说。

"戏剧?就是演戏?"

"不不,那不是的。是学习和研究戏剧。例如拉辛啦易卜生啦莎士比亚啦。"

他说,除莎士比亚外都没听说过。其实我也半斤八两,只记得课程介绍上这样写的。

"不管怎么说,你是喜欢的喽?"

“也不是特别喜欢。”我说。

我这回答使他困惑起来。一困惑，口吃便厉害了。我觉得自己好像做了件十分对不起人的事。

“学什么都无所谓，对我来说，”我解释道，“民族学也罢，东洋史也罢，什么都行。连看中这戏剧，也纯属偶然，如此而已。”这番解释，自然还是没能使他理解。

“我不明白，”他真的一副不明白的脸色，“我、我嘛，因为喜欢地、地、地图，才学地、地、地图的。为了这个，我才让家里寄、寄钱，特意来东京上大学。你却不是这样……”

他讲的自是正论，我不便再解释了。随后我们用火柴杆抽签，决定上下床。结果他睡上床，我在下床。

他身上的打扮，总是白衬衫黑裤子和蓝毛衣。光头，高个儿，颧骨棱角分明。去学校时，经常一身学生服。皮鞋和书包也是一色黑，看上去俨然一个右翼学生。也正因如此，周围人才叫他“敢死队”。但说实话，他对政治百分之百的麻木不仁，不过是嫌选购其他衣服麻烦罢了。他所留心的仅限于海岸线的变化和新铁路隧道的竣工之类。每当接触这方面话题，他便结结巴巴地一讲一两个小时，直到我抽身溜走或睡着才住嘴。

清晨六点，他随着足可代替闹钟的《君之代》歌声起床。看来那故弄玄虚的升国旗仪式也并非毫无效用。旋即穿衣，去洗脸间洗漱，洗脸时间惊人的长，我真怀疑他是不是把满口的牙一颗颗拔下来刷洗了一遍。返回房间后，便“噼噼啪啪”地抖动毛巾，小心翼翼地按平皱纹后，放在暖气片上烘干，并把牙膏和香皂放回搁物架，随后拧开收音机做广播体操。

我晚间看书看得很晚，一觉睡到早上八点多钟。所以即便他起来弄得簌簌作响，甚至打开收音机做广播体操，一般我都只管大睡其觉。可是，惟独到了广播体操那跳跃动作部分，却是非醒不可。不容你不醒。因为他跳跃之时——也确实跳得相当之高——便把床板震得上下颤抖。头三天，我都忍了。听人说集体生活是需要某种程度的忍耐的。但到第四天早上，我认识到可不能再忍下去了。

“对不起，广播体操在楼顶平台什么地方做好么？”我开门见山，“你那么一做我就不用睡了。”

“可都六点半了呀！”他一副难以置信的样子。

“那我知道，不就六点半吗？六点半对我来说是睡眠时间。原因不好解释，反正就这习惯。”

“那怎么成！在楼顶做，三楼的就有意见了。在这里做是因为下面房间是贮藏室，谁都不会说三道四。”

“那就在院子里做，在草坪上！”

“也不行。我、我那收音机不是晶体管的。没、没电源不能用，没音乐我又做不了操。”

的确，他的收音机相当原始，是交流电源式的。而我那个倒是晶体管，可又是音乐专用，只能收立体声短波。罢了罢了，我想。

“让你一步，”我说，“做体操也可以，只是把跳跃动作去掉，那部分太吵了。这回总可以了吧？”

“跳、跳跃？”他满脸惊讶，反问道，“跳跃是什么，跳跃？”

“跳跃就是跳跃。就是上上下下一蹦一跳的！”

“没那回事啊！”

我开始头痛了，没心思再和他啰嗦下去，但转而一想，既然话已出口，就该说清楚才是。于是，我一边哼着广播协会那段“广播体操第一”的曲子，一边在地上实际蹦跳一番。

“看见没有，就这个，怎么能没有呢？”

“啊，倒也是，倒是有的，没、没注意。”

“所以我说，”我一屁股坐在床沿上，“希望你把这部分免掉，其他的我全部忍气吞声了。只要你不跳，就能让我睡个安稳觉，行吗？”

“不行不行。”他说得倒也干脆，“怎么好漏掉一节呢。我是十年如一日做过来的。一旦开了头，就、就下意识地一做到底。要是去掉一节，就、就、就全部做不出来了。”

我再也说不出什么。能说出什么呢？最有效的手段莫过于把他那个活气死人的收音机趁他不在从窗口一甩了事。可是不用说，那一来肯定会像打开地狱之门似的捅出一场骚乱，因为敢死队这小子对自己的东西极其留心。我哑口无言，在床边茫然坐着。这当儿，他笑嘻嘻地安慰道：

“渡、渡边君，你也一块儿起来不就得了。”言毕，到食堂吃早餐去了。

※

讲罢敢死队和他做广播体操的趣闻，直子“扑哧”笑出声来。其实我并不是当笑柄讲的，但结果我也笑了。她的笑脸——尽管稍纵即逝——实在是久违了。

我和直子在四谷站下了电车，沿铁路边上的土堰往市谷方向走去。这是五月中旬一个周日的午后。早上“噼里啪啦”时停时下的雨，到上午就完全止息了。低垂的阴沉沉的雨云，也似乎被南来风一扫而光似的无影无踪了，鲜绿鲜绿的樱树叶随风摇曳，在阳光下闪闪烁烁。太阳光线已透出初夏的气息。擦肩而过的人都脱去毛衣和外套,有的搭在肩头,有的挽在臂上。在周日午后温暖阳光的爱抚下,每个人看上去都显得分外开心。土堰对面的网球场上,小伙子脱去衬衫,穿一条短裤挥舞球拍。只有并坐在长凳上的两个修女,依旧循规蹈矩地身着黑色的冬令制服,仿佛惟独她们四周没有阳光降临,但两人也还是一副心满意足的神态,享受着晒太阳聊天的乐趣。

走了十五分钟,背上渗出汗来。我于是脱去棉布衬衣,只穿圆领半袖衫。她把浅灰色教练衫的袖口挽到臂肘上。看上去洗过好多遍了,颜色褪得恰到好处。很久以前我也似乎见她穿过同样的衬衫,但记不确切,只是觉得而已。关于直子的事,当时记得确实不很多。

“集体生活怎样?和别人朝夕相处,可有意思?”

“弄不太清,才一个月刚过一点嘛。”我说,“不过,倒也不坏,至少还没有叫人吃不消的事。”

她在饮水台前停住,喝了一小口水,从裤袋里掏出白手帕擦了擦嘴,然后弯下腰,细心地重新系好皮鞋带。

“你说,我也能过那种生活?”

“集体生活?”

“嗯。”直子说。

“怎么说呢,这东西主要看个人想法。伤脑筋的事说有也是有不少的。一些规定啰啰嗦嗦,无聊的家伙耀武扬威,加上同室人六点半就做广播体操。可是,如果想一想这类事到哪里都在所难免,也就心平气和了。只要你心想只能在此度日,就能凑合下去。就这么回事。”

“呃——”她点点头,似乎想起了什么,停了一会儿,之后就像审视什么世间珍品似的凝眸注视我的眼睛。仔细看去,我发现她的眼睛是那样的深邃而清澈,令人怦然心动,这以前我竟没有发现她有着如此晶莹澄澈的眸子。想来,我还真没有仔细看她眼睛的机会,两人单独走路是第一次,说这么多话也是第一次。

“打算搬进寄宿宿舍?”我试着问。

“不不,不是那样的。”直子说,“只是想想,想集体生活是什么样子,我是说……”直子咬起嘴唇,搜寻着合适的字眼,但终究没有找出来。她叹了口气,低下头,“我想不明白,算了。”

交谈到此为止了。直子开始再次向东走,我留点距离跟在后面。

我差不多有一年没见到直子了。这一年里,直子瘦成了另一个人。原先别具风韵的丰满脸颊变得几乎平平的了,脖颈也一下细弱了好多。但她这种瘦削,看上去却非常自然而娴雅,简直就像在某个狭长的场所悄然待过后,体形自行纤细起来一样。而且,直子要比我以前印象中的漂亮。我很想就这点向直子讲点什么,但不知怎样表达,结果什么也未出口。

我们也不是有什么目的才来这里的。在中央线电车里,我和直子偶然相遇。她准备一个人去看电影,我正要去神田逛书店,双方都没什么要紧事。直子说声下车吧,我们就下了车,那站就是四谷站。当然,只剩下两人后,我们也没有任何想要畅谈的话题。至于直子为什么说下车,我全然不明白。话题一开始就无从谈起。

出得车站,她也没说去哪里就快步走起来。无奈,我便追赶似的尾随其后。直子和我之间,大致保持着一米的距离,若想缩短,自然可以缩短,但我总觉得有点难为情。因此我一直跟在离直子一米远的身后,边走边打量她的背影和乌黑的头发。她戴一个大大的茶色发卡，侧脸时，可以看见白皙而小巧的耳朵。直子不时地回头搭话。我有时应对自如，有时就不知如何回答，也有时听不清她说了什么。但对直子来说，我听见也好没听见也好，似乎都无所谓。她说完自己想说的，便继续向前走。也罢也罢，反正天气不错，散散步也好。我决定由她去了。

可是，就散步来说，直子那步法又有点过于郑重其事。到了饭田桥，她向右一拐，来到御堀端，之后穿过神保町十字路口，登上御茶水坡路，随即进入本乡，又沿着都营电车① 线路往驹涍走去。路程真长得可以。到得驹涍，太阳已经落了。一个柔和温馨的春日黄昏。

"这是哪儿？"直子像突然察觉到似的问道。

"驹涍。"我说，"不知道？我们兜了个大圈子。"

"怎么到这儿来了？"

"你来的嘛，我只是跟着。"

我们走进车站附近的荞麦面馆，打算简单吃点东西，我口渴，一个人要来啤酒。等待东西端来的时间里，我们都一句话也没说。我走得累了，有点打不起精神，她两手放在桌面上沉思什么。电视的新闻节目里，报道说今天这个周日任何一处游乐场所都人头攒动。我们可是从四谷步行到驹涍哪，我想。

"身体真不错啊。"我吃完荞麦面说。

"没想到？"

"嗯。"

"别看我这样，初中时还是长跑选手，跑过十几公里呢。而且，由于父亲喜爱登山，我从小每到星期天就往山上爬。记得

① 都营电车：东京都经营的电车。

不，我家后面就是山吧？所以，腿脚就自然而然变得结实了。”

“真看不出来。”我说。

“倒也是。别人也都说我长得太娇嫩了。不过，人可是不能貌相哟！”说罢，她补充似的微微一笑。

“这么说你别见怪，我可是累得够呛。”

“对不起，让你陪了一整天。”

“不过，能和你说话，挺高兴的。以前好像两人一次都没单独说过话。”说罢，我便回想说过什么没有，但根本想不出来。

她下意识地反复摆弄着桌面上的烟灰缸。

“嗳，要是可以的话——我是说要是不影响你的话——我们以后再见面好吗？当然，我知道按理我不该说这样的话。”

“按理？”我吃了一惊，“按理是怎么回事？”

她脸红了。大概是我太吃惊的缘故。

“很难说明白。”直子辩解似的说。她把教练衫的两个袖口拉到臂肘上边，旋即又褪回原来位置。电灯光把她细细的汗毛染成美丽的金黄色。“我没想说**按理**，本来想用别的说法来着。”

直子把臂肘拄在桌面，久久看着墙上的挂历，似乎想要从中找出合适的字眼。那当然是不可能的。她叹口气，闭上眼睛，摸了下发卡。

“没关系。”我说，“你要说的我好像能明白。我也不知道怎么说才合适。”

“表达不好。”直子说，“这些日子总是这样。一想表达什么，想出的只是对不上号的字眼。有时对不上号，有时还完全相反。可要改口的时候，头脑又混乱得找不出词来，甚至自己最初想说什么都糊涂了。好像身体被分成两个，相互做追逐游戏似的。而且中间有根很粗很粗的大柱子，围着它左一圈右一圈追个没完。而恰如其分的字眼总是由另一个我所拥有，这个我绝对追赶不上。”

直子扬脸盯着我的眼睛，“这个你明白？”

“或多或少，谁都会有那种感觉。”我说，“谁都想表现自己，而又不能表现得确切，以致焦躁不安。”

我这么一说，直子显得有些失望。

“可我和这个也不同的。”直子说，但再没解释什么。

“见面是一点不碍事，”我说，“反正星期天我都闲得百无聊赖，再说走走对身体也好。”

我们乘上山手线，直子在新宿转乘中央线。她在国分寺租了间小公寓。

“喂，我说话方式同以前不一样了？”临分手时，直子问我。

“好像稍微有点不同。”我说，“不过哪点不同，我又说不清楚。老实说，记得那时候见面倒是不少，却没怎么说过话。”

“是啊。”她也承认，“这个星期六可以打电话给你？”

“可以，当然可以。我等着。”我说。

※

第一次同直子见面，是高中二年级的春天。她也是二年级，就读于有教会背景的正统女校。正统倒是正统，但如果对学习太热心了，便会被人指脊梁骨说成“不本分”。我有一个叫木月的要好朋友（与其说是要好，不如说是我绝无仅有的朋友），直子是他的恋人。木月和她是几乎从一降生就开始的青梅竹马之交，两家相距不过两百米。

正像其他青梅竹马之交一样，他们的关系非常开放，单独相处的愿望似乎也不那么强烈。两人时常相互去对方家里,同对方家人一起吃晚饭、打麻将。还有好几次拉我赴四人约会,直子领来一个同班女生,四人一同去动物园,去游泳池,去看电影。但坦率地说,直子领来的女生尽管可爱,但对我来说却太高雅了。作为我,合得来的还是公立高中那些虽然多少有些粗俗之感、却可以无拘无束地交谈的女孩子。直子领来的女孩子那招人喜爱的脑袋瓜里到底在想什么,我实在莫名其妙。估计她们对我也同样莫名其妙。

由于这个原因,木月便放弃了四人约会,而只我们三人——木月、直子加我,或外出游玩或谈天说地。想起来是有些不正常,但就效果而言,这样倒最是其乐融融,相安无事。而四人相聚,气氛总有些不大融洽。三人在一起,便俨然成了电视中的专题采访节目:我是客串演员,木月是精明强干的主持人,直子则是助手。木月总是节目的中心,而他又干得的确得心应手。木月有一种喜欢冷笑的倾向,往往被人视为傲慢,但本质上却是热情公道的人。三人相聚时,对我对直子他都一视同仁,一样地搭话,一样地开玩笑,注意不让任何人受到冷落。倘若有一方长久默然不语,他就主动找话,巧妙地把对方拉入谈话圈内。每见他这样,总觉得他煞费苦心,虽然实际上多半并非如此。他有那么一种能力,可以准确无误地捕捉气氛的变化,从而挥洒自如地因势利导。另外他还有一种颇为可贵的才能,可以从对方不甚有趣的谈话中抓出有趣的部分来。因此,每次与他交谈,我就觉得自己俨然是个妙趣横生的人,在欢度妙趣横生的人生。

然而他决非社交型人物。在学校里,除我以外他同谁也合不来。我总不明白,此等头脑机敏、谈吐潇洒之人,为何不向更为广阔的世界施展才华,而只对仅仅三个人的小天地感到满足。

至于我，纯属凡夫俗子，并无引人注意之处，只喜欢独自看书独自听音乐，更不具有某种值得木月刮目相看并主动攀谈的出人头地的才能，可是我们却一拍即合地要好起来。他父亲是牙科医生，以技术高明和收入丰厚知名。

“这个星期天来个四人约会如何？我那个她在女校，会领可爱的女孩来的。”相处后不久木月便这样提议。

“好哇。”我说。就这样我遇到了直子。

我和木月、直子三人不知如此欢聚了多少次。但当木月暂时离开，只剩下两个人时，我和直子还是谈不上三言两语。双方都不晓得从何谈起，实际上我同直子之间也没任何共同语言。所以，我们只好一声不吭地喝水，或者摆弄桌面上的东西，等待木月转来。他一折回，谈话便随之开始。直子不怎么喜欢开口，我呢，更乐意听别人说。这样，和直子单独留下来，便每每觉得坐立不安。并非不对胃口，只是无话可谈。

木月的葬礼过后大约两周，我和直子见了次面。因有点小事，我们在一家饮食店碰头。事完之后，便没什么可谈的了。我搜刮了几个话题跟她搭话，但总是半途而废。而且她话里似乎带点棱角。看上去直子好像对我有所不满，原因我揣摸不出。从那次同直子分手，到这次在中央线电车里不期而遇，其间一年没有见面。

直子对我心怀不满，想必是因为同木月见最后一次面说最后一次话的，是我而不是她。我知道这样说有些不好，但她的心情似可理解。可能的话，我真想由我去承受那次遭遇。但毕竟事情已经过去，再怎么想也于事无补。

那是五月一个令人愉快的下午。吃完午饭，木月问我能不能不上课，和他一起去打桌球。我对下午的课也不是很有兴趣，我们便出了校门，晃晃悠悠走下坡路，往港口那边逛去。走进桌球室，玩了四局。第一局我轻而易举地赢了，他顿时认真起来，一举赢了其余三局。我按事先讲好的付了费用。玩球的时间里，他一句玩笑也没说——这是十分少有的。玩完后，我们吸了支烟，休息一会。

"今天怎么格外认真？"我问。

"今天我可是不想输。"木月满意地笑道。

那天夜里，他在自家车库中死了。他把橡胶软管接在N360车排气管上，用塑料胶布封好窗缝，然后发动引擎。不知他到底花了多长时间才死去。当他父母探罢亲戚的病，回来打开车库门放车的时候，他已经死了。车上的收音机仍然开着，脚踏板上夹着加油站的收据。

既无遗书，又没有推想得出的动机。警察以我是同他最后见面说话的人为由，把我叫去了解情况。我对负责问询的警察说：根本没有那种前兆，与平时完全一样。警察对我对木月似乎都没什么好印象，大约认为：上高中还逃学去打桌球的人，即使自杀也没什么不可思议。报纸发了一小条报道，事件就算了结了。那辆N360车被处理掉了。教室里他用过的课桌上，一段时间里放了束白花。

木月死后到高中毕业的十个月时间里，我无法确定自己在周围世界中的位置。我结交了一个女孩子，同她睡过觉，但持续不过半年。她也从未找我算账。我选择了东京一所似乎不怎么用功也可考取的私立大学，考罢入了学。考中也没使我如何欣喜。那女孩儿劝我别去东京，但我死活都要离开神户，想在没有任何熟人的地方开始新的生活。

“你和我睡过了，所以就不拿我当回事，是不是？”她哭了。

“那不是的。”我说。我只不过想离开这个城市，但她想不通。随后我们就分道扬镳了。在去东京的新干线电车[①]中，我回想起她的长处和优点，后悔自己干了一件十分亏心的事，可是已经追悔莫及了。我决定把她忘掉。

到得东京，住进寄宿舍开始新生活时，我要做的仅有一件事，那就是对任何事物都不想得过于深刻，对任何事物都保持一定距离。什么敷有绿绒垫的桌球台呀，红色的N360车呀，课桌上的白花呀，我决定一古脑儿把它们丢到脑后。还有火葬场高大烟囱中腾起的烟，警察署问询室中呆头呆脑的镇纸，也统统一扫而光。起始几天，进行得似乎还算顺利。但不管我怎么努力忘却，仍有一团恍若薄雾状的东西残留不走，并且随着时间的推移，雾团状的东西开始以清楚而简洁的轮廓呈现出来。那轮廓我可以诉诸语言，就是：

死并非生的对立面，而作为生的一部分永存。

诉诸语言之后确很平凡，但当时的我并不是将其作为语言，而是作为一团薄雾样的东西来用整个身心感受的。无论在镇纸中，还是桌球台上排列的红白四个球体里，都存在着死，并且我们每个人都在活着的同时，像吸入细小灰尘似的将其吸入肺中。

在此之前，我是将死作为完全游离于生之外的独立存在来把握的。就是说：“死迟早会将我们俘获在手。但反言之，在死俘获我们之前，我们并未被死俘获。”在我看来，这种想法是天经

---

① 电车：日本的电气列车。

地义、无懈可击的。生在此侧,死在彼侧。我在此侧,不在彼侧。

然而,以木月死去的那个晚上为界,我再也不能如此单纯地把握死(或生)了。死不是生的对立面。死本来就已经包含在"我"这一存在之中。我们无论怎样力图忘掉它都归于徒劳,这点便是实证。因为在十七岁那年五月的一个夜晚俘获了木月的死,同时也俘获了我。

我在切身感受那一团薄雾样的东西的朝朝暮暮里送走了十八岁的春天,同时努力使自己避免陷入深刻。我隐约感觉到,深刻未必是接近真实的同义词。但无论我怎样认为,死都是深刻的事实。在这令人窒息般的背反性当中,我重复着这种永不休止的圆周式思考。如今想来,那真是奇特的日日夜夜,在活得好端端的青春时代,居然凡事都以死为轴心旋转不休。

第　三　章

第二个周六，直子打来电话。我们在周日幽会了。我想大概还是称为幽会好，此外我想不出确切字眼。

我们一如上次那样在街上走，随便进一间店里喝咖啡，然后再走，傍晚吃罢饭，道声再见分手。她依旧只有片言只语。看上去她本人也并不觉得这样有什么不妥，我便也没有特别搜肠刮肚。兴致上来时，说一下各自的生活和大学的情况，但都说得支离破碎，没什么连贯性。我们绝口不提过去，只是一个劲儿地在街上走。所幸东京城市大，怎么走也不至于走遍。

我们差不多每周见面，就这样没完没了地走。她在前边，我离开一点跟在后头。直子有各种各样的发卡，总是露出右侧的耳朵。由于我看的尽是她背部，这点现在仍记得一清二楚。直子害羞时往往摸一下发卡，然后掏手帕抹抹嘴角。用手帕抹嘴是她想要说什么事的习惯动作。如此看得多了，我开始逐渐对直子产生了一丝好感。

她在武藏野郊外的一所女子大学就读。那是个以英语教育闻名的小而整洁的学校。她公寓附近有一条人工渠流过，我俩时常在那一带散步。直子有时把我带进自己房间做饭给我吃。即使两人单独在房间，看上去她也并不怎么介意。她的房间干净利落，一概没有多余之物。若不是窗台一角晾有长筒袜，根本看不出是女孩居室。她生活得极为简朴，似乎也没有什么朋友。就高中时代的她来说，这种生活情景是不可想象的。我所知道的她总是身穿艳丽的衣服，前呼后拥一大帮朋友。目睹她如此光景的房间，我隐约觉得她恐怕也和我同样，希望通过上大学离开原来的城市，在没有任何熟人的地方开始新的生活。

"我选择这所大学，是因为我的高中同学没一个人报考这里。"直子笑道，"所以我才进到这里，我俩进的可都是有点凄凉的大学啊，知道吗？"

不过，我同直子的关系也并非毫无进展。直子一点一点地依顺了我，我也依顺了直子。暑假结束，新学期一开始，直子便十分自然地、水到渠成地走在我身旁了。我想这大概是她将我作为一个朋友予以承认的表示，再说和她这样美丽的姑娘并肩而行，也并非令人不快之事。我们两人漫无目标地在东京街头走来转去，上坡，过河，穿铁道口，只管走个没完。没有明确的目的地，反正走路即可。仿佛举行某种拯救灵魂的宗教仪式一般，我们专心致志地大走特走。下雨就撑伞走。

秋日降临，寄宿院的中庭铺满了榉树落叶。穿上毛衣，顿时感到新季节的气息。我穿坏了一双皮鞋，新买了双轻便运动鞋。

至于那段时间里我们说了怎样的话，我已经记不完整。大概也没说什么正正经经的话。我仍旧避免谈及过去的一切，木月这一姓氏几乎没从我们口中道出过。我们仍像以往那样寡言少语，那时早已习惯两人在饮食店默默对坐了。

直子愿意听敢死队的故事，我经常讲给她听。一次，敢死队和同班的一个女孩子（当然也是地理学专业的女生）幽会，晚间回来时，一副大为沮丧的样子。那是六月间的事，当时他问我："我、我说，渡边君，和、和女孩子，该怎么说话，一般？"我记不得当时是怎样回答的了,反正他是彻底找错了咨询对象。七月间,不知是谁趁他不在时把阿姆斯特丹运河摄影揭掉,换上了旧金山的金门大桥,理由也再简单不过:说是想知道他能否一边看着金门大桥一边手淫。我便随口迎合说他干得极为开心,于是又不知是谁换成了冰山照。照片每更迭一次,敢死队便显出狼狈得不知所措的神情。

"到底是谁,干、干这种勾当?"他说。

"噢,这个——不过不挺好么?照片都满不错啊。别管他谁干的,还不是求之不得!"我安慰道。

"话是那样说,可就是觉得心里怪别扭的。"

我一讲起敢死队,直子就发笑。由于她很少笑,我便经常讲起。不过说心里话,我真不大忍心把他作为笑料。他出生在一个经济并不宽裕的家庭,是家里的不无迂腐的第三个男孩。况且,他只是想绘地图——那是他可怜巴巴的人生中的一点可怜巴巴的追求,谁有资格来加以嘲笑呢!

尽管如此,敢死队的逸闻还是成了宿舍里必不可少的话题。事到如今,并非我想停战就能偃旗息鼓的了。再说,能见到直子的笑脸,对我来说也是件开心的事。结果,我仍旧向大家继续提供敢死队的近况。

直子问我有没有一度喜欢过的女孩,我把分手的那个女孩的事告诉她。我说,那女孩人不错,我也喜欢同她睡觉,现在也不时有些怀念,但不知何故,就是不曾为之倾心。或许我的心包有一层硬壳,能破壳而入的东西是极其有限的,所以我才不能对人一往情深。

"这以前从没爱过谁?"直子问。

"没有。"我回答。

她便没再问下去。

当秋天过去，冷风吹过街头的时节，她开始不时地依在我的胳膊上了。透过粗花呢厚厚的质地，我可以微微感觉到直子的呼吸。她时而挽起我的胳膊，时而把手插进我的大衣口袋里,特别冷的时候，就紧贴在我身旁簌簌发抖，但也仅此而已。她的这些动作并无更深的含义。我双手插进大衣口袋，一如往常地走动不止。我和直子穿的都是胶底鞋，几乎听不见两人的脚步声，只有踩上路面硕大的法国梧桐落叶的时候，才会发出“嚓嚓”的干燥声响。而一听到这种声响，我便可怜起直子来。她所希求的并非是我的臂，而是**某人**的臂,她所希求的并非是我的体温，而是**某人**的体温。而我只能是我，于是我觉得有些愧疚。

随着冬日的延伸,我感到她的眼睛比以前更加透明了。那是一种清澈无比的透明。直子时常目不转睛地注视我的眼睛,那并无什么缘由,而又似乎有所寻觅。每当这时,我便产生无可名状的寂寞、凄苦的心绪。

我开始思索,或许她想向我倾诉什么,却又无法准确地诉诸语言。不,是她无法在诉诸语言之前在心里把握它,惟其如此才无法诉诸语言。她不时摸一下发卡,或用手帕擦一下嘴角,或不知所以然地凝视我的眼睛。如果可能的话,有时我真想将她一把紧紧地搂在怀里,但又总是怅惘地作罢。我生怕万一因此而伤害了直子。这样,我们继续在东京街头行走不止,直子在空漠中继续“苦吟”不休。

宿舍楼的同伴,每当直子打来电话,或我在周日早上出门时,总少不了奚落我一番。说理所当然也属理所当然,大家都确信我有个恋人。这既无法解释,又无须解释,只有听之任之。晚间回来时，总会有人出言不雅，什么用什么体位搞的啦，她的那里什么样啦，内裤是什么颜色啦等等，不一而足，我便信口敷衍两句。

※

这么着，我从十八岁进入了十九岁。太阳出来落去，国旗升起降下。每当周日来临，便去同死去的朋友的恋人幽会。若问自己现在所做何事，将来意欲何为，我都如坠雾中。大学课堂上，读克洛岱尔，读拉辛，读爱森斯坦，但这些书几乎对我没有任何触动。班里边，我没结交一个朋友，宿舍里的交往也是不咸不淡的。宿舍那伙人见我总是一个人看书，便认定我想当作家。其实我并不特别想当作家，什么都不想当。

我几次想把这种心情告诉直子，我隐约觉得她倒能够某种程度地正确理解我的所思所想，但是找不到用来表达的词句。莫名其妙，我想，莫非她的"苦吟"病传染了我不成。

一到周末晚间，我就坐在有电话的门厅的椅子上，等待直子打来电话。大家差不多都已外出游玩，因此门厅里比平日要多少寂静一些。我一边注视沉默的空间里闪闪浮动的光粒子，一边力图确定心的坐标。我到底在追求什么呢？别人又到底向我追求什么呢？结果找不到像样的答案。我时不时向空间漂浮的光粒子伸出手去，但指尖什么也触不到。

※

我是经常看书，但并不是博览群书那种类型的嗜书家，而喜欢反复看同一本自己中意的书。当时我喜欢的作家有:杜鲁门·卡波蒂、约翰·阿珀达依库、司各特·菲茨杰拉德、莱蒙特·钱勒德[①]。无论班里还是寄宿院内,我没发现一个人喜欢这类小说。他们读的大多是高桥和巳[②]、大江健三郎和三岛由纪夫,或者法国当代作家。这样,说话当然说不到一起,我只能一个人默默阅读,而且读了好几遍,时而合上眼睛,深深地把书的香气吸入肺腑。我只消嗅一下书香,抚摸一下书页,便油然生出一股幸福之感。

对十八岁那年的我来说,最欣赏的书是阿珀达依库的《半人马星座》。但在反复阅读的时间里,它逐渐失去了最初的光彩,而把至高无上的地位让给了菲茨杰拉德的《了不起的盖茨比》。而且《了不起的盖茨比》对我始终是绝好的作品。兴之所至,我便习惯性地从书架中抽出《了不起的盖茨比》,信手翻开一页,读上一段,一次都没让我失望过,没有一页使人兴味索然。何等妙不可言的杰作! 我真想把其中的妙处告诉别人,但环视四周,竟无一人读过《了不起的盖茨比》,甚至连想读的人都没有! 在一九六八年,阅读菲茨杰拉德的作品,虽然算不得反动之举,也终非值得提倡的行为。

那时候,我身边仅仅有一个人读过《了不起的盖茨比》,我同他要好起来也是出于这个原因。他姓永泽,是东京大学法学院的学生,比我高两年级。我们同住一栋宿舍楼,充其量是点头之交。一天,当我坐在食堂朝阳的地方一边晒太阳一边看《了不起的盖茨比》时,他挨我身边坐下,问我读什么。我说读《了不起的

① 均为美国现代作家。

② 高桥和巳(1931—1971),日本小说家,作有《悲器》等。

盖茨比》。“有趣吗?”他问。我答已经通读三遍了,读的次数越是多,越觉得有趣的部分层出不穷。

“若是通读三遍《了不起的盖茨比》的人,倒像是可以成为我的朋友。”他自言自语道。

我们果真成了朋友。那是十月间的事。

永泽这个人,对他了解得越多,越觉得此君古怪。我在人生旅程中,曾经同相当多的古怪人相遇、相识和相交,但遇到古怪如他的人,却还是头一遭。论读书,我辈较之他真可谓望尘莫及。他宣称:对死后不足三十年的作家,原则上是不屑一顾的,那种书不足为信。

“不是说我不相信现代文学。我只是不愿意在阅读未经过时间洗礼的书籍方面浪费时间。人生短暂。”

“那么你喜欢什么样的作家呢?”我问。

“巴尔扎克、但丁、约瑟夫·康拉德①、狄更斯。”他当即回答。

“都不能说是有当代感的作家。”

“所以我才读。如果读的东西和别人雷同,思考方式也只能和别人雷同。乡巴佬、小市民才那样。有识之士不会如法炮制,取羞于人。明白吗,渡边君?这宿舍院里,多少算是有识之士的,惟独我与你,其余全是一堆废纸屑!”

“何以见得?”我惊愕地问。

“我看得出来,就像看谁额头有块痣一样,一清二楚,一望便知。再说,我们两人都不约而同地在读《了不起的盖茨比》。”

---

① 康拉德(1857—1924),英国小说家。

我脑子里算了一下:“可菲茨杰拉德才死了二十八年啊!”

“那有什么,才差两年。”他说,“像菲茨杰拉德那样的杰出作家可以网开一面嘛!”

不过,他这位秘而不宣的经典小说嗜好者,在宿舍院内的确未被任何人知晓,即使被人知晓,怕也不致引人注目。因为,他首先以头脑聪明知名。不费吹灰之力地考进东大,学习成绩无可挑剔,眼下正准备进外务省,当外交官。父亲在名古屋经营一家大医院,哥哥同为东大毕业,继承父业,一家堪称十全十美。零用钱绰绰有余,人又长得仪表堂堂,因此谁都将他高看一眼,就连宿舍院管理主任在他面前也不敢粗声大气。假如他有求于人,那人便不折不扣地有求必应。不能不应。

永泽这人身上,似乎具有天生的那种自然而然地吸引人、指使人的气质。他有能力站在众人之上迅速审时度势,向众人巧妙地发出恰到好处的指令,使人乖乖地言听计从。而显示他具有这种能力的非凡气质,就像天使的光环,清晰地悬浮于他的头顶,任何人觑上一眼,都会即刻察觉“此人实非等闲之辈”,从而生出敬畏感。所以,当永泽把我这个平庸无奇的人选为他的私人朋友后,大家都大为惊异,甚至素不相识的人都对我流露出一丝敬意。其实,人们似乎尚未悟出,个中缘由再简单不过:永泽之所以喜欢我,不过是因为我对他从未有过任何敬佩的表示。对他性格中特立独行的部分,深不可测的部分,我的确怀有兴趣,至于他成绩突出、气质非凡、风度潇洒之类,我却是一丝一毫不以为意。在他看来,这也许颇为希罕。

永泽是一个集几种相反特点于一身的人,而这些特点又以十分极端的形式表现出来。有时他热情得无以复加,连我都险些为之感激涕零,有时又极尽搞鬼整人之能事。他既具有令人赞叹的高贵精神，又是个无可救药的世间俗物。他可以春风得意地率领众人长驱直进，而那颗心同时又在阴暗的泥沼里孤独地挣扎。一开始我就清楚地觉察出了他这种内在的矛盾，而其他人却对此视而不见，委实令人费解。他也背负着他的十字架匍匐在人生征途中。

但总的说来，我对他怀有好感。他最大的美德是诚实。他决不说谎，从不文过饰非，也不隐瞒于己不利的情况，而且对我始终亲切如一，慨然给予诸多关照。如果没他如此相待，我想我的寄宿生活将远为不快得多、别扭得多。尽管如此，我却一次都没交心于他。就这点而言，我和他的关系，其性质完全有别于我同木月之间。自从我目睹了永泽酩酊大醉后想方设法捉弄女孩子以后，我就决意万万不可向他交心。

宿舍院里，流传着好几种关于永泽的说法。第一种是说他生吞过三条蛞蝓。其次是说他的阳物非常强大，睡过的女人已达百人之多。

生吞蛞蝓确有其事。我一问，他就痛快承认了，“顶大的，吞了三条哩！”

“这又何苦？”

“啊，说起来话长。”他说，“我住进这宿舍那年，新生和老生之间有点磨擦。大概是九月，我作为新生代表去老生那里谈判。对方是右翼，有把什么木刀，看样子怎么也谈不拢。我就跟他说：我明白了。如果问题能在我本人身上解决，我干什么都在所不惜，把话说清就行。于是那家伙叫我生吞蛞蝓，我说好，那就吞。就是这样吞的。那帮家伙找了三条大大的来。”

“什么感觉？”

“要说什么感觉嘛，生吞蛞蝓时的那种感觉，只有亲口吞过的人才体会得到。蛞蝓滑溜溜地通过喉咙，'嘶——'地一下子落进肚里，真叫人受不了。凉冰冰的，口里还有余味儿，一想都打寒战。恨不得一吐为快，但又只能咬紧牙根儿忍住。要是吐出来，还不是又要重吞！这么着，我终于把三条一口气吞进肚里。"

"吞完后呢？"

"那还用说，回到房间咕嘟咕嘟大喝盐水。"永泽说，"此外又能有什么办法呢！"

"那倒也是。"我附和道。

"不过，从那以来，谁对我都无可挑剔了。包括老生在内！一口气生吞三条蛞蝓的人，除我找不出第二个！"

确认其阳物大小很简单，一起进浴室即可，那确实非比寻常。睡过一百个女人怕是夸张。他思忖一下说：大致有七十五个吧。他说记不大清，但七十个还是有的。我说我只睡过一个。他说那还不容易。

"下次跟我去，保证你手到擒来。"

当时我还不以为然。但实践起来，的确很容易。由于太容易了，反倒叫人有些泄气。跟他到涩谷或新宿，走进酒吧式小吃店（这种地方一般总有很多人），物色两个结伴而来的合适女孩（成双成对的女孩真可谓铺天盖地），和她们喝酒，然后到旅馆一同上床。总之永泽能说会道。其实他也没说什么绘声绘色的话，但他一开口，女孩大多听得入神，一副痴迷的样子，不觉之间便喝得昏头昏脑，结果和他睡到了一起。况且，他又长得英俊潇洒，开朗热情，随机生发。因此，女孩只消和他坐在一起，便觉心荡神迷。另外还有一点，这点我本身也感到极其不可思议：就是通过同他在一起，连我在别人眼里也成了富有魅力的男士。每当我在永泽促使下讲点什么的时候，女孩们便像对永泽那样对我的话或点头频频或笑意盈盈。这都是永泽的魔力所使然。这家伙实在身手不凡，每每叫我钦佩不已。与他相比，木月的座谈之才，简直成了哄小孩的玩艺儿，根本不足以相提并论。尽管如此，尽管我对永泽的才华五体投地，我还是由衷地怀念木月，愈发感到木月待人是何等的以诚相见，他把自己那并不多的才能都献给了我和直子。相比之下，永泽却把他超群出众的才华儿戏般地随意张扬。说起来，他同女孩睡觉也并非出于真心，对于他，那也不过是一种儿戏而已。

我自己其实不大喜欢同萍水相逢的女孩同床共衾。作为疏导情欲的一种方式固然惬意，而且同女孩拥抱着相互触摸身体也颇开心。我所不快的是早上分别的时候。醒来一看，一个陌生女孩在身旁酣然大睡，房间里一股酒味儿。床灯、窗帘等等，无一不是情人旅馆特有的那类大红大绿俗不可耐的东西。隔夜未消的酒意弄得头脑仍然昏昏沉沉。片刻，女孩也睁开眼睛，窸窸窣窣地到处摸内衣内裤，还一边穿长筒袜一边说："喂，昨晚真把那个东西放进去了？我可正是危险期哩！"然后又一边对着镜子涂口红沾眼睫毛，一边嘴里自言自语地絮絮不止，什么头痛啦、化妆化不好啦等等——这些都让我心生不快。所以，说老实话，我真不想睡到第二天早上。但宿舍都是十二点关门，总不能花言巧语地劝女孩子半夜起身回去（这在客观上也是不可能的），而只能在外边过夜。这样一来，势必在那里待到早上，满怀着自我厌恶和幻灭之感返回宿舍。阳光刺得眼睛作痛，口里又干又苦，脑袋就像别人的似的。

如此同女孩睡过三四次以后，我问永泽：这种事连续干过七十次，是否会觉得空虚。

“如果你觉得空虚，说明你是正人君子，可喜可贺。”他说，“和素不相识的女孩睡觉，睡得再多也是徒劳无益，只落得疲惫不堪、自我生厌，我也同样。”

“那你为什么还那么卖力气？”

“很难解释。对了，你知道陀思妥耶夫斯基有一本书写过赌博吧？同一个道理。就是说，在周围充满可能性的时候，对其视而不见是非常困难的事。你明白吗？”

“有那么点儿。”

“傍晚，女孩子们走上街头，在那一带东游西逛，饮酒消遣。她们是在寻求某种东西，而这种东西我们又可以提供。这是再简单不过的买卖，就像拧开水龙头喝水一样。我们转眼间就可以发泄，而对方又求之不得。这就是所谓可能性。这种可能性就在眼前来回晃动，难道你能视而不见？自己具有这种能力，又有发挥这种能力的场所，你能默默通过不成？”

“我从没遇到过那种处境，不大明白，揣摸不出是怎么一番滋味。”我笑着说。

“在某种意义上，未尝不是一种幸福。”永泽说。

家境富裕的永泽之所以寄宿，原因就在于他拈花惹草。他父亲担心他一个人在东京难免和女人厮混，便强制他在寄宿院里度过四年时间。当然，对永泽来说怎么都不在话下，他几乎不把什么宿舍守则放在眼里，过得随心所欲。心血来潮，他便请假夜不归宿，或去勾引女孩子，或去恋人的公寓过夜。请假在外留宿，获准相当不易，而对他却如探囊取物。只消由他开口，我也得以沾光。

从一入学开始，永泽就有一个地地道道的女朋友。她名叫初美，和他同岁，我也见过几次，是个难得的女性。她长得并不十分出众，或者不如说外表普普通通。最初我甚至想永泽怎么找这样的姑娘，然而多少交谈几句以后，谁都不能不对她怀有好感。她就是这种类型的女性，娴静、理智、幽默、善良，穿着也总是那么华贵而高雅。我非常喜欢她，心想如果自己有这样的恋人，压根儿就不会去找那些无聊的女人睡觉。她对我也颇关心，一再说要给我介绍她们课余活动小组里的一个低年级女孩，四人一同约会。但我不愿意重复过去的失败，适当敷衍几句便把话引开了。初美就读的大学，里边全都是百万富翁的千金小姐，同那等女孩不可能情投意合。

永泽时常同别的女孩厮混的事，她基本晓得，但一次也没有口出怨言。她真心真意爱着永泽，却丝毫不加干涉。

"配我太可惜了！"永泽说。我也有同感。

※

冬天，我在新宿一家小唱片店找了一份零工，报酬并不很高，但工作轻松，一周值三个晚班即可，时间上正合适，还可低价买唱片。圣诞节的时候，我为直子买了一盘她最喜欢的亨利·曼奇尼的收有《宝贝儿》的唱片。我自己包装好，并用红绸带打了礼品结。直子送我一副她亲手织的毛线手套，大拇指部分不够长，但暖和还是很暖和的。

"对不起，我笨得很。"直子脸红了，羞涩地说。

"不要紧。瞧，这不蛮好么？"我戴上手套给她看。

"不过，这回总可以不用再把手插到大衣口袋里去了吧。"直子说。

这年冬天直子没回神户，我因为那份零工要做到年底，也待在东京没动。即使回神户，也没有什么有趣的事，没有要见的人。新年的时候，宿舍食堂关了门，我便在直子公寓里搭伙。两人烤饼，简单做了煮年糕。

一九六九年一、二月间，可说是多事之秋。

一月底，敢死队发烧近四十度，卧床不起。我同直子的约会也因此告吹。我好不容易弄到两张音乐会的招待票，约好直子一同去。管弦乐队将演奏直子最喜欢的勃拉姆斯的第四交响曲，她正满怀期待。不料敢死队在床上不停地翻滚，一副垂死挣扎的狼狈相，我总不能把他扔下不管，而且也找不到代为照料他的热心人。我买来冰块，用好几个塑料袋套在一起做成冰袋，拿冷毛巾给他擦汗，每隔一小时量次体温，连衬衣也为他换了。高烧整整一天未退。但第二天清早，他居然"咕噜"一声翻身下床，若无其事地做起广播体操来了。一量体温，三十六度二，他真是实非常人可比。

"奇怪啊，这以前我从来没发过什么烧！"听敢死队这语气，俨然罪过在我。

"可到底发烧了嘛！"我气恼地说，并把两张因他发烧而作废的票掏给他看。

"唔，好在是招待票。"敢死队说。我恨不得一把抓起他的收音机甩出窗口。头又痛了起来，我重新上床，掀被便睡。

二月间下了几场雪。

二月末，因鸡毛蒜皮的小事和同住一个楼层的高年级生吵了一架，打了他一顿，把他的头往水泥墙上撞。幸亏没受大伤，永泽又妥善平息了事态，我只被管理主任叫去训了几句。但从此以后，便总觉得宿舍生活有些怏怏不快起来。

如此一来二去，学年结束，春天来临。我丢了几个学分，成绩很平常，大半是C或D，B少得可怜。直子却一个学分不少地升入二年级。季节转了一轮。

到四月中旬，直子满二十岁。我十一月出生，她大约长我七个月。对直子的二十岁，我竟有些不可思议。我也好，直子也好，总以为应该还是在十八岁与十九岁之间徘徊才是。十八之后是十九，十九之前是十八——如此固然明白。但她终究二十岁了，到秋天我也将二十岁。惟死者永远十七。

直子的生日是个雨天。上完课，我在附近买了盒蛋糕，乘上电车，去她的公寓。我向她提议，毕竟二十岁了，总该稍稍庆贺一下。我思忖，如果我是直子，也会有这种愿望的，一个人形影相吊地送走二十岁生日肯定不是滋味。电车里人很挤，又摇晃得厉害，结果赶到直子房间时，蛋糕已经土崩瓦解，活脱脱成了古罗马的圆形剧场，但我们还是竖起准备好的二十根小小的蜡烛，划火柴点燃，拉合窗帘，熄掉电灯，总算有了生日气氛。直子打开葡萄酒。两人喝着葡萄酒，吃了点蛋糕，这顿饭吃得很简单。

“我也二十岁了，有点像开玩笑似的。”直子说，“我，一点儿也没做二十岁的准备，挺纳闷儿的，就像谁从背后硬推给我的一样。”

“我还有七个月，可以慢慢准备好的。”我笑了笑。

“真好，你才十九。”直子羡慕似的说。

吃饭时间里，我讲起敢死队买毛衣的事。以前他只有一件毛衣（蓝色的高中校服式毛衣），买了以后才两件。新买的是织有小鹿图案的红黑相间的毛衣。毛衣本身确很漂亮，但穿在他身上，大家都忍俊不禁。至于为什么，他本人却丈二和尚摸不着头脑。

“渡边君，什、什么地方好笑？”在食堂里，他挨我坐下问道，

"我脸上有什么不成?"

"什么也没有,没什么好笑的。"我一本正经地说,"这毛衣不错嘛,喏。"

"谢谢。"敢死队乐不可支地笑道。

直子听得很开心:

"真想见见这个人,一次也好。"

"不行不行,你会笑出声的。"我说。

"真以为我会笑?"

"打赌好了!我每天和他在一起,都有时忍不住要笑。"

吃完饭,两人收拾好碗筷,坐在草席上边听音乐边喝剩下的葡萄酒。我喝一杯的工夫里,她喝了两杯。

直子这天出奇地健谈。小时候的事,学校的事,家里的事。而且都讲得很长,详细得像一幅工笔画。我真佩服她有这么出色的记忆力。但听着听着,我开始察觉她说话的方式里含有某种东西。有什么不正常,有什么在发生着不自然的变形!尽管就每一句话来说都无懈可击,但连接方式却异乎寻常。A话不知不觉地变成其中包含的B话,不一会又变成B中包含的C话,绵绵不断,无止无休。刚开始的时候我还附和几句,后来便作罢了。我放上唱片,第一张听完便把唱针移到第二张。全部听完之后,又从头听起。唱片只有六张。第一张是《佩珀军士寂寞的心俱乐部乐队》,最后是比尔·埃文斯的《献给黛比的华尔兹》。窗外雨下个不停,时间缓缓流逝,直子一个人絮絮不止。

直子说话的不自然之处,在于她有意避免接触几个地方。当然木月是其中一个,但我感到她回避的似乎不止于此。有好几点她都不愿意涉及,只是就无关紧要的细节不厌其烦地喋喋不休。由于直子是第一次说得如此专注入迷,我便听任她尽管往下说。

但时针指到十一点时，我到底有点沉不住气了。直子已经滔滔不绝地说了四个多小时。一来担心回去的末班电车，二来还有宿舍关门时间。于是我找个机会打断直子的话。

“该回去了，电车也快到时间了。”我边看表边说。

但我的话似乎没传进直子的耳朵，或者即使传进了，其含义也未被理解。她只是一瞬间闭了闭嘴，旋即又继续说下去。无奈，我重新坐好，把第二瓶里剩下的葡萄酒喝光。事到如此，看来最好由她讲个痛快。我拿定主意，末班电车也好，关门时间也好，一切都只能听之任之了。

然而直子的话没再持续很久。蓦地觉察到时，话已戛然而止。中断的话茬儿，像被拧掉的什么物件浮在空中。准确说来，她的话并非结束，而是突然消失到什么地方了。本来她还想努力再说下去，但话已经无影无踪。是被破坏掉了，说不定破坏者就是我。我刚才的话终于传进了她的耳朵，好半天才被她理解，从而破坏掉了促使她继续说话的类似动力的东西。直子微微张开嘴唇，茫然若失地看着我的眼睛，仿佛一架被突然拔掉电源的机器，双眼雾濛濛的，宛如蒙上了一层不透明的薄膜。

“不是想打断你，”我说，“只是时间晚了，再说……”

她眼里涌出泪珠，顺着脸颊滴在唱片套上，发出很大的声响。泪珠一旦滴出，随后便一发不可遏止。她两手拄着草席，身体前屈，嚎啕大哭起来。如此剧烈的哭，我还是第一次看见。我轻轻伸出手，抚摸她的肩。肩膀急剧地颤抖不止。之后，我几乎是下意识地搂过她的身体。她在我怀中浑身发抖，不出声地抽泣着。泪水和呼出的热气弄湿了我的衬衣，并且很快湿透了。直子的十指在我背上摸来摸去，仿佛在搜寻曾经在那里存在过的某种珍贵之物。我左手支撑直子的身体,右手抚摸着她直而柔软的头发,如此长久地等待着直子止住哭泣。然而她哭个不停。

※

这天夜里,我同直子睡了。我不知这样做是否正确,即使在二十年后的今天仍不知道。大概永远不会知道。不过那时候却只能这样做。她情绪激动,不知所措,希望得到我的抚慰。我关掉房间的电灯,缓缓地轻轻地脱去她的衣服,自己也随之脱掉,然后抱在一起。那是个温和的雨夜,我们赤身裸体也未感到寒意。我和直子在黑暗中默默地相互抚摸身体。我吻她的嘴唇,温和地用手扪住她的乳房。直子握住我变硬的东西。她的下部温暖湿润,等待着我。

然而当我探进去时,她却说很痛。我问是不是初次,直子点了点头。这倒使我有点不解了——我一直以为木月和直子早已睡过。我探到最底部,一动不动,久久地紧紧抱住她,等她镇静下来……最后,直子用力抱住我发出呻吟声。在我听过的最冲动时的声音里边,这是最为凄楚的。

全部结束之后,我问她为什么没和木月睡过,其实是不该问的。直子把手从我身上松开,再次啜泣起来。我从壁橱里取出被褥,让她躺好,一边吸烟一边看着窗外的绵绵春雨。

早上,雨已停了。直子背对我睡着,说不定昨晚她彻夜未眠。睡也罢没睡也罢,她的嘴唇已失去了一切语言,身体冻僵一般硬挺挺的。我搭了几次话她都不做声,身体纹丝不动。我久久地看着她裸露的肩部,无可奈何地爬起身来。

席子上和昨晚一个样，散乱地放着唱片套、玻璃杯、葡萄酒瓶、烟灰缸等等。桌上剩有一半变形的生日蛋糕，就好像时间在这里突然终止似的。我把它们归拢在一起，喝了两杯自来水。书桌上放着辞典和法语动词表。桌前墙壁上贴着年历，那是一张既无摄影又无绘画的年历，上面只有数字，一片洁白，没写字，也没记号。

我拾起落在地板上的衣服，穿在身上。衬衣胸口仍然湿凉湿凉的，凑近一闻，漾着直子的气味。我在书桌上的便笺上写道：等你冷静下来以后，想好好跟你谈谈，希望尽快打电话给我，祝生日快乐。然后再次看看直子的肩，走出房间，悄悄带上门。

※

过了一个星期，电话也没有打来。直子住的公寓里又不给传电话，因此星期天一早我便来到国分寺。她不在，门上的姓名卡片已被撤掉。木板套窗关得严严实实。问管理人，说直子已于三天前搬走了，搬去哪里他不晓得。

我返回宿舍，给她神户家里写了封长信。无论直子搬去何处，那封信总会转递到她手上。

我坦率地写了自己的感受。内容是这样的：很多事我还不甚明白。尽管我在尽力而为，但最后明白恐怕还需一段时间。至于这段时间过后自己将在何处，现在的我完全心中无数。所以，我无法向你做出任何许诺，也不可能有求于你或倾诉动听的话语。因为首先我们之间还极其缺乏相互的了解。不过倘若你给我时间，我会竭尽全力，我们也许会相互加深了解。总之，我想再见你一次，好好谈谈。木月去世以后，我失去了可以如实诉说自己心情的对象,想必你也如此。我想,也许我们相互追求的心情已超越了我们所想的程度。也正因如此,我们才绕了许多弯路,或在某种意义上已误入歧途。我也想过,或许我不该那样做,但此外别无他法。当时我在你身上感觉到的亲密而温馨的心情,是一种迄今我从未曾感受过的情感。请你回信,什么内容都可以——只要回信。

没有回信。

我心里失落了什么,而又没有东西填补,只剩下一个纯粹的空洞被弃置不理。身体轻得异乎寻常,语音虚无缥缈。周复一周,我比以前更为按部就班地到校听课。课虽然枯燥无味,同班上的人也无话可谈,但此外别无他事。听课时我独自坐在教室头排的一端,不同任何人交谈,吃饭时也是独自一人,烟也戒了。

五月底,学校进入罢课。那伙人高喊"肢解大学"。也好,能肢解只管肢解就是。肢解它,让它支离破碎,再狠狠地踩成粉末,一切悉听尊便!那一来,我也轻松了,往下的事自己总有办法。要我帮忙的话帮忙也可以,赶快下手好了!

大学被迫关门后没有课上了,我开始去运输社打零工。坐在卡车助手席上,停车时装货卸货。工作比预想的辛苦,开始几天,身体又酸又痛,早上甚至爬不起床,但报酬也因此多了一些。紧张劳作的时间里,我得以暂时忽略了心里的空洞。每周我在运输社干五个白天,在唱片店值三个晚班。没有工做的晚上,我就在房间里边喝酒边看书。敢死队滴酒不沾,对酒气极为敏感。一次我从床上爬起来喝没有对水的威士忌,他埋怨说熏得他不能学习,能不能去外边喝。

"你给我出去!"我说。

"不、不、不是有规定,宿、宿舍不许喝酒吗?"

"给我出去!"我重复道。

他也没再说什么。我心烦起来,一个人爬上楼顶天台自斟自饮。

时至六月,我又给直子写了封长信,仍寄往她神户家里。内容与前一封大致相同。只是加了两句:等你回信是非常痛苦的,不知伤害你的心没有——哪怕告知这一点也好。投到信筒里后,我觉得心里的空洞又有所增大了。

六月间,我两次同永泽到街上找女孩睡觉,双方都再省事不过。一个女孩被我领到旅馆床上,要给她脱衣服时,她手刨脚蹬,硬是不准。惹得我好不耐烦,便一个人在床上看书。不一会儿,她倒自己主动贴上身来。另一个女孩在交欢之后,向我一个劲儿刨根问底,什么过去睡过多少个女孩啦,老家哪里啦,在哪个大学啦,喜欢什么音乐啦,太宰治的小说读过没有啦,国外旅行准备去哪里啦,她的乳头是不是比别人大得多啦等等,不一而足。我适可而止地应付几句就睡过去了。一觉醒来,她说想一同吃早餐,便和她一起走进小吃店,吃了专供早餐用的烤面包和味道糟糕的鸡蛋,喝了味道糟糕的牛奶。这时间里她一直向我啰啰嗦嗦地问这问那,什么父亲做何工作、高中成绩如何、何年何月出生、是否吃过青蛙……问得我昏头胀脑,一放下筷子,赶紧说得去做工了。

"喂,能再见面吗?"她不无凄凉地说。

"不久还会在哪里碰到的。"说完,便和她分手了。剩下我一个人后,心想罢了罢了,我这是干的什么事!不由一阵心灰意冷。我想我不应干这等勾当,然而又不能不干。我的身体十分饥渴,巴不得同女人睡觉。而我同她们睡觉的时候,我又总是想着直子,想直子黑暗中白嫩嫩地浮现出来的裸体,想她的喘息,以及外面的雨声。而且愈想愈觉得身体饥不可忍，渴不可耐。我独自跑上天台喝威士忌，盘算自己到底应该到什么地方去。

七月初，接到直子的信。是封短信。

拖这么久才回信，请原谅。但也请你理解：我花了很长时间才能够写东西。这封信就写了不下十次之多。对我来说，写东西是件十分吃力的苦差事。

先从结果写起吧。我已决定暂时休学一年。虽说暂时，但重返大学的可能性是微乎其微的。休学只是履行手续。你也许觉得事出突然，但这是我长期考虑的结果。有好几次我想跟你谈起，但终于未能开口。我非常害怕把它说出口来。

很多事都请你不要介意。即便发生了什么，或者没有发生什么，我想结局恐怕都是这样的。也许这种说法有伤你的感情。果真如此，我向你道歉。我想要说的，是希望你不要因为我而自己责备自己，这确确实实是应该由我一个人来全部承担的。一年多来我一再拖延，觉得给你添了很大麻烦，或许这已是最后极限。

我搬出国分寺的公寓后，回到神户家里，跑了一段时间医院。医生说京都一座山中有一家可能对我合适的疗养院，我便打算前去试试。准确说来，那并不是医院，而是自由得多的疗养机构。详情下次再写。现在还写不好。对现在的我来说，需要的是在某个与世隔绝的寂静的地方休养神经。

你在我身边陪伴了一年时间，对此我以我的方式表示感谢，这点无论如何请你相信。你没有伤我的心，伤我心的是我自己,我想。

眼下我还没有见你的准备,不是不想见,是没完成见的准备。一旦准备完成,我马上写信给你。到那时候,我想我们也许会多少相互了解。如你说的那样,我们应该加深对对方的了解才是。

再见。

这封信我读了几百遍,每次读都觉得不胜悲哀。那正是与被直子盯视眼睛时所感到的性质相同的悲哀。这种莫可名状的心绪,我既不能将其排遣于外,又不能将其深藏于内。它像掠身而去的阵风一样没有轮廓,没有重量,我甚至连把它裹在身上都不可能。风景从我眼前缓缓移过,其语言却未能传入我的耳中。

每到周六晚间,我依旧坐在一楼门厅沙发上消磨时间。不可能有电话来,也没有要做的事,我常常打开电视的棒球转播节目,似看非看地看着。我把横亘在我与电视之间空漠的空间切为两半,又进而把被自己切开的空间一分为二。如此反复无穷,直至最后切成巴掌大小。

十点一到,我关掉电视,返回房间,倒头便睡。

※

月底,敢死队送我一只萤火虫。

萤火虫装在速溶咖啡的空瓶里,里边放了些许草叶和水,瓶盖钻了几个细小的气孔。因为四周天光还亮,看上去不过是个平庸无奇的水边栖生的小虫而已。敢死队却一口咬定是萤火虫,还说他对此十分熟悉,而我又没掌握什么反驳的理由和证据。也好，就算是萤火虫吧！萤火虫一副睡眼惺忪的样子，企图爬上光溜溜的瓶壁，但每次都滑落下来。

“在院子里来着。”

“这儿的院子？”我吃了一惊。

“喏，附、附近那家宾馆为了招徕顾客，一到夏天就放萤火虫吧？就是从那边错飞过来的。”他一边说一边往大旅行箱里塞衣服、本子等物。

暑假已经过去几个星期了，滞留宿舍的只有我们这样的人。我不大乐意回神户，继续打工，他是因为有实习任务，现在实习已经结束，正准备回家。敢死队的家在山梨。

“这个，送给女孩子，她肯定高兴得不行。”他说。

“谢谢。”

日落天黑，寄宿院里十分**寂静**，竟同废墟一般，国旗从旗杆降下，食堂窗口亮起灯光。由于学生人数减少，食堂的灯一般只亮一半，左半边是黑的，只亮右半边，但还是微微荡漾着晚饭的味道，是奶油加热后的气味。

我拿起装有萤火虫的速溶咖啡瓶，爬上楼顶天台。天台上空无人影，不知是谁忘收的白衬衣搭在晾衣绳上，活像一个什么空壳似的在晚风中摇来荡去。我顺着天台角上的铁梯爬上供水塔。圆筒形的供水塔白天吸足了热量，暖烘烘的。我在狭窄的空间里弓腰坐下，背靠栏杆。略微残缺的一轮苍白的月亮浮现在眼前，右侧可以望见新宿的夜景，左侧则是池袋的灯光。汽车头灯连成闪闪的光河，沿着大街川流不息。各色音响交汇成的柔弱的声波，宛如云层一般轻笼着街市的上空。

萤火虫在瓶底微微发光，它的光过于微弱，颜色过于浅淡。我最后一次见到萤火虫是在很早以前，但在我的记忆中，萤火虫该是在夏日夜幕中拖曳着鲜明璀璨得多的流光。我一向以为萤火虫发出的必然是那种灿烂的、燃烧般的光芒。

或许，萤火虫已经衰弱得奄奄一息。我提着瓶口轻轻晃了几晃，萤火虫把身子扑在瓶壁上，有气无力地扑棱一下。但它的光依然那么若隐若现。

我开始回想，最后一次看见萤火虫是什么时候呢？在什么地方呢？情景想起来了，但场所和时间却无从记起。沉沉暗夜的水流声传来了，青砖砌成的旧式水门也出现了。那是一座要一上一下摇动手柄来启闭的水门，河并不大，水流不旺，岸边水草几乎覆盖了整个河面。四周一团漆黑，熄掉电筒，连脚下都不易看清。水门内的**积水潭**上方，交织着数百只之多的萤火虫。萤火宛如正在燃烧的火星一样辉映着水面。

我合上眼帘，久久沉浸在记忆的暗影里。风声比平时更为真切地传来耳畔。风并不大，却在从我身旁吹过时留下了鲜明得不可思议的轨迹。当我睁开眼睛的时候，夏夜已有些深了。

我打开瓶盖，拈出萤火虫，放在向外侧探出大约三厘米的供水塔边缘。萤火虫大概还没认清自己的处境，一摇一晃地绕着螺栓转了一圈，停在疤痕一样凸起的漆皮上，接着向右爬了一会，确认再也走不通之后，又拐回左边，继而花了不少时间爬上螺栓帽，僵僵地蹲在那里，此后便木然不动，像断了气。

我凭依栏杆，细看那萤火虫。我和萤火虫双方都长久地一动未动，只有夜风从我们身边掠过，榉树在黑暗中磨擦着无数叶片，簌簌作响。

我久久地、久久地等待着。

过了很长很长时间，萤火虫才起身飞去。它忽有所悟似的，蓦然张开双翅，旋即穿过栏杆，淡淡的萤光在黑暗中滑行开来。

它绕着水塔飞快地曳着光环，似乎要挽回失去的时光。为了等待风力的缓和，它又稍停了一会儿，然后向东飞去。

萤火虫消失之后，那光的轨迹仍久久地印在我的脑际。那微弱浅淡的光点，仿佛迷失方向的魂灵，在漆黑厚重的夜幕中彷徨。

我几次朝夜幕伸出手去，指尖毫无所触，那小小的光点总是同指尖保持着一点不可触及的距离。

第 四 章

暑假期间，校方请求机动队出动。机动队捣毁壁垒，逮捕了里边所有的学生。当时，这种事在哪一所大学都概莫能外，并非什么独家奇闻。大学根本没有肢解。投入大量资本的大学不可能因为学生闹事就毁于一旦，况且把校园用壁垒封锁起来的一伙人也并非真心要肢解大学，他们只是想改变大学机构的主导权。对我来说，主导权改变与否完全无关痛痒，因此，学潮被镇压以后也毫无感慨。

我本来盼望校园九月份一举报废才好，不料到校一看，居然完好无损。图书馆的书没被掠夺，教授室未遭破坏，学生科的办公楼未被焚毁。我不禁为之愕然：那帮家伙到底干什么来着！

罢课被制止后，在机动队的占领下开始复课。结果首先出席的竟是曾经雄居罢课领导高位的几张嘴脸，他们若无其事地走进教室，做笔记，叫到名字时也当即应声。咄咄怪事！因为罢课决议仍未失效，任何人也没有宣告罢课结束，不过是大学引进机动队捣毁了壁垒而已，在理论上罢课仍在继续。宣布罢课决议之时他们那般慷慨激昂，将反对派（或表示怀疑的）学生或骂得狗血淋头，或群起围攻不休。于是我走到他们跟前，问他们何以前来教室而不继续罢课，他们没有回答，也无法回答。他们害怕因缺课过多而拿不到学分。此等人物居然也高喊什么肢解大学，想来令人喷饭。如此卑劣小人，惟有见风使舵投敌变节之能事。

我说木月，这世道可真是江河日下！这帮家伙一个不少地拿得大学学分，跨出校门，将不遗余力地构筑一个同样卑劣的社会。

相当一段时间里，我决定即使去上课，点名时也不回答。我也知道，这样做并无任何意义可言，但如果不这样做，心情就糟糕得不可收拾。然而这样一来，我在班里愈发孤立了。当点名我也不应时，教室里便出现了尴尬的气氛。谁也不跟我说话，我也不向任何人开口。

九月第二周，我终于得出大学教育毫无意义的结论。于是，我打定主意，把上大学作为集训：训练自己对无聊的忍耐力。因为现在纵令退学，到社会上也无所事事。每天我都去学校听课、做笔记，剩下的时间到图书馆看书或查资料。

※

九月进入第二周后，敢死队仍未回来。这与其说是奇闻逸事，毋宁说是惊天动地的重大事件。因为他就读的大学早已开学，而敢死队也绝对没旷过课。他的书桌和收音机上已薄薄地积了一层灰尘，搁物架上整齐地摆放着塑料杯和牙膏，以及茶筒、杀虫剂等等。

敢死队不在的时间里，我便清扫房间。一来保持房间整洁已成了我习性的一部分，二来他既不在，任务就只能由我承担。我每天扫一次地，三天擦一次窗，一周晾一次被，并且等待着敢死队回来夸我几句:“渡、渡边君,怎么搞的? 干净得很嘛!”

但他没有回来。一天我从学校回来时,他的行李不翼而飞,房门上的姓名卡片也被揭去,只剩下我自己的。我去管理主任室,打听他到底怎么回事。

“退宿舍了。”主任说,“那房间暂时你一个人住。”

我问究竟是何原因,主任缄口不答。这家伙纯属俗物:对别人什么也不告诉,只顾自己横加管理并从中找出一大堆乐趣。

房间墙壁上,冰山摄影仍贴了一些时日,随后我把它揭掉,代之以西蒙·莫里逊和迈尔斯·戴维斯两位歌手的照片。这回房间多少有点像我的了。我用打工积下的钱,买了一台小型立体声唱机,晚间一个人边喝酒边听音乐。虽然有时还想起敢死队,但毕竟觉得一个人生活自得其乐。

※

一

周一十点,有“戏剧史Ⅱ”课,讲欧里庇得斯,十一点半结束。课后,我去距大学步行需十分钟的一家小饭店,吃了煎蛋和色拉。这家饭店偏离繁华街道,价格也比以学生为对象的小饭店贵一些,但安静清雅,而且煎蛋非常可口。店里干活的是一对沉默寡言的夫妇和三个打零工的女孩。我找个靠窗的位置坐下,一个人吃着饭。这工夫里,进来一伙学生,四个人,两男两女,都打扮得干净利落。他们围着靠门口处的一张桌子坐定,打量菜谱,七嘴八舌商量了半天,才由一个人归纳好,告诉给打零工的女孩。

这时间里,我发现一个女孩不时地往我这边瞥一眼。她头发短得出格,戴一副深色太阳镜,身上是白棉布迷你连衣裙。因为对她的脸庞没有印象，我便只管闷头吃饭。不料过不一会儿，她竟轻盈地起身，朝我走来，并且一只手拄着桌角直呼我的名字：

“你是渡边君，没认错吧？”

我抬头重新端详对方的面孔，还是毫无印象。她是个非常引人注目的女孩，假如在某处见过，肯定马上记起。加之，知道我名字的人这大学里实在寥寥无几。

“坐一下可以么？或者有谁来这儿？”

我丈二和尚摸不着头脑，摇头说：“没谁来，请。”

她叮叮咣咣拖过一把椅子，在我对面坐下，从太阳镜里盯着我，接着把视线落到我的盘子上。

“味道像是不错嘛，嗯？”

“是不错，蘑菇、煎蛋、青豌豆色拉。”

“唔，”她说，“下回我也来这个，今天已经定了别的了。”

“别的？”

“通心粉、奶汁烤菜。”

“通心粉、奶汁烤菜也不坏嘛。”我说，“不过，在什么地方见过你来着？我怎么也想不起来。”

“欧里庇得斯。”她言词简洁，“《伊莱克特拉》。‘不，甚至神也不愿听不幸者的表白。’课不刚刚才上完吗？”

我仔细审视她的脸，她摘下太阳镜。我这才总算认出：是在“戏剧史Ⅱ”班上见过的一年级女孩。只是发型风云突变，无法辨认了。

“可你，直到放暑假前头发还到这地方吧？”我比量着肩部往下大约十厘米的位置。

“嗯。夏天烫发来着。可是烫得一塌糊涂，惨不忍睹，真的。

气得我真想一死了之。简直太不成话！活活像个头上缠着裙带菜的淹死鬼。可又一想，死了还不如索性来个和尚头。凉快倒是凉快，喏。”说着，她用手心窸窸窣窣地抚摸着四五厘米长的短发。

“一点都不难看呀，真的。”我一边继续吃煎蛋一边说，“侧过脸看看可好？”

她侧过脸，五秒钟静止未动。

“呃，我倒觉得恰到好处。肯定是头形好的缘故，耳朵也显得好看。”我说，

“就是嘛，我也这样想，理成短发一看，心想这也满不错嘛，可就是没一个人这样说。什么像个小学生啦，什么劳动教养院啦，开口闭口就是这个。我说，男人干嘛就那么喜爱长头发呢？那和法西斯有什么两样，无聊透顶！为什么男人偏偏以为长头发女孩才有教养，才心地善良？头发长而又俗不可耐的女孩，我知道的不下二百五十个，真的。”

“我是喜欢你现在这样。”我说，而且并非说谎。长头发时的她，在我的印象中无非是个普普通通的可爱女孩。可现在坐在我面前的她，全身迸发出无限活力和蓬勃生机，简直就像刚刚迎着春光蹦跳到世界上来的一头小鹿。眸子宛如独立的生命体那样快活地转动不已，或笑或恼，或惊讶或气馁。我有好久没有目睹如此生动丰富的表情了，不禁出神地在她脸上注视了许久。

“真那样想的？”

我边吃色拉边点头。

她再次戴上太阳镜，从里边看着我的脸。

“我说，你该不是撒谎的人吧？”

“哦，可能的话，我还是要当一个诚实的人。”我说。

“唔——”

“为什么戴颜色这么深的太阳镜呢?”我问。

“头发一下变短,觉得什么保护层都没有了似的。就像赤身裸体地被扔到人堆里,心里慌得不行,所以才戴这太阳镜。”

“有道理。”我说,然后把最后一片煎蛋吞下去。她饶有兴味地定睛看着我将食物一扫而光。

“不过去可以么?”我指着和她同来的三个人那边。

“没关系,放心。饭菜来了过去也不迟。无所谓的。不过在这里不影响你吃饭?”

“影响什么,都吃完了。”我说。看样子她无意返回自己的餐桌,我便要了一份饭后咖啡。老板娘撤去盘子,放上砂糖和奶油。

“喂,今天上课点名时你怎么不答应呢?渡边是你的名字吧,渡边彻?”

“是啊。”

“那为什么不回答?”

“今天不大想回答。”

她再一次摘下太阳镜,放在桌面上,俨然探头观察什么稀有动物似的盯视我的眼睛。“今天不大想回答?”她嘴里重复道,“我说,你这话很像汉弗莱·博加特① 嘛!既冷静,又刚毅。”

“不至于吧?我可是个再普通不过的人,到处有的是。”

老板娘端来咖啡放在我面前,我没加砂糖和奶油,轻轻啜了一口。

“瞧瞧,到底砂糖、奶油都不加吧!”

---

① 博加特(1899—1957),美国电影演员,曾主演《卡萨布兰卡》等。

"只是不喜欢甜东西罢了。"我耐着性子解释道,"你是不是有什么误解?"

"怎么晒得这么黑?"

"我马不停蹄地徒步旅行了整整两个星期嘛。这里那里,扛着背包和睡袋,所以晒黑了。"

"去哪了?"

"从金泽到能登半岛,转了一大圈。新潟也去了。"

"一个人?"

"一个人。"我说,"有时也路上碰到旅伴。"

"该有浪漫情调诞生吧?旅行中没碰巧结识个女孩?"

"浪漫情调?"我一怔,"你这人,我说你是有什么误解嘛。一个扛着睡袋、满腮胡子、疲于奔命的人到哪里找什么浪漫情调呢!"

"经常这样一个人旅行?"

"不错。"

"喜欢孤独?"她手托着腮说,"喜欢一个人旅行,喜欢一个人吃饭,喜欢上课时一个人孤零零地单坐?"

"哪里会有人喜欢孤独!不过是不乱交朋友罢了。那样只能落得失望。"我说。

她把太阳镜的吊带衔在嘴里,窃窃私语似的说:"哪里会有人喜欢孤独,不过是不喜欢失望。"然后转向我:"如果你写自传的话,可别忘了这句对白。"

"谢谢。"我说。

"可喜欢绿色?"

"怎么?"

"你身上的半袖衫是绿色的呀!所以才问你是不是喜欢

绿色。”

“也不是特别喜欢，什么都无所谓。”

“也不是特别喜欢，什么都无所谓。”她再次鹦鹉学舌，“我嘛，打心眼里喜欢你这说话的方式。就像漂亮地涂了一层墙粉——可听人这么说过，从其他人口里？”

“没有。”我回答。

“我呀，名叫绿子。却跟绿色格格不入，好笑不？你不觉得这样太可悲了？简直是可诅咒的人生！对了，我姐姐叫桃子。岂不滑稽？”

“那么，你姐姐适合粉红色？”

“再没那么适合的了。就像专门是为穿粉红色降生的。哼，不公平到了极点！”

那边餐桌上已有饭菜端来，一个穿双色方格衬衫的小伙子叫道：“喂——绿子，吃饭啦！”她朝那边扬一下手，意思是说“知道了”。

“嗯，渡边君，你做笔记了么？戏剧史Ⅱ的？”

“做了。”我说。

“对不起，可以借我一看？我两次没去，那班上我又没有认识的人。”

“当然可以。”我从包里掏出笔记本，确认上边没有乱写之后，递给绿子。

“谢谢。对了，渡边君，后天去学校？”

“去的。”

“那么十二点来这里好么？还笔记本，午饭我请客。该不会说什么不是一个人吃饭就消化不良吧？”

“不至于吧。”我说，“不过答谢什么的可用不着哟，不过是给看一下笔记本。”

“没关系。我嘛,最喜欢答谢。喏,记住了?不记在手册上不会忘?”

“忘不了,后天十二点在此相见。”

那边又传来招呼声:“喂——绿子,再不吃可凉透啦!”

“我说,你以前就是这么说话的?”绿子充耳不闻似的说。

“我想是这样的,可并不是什么有意的。”我回答。说话方式被人说是与众不同,这还真是第一遭。

她略一沉吟,少顷妩媚地丢下一笑,离座返回自己的餐桌。我从那张餐桌经过时,绿子朝我挥一下手,其他三人则只觑了一眼我的脸。

星期三到十二点的时候,绿子没有赶来这家饭店。我本来打算边喝啤酒边等绿子,但店内人已开始增多,只好要来饭菜,一个人吃着。吃完时已是十二点三十五分,但绿子还是没有出现。我付了款,走出店门,坐在对面小神社的石阶上,清醒一下给啤酒弄昏的脑袋,同时等待绿子。等到一点还是徒劳,我只好作罢,返回学校,在图书馆看书,然后去上二点钟开始的德语课。

下课后,我到学生科查阅选课登记簿,在“戏剧史Ⅱ”班里找到她的名字。名叫绿子的学生只有小林绿子一个人。接着翻动学籍卡片,从六九年度入学的学生当中翻出小林绿子,记下住址和电话号码。家在丰岛区,住的是自家房子。我闪身钻进电话亭,拨动号码。

“喂喂,我是小林书店。”一个男子的声音。

小林书店?

“对不起,请问绿子小姐在吗?”我问。

“啊，绿子现在不在。”对方说。

“到学校去了吧？”

“唔，大概去了医院吧。您贵姓？”

我没报姓名，谢过后放下听筒。医院？莫非她受伤或患病了不成？但从那男子声音听来，完全没有那种不寻常的紧迫感。“唔，大概去了医院吧。”那口气，简直像是说医院是她生活的一部分。到鱼店买鱼去了——如此轻描淡写而已。我思索片刻，终于厌倦起来，不再去想，折回宿舍，躺在床上看从永泽那里借来的康拉德的《吉姆爷》，把剩下部分一口气看完，然后找他还书。

永泽正要去食堂吃饭，我也一起跟去吃了晚饭。

“外务省考试情况如何？”我问他。八月份举行过外务省高级考试的复试。

“凑合。”永泽不在意地说，“那东西，一般都混得过去。什么集体讨论啦，面谈啦，和向女孩子花言巧语没什么两样。”

“那么说，倒是真够容易的。”我说，“发榜在什么时候？”

“十月初。要是考中，请你美餐一顿。”

“我说，外务省高级考试的复试是怎么一回事？参加的人全是像你这样的？”

“不见得。基本上都是傻瓜蛋，再不就是变态分子。想捞个一官半职的人，百分之九十五都是废料。这不是我信口胡诌，那帮家伙连字都认不全几个！”

“那你为什么还要进外务省呢？”

“原因很复杂。”永泽说，“例如喜欢出国工作啦等等。不过最主要的理由是想施展一番自己的拳脚。既然施展，就得到最广大的天地里去，那就是国家。我要尝试一下在这臃肿庞大的官僚机构中，自己能爬到什么地步，到底有多大本事。懂吗？”

“听起来有点像做游戏似的。”

“不错，差不多就是一种游戏。我并没有什么权力欲金钱欲，真的。或许我这人俗不可耐刚愎自用，但那种玩艺儿却是半点儿都找不到我头上。就是说，我是个没有私欲的人，有的只是好奇心，只是想在那广阔无边而险象环生的世界里一显身手罢了。”

“也没有什么理想之类的东西吗？”

“当然没有！”他说，“人生中无需那种东西，需要的不是理想，而是行为规范！”

“不过，与此不同的人生不是到处都存在的么？”我问。

“不喜欢我这样的人生？”

“算了吧，”我说，“谈不上喜欢不喜欢。事情不明摆着：我一不能进东大，二不能在中意的时候和中意的女人睡觉。再说嘴巴又不能说会道，既不能被人高看一眼，又没有恋人。就算从二流私立大学的文学院毕业出来，前景也未必乐观。我又能说什么呢。”

“那么，是羡慕我的人生喽？”

“也不羡慕。”我说，“我太习惯于我自己了。而且坦率地说，东大也罢，外务省也罢，我都没兴致。我唯一羡慕的，就是你有一位初美小姐那样完美的恋人。”

他半天没有做声，闷头吃饭。

“我说，渡边，”吃完饭后，永泽对我说，“我似乎觉得，你我从这里出来，十年二十年过后还会在某个地方相遇，还会以某种形式发生关联。”

“简直像狄更斯小说里写的。”我笑了。

"或许。"他也笑了,"不过我的预感可是百发百中的哟!"

吃罢饭,我和永泽走进附近一家酒吧喝酒,一直喝到九点。

"嗯,永泽君,你的所谓人生规范是怎么一种货色?"我问。

"你呀,肯定发笑的!"他说。

"我不笑!"

"就是当绅士。"

我笑固然没笑,但险些从椅子上滚落下来:"所谓绅士,就是那个绅士?"

"是的,就是**那个**绅士。"他说。

"那么当绅士,是怎么回事? 要是有定义,可否指教一二?"

"绅士就是:所做的,不是自己想做之事,而是自己应做之事。"

"在我见过的人当中,你是最特殊的。"我说。

"在我见过的人里边,你是最地道的。"他说,随后一个人掏腰包付了账。

※

第二周的星期一,"戏剧史Ⅱ"教室里仍没见到小林绿子的身影。我在教室里扫了一眼,确认她不在之后,就在最前排坐下,打算在老师来前给直子写封信。我写了暑假旅行的事,写了所行走的路线、所经过的城镇、所遇到的人们。我写道:每天夜晚总是想你。见不到你以后我才明白同你是何等的难分难舍。大学里固然百无聊赖,但我从不缺席,权当自我训练也未尝不可。你离去后,无论做什么我都觉得索然无味,很想同你见面好好谈一次。倘若可以,我想去你住的疗养院探望,和你面谈几个小时——可以吗？而且，如果情况允许，还想仍像往日那样相伴而行。劳你回信给我，哪怕几个字也好，打扰了。

写完，我把四张信纸工整地叠好，塞入信封，写上直子父母家的地址。

过了片刻，显得愁眉不展的矮个子教师进来，点罢名，掏手帕擦了擦额头上的汗。他腿脚不灵便，经常拄一根金属手杖。虽说“戏剧史Ⅱ”不甚有趣，但他讲得头头是道，倒也值得一听。他照例道一声“好热啊”的开场白，便开始讲欧里庇得斯戏剧中解围之神① 的作用。他讲了欧里庇得斯戏剧中的神同埃斯库罗斯、索福克勒斯戏剧中的神有何区别。大约过了十五分钟，教室的门开了，绿子闪了进来。她穿一件深蓝色运动衫和一条奶油色棉布裤，仍戴着上次那副太阳镜。她向老师浮起一丝微笑，仿佛在说“来晚了，对不起”，然后在我身旁坐下，并从挎包里抽出笔记本递给我，其中夹一纸条，上面写着：“星期三，对不起，生我的气？”

课讲到一半左右，当老师正在黑板上勾勒希腊戏剧的舞台装置时，门又开了，进来两个头戴安全帽的学生，简直与一对相声搭档无异：一个弱不禁风，瘦瘦长长，小白脸；一个五短身材，黑黝黝的圆脸盘，蓄一撮不三不四的小胡子。瘦长个子怀抱一摞传单，五短身材直奔老师跟前，提出要将后一半时间用来讨论，要老师应允，并说远比希腊悲剧还要悲惨的问题正笼罩着当今世界。其实这并非要求，而是单方面通牒。老师说他并不认为目前世界上存在着比希腊悲剧还要悲惨的问题，但反正怎么

① 解围之神：拉丁语 deus ex machina 的译词，古希腊和罗马戏剧中的天神，用舞台机关送出，作用为及时解决戏剧中的纠结。

说都无济于事，那就悉听尊便好了。随即他紧抓着讲桌边缘移腿下来，提起手杖，拖腿走出教室。

在瘦长个子散发传单时，黑圆脸登上讲台发表演说。传单上以将任何事情一律简单化的特有笔法写道："粉碎校长选举阴谋"，"全力投身于全学联第二次总罢课运动"，"砸烂日帝——产学协同路线"。立论堂堂正正，措辞亦无可厚非，问题是文章本身却空洞无物，既无可信性，又缺乏鼓动人心的力量。黑圆脸的演说也是半斤八两，一派陈词滥调，旋律照搬照套，惟独歌词的**连接处**略有改动。我暗自思忖：这伙小子的真正敌手恐怕不是国家权力，而是想象力的枯竭。

"走吧！"绿子开口。

我点头站起，两人离开教室，快出门时，黑圆脸向我说了句什么，我没怎么听清。绿子则朝他潇洒地挥挥手，道声："您忙着。"

"噢，我们怕是反革命吧？"走出教室后绿子对我说，"一旦革命成功，我们难保不会被吊到电线杆上去，嗯？"

"吊之前可得好好吃一顿午饭，可能的话。"我说。

"对了，有家饭店我想领你去一次，就是远些，花点儿时间不要紧？"

"没关系。反正两点钟上课，有时间。"

绿子领我乘上公共汽车，到四谷站下来。她领我去的是一家位于四谷后面往里走几步的盒饭专卖店。我们在桌旁坐定，未等开口，就端上两个四方形红漆容器，里边放着每日一换的盒饭和一碗汤。果然不虚此行。

"好味道！"

"嗯。而且够便宜的，从上高中时就常常来这儿吃午饭。

呃，我们学校离这里不远。学校严得厉害，我们来吃饭都是偷偷摸摸的。一旦给学校当场抓住，得受停学处分哩！”

绿子摘下太阳镜，同上次相比，眼睛显得有点困倦。她摆弄着左手腕上纤细的银手镯，又用小指尖摩擦似的揉揉眼窝。

“困？”我问。

“有点儿，睡眠不足啊。这个那个忙得团团转。不过也不打紧，别介意。”她说，“上次真是抱歉。出了一件大事，缠得我怎么也脱身不得，又是当天早上突然发生的，实在一点办法都没有。本想给饭店打个电话，但忘了那店叫什么名，又不晓得你家的电话。等得你好苦吧？”

“也没什么，反正我是大闲人，时间多得不行。”

“真那么闲？”

“真想把我的时间分出些来，让你在里边好好睡上一觉。”

绿子支颐展颜，看着我的脸说：“你倒还挺会关心人的。”

“不是关心，只是时间有余。”我说，“对了，那天往你家打电话，家人说你去医院来着，出了什么事？”

“往我家？”她微微蹙了下眉头说，“你怎么晓得我家的电话？”

“在学生科查的呀，还用说。谁都可以查的。”

她点了两三下头，仿佛是说“原来如此”，接着又开始摆弄手镯。“是啊，我却没能想到，本来你的电话也可以那样查到的。至于医院的事，下次再说吧。现在不大想说，别见怪。”

“没什么，我倒像是问得太多了。”

“不不，你这说哪儿去了。只是现在我有点累，就像淋过一场大雨的猴子似的。”

“那么最好还是回家睡一觉吧，嗯？”我试着提议。

“还不想睡，走一会吧！”绿子说。

走出四谷站不大工夫，她把我领到了她当时就读的高中跟前。

经过四谷站前的时候，我蓦地想起我同直子漫无边际地行走的光景。如此说来，一切都是从同一场所开始的。我不由想，倘若那个五月里的星期日不在电车中碰巧遇到直子的话，或许我的人生将与现在大为不同。但这一想法又马上推翻了，觉得即使那时不遇上直子，恐怕也不至于出现第二种结果。说不定那时我们是为相遇而相遇的。纵令那时未能相遇，也会在别的地方相遇——也没什么根据，但我总是有这种感觉。

我和小林绿子两人坐在公园凳子上，望着她就读过的高中校园。校舍墙上爬满常春藤，房脊有几只鸽子落脚歇息，是一座古色古香的旧式建筑。院里耸立着一株高大的橡树，一缕白烟从旁边笔直地升起，残夏的阳光使得那烟格外带有一种灰濛濛的色调。

“渡边君，你知道那是什么烟？”绿子突然问。

我说不知道。

“是烧卫生巾呢！”

“呃。”我应了一声，此外便不知说什么好了。

“卫生巾、药棉，反正是那个用的。”绿子说着，微微一笑。“那种东西都往厕所的垃圾桶里扔，女校嘛。管勤杂的老伯伯就把它们收拢到一起，放进炉里烧掉。这不就是那烟。”

“听你这么一说，那烟可真够了得。”我说。

“嗯。当时我每次从教室看那烟，也都这么想来着：啊，真不得了！我们学校，初中高中合起来差不多有一千个女孩子吧！

有的还没开始，就算九百人。假定其中五分之一来月经，大致就是一百八十人，就是说，每天要往垃圾桶里扔一百八十人用的卫生巾，是吧？”

“大概是的吧，精确计算我可不行。”

“可不是一般数量哟，一百八十人哩！把这些东西收在一起烧掉——该是怎么一种心情呢？”

“这——猜不出来。”我说。我怎么能明白这个呢！就这样，我们望了半天那缕白烟。

“我打心眼里不乐意去那所学校。”绿子说着，轻轻摇了摇头，“我本想进普通公立学校来着。普普通通的老百姓就该去普普通通的学校嘛，而且我想快快乐乐自由自在地度过自己的青春。可父母出于虚荣心，偏偏把我塞去那里。你知道，小学如果成绩好，就常会遇到这种事：老师说了一通凭这孩子的成绩进那里没问题之类的话，结果就被硬塞到那里去了。我念了六年，却怎么都上不来好感，心里盼望的光是快些毕业快些毕业。对了，别看我这样，我还因为不迟到不旷课受表扬了呢！其实我却是那么讨厌学校。这里面的原因你能知道？”

“不知道。”我说。

“因为我讨厌学校讨厌得要死，所以才一次课都没旷过。心想怎么能败下阵去！一旦败下阵岂不一生都报销了！我生怕自己一旦败阵后就再也站不起来。即使高烧三十九度，我爬也要爬到学校去。老师说小林不大舒服吧，我撒谎说没关系，硬是逞强。就这样我得了一张不迟到不缺席的奖状，还有一本法语辞典。也正因为这一点，我大学里才选学德语。我就是横竖都不愿领那所高中的情！这还真不是开玩笑。”

“你讨厌那所学校的哪一点呢？”

“你当初喜欢上学来着?”

“也不喜欢也不十分讨厌。我读的是一所极为普通的公立高中,没怎么在意。”

“那所学校么,”绿子一边用小手指揉眼角一边说,“里面全都是所谓才女,家教好学习好——这样的女孩儿搜罗了差不多一千个。哦,清一色是有钱人家的小姐,否则也吃不消。学费高,还时不时地要赞助,修学旅行住的都是京都的高级旅馆,用真漆碗吃‘怀石料理’①,每年还要去大仓酒店的餐厅参加一次宴会礼仪的讲习班。总之不同一般。知道么?我们年级一百六十人当中,住在半岛区的学生只有我自己。有一次我从头到尾看了一遍学生名册,你猜她们都住在什么地方?真不得了,一个个全部集中在千代田区三番町、港区元麻布、大田区田园调步、世田谷区成城……只有一个姓柏的女孩儿例外,住在千叶县。我和她挺合得来,人不错。一次她叫我去她家玩,说住得远对不起,我说可以,就跑去了。结果大吃一惊,你猜怎么着,绕房宅地一圈居然要花十五分钟,院子大得出奇,两只小汽车大小的狗,大口大口地吃着一大堆牛肉。可她还说什么由于家住千叶,在班里很感自卑。每次看要迟到了,就让家里开‘奔驰’轿车送到学校。车上配有专门司机,模样活像《森林大黄蜂》中出场的驾驶员,头上一顶制服帽,还戴着白手套。尽管这样,那女孩儿还自愧不如人。真叫人难以相信,你能信?”

我摇摇头。

“住在半岛区北大冢这鬼地方的,找遍全校也只有我自己。这还不算,父亲职业一栏还填这么一笔:‘经营书店’。这么着,

① “怀石料理”:日本京都地区一种别具风味的斋菜,很有名。

班上的人都对我感到新奇，说喜欢什么书就能看什么书。天大的玩笑！她们脑袋里想的，是像纪伊国屋那样的大型书店。对她们来说，提起书店，只能做那样的想象。可实况简直惨不忍睹，小林书店，我可怜的小林书店！咣咣当当地打开门一看，迎面一排除杂志没别的。脱手最快的是《妇女杂志》，就是附录中带有四十八种性生活新技巧插图的那种货色。附近的太太们买回家，坐在厨房餐桌旁背得滚瓜烂熟，等丈夫回家演习一番。那东西真是黄得可以，鬼晓得世上的太太们每天想的是什么！再就是连环画，也有些销量，什么《月报》、《星期天》、《飞人》。当然还有周刊。总之几乎全靠杂志赚钱。文库丛书也有一点，也没什么像样的东西——什么推理啦演义啦色情啦，因为只有这些卖得出去。再往下就是实用性书籍，例如《围棋谱》、《盆景制作方法》、《婚礼致辞大全》、《性生活入门》、《快速戒烟法》等等。另外我们连文具也卖，收款台旁边摆着圆珠笔、铅笔和本子之类。就这些。没有《战争与和平》，没有《性的人》①，没有《麦田里的守望者》。这就是小林书店，这烂摊子到底有什么可值得羡慕的？莫非你羡慕不成？"

"你讲得真够活灵活现的！"

"喏，就是这么个店。附近的人都来买书，也送货上门，老顾客也还不少，一家四口餬口是绰绰有余。没有欠款，可以供两个女儿上大学，如此而已。此外再想干大一点的事，就力不从心了。所以，本来就不该把我送去那样的学校，那只能活受罪。每逢要捐什么款的时候，都要给父亲啰嗦个没完没了；和同学外出游玩，一到吃饭时间就心惊胆战，生怕走进价钱贵的饭店弄得掏

---

① 《性的人》：日本作家大江健三郎的小说。

不出钱。这样的人生简直漆黑一团。你家有钱？”

“我家？我家属于再普通不过的工薪阶层。既不很富，也不特穷。送儿子到东京读私立大学，我想怕是够吃力的。好在子女只我这一个，还不成问题。汇款没那么多，就打点零工。非常一般的家庭。有个小院子，有丰田，有皇冠。”

“打什么零工？”

“每星期在新宿一家唱片店干三个晚上。工作满舒服，坐在那里看东西不丢就行了。”

“唔——”绿子说，“我还以为你从来没在钱上吃过苦头呢，总觉得你不像。”

“也算不得吃苦头，不过是说钱不是大把大把的。世上的人大都如此。”

“我读过的那所学校大多都是富翁，”她手心朝上放在膝部，“问题就在这里。”

“那么，以后你可就要和另一个不同的世界打交道啰，哪怕再讨厌也罢。”

“嗯，你认为有钱的最大优势是什么？”

“不晓得。”

“是可以说没钱呀。例如我向班上的朋友提议做点什么，对方就说‘我现在没钱，不行’，可要是我处在对方的立场，就无论如何也说不出口。我要是说‘现在没钱’，那就真的是没钱。太惨了！长得漂亮的女孩儿可以说‘我今天脸难看得很，不想外出’，可要是换个丑八怪女孩同样说一句试试，不被人笑掉大牙才怪哩！二者同一道理。这就是我所处的世界，六年时间，直到去年。”

“不久就会忘掉的。”我说。

“恨不得马上忘掉。这次上了大学，我着着实实出了口长气，周围都是普通人。”她微微扭一下嘴角，笑吟吟地用手心摸摸短发。

“你在打什么零工？”

“呃，写地图解说词。知道吧，卖地图时不是附带一份小册子吗？上面有城镇的说明，有人口和名胜的介绍等等。例如这里有如此这般一条郊游路线，有如此这般一个传说，开着如此这般的花，飞着如此这般的鸟，这个那个的，我的工作就是写这类解说稿。没有比这再容易的了，眨眼工夫就完。去日比谷图书馆翻一天书，足可以写出一册。只要摸透一点点诀窍，就有的是事儿可做。”

“诀窍？什么诀窍？”

“就是——把别人不写的内容多少加一点进去。这一来，地图公司的负责人就会认为‘那孩子会写文章’，心里佩服得不得了，就又找工作给你。其实也用不着大动脑筋，一点点就足够了。比方说吧，有个村庄由于修建水库而在这里淹没了，但候鸟至今仍记得这个村庄，每当那个季节来临，便会出现小鸟们在水面上空盘旋不已的情景。这类趣闻只消写进去一个，公司的人就会喜出望外。这不是，多形象多有气氛啊！可是一般打零工的人却不怎么用这份心计。所以，靠写这解说稿，我正经挣了几个好钱。”

“不过，能经常找到那么多趣闻吗，那么凑巧？”

“唔——”绿子略一歪头，“想找的话，怎么都能找到，实在找不到，适当来点无中生有也未尝不可。”

“是这样。”我心悦诚服。

“皆大欢喜嘛！”绿子说。

她想听我宿舍里的事，于是我照例讲了太阳旗，讲了敢死队如何做早操等等。绿子也为敢死队大笑不止。看来敢死队是为了使全世界的人活得愉快才存在的。绿子说既然如此逗人，那就到我宿舍看看好了。我说看倒没什么意思。

“无非是几百个男生在脏乎乎的房间里或喝酒或手淫罢了！”

“你也不例外？也那么做？”

“没有人不做，”我解释道，“男的手淫跟女孩子来月经是同一码事。”

“有女朋友的也这样？就是说有发泄对象的？”

“问题不在这里。我隔壁一个庆应大学的学生手淫之后才去幽会，说这样就心平气和了。”

“这事我是不大明白，一直在女校嘛。”

“《妇女杂志》的附录上也没提到？”

“何至于！”绿子笑道，“对了，渡边君，这个星期天闲着吗？有空儿？”

“哪个星期天都闲。只是六点钟要去做工。”

“愿意的话，去我家玩一次可好？去小林书店。店倒是不开，可我非守候到晚上不可，因为怕有重要电话打来。嗳，吃午饭吗？我来做。”

“那就谢谢啦。”我说。

绿子从笔记本上撕下一张纸，详细画出去她家的路线，然后取出红圆珠笔，在她家所在的位置打了一个大大的“×”。

“不用费劲就找得到的，一块大招牌上写着‘小林书店’。十二点左右能到？我好准备饭菜。”

我道过谢，将地图揣进衣袋，然后告诉她得回学校上两点钟的德语课。绿子说她有个地方要去,从四谷站上了电车。

星期天早上,我九点钟爬起身,刮了胡子,洗完衣服晾到楼顶天台。外面晴空万里,一派初秋气息。一群红脑袋蜻蜓在院子里团团飞舞,附近的顽童挑着网兜往来追逐。无风,太阳旗颓然下垂。我穿上一件熨得有棱有角的衬衣,出门往都营电车站走去。星期天的学生街空荡荡的不见人影,如同人都死得一干二净一般,店也几乎一律关门大吉,城市里各种各样的音响于是比平日远为真切地扩散开来。脚蹬高跟木屐的女郎拖着“呱哒呱哒”的足音穿过柏油路面,四五个小孩在都营电车库旁边排开几只空罐,往里瞄准投石子。花店倒有一家开了门,我买了几枝水仙花。秋季买水仙有些不合时令,但我从小就喜欢这种花。

星期天早上的电车里,只有三个坐在一起的老太婆。我一上车,老太婆们就对着我的脸和我手中的水仙横看竖看,其中一位看罢我的脸还慈祥地一笑,我也报以笑容,然后坐在最后边的位置,观望外面几乎擦窗而过的一排排古旧房屋。电车紧贴着家家户户的房檐穿行。一户人家的晾衣台上一字排开十盆盆栽西红柿,一只大黑猫蹲在一头晒太阳。在院子里吹肥皂泡的小孩闪入眼帘,石田亚由美的歌声不知从何处传来耳畔。甚至有咖喱气味飘至鼻端。电车像根缝衣针一样在密密麻麻的住宅地带蜿蜒前行。途中有几个人上来。三个老太婆亲密无间地头对着头,不厌其烦地谈着什么。

我在大冢站下了电车,按地图中所示,沿着一条不甚起眼的大街一路走去。两侧排列的商店,哪一家都不像是红红火火的景象,全部是旧建筑,里边黑洞洞的,有的连招牌上的字都消失殆尽了。从建筑物的古旧程度和样式来看,不难判断这一带未曾在战争中遭受空袭，所以这些民房才得以原样保留了下来。当然也有的重建过，也有的或扩建或修修补补，但这些房子大多反倒显得比旧貌依然的房子还要脏乱。

看这光景，估计很多人都已因为车多、空气污染、噪音干扰、房租昂贵而迁往郊外了，剩下来的或是廉价的公寓、公司宿舍，或是搬迁上有困难的商店，或是死活舍不得离开世居之地的顽固派。由于汽车大排废气，所有的东西都像笼了一层薄雾似的灰濛濛脏乎乎。

在这条街上走了大约十分钟，从加油站往右一拐，出现了一条小商店街，当中一块招牌上写着“小林书店”。店固然不大，但也不似我由绿子的话而想象出来的那般小气。一条普通街道上的一家普通书屋。站在小林书店门前时，我不由产生了一种似曾相识的亲切之情：哪条街上都有这样的书店。

书店的卷闸门一落到底，门上写着“周刊《文春》每周四出售”。离十二点大约还有十五分钟，我又不大愿意手拿水仙花在商店街上闲逛，便按了一下门旁的电铃，退后两三步等候回音。过了十五秒还是没有动静。我正寻思是不是该再按一次的当儿，头上“哐”地响起了开窗声。扬脸一看，绿子从窗口探出头，挥着手大声喊道：

“打开卷闸门进来呀！”

“稍早了一点，可以吗？”我也扯着嗓门大喊。

“没关系，一点不碍事儿。上二楼！我现在脱不开手。”接着，“哐”一声把窗关死了。

我便去开门。那门发出惊人的怪叫声，我往上拉起一米高，弓腰钻到里边，再把门落下。店内漆黑一片。我绊在一捆准备退回的杂志上，险些摔个跟头。我一步一挪地摸到店的尽头，摸索着脱去鞋，抬腿上去。屋里光线若明若暗，从脱鞋处上去没几步，有间简单的客厅，摆着一套沙发。房间不很宽敞，窗口透进老早以前波兰电影里的那种昏暗的光线。左侧有一仓库样的杂物间，可以看见厕所的门。右侧立一陡梯，我小心翼翼地爬上二楼。较之一楼，二楼敞亮得多，我吁了口长气。

“喂，这边！”绿子的声音不知从哪里响起。楼梯口右侧有个餐厅样的房间，再往里是厨房。房子本身虽旧，但厨房却像最近装修过了，烹调台、水龙头、餐具橱全都光闪闪地焕然一新，绿子就在那里准备饭菜，锅里煮着什么，“咕嘟咕嘟”直响，还漾着烤鱼的香味。

“电冰箱里有啤酒，坐在那里喝可好？”绿子眼睛朝我忽闪一下。我于是从电冰箱里拿出罐装啤酒，坐在桌前喝了起来。啤酒凉得真够彻底，我怀疑是否已经存了半年。桌上放着白色的小烟灰缸、报纸和酱油壶，还有便笺和圆珠笔，便笺上写着电话号码和像是购物后算账的数字。

“再有十分钟就可以做好。能不能在那儿等一会？能等不？”

“当然能等。”我说。

“边等边饿饿肚子。量可正经不少哩！”

我一面呷着啤酒，一面望着全神贯注做饭的绿子背影。她快捷而灵巧地挪动着身子，同时操作四五样菜，眼看在这边品尝菜的味道，转眼又在菜板上飞快地切什么东西，又从电冰箱里取出什么盛上，一回手又把用过的锅涮好。从后边望去，那样子不禁使人想起印度打击乐的演奏者来：刚击响那边的吊钟，马上又敲这边的板，旋即拍打水牛骨。每一个动作都敏捷而准确，相互配合得恰到好处。我出神地望着。

"有什么要我帮忙的吗?"我招呼道。

"放心,我一个人干惯了。"说着,绿子朝这边闪过脸笑了笑。她下着蓝色牛仔裤,上穿蓝色海军衫,海军衫的背部还印着一个大大的苹果标记。从后面看,她的腰格外的窈窕,简直像在使腰肢壮实起来的发育过程中,不知什么原因跳过了一个阶段:就是这样的美不胜收的腰。因此,同一般女孩子穿窄牛仔裤时的样子相比,她给人的印象要中性得多。从烹调台上方窗口射进的明晃晃的阳光,为她身段的轮廓镀上了一层恍惚而隐约的光膜。

"用不着费事做那么考究!"我说。

"一点也不考究,"绿子头也不回地说,"昨天忙得我菜都没顾上买,只是把电冰箱里原有的统统掏出来应付一下,你千万别介意,真的。再说,好客是我们的家风。我们这一家,也不知怎么搞的,就是非常喜欢请客,打心眼里喜欢,简直成了病态。一家人既算不得特别热情,又不是说因此有什么人缘,反正一来客人就非得忙忙活活招待一顿不可。每个人都这德性,不知是幸还是不幸。所以呀,我爸他尽管自己差不多滴酒不沾,可家里到处是酒。你说干什么?给客人喝呀!所以啤酒你只管放开肚皮喝,用不着客气。"

"多谢。"我说。

少顷,我突然想起水仙花忘在楼下了。我脱鞋时放在脚边,就一直忘在那里。我再次下楼,把躺在昏暗中的十枝白水仙拿上来。绿子从碗橱里取下一只细细高高的玻璃杯,插进水仙。"我,顶喜爱水仙。"绿子说,"以前高中文艺汇演的时候,还唱过《七朵水仙花》呢。知道吗,《七朵水仙花》?"

"那还不知道!"

"当时参加民歌小组来着,弹吉他。"

接着，她便一边哼唱《七朵水仙花》，一边把菜盛进盘子。

绿子做的菜相当够水平，远远超过我的想象。生鲹鱼片、黄嫩嫩的荷包蛋，自己做的西京[1] 风味腌鲅鱼、炖茄块、莼菜汤、玉蕈饭，还有切得细细的黄萝卜干咸菜，而且厚厚沾了一层芝麻。味道清淡，是地地道道的关西风味。

“好吃极了！”我钦佩地说。

“喏，渡边君，老实说，你没想到我做菜有两手吧，从外表看？”

“嗯——”我老实承认。

“你是关西人，喜欢这味道吧？”

“为我特意做得这么清淡？”

“那倒不是，怎么也不至于费那个麻烦劲。家里平时也这个味道。”

“爸爸妈妈都是关西人，所以才……”

“哪里，爸爸一直是这儿本地人，妈妈是福岛的。亲戚里边找遍了也没一个关西的。我们这个家族属于东京—北关东系统。”

“弄糊涂了。”我说，“那么，为什么会做出这么地道正宗的关西风味呢？跟谁学的？”

“噢，说起来可就话长了。”她边吃荷包蛋边说，“我妈那人最讨厌和家务事沾边，几乎不做什么菜。再说，你知道我家是开店的，所以一忙起来，动不动就叫饭店送几份来，或者去肉店买些炸肉丸对付一顿。对这个我从小就讨厌透顶，讨厌得简直不能

---

[1] 西京：即日本京都。

再讨厌。再不然就做一次咖喱饭一吃三天。这么着,有一天——是初中三年级的时候,我下决心自己动手做出像样的东西来,就去纪伊国屋书店买回一本看上去最好的食谱。书上写的,我一样不少熟记在心,包括菜板的选法、菜刀的磨法、鱼的切法、干松鱼的削法,一切一切。由于写这本书的人是关西人,我做的菜也就跟着成了关西风味。"

"那么说,这统统是从书上学来的?"我吃惊地问。

"接着我就攒钱,去吃正宗'怀石料理',于是记住了味道。我这个人,直感相当发达,逻辑思维倒是不行。"

"无师自通地做到这个程度,不简单,实在不简单。"

"吃了好多苦哩!"绿子叹息着说,"我们这家人,对烹调之类是既不知又不想知,所以不管你怎么苦苦央求,他们硬是不肯掏钱替你买些像样的菜刀啦锅啦,说什么现有的足已够用。开哪家的玩笑! 那薄薄一片的小破刀,哪里能切得好鱼! 可这么一说,你猜怎么着,他们马上又说什么鱼那玩艺儿不切也无所谓。简直不可救药。只好拼死拼活地把零用钱凑在一起,买尖头菜刀买锅买笊篱。你说你相信不,一个十五六岁的女孩子,像从身上挤血似的一点一点攒钱,买什么笊篱磨石炸虾锅……而身边的同伴都在使劲儿大把大把要钱,买时髦衣服皮鞋什么的。你说我可怜不可怜?"

我一边喝莼菜汤一边点头。

"高中一年级时,我做梦都想得到一个煎蛋锅,就是那种用来煎荷包蛋的狭长的铜家伙。结果,我就用买乳罩的钱买了那东西。这下可伤透脑筋了:我用一副乳罩整整对付了三个月,你能相信? 晚上洗,拼命弄干,第二天早晨好戴上上学。要是没干可就倒霉了,真的。世界上什么最可怜? 我想再没有比戴半湿不干的乳罩出门更可怜的了。气得我直淌眼泪，尤其想到是为了买那煎蛋锅的时候。"

"怕也是的。"我笑着说。

"所以在妈妈死了以后——这么说也许是对不住妈妈——我倒是松了口气，因为我可以掌握生活费，喜欢买什么就买什么。这么着，如今厨房用具算一应俱全了。至于爸爸，生活费怎么花他是蒙在鼓里的。"

"母亲什么时候去世的？"

"两年前。"她简短地回答，"癌，脑肿瘤。住了一年半医院，折腾得一塌糊涂，最后脑袋也不正常了，离了药就不行。但还是没有死，差不多是以安乐死那种形式死的。怎么说呢，那种死法是再糟糕不过的，本人遭罪，周围人受累。这下可倒好，家里的钱全都花光了。一支针一万两千日元，一支接一支打。又要雇人专门护理，这个那个的。我因为要看护，学习学不成，和失学差不多，简直昏天黑地。还有——"她欲言又止，放下筷子叹息一声，"尽说伤心话了。怎么提到这话上来了？"

"由乳罩引出来的吧。"我说。

"就是这荷包蛋，可要用心吃哟！"绿子神情肃然地说。

我吃完自己这份，肚子已经饱饱的了。绿子没吃多少，她说做菜的人，光做肚子就已经饱了。吃罢饭，她撤下餐具，擦净桌子，不知从哪里找来一包万宝路牌香烟，抽一支叼在嘴上，划火柴点燃，然后拿起插水仙花的玻璃杯，端详了半天。

"就这样好了。"绿子说，"不用换到花瓶里。这么插着，给人的感觉就像是刚刚从河边采来，随手插在杯里似的。"

"在大冢站前的水池边采的。"我说。

绿子嗤嗤作笑：

"你这人真有意思,说笑话还那么一本正经。"

绿子手托着腮,烟吸到半截,便在烟灰缸里使劲碾灭,并用手指揉揉眼睛,可能进了烟。

"女孩子熄烟要熄得文雅一点。"我说,"那样熄,活像砍柴女。不要硬碾,从四周开始慢慢熄,那就不至于把烟头弄得焦头烂额了。你这熄法太残忍了。另外无论如何不能从鼻孔里出烟。和男的两人单独吃饭时,一般女孩子不至于提起三个月只戴一副乳罩的话。"

"我,就是砍柴女嘛。"绿子边搔鼻侧边说,"怎么也悲哀不起来。有时当玩笑说一说,总不往心里去。其他还有要说的?"

"万宝路不是女孩子吸的烟。"

"可以的,没什么。反正吸什么都同样没滋没味。"她说,然后把万宝路的硬纸包装盒拿在手里转来转去,"上个月刚开始吸。其实也不大想吸,只是偶尔想试一下。"

"为什么那样想呢?"

绿子把搁在桌面上的两只手"啪"地一合,沉吟片刻,说:"也不怎么。你不吸烟?"

"六月份戒了。"

"干嘛要戒?"

"太麻烦了。譬如说半夜断烟时那个难受滋味啦,等等。所以戒了。我不情愿被某种东西束缚住。"

"你这人,属于喜欢追究事理那类性格,肯定。"

"也许。"我说,"说不定因为这一点我才不怎么讨人喜爱,以前就这样。"

"那是由于:在别人眼里,你是个不被人喜爱也觉得无所谓的角色。或许有些人对你这点感到棘手也未可知。"她手捧两腮，自言自语似的小声说，“不过我喜欢同你说话，你说话方式真是别具一格：‘我不情愿被某种东西束缚住。’”

我帮她洗碗，站在她旁边，把她洗过的碗用毛巾擦干，放在烹调台上。

“你家里人都上哪儿去了，今天？”我问。

“妈妈在坟里，两年前死的。”

“这个，刚才听你说了。”

“姐姐同未婚夫幽会。好像到什么地方兜风去了。她的那位在汽车厂工作，所以她特别喜欢汽车。我可是不大喜欢。”

她说完默默地洗碟子，我便默默地擦。

“往下就是我爸爸了。”停了一会，绿子说。

“呃。”

“爸爸他去年六月去了乌拉圭，一直没回来。”

“乌拉圭？”我一愣，“何苦去乌拉圭那样的地方？”

“想移居乌拉圭，他那人，活像天方夜谭里的阿拉伯人。当兵时的一个熟人在乌拉圭办农场，心血来潮地说去那里很好混，他就一个人搭飞机走了。我死说活说劝他别去，告诉他去那样的地方根本行不通，又不懂语言，再说连东京都没怎么离开过。但怎么说也不顶用。肯定是我妈死了以后，他悲伤得不知怎么才好，脑袋里那根弦也随着断了。他爱我妈就爱到这个地步，真的。”

我不便应和什么，张着嘴，望着绿子。

“妈妈死的时候，你猜爸爸对着我和姐姐说什么来着？这么说的：‘我十分懊悔，真不如叫你们两个替你妈死算了！’听得我俩目瞪口呆。还不是，再怎么样也不好那样说话呀。当然喽，那是出于丧失至亲至爱的伴侣后的难过、悲哀和痛苦，这我知道，也很同情，但也不至于说什么让亲生女儿去替死那样的话，你说是不？你不认为未免太过分了？”

“啊，倒也是的。”

“我们也很伤感情。”绿子摇摇头，“总而言之，我们这家人都有点神经兮兮的，多少有点出格离谱。”

“有点儿。”我也承认。

“不过，你不觉得人与人相爱是件好事？爱夫人爱得甚至当着女儿的面说什么不如叫你们替死是件好事？”

“或许。”

“这还不算，还跑到乌拉圭去了，没事似的甩下我们不管了。”

我闷头擦拭盘子。全部擦完，绿子把我擦过的所有碟碗整整齐齐地放进餐具橱。

“父亲那边没音信？”我问。

“今年三月来过一张带画的明信片，可具体也没写什么，只是说那边很热，水果不像预想的那么好吃——就这么点。简直是开玩笑！那明信片上居然还画着一头蠢驴！真是神经！连见到哪个朋友或熟人也没提。最后还写，等稍微安顿下来后，把我和姐姐叫去。以后就再无音信了，我们去信也不理。”

“那么，假如你爸爸叫你去乌拉圭，你怎么办？”

“就去看看嘛，不是挺有趣的？姐姐说她坚决不去。我姐她最最讨厌不卫生的东西、不卫生的地方。”

“乌拉圭就那么不卫生？”

“不晓得。姐姐认定是那样，说路上一层驴粪，上面趴满苍蝇，冲厕所的水又不通，蜥蜴蝎子到处一动一动地乱爬。说不定她在哪里看了这类电影。姐姐对虫子算是深恶痛绝的。她最开心的就是坐着狂吼乱叫的车子在湘南一带来回兜风。”

“呃——”

“乌拉圭,满不错嘛,去也未尝不可。”

“那一来这店谁来管呢?”我问。

“姐姐在半死不活地管着。住在附近的伯父每天都来帮忙,还去送货。我有时间也帮把手,反正开书店也不是什么重活儿,怎么都干得了。要是怎么都干不下去的话,就干脆连店铺一卖了事。”

“你喜欢父亲?”

绿子摇摇头:“也不是很喜欢。”

“那为什么要跟到乌拉圭去呢?”

“信赖他。”

“信赖?”

“是啊。喜欢倒不怎么喜欢,但是我信赖,信赖爸爸。在失去夫人的打击下,扔下家扔下孩子扔下工作,手一甩去了乌拉圭——我信赖这样的人。明白?”

我喟叹一声:“好像明白,又好像不明白。”

绿子好笑似的笑着,轻轻捶一下我的脊背,说:

“好了好了,怎么都无所谓。”

这个星期天的下午兵荒马乱地出了不少事,好个奇妙的日子。就在绿子家附近发生了一场火灾,我们爬上三楼的晾衣台看热闹,而且不知不觉地接了吻。这么说也许像是装傻卖乖,可过程确实如此。

我们一边说学校里的事一边喝饭后咖啡,这时传来消防车的警笛声，声音越来越大，数量也似乎越来越多。楼下有很多人奔跑，有几个人大声呼号。绿子跑到临街的房间，推窗往下看了看，然后说声"等一下"就不见影了，只传来"咚咚"上楼的声响。

我边喝咖啡边思索乌拉圭在什么地方。那里是巴西，那里是委内瑞拉，这边是哥伦比亚——如此想了半天，却怎么也弄不清乌拉圭的确切位置。这工夫里，绿子下来，叫我赶紧一起过去，我便尾随其后，爬上走廊尽头一架又窄又陡的木楼梯，到得一处很宽敞的晾衣台。晾衣台比周围住宅的屋脊明显高出一截，临近一带尽收眼底。隔三四座房子的对面，浓烟滚滚，腾空而起，顺着微风朝大街那边荡去。空气中飘着焦糊味儿。

"是阪本那里。"绿子从栏杆上探出身子说，"阪本搬来之前是一家卖门窗的店，现在早已关门不做买卖了。"

我也从栏杆上探出身朝那边张望。不巧出事地点正位于一座三层楼的背后，看不出个究竟，好像有三四辆消防车在进行灭火作业。由于路本来就窄，至多只能开进两辆，其他车只好在大街那边伺机而动。路面自然给看热闹的人挤得水泄不通。

"我看最好把贵重的物品收拾收拾，这里也得避一下难。"我对绿子说，"现在风向相反，但不知什么时候转过来，而且加油站就在跟前。收东西吧，我来帮忙！"

"根本就没有贵重东西。"绿子说。

"可总该有什么吧？存款，原始印章，证书……首先钱没有了就是麻烦事。"

"不要紧，我不跑的。"

"这里烧着了也不跑？"

"嗯。"绿子说，"死了就死了呗！"

我看着绿子的眼睛，绿子也看着我的眼睛。她一下子把我弄晕了:不知她话里多少成分是真,多少成分是假。我注视了她一会儿,渐渐地,开始觉得反正都无所谓。

"好,明白了,奉陪就是,陪你。"我说。

"和我一块儿死?"绿子眼睛一亮。

"难说。一旦势头不妙我可得逃走。要死你一个人死好了!"

"冷酷。"

"只讨你一顿午饭,怎么能连命都一块搭进去呢? 晚饭也招待的话另当别论。"

"你这人! 算啦算啦。反正先在这儿看一会吧。我来唱歌给你听。"

"唱歌?"

绿子跑去下面,拿上来两张坐垫、四瓶啤酒和吉他,于是两人眼望团团涌起的黑烟喝起啤酒来。我问绿子如此做法是否会招致左邻右舍的白眼。因为我觉得:面对附近失火的场景在阳台上饮酒唱歌委实算不得正当行为。

"没事儿,管它! 我们早已决定对周围的事来个不屑一顾!"

她唱起以往流行过的民歌。歌也好,吉他也好,都实在不敢恭维,但她本人却是满脸自我陶醉的神情。她唱了《柠檬树》、《粉扑》、《离家五百里》、《花落何处》、《快划哟米歇尔》,一首接一首唱下去。起始,绿子教了我低音部分,准备两人合唱,可惜我的嗓音实在南腔北调,只好遗憾地作罢,由她一个人尽情尽兴地引吭高歌。我口呷啤酒,耳闻歌声,眼观火势,而且专心致志。眼见浓烟骤然腾空,旋即不大不小,周而复始。人们或狂喊乱叫或发号施令,报社的直升飞机自天外飞来,震天价吼个不止,取完镜头便掉头跑开,但愿别连我俩的行径也取进去。警察的大音量扩音器对着幸灾乐祸的围观者大吼大叫，命令他们再往后退。小孩没好声地哭爹叫娘，玻璃“劈啪”乱响。俄而，风头开始倒转，白色灰状物朝我们翩然飞来。然而，绿子兀自吱吱有声地喝着啤酒，自鸣得意地大唱其歌。会唱的一古脑儿唱罢，又唱起了自己填词作曲的莫名其妙的歌。

本想给你做顿菜，
可惜我没有锅。
本想给你织围巾，
可惜我没有线。
本想给你写首诗，
可惜我没有笔。

绿子说这歌叫“什么也没有”，歌词不伦不类，曲调也怪里怪气。

我一面听她唱这驴唇不对马嘴的歌，一面放心不下：万一火烧到加油站，这座房子岂不跟着上西天了！绿子这时唱得累了，放下吉他，像晒太阳的懒猫似的斜靠在我肩上。

“我创作的这首歌如何？”她问。

“别开生面，富有独创性。很能体现你的性格。”我慎之又慎地回答。

“谢谢你。”她说，“题目叫——什么也没有。”

“似乎可以理解。”我点头道。

“在我妈妈死的时候……”绿子脸朝着我说。

“噢。”

“我半点都没伤心。”

“啊?”

“父亲不在以后也一点都没难过。”

“当真?”

“当真。你不觉得这太过分?你不认为我冷酷无情?”

“不过这里边有很多缘由吧。”

“是啊,嗯,是有很多。”绿子说,“复杂着呢,我家。不过,我一直这样想:不管怎么说是生我养我的父母,要是死了或分开了,该悲伤才是。可就是不行,完全无动于衷。既不悲伤,又不寂寞,也不难受,几乎什么感觉都没有,只是有时候会做梦。梦到我妈,她从黑暗里瞪着我,挖苦说:‘你这家伙,我死了你高兴吧?’其实也谈不上什么高兴,死的到底是母亲,只不过没那么悲伤罢了。老实说,我一滴泪珠也没掉。小时候家里养的猫死了还哭了整整一晚上呢。”

怎么冒这么多的烟呢?既不见火,看情形火势又没加大。只管绵绵不断地冒着浓烟。到底什么东西烧这么久呢?我感到不可思议。

“可也不能全怪我。我是有薄情之处,这我承认,不过要是他们——爸爸和妈妈——多少给我一点爱的话,我的感受就会大不相同,就会感到点伤心……”

“你觉得,没怎么被爱过?”

她歪起脖子看我的脸,随即深深地点了下头。“介于‘不充分’和‘完全不够’之间吧。我总是感到饥渴,真想拼着劲儿得到一次爱,哪怕仅仅一次也好——直到让我说可以了,肚子饱饱的了,多谢您的款待。一次就行,只消一次。然而他们竟一次都没满足过我。刚一撒娇,就给抡到一边去,动不动就说我花钱大手大脚,从来都这样。一来二去,我就想:一定自己去找一个一年到头百分之百爱我的人。小学五六年级时就下定了这个决心。”

“了不起!”我肃然起敬,“可有成果?”

“难呐!”绿子说。然后眼望着烟思考了一会,说:“也许等得过久了。我追求的是十二分完美无缺的东西,所以才这么难。”

“完美无缺的爱?”

“不不。就算我再怎么样也不敢那么追求。我所求的只是容许我任性,百分之百的任性。比方说,我现在对你说想吃酥饼,你就什么也不顾地跑去买,气喘吁吁地跑回来递给我,说:‘喏,绿子,这就是酥饼。’可我却说:‘我又懒得吃这玩艺儿了!’说着‘呼’的一声从窗口扔出。这就是我所追求的。”

“这和爱似乎不大相干啊!”我不无愕然地说。

“相干!你不知道罢了,”绿子说,“对女孩儿来说,这东西有时非常非常珍贵。”

“就是把酥饼扔出窗口?”

“是啊。我希望对方这样说:‘明白了,绿子。怪我不好,我本该估计到你又不想吃酥饼才是。我简直像驴粪蛋儿一样愚蠢透顶、麻木不仁。为了表示歉意,让我再去给你买点别的什么。什么好?巧克力饼,还是奶酪饼?’”

“然后怎么样呢?”

“那我就好好地爱他,报答他。”

“我觉得相当不近情理。”

“可对于我,那就是爱呀!可是没有人能理解……”说着,绿子在我肩头微微摇了摇头,“对某种人来说,爱是从根本不值一提的、或者说非常无聊的小事开始萌芽的,要不然就萌芽不了。”

“有你这样想法的女孩儿我还是第一次见到。”我说。

“其实这样的人相当不少。”她一边拨弄指甲根一边说,“起码我是认认真真这样想的，也只会这样想，我不过是把它照实说出口罢了。我从不认为我的想法与别人有什么两样，也不去追求那种两样。坦率地说，我觉得大家统统是在自欺欺人或逢场作戏，因此有时候对什么都讨厌得要死。”

“想在火灾里死掉？”

“瞧你，那倒不是。单单是好奇心而已。”

“是指在火灾里送死？”

“其实也不是，而是想看看你有什么反应。”绿子说，“但死本身却丝毫也不可怕，确确实实。不过被裹在烟里呛昏，直接昏死过去罢了。转眼之间的事，同我见过的我妈和其他亲戚的死法相比，一点也不怕人。哎，我家亲戚都是大病一场折腾得死去活来才死的，我总觉得怕是血统关系。要费很长很长时间才能咽那口气，捱到最后连是死是活都闹不清了，意识到的只是痛苦。”绿子把万宝路叼在嘴上，“我所害怕的，是这种方式的死。就是说，死的阴影一步一步侵入生命的领地，等察觉到的时候，已经黑乎乎的什么也看不见了。那样子，连周围人都觉得我与其说是生者，倒不如说是死者。我讨厌的就是这个，这是我绝对忍受不了的。”

过了三十分钟，火终于熄了。烧的面积似乎不很大，也没有人受伤。消防车也只留一辆，其余的都掉头跑了。人群吵吵嚷嚷地撤离了商店街，只剩下维持交通秩序的警车在空荡荡的路面上来回转着警灯。不知从何处飞来两只乌鸦，蹲在电线杆顶俯视着地面上的光景。

火灾过去后，绿子显得疲惫不堪，她身体有气无力，目光呆滞地望着远方的天空，几乎不再开口了。

"累了?"我问。

"不是累,"绿子说,"只是好久都没这么放松身体了,呼地一下子。"

我看看绿子的眼睛,绿子也看看我的眼睛。我搂过她的肩,吻住她的嘴。绿子只是肩头稍微抖动了一下,旋即软绵绵地闭上眼睛。约有五六秒,我们悄无声息地对着嘴唇,初秋的阳光把她的眼睫毛映在脸颊上,看上去在微微发颤。

那是一个温柔而安稳的吻,一个不知其归宿的吻。假如我们不在午后的阳光中坐在晾衣台上喝着啤酒观看火灾的话,那天我恐怕不至于吻绿子,而这一心情恐怕绿子也是相同的。我们从晾衣台上久久地望着光闪闪的房脊、烟和红脑袋蜻蜓,心情不由变得温煦、亲密起来,在无意中想以某种形式将其存留下来,于是我们接了吻,就是这种类型的吻。当然,正像所有的接吻一样,我们的接吻也不是说不包含某种危险。

最先开口的是绿子。她轻轻拉住我的手,似乎难以启齿地说她有个正在相处的人。我说好像猜得出来。

"你有可心的女孩?"

"有的。"

"那星期天怎么老是闲着?"

"这复杂得很。"我说。

我意识到:这个初秋午后瞬间的魔力已经杳然逝去了。

五点时,我说要去打工,离开了绿子家。我邀她出去简单吃点东西,她没答应,说怕有电话打来。

"整整一大天都憋在家里等电话,真是烦透了。孤零零一个人,觉得身体就像一点点腐烂下去似的。渐渐腐烂、融化,最后变成一洼黏糊糊的绿色液体，再被吸进地底下去，剩下来的只是衣服——就是这种感觉，在干等一天的时间里。”

“要是还有这类等电话的事，我来奉陪，不过可要搭一顿午饭。”我说。

“好的。连饭后的火灾也准备好。”绿子说。

※

第二天上“戏剧史Ⅱ”，课堂上没见到绿子。上完课，我走进学生食堂，要了一份既凉又味道不好的便餐，吃完便坐在阳光下打量周围动静。就在我身旁，两个女生站着聊个没完没了，一个像抱婴儿一样怀抱网球拍，生怕掉在地上似的，一个拿着几本书和雷那德·巴斯蒂的唱片集。两人都长得如花似玉，谈得津津有味。俱乐部活动室那边传来谁在练习低音提琴音阶的声响。到处都是三五成群的学生，他们随便抓来什么话题各抒己见，连笑带骂。停车场里有伙人在溜旱冰，一个怀抱公文包的教授绕开他们从场上穿过。院子当中，一个头戴安全帽的女生把腰弯得像趴下似的在地面上书写美帝侵略亚洲如何如何的标语牌。一如往日的校园午休光景。然而在隔了许久后重新观望这光景的时间里，我蓦然注意到一个事实：每个人无不显得很幸福。至于他们是真的幸福还是仅仅表面看上去如此，就无从得知了。但无论如何，在九月间这个令人心神荡漾的下午，每个人看来都自得其乐，而我则因此而感到了平时所没有感到过的孤寂，觉得惟独我自己与这光景格格不入。

不过细想起来，这几年间我又究竟融入过什么样的光景中呢？记忆中最后一幅感到亲切的光景，是同木月两人在港口附近的桌球室击球的场面。而木月就是在那天晚间死的。从此以后，我同世界之间便不知何故总是发生龃龉，犹如有一股冷空气硬生生地横插进来。对于我，木月其人的存在到底意味着什么呢？百思不得其解。我所明白的只是：由于木月的死，我的不妨称之为青春期的一部分机能便永远彻底地丧失了。对此我可以清楚地感到和理解，至于它意味着什么，将招致何种结果，我却如坠五里云雾。

我久久地坐在那里，观看着校园的景致和来来往往的男女，以此消磨时间。我心想说不定碰巧能见到绿子，但这天她终究也没有出现。午休结束后，我进图书馆预习德语。

※

周六的晚上，永泽来我房间，问我今晚能否出去玩一玩，在外留宿的许可由他来办。我回答说可以。一周来我的头脑乱七八糟的，觉得跟谁睡觉都无所谓。

黄昏时分，我进浴室洗个澡，刮了胡子，在开领半袖衫外罩了一件棉布上衣，然后和永泽两人在食堂吃罢饭，乘上公共汽车往新宿赶去。我们在新宿三丁目的喧嚣声中下车，在这一带东游西逛了一阵，然后走入近处一家常去的酒吧，等待合适的女孩到来。这原本是一家以女客集中为特征的酒吧，偏偏这天来的女孩可以说几乎是零，没有人靠上前来。我们在不至于醉的限度内一小口一小口地呷着掺有苏打水的威士忌，待了将近两个小时。有两个颇为可爱的女孩在吧台旁坐下，要了吉姆莱特和马尔加利达两种进口酒。永泽马上过去搭讪，原来两人都在等男朋友。但我们四人还是亲热地聊了一会，约会的男朋友一来，两个女孩便去那边了。

永泽提出换一家，把我领进另一处酒吧。这是个稍微拐入巷内的小酒吧，大部分客人都喝得有了几分醉意，正在乱哄哄地胡闹。尽头处的桌旁坐着三个女孩，我们加进去，五个人说说笑笑，气氛倒也不坏，都兴致勃勃的。但当永泽劝她们再换一家喝点儿时，女孩们却说快到关门时间了，得赶紧回去。三人都住在一所女子大学的学生宿舍里。这天真是一无所获。之后又换了一家，还是枉费心机。不知何故，女孩都压根儿没有靠近的意思。

熬到十一点半，永泽说今天报销了。

"对不住，拉你跑来跑去。"他说。

"没关系。知道你也有这样的日子，已足够让我开心的了。"我说。

"一年也就是一回吧，这种时候。"

说实在话，这时我对同女孩睡觉已无多大兴致了。在周末夜晚沸沸扬扬的新宿街头东张西望了三个半小时之久，目睹着人们释放出来的由性欲和酒精等混合而成的各种莫名其妙的能量，我不由地觉得自己本身的所谓性欲简直猥琐得不足挂齿。

"往下如何是好，渡边？"永泽问我。

"看它个通宵电影，好久没看电影了。"

"那我去初美那里，可以么？"

"没什么不可以的吧。"我笑道。

"要是你愿意，还可以介绍一个让你过夜的女孩，怎么样？"

"算啦，还是看电影。"

"抱歉！找个时间将功折罪。"他说罢，便消失在杂乱的人群之中。我迈进汉堡包店，吃了夹干酪片的汉堡包，喝了杯热咖啡，醒醒酒，尔后走入附近的二号馆看了场《毕业生》。电影意思不大，但又别无他事，看过一遍，我坐着未动，又看了一遍。走出电影院时已快凌晨四点了，我在凉意袭人的新宿街头一边胡思乱想，一边漫无目的地转悠着。

走得累了，我便钻进一家通宵营业的小吃店，喝着咖啡看书，等待头班电车。不大工夫，店里就挤满了同我一样等头班电车的人。男侍走过来，抱歉地问我对面座位可否坐人，我说可以。反正我是在看书，谁与我对坐都不碍事。

在对面落座的是两个女孩，年纪同我相仿，长得虽都不算漂亮，但给人的感觉并不差，化妆和衣着都十分得体，看不出是在歌舞伎街无事闲逛到清晨五点的那号女子。我猜想她们肯定是因为某种缘由才未赶上末班电车的。她们见相对而坐的人是我，现出一副释然的神情。我穿戴整齐，又是昨晚刮的胡子，况且正在聚精会神地看托马斯·曼的《魔山》。

一个女孩长得高高大大，身穿赛艇用的那种带风帽的上衣和白布裤，拎一个大大的人造革包，两耳戴着贝壳般大小的耳环。另一个则小巧玲珑，架一副眼镜，格纹衬衣外面加一件对襟蓝毛衣，指上套着蓝松石戒指。小巧的女孩似乎有个习惯——不时地摘下眼镜揉揉眼睛。

两人要的都是咖啡和汉堡包，一面小声商量什么，一面细嚼慢咽。高大女孩歪了几下脖子，小巧女孩摇了好几次头。由于马宾·基和比·基斯等人的音乐放得很响，听不清两人谈话的内容，但看上去是小巧女孩在为什么恼怒，而高大女孩则在好言抚慰。我时而看书，时而打量她们一眼。

小巧女孩怀抱挎包去卫生间后，高大女孩对我说了声“啊，对不起”，我放下书看着她。

“您知道这附近还有没有酒吧?”

“早晨五点钟过后?”我不由一怔,反问道。

“嗯。”

“噢,都清晨五点二十分啦,正是大部分人醒酒后回家睡觉的时间啊。”

“唔,这个其实我也是一清二楚的……”她极其难为情似的说,“同伴说她无论如何都想喝酒,当然这里有很多原因。”

“那就只能两人回家喝啦。”

“可我,要乘早上七点半的电车回长野。”

“那样的话,剩下的办法恐怕就只有在自动售货机买酒,找个地方去喝了。”

“实在冒昧得很,您能不能陪一下?”她说,“两个女孩不好那样做。”

尽管当时我在新宿街头已经经历过五花八门的奇妙事情,但一大早五点二十分被素不相识的女孩拉去喝酒,倒是生来第一遭。拒绝吧,又要找借口,也罢,反正还有时间,便到附近自动售货机跟前买了几瓶日本清酒和一些下酒菜,和她们一起抱在怀中,走到西口原叶那里来了个席地宴会。

从两人话中得知,她们在同一家旅行分社工作,都今年刚从短期大学毕业,很要好。小巧女孩有个男朋友,太平无事地交往一年多了,不料最近得知他同别的女郎同床共衾,她于是大为沮丧——情况大致如此。高大女孩因哥哥今天举行婚礼,本打算昨天回长野老家,但为了陪伴这个朋友,昨晚在新宿熬到天亮,只能今早乘第一班特快赶回。

“可你怎么会知道他同别人睡觉呢?”我问小巧女孩。

小巧女孩一边一点一滴地啜着日本酒,一边拔着脚前的杂草。“一拉开他房间的门,正在眼皮底下干呢,这不是明摆的事嘛!”

“这事,什么时候?”

“前天夜里。”

“唔——”我说,“门没锁?”

“嗯。”

“怎么会没锁呢?”我说。

“那谁知道! 又怎么能知道!”

“你说这还不受到沉重打击? 岂不欺人太甚? 她心里怎么能好受?”人显得很厚道的高大女孩说。

“这话倒不好由我来说,最好还是和他好好谈一次,往下就是能否原谅的问题,我想。”

“谁也理解不了我的心情。”小巧女孩一边一把把地拔草,一边自暴自弃似的说。

一群乌鸦从西天飞来, 掠过小田急百货大楼的上空。天已完全大亮。三人东拉西扯着, 高大女孩乘电车的时刻临近了。我们把剩下的酒送给西口地铁站里的流浪汉, 买张站台票送她上车。列车远去后, 我和小巧女孩不约而同地跨入旅馆。其实双方都不特别想一起睡觉, 只是如若不睡, 事情便无法收场。

开房进去,我第一个脱光了跳入浴槽,一边在里边泡着,一边像赌气似的喝啤酒。女孩随后进来,两人顺势躺在浴槽里默默喝酒。怎么喝头也不晕,又无睡意。她肌肤白皙,光滑滑的,腿形十分匀称诱人。我夸她的腿长得好,她冷冰冰地说了声谢谢。

然而一上床,她却变得判若两人。随着我手的动作,她敏感地做出反应，扭动身体，大声呻吟。我进入时，她的指甲死死地扎入我的后背，随着高潮的逼近，她一连声喊了十六次一个男人的名字。我为了迟些一泻而出，拼命地数着次数。之后，我们就势睡了过去。

十二点半我睁眼醒来时，她已不见了，既未留信又没留字条。由于喝酒的时间不对头，觉得半边脑袋重重地直往下沉。我冲了淋浴，去掉睡意，刮罢胡子，然后赤身裸体地坐在椅子上，从电冰箱里拿出瓶汽水一饮而尽，随即一件一件依序回忆昨晚发生的事。每一件都仿佛夹在两三片玻璃中间，虚无缥缈，恍若梦幻。但那无疑是在我身上实际发生的——桌上的杯里还有昨夜喝剩的啤酒，洗脸间有用过的牙刷。

我在新宿简单吃了早餐，进电话亭给小林绿子打个电话。我以为她今天仍一个人看守电话，但呼叫了十五次也没人接。二十分钟后又打了一次，仍是同样的结果。我乘上公共汽车返回宿舍，门口信箱里有一封我的快信，是直子来的。

第 五 章

“谢谢你的来信。”直子写道。信是从直子父母家直接转到“这里”来的。直子继续写道：“你的来信根本不是什么打扰。老实说，我感到非常高兴。其实自己也正想给你去信。”

读到这里，我打开窗户，脱去上衣，坐在床沿上。附近鸽舍里传来“咕咕”的鸽叫声。风吹动着窗帘。我把直子寄来的七页信纸拿在手里，沉浸在漫无边际的思绪中。只读罢开头几行，我便觉得周围的现实世界黯然失色了。我闭上眼睛，花了很长时间把自己的心收拢，然后深深吸了口气，继续读下去。

“来这里已快四个月了。”直子接着往下写道。

“在这四个月时间里，对你我想了很多很多，并且越想越觉得自己可能对你有欠公正。对于你，我想我本应该作为一个更健全的人予以公正对待的。

“但是，这种想法也许过于郑重其事。因为，我这样年龄的女孩子是不使用‘公正’这类字眼的。对一般年轻女子来说，事情公正与否根本无关紧要。较之什么是公正的，普通女孩子更多考虑的则是什么是美好的，以及怎样才能使自己获得幸福等等。‘公正’一词，无论怎么想都是男人所使用的。不过对于现在的我，使用‘公正’这个词却似乎再确切不过了。这或许因为：

什么是美好的以及如何获得幸福之类，对我毋宁说是个十分烦琐而错综复杂的命题，这使我因而转求其他标准，诸如公正、正直、普遍性等。

“然而无论如何，我认为自己对你都是不够公正的，以致使你茫然不知所措，心灵遭受创伤。但同时我本身也同样陷入了迷惘和自我伤害的境地。这既非花言巧语，也不是自我辩护，确实如此。倘若我在你心中留下什么创伤，那不仅仅是你一个人的，也是我的创伤。所以，请你不要怨恨我，我是不健全的人，比你想的不健全得多。也正因如此，我才不愿被你怨恨。如若被你怨恨，我势必真正归于土崩瓦解。我不像你，不可能轻易地钻入自己的壳中，随便做点什么来使自己获得解脱。你是否真是这样我不得而知，但在我眼中你总显得如此。因此，我时时羡慕你。过度地拖累你，恐怕也是出于这个原因。

“这种对事物的看法，也许有太多的分析意味，你不这样认为？当然我不是说这里的治疗是分析式的，但处在我的境地，接受了几个月治疗之后，喜欢也罢，讨厌也罢，难免多多少少受到分析的熏染——所以如此，是因为什么，而它又意味什么，为什么等等。至于这种分析是将世界简单化还是条理化，我却是不明不白。

“但不管怎样，同以往一度严重时相比，我感觉已有了相当的恢复，周围人也同样承认。如此平心静气地给你写信，也是相隔好久的事了。七月间给你发的那封信，我真是咬紧牙关才写成的(老实说，我完全记不起写了什么，怕是前言不搭后语吧)。而这回，却是写得十分从容自得。新鲜的空气、同外界隔绝的寂静世界、秩序井然的生活、每天的运动，这些对我似乎还是很有必要的。能够给别人写信，实在是件快意的事情。能够如此坐在桌前拿起笔来，把自己的所思所想写成文字诉说给别人听，真是再开心不过了。当然，一旦落实到文字，自己想说的事只能表达出一小部分，但这并没有什么要紧。只要能产生想给谁写点什么的心情，对时下的我便已足够幸福了。惟其如此，我才在现在给你写信。现在是晚间七点半，刚刚用罢晚餐，从浴室出来。四下万籁无声，窗外夜幕沉沉，全无一点光亮。平日那般动人的星光，今晚也由于阴天而概不露面。这里的人，每一个都对星星了如指掌，告诉我哪个是处女座，哪个是射手座。这或许是因为天黑以后无所事事才变得如此熟悉的吧——尽管可能并不情愿。由于同一缘故，这里的人对花、鸟、昆虫也都如数家珍，和他们交谈起来，我得以知道自己在许多方面竟是那样无知，而意识到这点又是那样惬意。

"这里一共生活着七十人左右，此外有二十几名工作人员(医生、护士、事务员等)。这儿的面积非常大，因此这个数字绝不算多——甚至不妨可以使用'闲散'这一字眼。在满目自然风光的广阔天地里，每个人都在优哉游哉地打发时光。由于过于悠闲了，有时我甚至怀疑这不是活生生的现实世界，当然实际并非如此。我们是在某种前提下生活在这里的，以至于有这种感受。

"我在打网球和篮球。篮球队是由患者(我并不愿这样称呼，但没有办法)和工作人员混合组成的。但玩到兴头上，我便分辨不清谁是患者谁是工作人员了。这么说有些荒诞，但虽说荒诞，一旦玩起来，看周围却又的确觉得任何人都有些反常。

"一天，我把这话讲给主治医生听，他说在某种意义上我的说法是正确的。他说让我们住进这里的目的，并不在于矫正这种反常，而在于适应它。我们这些人身上的问题之一，就在于不能承认和接受这种反常，他说，正像我们每一个人走路无不有其习惯姿势一样，感受方式、思考方式以及对事物的看法也都有其习惯性倾向，即使想加以改正也并非当即可以奏效的，如若操之过急，反而会影响到其他方面。不用说，他这种解释完全是粗线条的，涉及的只是我们身上所有问题中的某一个的一部分。尽管如此，他话中的含义我还是若有所悟。我们或许果真未能自然而然地顺乎自己的反常特性，因此才无法确定由这种反常特性所引发的痛苦在自身中的位置，并且为了对其避而远之而住进这里。只要身在这里，我们便不至于施苦于人，也可以免使别人施苦于己。这是因为，我们都已认识到了自己的反常，这是完全有别于外部世界之处。外面的世界里，大多数人意识不到自己的反常。而在我们这个小天地中，反常则恰恰成了前提条件。正如印第安人头上戴有表示其部族的羽毛一样，我们身上也带有反常。我们在此静静地生活，避免相互伤害。

"除了体育运动，我们还种菜。有茄子、黄瓜、西瓜、草莓、葱、甘蓝、萝卜及其他好多品种。一般东西我们都种，还使用温室。这里的人们对种菜非常熟悉和热心，看书，请专家指导，从早到晚议论的全是什么肥料合适啦、土质如何啦等等。我也爱上了种菜，看到各种各样的水果蔬菜一天天长大，感到分外欣慰。你培育过西瓜么？西瓜这东西，膨胀起来活像小动物似的。

"我们每天吃的都是这种新摘下来的蔬菜和水果。肉和鱼自然也是有的，但在这里久了，想吃鱼肉的心情渐渐淡薄起来，因为每一样蔬菜都水灵灵的，鲜嫩可口。有时也到外面采山菜和蘑菇，那时总有专家在场(想来这里无一不是专家)，告诉我们哪个可吃哪个不可吃。结果我来这里后已胖了三公斤，体重可说是正好。这都是由于体育运动和饮食有规律、讲究营养搭配的缘故。

“其余时间里，我们或看书，或听音乐唱片，或织东西。电视机和收音机虽然没有，但有个相当充实的图书室，也有资料馆。资料馆里从马勒的交响乐全集到甲壳虫乐队，应有尽有。我经常在这里借唱片，带回房间听。

“这座疗养机构的问题在于：一旦进入这里，便懒得出去，或者说害怕出去。在这里生活，心境自然变得平和安稳，对自己的反常也能泰然处之，感到自己业已恢复。然而外部世界果真会如此接纳我们吗？对此，我心里很不踏实。主治医生说我现阶段已经可以慢慢开始同外界的人接触了。所谓‘外界的人’，是指正常世界中的正常人。然而我脑海中浮现出来的惟你而已。老实说，我不大想见父母。他们被我搅得心慌意乱，见面交谈恐怕也只能使我栖惶不安，况且我还有几件事必须向你解释。能否解释圆满我没把握，但那是举足轻重、不容回避一类的大事。

“虽说如此，你也不要把我当做沉重的负担。我不想成为任何人的重负。我感受出了你对我的好意，并为此感到高兴——只是想把这种心情如实地告诉你。或许我现在极为渴求这样的好意。如果我写的某一点使你觉得为难的话，我向你道歉。请原谅我。我前面已经写过，我是个比你想的要不健全的人。

“我时常这样想：假如我与你在极为理所当然的普通情况下相遇，且相互怀有好感的话，那么将会怎样呢？假如我是认真的，你也是认真的（一开始就是认真的），而木月君又不在，那么将会如何呢？可是，这‘假如’过于漫无边际了。至少我是在尽可能使自己变得公正、变得诚实。现在的我只能这样做，并想以此把我的心情多少传达给你。

“这座机构和普通医院的不同，原则上会面自由。只要提前一天来电话联系，任何时候都可以会面。可以一同吃饭，也有住的地方。请在方便的时候来见我一次，我期待着。随函寄上地图。信写得长了，请别见怪。”

读到最后，我又从头读起，然后下楼在自动售货机买来可口可乐，边喝边重读了一遍，这才把七页信纸装进信封，放在桌上。淡红色的信封上，用工工整整（作为女孩来说未免工整得过分）的小字写着我的姓名和地址。我坐在桌前，看这信封看了半天。信封后面的地址是“阿美寮”。好奇特的名称。我思索了五六分钟，推想这名称可能来自法语的ami（朋友）。

我把信收进抽屉，换衣服出门。因为我隐约觉得若守着这封信，说不定会反复读上十遍二十遍。我像以往同直子在一起时那样，在星期天的东京街头漫无边际地独自东游西逛。我一边走街串巷，一边一行行地回想她的信，以自己的看法左思右想。日落以后，我折回宿舍，给直子所在的“阿美寮”打长途电话。接电话的是位女事务员，问我有什么事。我道出直子的名字，问可不可以在明天晌午前去会面。她问罢我的姓名，叫我半个小时后再打一次。

饭后我又打电话，接电话的仍是那位女性，告诉我可以会面，即可前去。我道过谢，放下听筒，把替换衣服和牙具塞入帆布包，然后边喝白兰地边读《魔山》剩下的部分。好歹入睡时，已过半夜一点了。

第六章

一觉醒来，已是星期一早上七点。我匆匆洗了把脸，刮了刮胡子，早饭也没吃就跑到管理主任房间，告诉他我要用两三天时间去登山。这以前我也往往一有空就出去做短途旅行，因此管理主任只“啊”了一声。我乘上拥挤的通勤电车赶到东京站，买了张去京都的新干线自由席票，而后闪电一样跳上“闪电”号电车，用热咖啡和三明治代替了早餐。大约过了一小时，我迷迷糊糊地入睡了。

快到十一点时，电车抵达京都站。我按直子的指示，乘市营公共汽车到三条，步行到附近一个私营铁路的巴士终点站，问十六号公共汽车从哪个站台、几时发车，答说十二时三十五分从对面第一个候车亭出发，抵达目的地要一个小时多一点。我在售票处买了车票，然后走入近处一家书店，买张地图，坐在候车亭的凳子上查找“阿美寮”的准确位置。从地图上看，“阿美寮”委实位于深山老林之中，公共汽车需向北翻越几座山头，行到再也无法前行的地方后，掉头拐往市区。直子信上说：我下车的停车站往前几步便是终点。停车站前有条登山道，步行二十几分钟便可到达“阿美寮”。我想，去的地方既是深山，那里必定安静。

上了大约二十名客人后，公共汽车当即出发，沿鸭川经京都市区向北驶去。越向北行，街景越是凄凉，田园和荒地开始闪入眼帘。黑色的屋脊和塑料棚沐浴着初秋的阳光，闪闪耀眼。不久，汽车钻入山中。道路蜿蜒曲折，司机紧握方向盘，忽左忽右地转动不止。我有点晕车，早晨喝的咖啡味儿还留在胃里。这时间里，拐角渐渐少了，正当松一口气时，汽车突然蹿入阴森森的杉树林中。杉树简直像原始林一般拔地而起，遮天蔽日，将万物笼罩在幽暗的阴影之中。从窗口进来的风骤然变冷，湿气砭人肌肤。车沿着溪流在杉树林中行驶了很久很久，正当我恍惚觉得整个世界都将永远埋葬在杉树林中的时候，树林终于消失，我们来到四面环山的盆地样的地方。极目四望，盆地中禾苗青青，平展展地四下延伸开去。一条清澈的小溪在路旁潺潺流淌。远处，一缕白烟袅袅升起。随处可见的晾衣竿上挂着衣物。几只狗“汪汪”叫着。家家户户的门前，烧柴一直堆到房檐，猫在上面睡午觉。如此农户人家在路两侧延续了好久，但人影却是一个未见。

这样的光景重复出现几次之后，汽车再次驶入杉树林。穿过杉树林驶入村落，穿过村落又驶入杉树林。每次停在村落时，都有几人下车，上来的却一个也没有。从市区开出大约四十分钟，汽车上到一座视野开阔的山顶。司机刹住车，告诉乘客要等五六分钟，想下车的不妨下车。乘客算我才四个人，便一齐下了车，伸懒腰、吸烟或眺望在眼下伸展的京都市容。司机站着小便。一个把大大的绳捆纸箱弄进车厢的五十上下的晒得黝黑的男子，问我是否爬山，我懒得啰嗦，便答说“是”。

一会，一辆公共汽车从另一侧上来，停在我们车旁，司机跳下车。两个司机交谈了没几句，便各自钻进车里，乘客们也都返回座位。随即，两辆车开始往各自的方向前进。我马上明白了我们的车为什么在山顶等待另一辆车的理由：从山顶下行不远，道路忽然变窄，根本错不过两辆大型客车。我们的车错过了几辆轻型客货两用车和小汽车，每次都是其中一方后退，把车身紧紧贴在拐角处凸出的地方。

溪流沿岸排列的村落比刚才小得多，可供耕种的平地也不大。山势险峻，迎面逼来，只是狗多这一点倒是村村相同，汽车一到，狗便竞相叫个不止。

我下车的这个站，周围什么也没有，既无人家，又无田地，唯见站标孑然独立，一条小河流过，一个登山路口闪出。我把帆布包挎在肩头，沿着溪流往上爬山路。路的左侧水流淙淙，右侧杂木林连绵不断。顺着这徐缓的坡路走了大约十五分钟，右边出现一条车辆似可勉强通行的岔路，路口立一块木牌，牌上写着："阿美寮　非有关人员谢绝入内"。

杂木林中的路面历历印着车轮碾过的痕迹，四下不时传来小鸟"扑棱扑棱"展翅的声响。那声响听起来格外真切，仿佛被部分放大了似的。"砰"的一声，远方响起类似枪响的声音，但在这边听来声音又闷又低，像被好几张过滤纸过滤了一般。

穿过杂木林，一堵白色石墙出现在眼前。虽说是石墙，但充其量只有我个头般高，上面又没有栅栏或铁丝网，若是有意，可以随便翻墙而入。黑色大门倒是铁铸的，一副坚不可摧的派头，却大敞四开，门卫室里又无门卫的身影。门旁立着与刚才一模一样的木牌："阿美寮　非有关人员谢绝入内"。看来门卫室几分钟前还有人待过：烟灰缸里有三只烟头，茶杯里有没喝几口的茶，搁物架上有晶体管收音机，墙上挂钟"嚓嚓"地响着干巴巴的声音，留下时间的轨迹。我在这里等了一会，想等门卫返回，但看动静根本不像会有人来，便按了两三下旁边门铃样的东西。门内就是停车场，停着小型客车和大马力长途客车、深蓝色的

"沃尔沃"[1] 牌轿车。场里足可以停三十辆,但停着的只有这三辆。

两三分钟后,身穿藏蓝制服的门卫骑着黄色自行车从林中道赶来了。来人六十上下,高个头,秃顶。他把黄色自行车往小屋墙上一靠,转向我说:"呀,实在抱歉得很!"但那语调,似乎并不含有什么抱歉的意味。自行车挡泥板上用白漆写着"32"。我道过姓名,他抓起电话,重复了两遍我的姓名。对方说了什么后,他答说"好,好,明白了",旋即放下听筒。

"请去主楼,找石田老师。"门卫说,"沿这条林中道一直往前,有个转盘式交叉路口。左数第二条——记住了么,走左数第二条路,不远就是一座旧建筑,从那里再往右穿过一片树林,有一座钢筋混凝土大楼,那就是主楼。一路都有指示牌,想必不至于走丢的。"

我按他说的,拐进转盘式交叉路口的左数第二条路,尽头处果然有一座俨然老式别墅的格调优雅的旧建筑,院子里点缀着形状别致的石块和石雕灯笼等物,草木也都修剪得整整齐齐。看来这地方以前可能是某人的别墅园地。由此右拐穿过树林,眼前出现了一座三层高的钢筋混凝土楼房。虽说是三层,但由于建在仿佛地面被掘开的凹陷处,并没有特别给人以威严之感。建筑物造型简练,显得十分洁净。

大厅在二楼。我上了几级楼梯,打开一扇大大的玻璃门闪身进去,见服务台里坐着一个穿连衣裙的年轻女郎。我告以自己的姓名,说门卫叫我见石田老师。她好看地一笑,指着大厅里的茶色沙发,低声叫我坐在那儿等一会,然后拨动电话。我放下

---

① 沃尔沃:一种瑞典制造的轿车。

肩上的帆布包，坐在软得几乎把人陷进去的沙发上，打量四周。大厅窗明几净，感觉舒适。有几盆赏叶植物，墙上挂着情趣健康的抽象画，地板擦得油光发亮。等候的时间里，我把目光转落到自己那双在地板上映出影子的鞋上，凝视良久。

这中间，那位负责接待的女郎对我说了一次“一会就来”。我点点头，心想这地方真是静得出奇。四周没有任何声息，恍若午睡时间——人、动物，以及昆虫草木统统酣然大睡，好一个万籁俱寂的下午。

但没过多久，传来了胶底鞋轻柔的步履声，一位梳着短发——头发似乎相当坚挺——的中年女士出现了。她快步到我身旁落座，架起腿，同我握手，一边握一边反复观察我的手。

“你没有、至少这几年没有摆弄过乐器吧？”这是她开口第一句话。

“嗯。”我吃了一惊。

“一看手就知道。”她笑着说。

真是个不可思议的女性。她脸上有很多**皱纹**，这是最引人注目的，然而却没有因此而显得苍老，反倒有一种超越年龄的青春气息通过**皱纹**被强调出来。那**皱纹**宛如与生俱来一般，同她的脸配合默契。她笑，**皱纹**便随之笑；她愁，**皱纹**亦随之愁。不笑不愁的时候，那**皱纹**便不无玩世不恭意味地温顺地点缀着她的整个面部。她年纪在三十五岁往上，不仅给人的印象良好，还似乎有一种摄人心魄的魅力。我一眼就对她产生了好感。

她头发剪得相当草率，长短不一，到处都有几根头发卓尔不群地横冲直闯，前面的头发也参差不齐地搭在额头，但这发型对她却是恰到好处。白色半袖圆领衫外面罩一件蓝工作服，下身穿一条肥肥大大的奶油色布裤，脚上一双网球鞋。身材瘦削，几乎没有什么乳房，嘴唇不时嘲弄人似的往旁边一扭，眼角皱纹微动不已，俨然是一个多少看破红尘的、热情爽快而技艺娴熟的女木匠师傅。

她略微收一下下颏，依旧扭着嘴角，把我从上到下打量了好半天，我真担心她马上从衣袋里掏出卷尺，动手测量我身体各个部位的尺寸。

“可会一种乐器？”

“不，不会的。”我回答。

“遗憾呐，要是会一种该多有意思！”

我说了声“是啊”。我真不明白她为什么张口闭口总离不开乐器。

她从胸口衣袋里摸出七星牌香烟，叼在嘴上，用打火机点燃，有滋有味地吐了一口。

“嗯——是渡边君吧？在你见直子之前，我想最好还是由我把这里的情况介绍一下。所以首先，你我两人要这么谈一会。这里和其他地方略有不同，如果事先一无所知，我想很可能闹出不大不小的洋相。嗳，你对这里的事还不怎么清楚吧？”

“唔，几乎是零。”

“那好，让我从头讲起……”说到这里，她似乎想起什么，双指一合打了个响，说，“哦，午饭吃了什么没有？肚子不饿？”

“饿啦。”我说。

“那跟我来。在食堂里边吃边说好了。开饭时间倒是过去了，不过现在就去或许还有吃的。”

她领头大步流星穿过走廊，走下楼梯，来到一楼食堂。食堂座位足可容纳二百余人，但现在使用的只有一半，剩下的半边被屏风隔开着，有点像已不合时令的避暑疗养院。午餐食谱上有放鸡蛋的炖马铃薯、蔬菜色拉、果汁和面包。正如直子信上写的，蔬菜好吃得出奇。我把盘中物一举扫光。

"你吃得真香啊!"她羡慕似的说。

"实在好吃嘛！再说早上到现在还没正经吃过东西。"

"要是不嫌弃，把我这份也吃掉，喏。我已经饱饱的了。吃么?"

"不要的话，我就吃。"我说。

"我呢，胃小，只能装一点点。所以，饭量不足的部分就靠吸烟填补。"说着，她又叼了一支七星烟，点上火，"对了，我叫玲子，大伙都这么叫。"

她的炖马铃薯只动了一点点，我便夹来吃，面包也啃了——玲子饶有兴味地望着我这副模样。

"你是直子的主治医生么?"我试着问她。

"我是医生?"她显得很惊愕，猛地收紧眉头说，"我怎么会是医生呢?"

"可是人家告诉我找石田老师呀!"

"啊，是这样。呃，我么，在这里当教音乐的老师，所以也有人就叫我老师，其实我本人也是患者。在这里一待就是七年，平时教教大家音乐，帮忙做点事务性活计，结果就闹不清是职员还是病员了。我的事，直子没告诉你?"

我摇摇头。

"唔，"玲子说，"啊，也罢。直子和我住同一间房，就是所谓室友。和那孩子一起生活可有意思咧，有很多话说，也经常说到你。"

"说我什么来着?"我问。

"对了对了，得先把这里的情况介绍一下。"玲子根本没理会我的问话，“首先第一点希望你理解的是，这里不是一般意义上的‘医院’。简单说来，这里不是治病的地方，而是疗养的场所。当然，有几位医生，每天有一小时左右的查房，但那只是像测体温似的确认一下，而不是如同其他医院那样进行所谓积极治疗。因此，这里没有铁栅栏，连门都是经常开着的。人们自觉自愿地进来，自觉自愿地出去。而且，能够进入这里的，仅限于适合这种疗养的人。不是说任何人都可以进来，那些需要专门治疗的人，根据病情要去专科医院的。这些可听明白了？”

“好像能明白。可是，这疗养具体是怎么回事呢？”

玲子吐了口烟，把剩下的果汁一口喝下：“这里的生活本身就是疗养。生活有规律，做体育运动，同外界隔离，安静，空气新鲜。我们有自己的田，生活基本自给自足。和眼下流行的那种公社差不多。只是这里收费相当高，这点又跟公社有所区别。”

“高到什么程度呢？”

“倒不是高得离谱，可也不便宜。瞧，多气派的设施啊，地方大，患者少，职员多。就我来说，很久以前就待在这里，加之差不多顶半个工作人员用，住院费才实质上等于免了，倒还算是不错。嗳，不喝咖啡？”

我说想喝。她于是熄掉烟，欠起身，去咖啡加热器那边接满两杯端来。她放进砂糖，用小勺搅拌着，蹙起眉头喝了一口。

“这座疗养院，不是营利性企业。靠这笔不算特别高的住院费还维持得下去。用地全都是一个人捐赠的，建立了法人。以前这一带是那人的别墅，大约二十年前。看见那幢老房子了吧？”

我说看见了。

“以前建筑物只有那一座，把患者集中在那里集体疗养来着。说起事情的原委么，是这样的：那人的儿子同样有精神病倾向，专科医生便劝其进行集体疗养。那位医生的理论是，在远离人烟的地方大家互助互爱，同时从事体力劳动，医生也参加，提出建议，检查症状，从而使某种病得到彻底治疗。这里就是这样创办的，后来规模逐渐扩大，成了法人。农场也扩展了，五年前又建了这座主楼。”

“治疗是有效果的喽？”

“呃，当然不可能包治百病，治不好的人还是为数不少的。但另一方面，确实也有很多一度不行的人在这里康复出院。这里最大的好处在于大家互相帮助。每个人都知道自己的不健全，因此都想互相帮助。而其他地方则不是这样。遗憾的是，其他地方，医生始终是医生，患者一直是患者，患者求助于医生，医生给患者以帮助。但这里却是互相帮助，互相引以为鉴。而且医生是我们的同伴，在旁边一发现我们需要什么，就赶紧过来帮忙。有时候我们也帮他们忙，因为在某种情况下我们是强过他们的。例如我就教一个医生弹钢琴，有个患者教护士学法语，就是这样。得我们这种病的人，有不少人学有专长，所以在这里我们都一律平等，不论患者还是工作人员，你也在内。你在这儿的时间里就是我们当中的一员，我帮助你，你也帮助我。”玲子和蔼地牵动脸上的皱纹，笑道，“你帮助直子，直子也帮助你。”

“我怎么做才好呢，具体的？”

“首先你要有帮助对方的愿望，同时也要有请别人帮助自己的心情。其次要诚实，花言巧语、文过饰非、弄虚作假都是要不得的。只这样就可以了。”

“努力就是。”我说，“不过，你怎么会在这里待七年呢？听你这么多话，我不觉得里面有什么不正常的。”

“这是白天，”她做出愁苦的样子，“到夜晚可就大变样了。一到夜晚，我就流着口水，在地板上团团打滚。”

“真的？”我问。

“骗你，怎么可能呢。”她边说边难以置信似的摇着头，“我已经恢复了，现在。我留在这里，只是因为喜欢帮助各种各样的人也恢复健康。教音乐，种蔬菜，我喜欢这儿。大家都像朋友一样。相比之下，外面的世界又有什么呢？我今年三十八，眼看四十了，和直子不一样。我就是从这里出去了，也没有等待我的人，没有接收我的家，没有像样的工作，又几乎没有朋友。再说我来这里已经七年，世上的事，早就一无所知了。当然，有时也在图书室看看报，但这七年时间里我一步也没离过这里呀！就算现在出去，也是丈二和尚摸不着头脑啊。”

“也许会有新的世界在你面前展开的。”我说，“试一试的价值总还是有的吧？”

“这——或许。”说着，她把打火机在手心里翻来覆去转动了半天，“可是，渡边君，我也有我的具体情况。要是你愿意，下次慢慢讲给你听。”

我点点头。

“那么，直子好转了？”

“嗯，我是这样看的。刚来的时候头脑相当没条理，我们都不知所措，有些担心。但现在已安稳下来，讲话也比以前强多了，可以表达自己想要说的内容……可以说，确实是在向好的方向发展。不过，那孩子真该更早些接受治疗。在她身上，从那个叫木月的男朋友死时就已开始出现症状，况且对这点家里人该看得出来，她本人也该知道。也有家庭背景……”

“家庭背景？”我一惊，反问道。

"哎哟,你还不知道?"玲子比我还要吃惊。

我默默点头。

"那么直接问直子好了,还是那样好些。那孩子会老实告诉你一切的,她有这个心思。"玲子又拿小勺搅拌咖啡,啜了一口,"此外,这里有条规定,我想还是一开始就挑明为好,就是禁止你同直子两人单独在一起。这是守则,外面的人同会面对象不能独处。因此,经常有监察员——实际上就是我——不离左右。我也觉得难为情,只好请你忍耐一下,好吗?"

"好的。"我笑道。

"不过别有什么顾虑,两人尽管敞开说。别把我在旁边放在心上。你同直子之间的事,我全部晓得。"

"全部?"

"基本全部。"她说,"我们不是集体疗养嘛,所以我们差不多都晓得。再说我和直子两人是无话不谈的。这里没那么多秘密。"

我边喝咖啡边注视玲子的脸,"老实说,我弄不明白,不明白在东京时我对直子所做的是不是真的正确。关于这点我一直在思考,但现在也还是糊里糊涂。"

"我也不明白呀,"玲子说,"直子也不明白。那是应由你们两个畅所欲言来判断的事,是吧?即使发生什么,也可以使其朝好的方向发展,只要互相理解。至于那件事做得是否正确,这以后再细想怕也未尝不可。"

我点点头。

"我想我们三人是可以互相帮助的,你、直子和我——只要我们以诚相待,有互相帮助的愿望。三个人要是心往一处想,有时候可以创造奇迹。你在这里住到什么时候?"

“打算后天傍晚回东京。一来要打工,二来星期四有德语考试。”

“可以的。那么就住在我们房间好了。这样既省钱,又能尽情畅谈。”

“我们? 指谁?”

“我和直子的房间呀,这还用说。”玲子说,“房间是分开的。而且有个沙发床,保管你睡得香甜,放心就是。”

“可是,这不会有什么问题吗,男客住在女宿舍里?”

“瞧你,你总不至于半夜一点来我们房间轮流戏弄一番吧?”

“当然不至于,怎好那样!”

“所以不就什么问题都没有了! 就住在我们那里,慢慢地聊,天南海北聊个够,这有多好! 而且又没有隔阂,我还可以弹吉他给你们听。我正经有两手哩!”

“不过真的不打扰吗?”

玲子叼上第三支七星烟,嘴角猛地一撇,点上火,“这点,我们两人早就商量好了,还准备由两人共同招待你,私人性质的。你还是老实接受下来吧。”

“当然求之不得。”我说。

玲子蹙起眼角的皱纹,许久地盯着我的脸:“你这个人,说话方式还挺怪的,是模仿《麦田里的守望者》里的那个男孩吧?”

“从何谈起?”我笑了。

玲子也叼着烟笑了:“不过,你是个诚实的人。我一眼就看出来了。我在这里住了七年,来来往往的很多人我都见过,我会看人,知道肯掏心的人和不掏心的人的区别。你属于肯掏心的人,准确说来,是想掏就能掏心的人。”

“掏出又怎么样呢?”

玲子仍然叼着烟，不无欣喜地在桌面上把两手攥在一起。"会康复的。"她说。烟灰落在桌上，她也没有顾及。

我们走出主楼，翻过一座小山冈，从游泳池、网球场和篮球场旁边通过。网球场上，有两个男子在练习网球。一个瘦瘦的中年人，一个胖胖的小伙子，两人球艺都不错，但在我看来，却俨然在玩一种与网球截然不同的什么游戏，给人的印象是与其说在打球，莫如说是对球的弹性感兴趣而正在加以研究。他们一边神情肃然地冥思苦想着什么，一边执着地来回击球，而且两人都汗流浃背。眼前的那个小伙子瞥见玲子，便停止打球，走过来笑嘻嘻地同玲子搭了几句话。网球场旁边，一个手扶大型割草机的男子面无表情地修剪着草坪。

再往前走，便是树林。林中散布着十五六栋西洋风格的小巧的住宅，相互都保持一定距离，几乎所有住宅门前都停着门卫骑的那种黄色自行车。玲子告诉我，这里住的都是工作人员的家属。

"即使不进城，需要的东西也能得到，这里一应俱全。"玲子边走边向我介绍，"食物嘛，刚才已经说了，基本可以自给自足。有养鸡场，鸡蛋手到擒来。有书有唱片有运动设施，也有类似自选商场的售货店，每个星期有理发师来。周末放电影。要买特殊东西可以委托进城的工作人员，西服之类可以通过广告目录订购。没什么不方便的。"

"不能进城吗？"我问。

"那是不行的。当然特殊情况除外，例如去看牙医等等，但原则上是不允许的。离开这里本身完全属于每个人的自由，可是一旦离开就回不来了，这同过河拆桥是一回事。进城两三天后又重新返回是行不通的，不是吗？要是那样的话，这里就尽是出来进去的人了。”

穿过树林，走上一面徐缓的斜坡，斜坡上不规则地排列着带有奇妙气氛的双层木房。若问奇妙在哪里，自是解释不好，总之第一个感觉就是这些建筑有些奇妙，它类似我们常常从力图情调健康地描绘非现实境界的画中得到的那种情感。我蓦地想到，如果沃尔特·迪斯尼以蒙克的画为基础创作动画片，说不定就是这副样子。每一座建筑物都呈同样的外形，都涂同样的颜色，造型大致接近正方体，左右对称，门口很宽，窗口有好多个。建筑物相互之间的道路弯弯曲曲，活像汽车司机讲习所的教练路线。所有建筑物的前面都种植花草，修剪得井然有序。了无人影，窗口都挡着窗帘。

“这里称为C区，住的全是女性，也就是我们。这样的建筑物有十栋，每栋分四个单元，每单元住两个人。所以全部可住八十人。现在只住三十二人。”

“实在太静了！”我说。

“这个时间谁也不在的。”玲子说，“我受特殊优待，现在才这样自由自在。一般人都要按日程表活动。有锻炼身体的，有拾掇院子的，有进行集体治疗的，有去外面采山菜的。日程安排由自己定。直子现在干什么呢？大概是在换墙纸或重新涂漆吧，记不确切了。这样的活动一般要进行到五点左右。”

她迈进标有C—7编号的楼，爬上尽头的楼梯，打开右侧的门。门没有上锁，玲子领我在房里转了一圈。有四个房间，客厅、卧室、厨房、卫生间，简洁明快，给人的感觉不坏。没有多余的装饰，没有不谐调的家具，但并不给人以凄清之感。在房间里一待，也说不出到底是为什么，就像面对直子时一样感到身心舒展、轻松愉快。客厅只有一个沙发和一张茶几，另有一把摇椅。厨房里有餐桌。一桌一几都放有大烟灰缸。卧室里有两张床、两张书桌和两个床头柜。床上的枕旁有个小矮桌和读书灯，一册小开本的书兀自伏在上面。厨房里放着小型的微波炉和电冰箱，可做简单的饭菜。

"浴槽没有，只能淋浴，不过还算可以吧？"玲子说，"澡堂和洗涤设备是公用的。"

"可以得过分了！我住的那宿舍只有天花板和窗户。"

"你不知道这里的冬天才这样说。"玲子拍了下我的脊背，叫我坐在沙发上，她自己坐在我旁边，"这里的冬天又漫长又难熬，四下看去，到处是雪、雪、雪。阴冷阴冷的，把心都冷透了。一到冬天我们每天都要扫雪。在那个季节，我们就把房间弄得暖暖和和的，听音乐、聊天、打毛线。所以，要是没这么大的空间，就会憋得透不过气来，很难受。你如果冬天来就晓得那番滋味了。"

玲子仿佛想起了漫长的冬日，深深地叹息一声，两手在膝头上搓着。

"把它放倒给你当床好了，"她"嘣嘣"地敲着两人坐的沙发说，"我们在卧室睡，你在这儿睡，可以吧？"

"我没意见。"

"那，就这样定了。"玲子说，"我们大约五点钟回来，我和直子都还有事要做。你得一个人在这里等着，不要紧吧？"

"不要紧，反正可以学德语。"

玲子离开后，我一头栽倒在沙发上，合上眼睛，不知不觉就沉浸在这岑寂之中了。良久，我蓦地想起我同木月骑摩托车远游的情景。如此想来，好像也是这样一个秋日。几年前的秋日来着？四年前。我想起了木月那件皮夹克的气味儿和那辆一路狂吼乱叫的125cc红色雅马哈。我们一直跑到很远很远的海岸，傍晚才带着一身疲劳回来。其实也并没发生什么特别大不了的事情，但我却对那次远游记得一清二楚。秋风在耳边呼啸而过，我双手死死搂住木月的夹克，抬头望天，恍惚觉得自己整个身体都要被卷上天空似的。

好半天时间里，我就这样一动不动地躺在沙发上回忆当时的情景。不知为什么，在这房间里一躺，过去几乎未曾想起过的事情居然会纷至沓来地浮上脑海，有的令人心神荡漾，有的则带有一丝凄楚。

这样不知过了多久，我完全淹没在出乎意料的记忆的泉水里（那确实如同岩缝中汩汩涌出的泉水），就连直子悄然推门进来也丝毫没有察觉。突然睁眼时，直子已经站在那里了。我抬起头，定定地看着直子的双眼，看了好一会儿。她坐在沙发扶手上，也看着我。一开始我还以为是自己的记忆编织的形象，但的确是活生生的直子。

“睡着了？”她问我，声音非常低微。

“没有，只是想点事。”我坐起身，“身体可好？”

“嗯，还可以！”直子微微笑道。那微笑恍若淡淡的远景。“我马上就得走。本来不该到这儿来，挤一点时间跑来的，要马上回去才行。喏，我这发式好笑吧？”

“哪里，非常可爱。”我说。

她像小学生一样剪着整齐利落的发型，一侧仍像以往那样用发卡一丝不乱地拢住。这发型委实与直子相得益彰，看上去宛如中世纪木版画中经常出现的美少女。

“我嫌麻烦，就请玲子剪掉了。你真觉得很可爱？”

"半点不假。"

"可我妈妈偏说不三不四。"直子说。她取下发卡,松开头发,用手指梳了几下重新卡好。发卡是蝶形的。

"我,在三人一起见面前想单独看你一眼。也不是有什么话非说不可,只是想看看你的脸,习惯一下。要不然会觉得不习惯,我这人笨得很。"

"习惯一点了?"

"一点点。"说着,她又把手放在发卡上,"可现在没有时间。我,这就得过去了。"

我点点头。

"渡边君,谢谢你到这里来,我真是太高兴了。不过,要是你觉得在这里是一种负担的话,尽管直说。这个地方有点特殊,管理方式也特殊,里边还有根本不能习惯的人。果真那样觉得,就坦率地说出来,我决不会因此失望的。我们在这里都很诚实,无话不谈。"

"我会说实话的。"我说。

直子这回在沙发上挨我坐下,靠住我。我搂住她的肩,她便把头搭在我肩上,鼻尖贴着我的脖颈,尔后一动不动,仿佛在确认我的体温。我顺势轻轻抱着她,胸口荡过一阵暖流。俄而,直子一声不响地站起身,仍像进来时那样悄然开门离去。

直子走出后,我在沙发上睡着了。本来没想睡,但终于在久违了的直子的存在感当中沉沉睡去。厨房里有直子使用的餐具,卫生间有直子使用的牙刷,卧室里有直子睡的床。在这样的房间里,我睡得死死的,就像要把疲劳感从每一个细胞中一滴一滴挤出去似的。我做了梦,梦见蝴蝶在昏昏的夜色中翩然飞舞。

一觉醒来,表针已指向四点三十五分。天光的颜色有点变了，风声早已止息，云的形状也略有不同。我睡出了汗，从帆布包里掏出毛巾擦把脸，换了件新衬衣，然后进厨房喝了口水，站在水斗前眺望窗外。从这个窗口可以看见对面楼的窗口。那个窗口里用细绳吊着几个剪纸艺术品，有鸟、云、牛、猫，剪得相当精巧，组合在一起。四周依然不见人影，阒无声息。我觉得自己似乎孤零零地置身于整理得井井有条的一片废墟之中。

五点一过，人们开始陆续返回"C区"。从厨房窗口望去，只见三个女士从窗下走过。三人都头戴帽子，不晓得什么模样和年龄，但从声音听来，都不像很年轻。她们拐了个弯，不久便消失了。继而，同一方向又走来四个女士，同样拐弯不见了。四下里弥漫着黄昏的气氛。从客厅窗口，可以望见树林和山峦的棱线，棱线上浮现着淡淡的夕晖，宛如镀上的一层光边。

直子和玲子是五点半一同回来的。我同直子像刚见面似的按惯例寒暄了一番。直子显得有些羞赧。玲子目光落在我刚才看的书上，问看的什么书，我说是托马斯·曼的《魔山》。

"怎么把这种书特意带到这地方来！"玲子嗔怪似的说。给她这么一说，我想可倒也是。

玲子斟上咖啡，三人喝着。我告诉直子，敢死队突然失踪了，见最后一面那天他给了我一只萤火虫。直子十分遗憾地说："真可惜啊，他怎么没了！本来还想多听听他的故事呢。"玲子想知道敢死队，我便又讲了一遍。不用说，玲子也大笑起来。只要一提起敢死队，整个世界便充满和平、洋溢欢笑。

六点时，我们三人去主楼食堂吃晚饭。我和直子要来炸鱼、蔬菜色拉和炖菜，还有米饭和酱汤，玲子则只要通心粉色拉和咖啡，之后便又吸烟。

“上了年纪，身体就变得吃不进多少东西啦。”她解释般地说。

食堂里有大约二十个人围着餐桌吃晚饭。我们吃饭时，几个人进来，几个人出去。除去年龄不同外，食堂的光景同寄宿院内的没什么两样。另一点与我那里的食堂不同的是，每人讲话的音量都相差无几，既无大声喧哗，又无窃窃私语，既无人开怀大笑和惊叫，也无人扬手招呼，每一个人都用大体相同的音量悄声交谈。他们分成几个小组吃饭，每组三到五个人。一个人谈的时候，其他人就侧耳倾听，频频点头。这个人讲完后，其他人便接着讲一会。讲的什么我自然弄不清楚，但他们的交谈使我想起白天看见的那个奇妙的打网球场面。我猜想，直子和他们在一起时，恐怕也是这样讲话。说来奇怪，一瞬间，一股夹杂着嫉妒的寂寥感掠过我的心头。

我身后那张桌上，一个身穿白大褂、俨然医生派头的头发稀疏的男子，正面对一个戴眼镜的神经质模样的小伙子和一个栗鼠脸形的中年女士，不厌其详地说明着什么无重力状态下的胃液分泌情况。小伙子和中年女士或“啊”或“是吗”地回应着。但听了一会那讲话方式，我开始怀疑那没有几缕头发的白大褂男子是否真的是医生。

食堂里的人谁也没有注意我，没有人贼头贼脑地看我，甚至连我加入其中也无人觉察，仿佛我的加入对他们来说是意料中的事。

只有一次——那白大褂男子突然回头问我：“在这里待到什么时候啊？”

“住两晚，星期四回去。”我回答。

“现在的季节不错吧？不过，等到冬天你再来看看，漫山遍野银白一片，壮观得很咧！”他说。

“直子说不定等不到下雪就出去了。”玲子对男子说。

“啊，可冬天确实不错的哟！”他神情认真地重复道。于是我愈发弄不清他是否真是医生了。

“大家都在谈什么呢？”我试着问玲子。她似乎不大明白我问话的用意。

“谈什么？平常事啊。一天中遇到的事，看的书，明天的天气，不外乎这些。大概你总不至于以为会有人突如其来地站起来大声宣布‘今天北极熊吞食星星所以明日有雨’吧？”

“噢，当然我不是指这个。”我说，“我看大家说话都那么小声细气的，心里就不由纳闷他们究竟在谈什么。”

“因为这里静，所以人们说起话来声音自然就压低了。”直子把鱼刺整齐地堆在盘子的一端，用手帕擦擦嘴角，“再说也没有必要提高嗓门，既用不着说服谁，又没有引人注目的必要。”

“怕也是。”我说。然而在这样的环境中静悄悄进食的时间里，我竟奇异地怀念起人们的嘈杂声来。那笑声、空洞无聊的叫声、哗众取宠的语声，都使我感到亲切。这以前我被那嘈杂声着实折磨得忍无可忍，可是一旦在这奇妙的静寂中吃起鱼来，心里却又总像是缺少踏实感。这食堂的气氛，类似特殊机械工具的展览会场：对某一特定领域怀有强烈兴趣的人集中在特定的场所，交换惟独同行间才懂得的信息。

饭后返回房间，直子和玲子说要去“C区”的公共澡堂，并说如果我只淋浴的话可用这里的卫生间。我说也好。等她们走后，我便脱衣服淋浴，洗了头，然后一边用吹风机吹头发，一边抽出威尔·埃文斯的唱片放上。过了一会儿，我发现它同直子生日那天我在她房间里放了好几次的那张唱片是同一张。就是直子哭泣不止、我抱她睡觉的那个夜晚。事情不过发生在半年前，我却觉得似乎过去了很久很久。或许是因为我对此不知反复考虑了多少次的缘故。由于考虑的次数太多了，对时间的感觉便被拉长，变得异乎寻常了。

月光十分皎洁，我关掉房间的灯，倒在沙发上听威尔·埃文斯的钢琴曲。窗口泻进的明月银辉，把东西的影子拖得长长的，宛如一层淡墨隐隐约约印在墙壁上。我从帆布包中取出装有白兰地的薄金属筒，倒进嘴里一些，缓缓咽下。一种温煦的感觉从喉头往胃里慢慢下移，继而又从胃向身体的各个角落扩散开去。我又喝了一口，然后把筒盖好，放回帆布包。月光似乎随着音乐摇曳不定。

约摸过了二十分钟，直子和玲子从澡堂回来了。

“从外面看，房间的灯全都熄了，黑黑的一团，吓了我一跳。”玲子说，“我以为你打点行装回东京去了呢！”

“那怎么能。好久没看见过这么亮的月光，就把灯关了。”

“不蛮好的吗，这样。”直子说，“嗳，玲子姐，上次停电时用的蜡烛好像还有？”

“大概在厨房抽屉里吧。”

直子去厨房拉开抽屉，拿来一支粗大的白蜡烛。我点上火，把它立在烟灰缸里。玲子对着烛火点燃香烟。四周依旧一片寂静，在这寂静中，我们三人围烛一坐，恍若世界的角落里只剩下我们三个人。悄无声息的月影，飘忽不定的烛光，在洁白的墙壁上重叠交映，影影绰绰。我和直子坐在沙发上，玲子在摇椅上落座。

“怎么样，不喝点葡萄酒？”玲子对我说。

“这里喝酒也不要紧吗?”我不禁愕然。

“实际上是不允许的。”玲子搔搔耳垂,不好意思地说,“不过一般都是睁只眼闭只眼,只要喝的是葡萄酒啤酒之类,而且又不过量的话。我托一个认识的职员买回来一点点。”

“我俩常常把盏同欢咧!”直子调皮地说。

“不错嘛。”我说。

玲子从电冰箱里取出白葡萄酒,用螺旋栓拔出软木塞,拿来三只玻璃杯。葡萄酒香甜爽口,仿佛在后院贮藏了很久。唱片放完时,玲子从床下面掏出吉他,打开后不胜怜爱地调了调弦,慢慢地弹起巴赫的赋格曲。虽然不少地方指法不甚娴熟,但感情充沛,疾徐有致,温馨亲昵,充溢着对于演奏本身的喜悦之情。

“吉他是来这里后才开始弹的。房间里不是没有钢琴吗,所以就……纯属自学,加上手指对吉他还不适应,弹得很不成样子。不过我喜欢吉他,又小巧又简单……就好像一间温暖的小屋。”

她又弹了一支巴赫的小品,是组曲中的一段。望着烛光,喝着葡萄酒,谛听着玲子弹的巴赫,不觉心神荡漾。弹罢巴赫,直子提议弹一支甲壳虫乐队的曲子。

“现在是听众点播节目时间。”玲子眯缝起一只眼睛对我说,“直子来到后,我就没完没了地弹甲壳虫,活活成了可怜的音乐奴隶。”

她一边这样说着,一边弹起《米歇尔》,弹得极其精彩。

“好曲子,我,无比喜欢!”说完,玲子喝了一口葡萄酒,吸了口烟,“简直就像霏霏细雨轻轻洒在无边无际的草原。”

接着,她弹了《没有归宿的人》,弹了《朱丽娅》。有时边弹边闭上眼摇着头,然后又呷口酒吸口烟。

"弹《挪威的森林》。"直子说。

玲子从厨房拿出一个招手猫形的贮币盒,直子从钱包里找出一枚百元硬币,投了进去。

"怎么回事,这?"我问。

"我点弹《挪威的森林》时,往这里投一百元钱,这是规矩。"直子说,"因为我最喜欢这支曲,才特意这么做的,表示打心眼里喜欢。"

"还能成为我的买烟钱。"

玲子揉了好几下手指,开始弹《挪威的森林》。曲子注满了她的感情,而她又不为感情所驱使。于是我也从衣袋里掂出一枚百元硬币投进盒里。

"谢谢。"玲子说着,莞尔一笑。

"一听这曲子,我就时常悲哀得不行。也不知为什么,我总是觉得似乎自己在茂密的森林中迷了路。"直子说,"一个人孤单单的,里面又冷,又黑,又没一个人来救我。所以,只要我不点,她是不会弹这支曲的。"

"瞧你说得像电影《卡萨布兰卡》里似的。"玲子笑着说。

之后,玲子弹了几支勃萨诺瓦舞曲。这时间里,我端详着直子。如她自己信上写的那样,她显得比以前健康,晒黑了不少,由于锻炼和野外作业,体形紧绷绷的。那深邃澄澈的眸子和羞涩似地嗫嚅着的小嘴唇倒是和以前一样,但整个看来,她的娇美已开始带有成熟女性的风韵。往日她那娇美中时隐时现的某种锐气——使人为之颤栗的刀刃般的锐气——已经远远遁去,转而荡漾着一种给人以亲切抚慰之感的独特的娴静。我为这样的娇美而怦然心动,同时又有些感到惊愕:不过半年时间,一个女人居然会有如此明显的变化。直子这富有新意的娇美确实一如往日或甚于往日,使我为之倾心,为之痴迷。尽管如此,一想到她所失却的东西,我还是不无遗憾。那思春期少女所特有的,或者不妨称之为独往独来、我行我素的潇洒,在她身上已经一去不复返了。

直子说想知道我的生活,我便讲了大学里的罢课学潮,讲了永泽。向直子提起永泽还是第一次,他那奇妙的人格、独特的思考方式、偏颇的道德观——对这些确切地加以说明是十分艰巨的任务,但直子还是大致理解了我最终想表达的意思。我隐瞒了和他去物色女孩的部分,只说我在寄宿院里唯一来往密切的人是这等天马行空式的人物。这时间里,玲子怀抱吉他,又练习了一遍刚才那首赋格曲。她仍然不时地找间隙喝一口酒,吸一下烟。

“倒像个不可思议的人。”直子说。

“是不可思议。”我说。

“可你喜欢他?”

“说不清楚。”我说,“大概说不上喜欢。他那人,不属于喜欢不喜欢的范畴,而且他本人所追求的也不是这个。在这个意义上,他是个非常直率的人、不弄虚作假的人、极其清心寡欲的人。”

“同那么大堆女人睡觉还算清心寡欲? 你可真有意思。”直子笑道,“你说睡过多少个来着?”

“八十个左右总还是有的吧。”我说,“不过,在他身上,睡的人数越多,每个行为所具有的含义就越模糊淡薄。我想这就是所谓他的追求目标。”

“清心寡欲就指这个?”直子问。

“就他而言。”

直子开始思索我的话。良久，她开口说："那个人，脑袋要比我不正常得多。"

"我也那样想。"我说，"不过，他是把自己身上的不正常因素全部系统化、理论化，脑袋好使得很。把他领来这里试试，保准两天就出去。说什么这个也懂，那个也晓得，没一个不明白的。他就是这样的人，而这样的人才会在社会上受尊敬。"

"肯定是我脑袋不好。"直子说，"这里的情况还不大明白呢。就像连对我自己本身都还稀里糊涂一样。"

"不是脑袋不好，是普通一般。我对我自己也有好多好多不明白的，普通人嘛！"

直子把两脚放在沙发上，支起膝盖，下颏搭在上边，说："嗳，渡边君，我很想再多知道一些你的事。"

"普通人啊。生在普通家庭，长在普通家庭，一张普通的脸，普通的成绩，想普通的事情。"我说。

"呃，你最喜欢的菲茨杰拉德好像说过这样一句话：将自己说成普通人的人，是不可信任的，对吧？那本书，我从你手里借来看了一遍。"直子调皮地说道。

"的确，"我承认，"不过我不是有意给自己贴这么一张标签，是从内心里这么认为的，真认为自己是个普通人。你从我身上发现什么不普通的东西了？"

"那还用说！"直子惊讶地说，"你连这点还看不出来？难道你以为我喝醉了和谁都可以睡，所以才和你睡了不成？"

"哪里，我当然没那么想。"我说。

直子盯着自己的脚尖，一阵沉默。我也不知说什么好，只顾喝葡萄酒。

"渡边君，你和多少女的睡过？"直子突然想起似的低声问道。

“八九个。”我老实回答。

玲子停止练习,吉他“嘣”一声掉在膝上。“你还不到二十吧?到底过的怎么一种生活,你这是?”

直子一言未发,用清澈的眸子盯住我。我向玲子说了我同第一个女孩睡觉、后来又分手的过程。我说对那个女孩无论如何也爱不起来。接着又讲了被永泽拉去左一个右一个同女孩乱来的缘由。

“不是我狡辩,我实在痛苦。”我对直子说,“每个星期都同你见面,同你交谈,可你心中有的只是木月。一想到这点我心里就痛苦得不行,所以才和不相识的女孩胡来的。”

直子摇了几下头,扬起脸看着我的脸:“对了,那时候你不是问我为什么没同木月君睡么,还想知道?”

“还是知道好吧。”我说。

“我也那样想。”直子说,“死的人就一直死了,可我们以后还要活下去。”

我点点头。玲子在反复练习一段乐曲的过门。

“同木月君睡也未尝不可,”直子取下蝶形发卡,放下头发,把发卡拿在手中摆弄着。“当然他也想和我睡来着,我俩不知尝试了多少回,可就是不行,不成功。至于为什么不行,我却一点也弄不清,现在也弄不清。本来我那么爱木月,又没有把处女贞操什么的放在心上。只要他喜欢,我什么都心甘情愿地满足他。可就是不行。”

直子撩起头发,卡上发卡。

“一点也不湿润。”直子放低声音,“打不开,根本打不开。所以痛得很。又干又痛。想了各种各样的办法,我们俩。但无论怎样就是不行，用什么弄湿了也还是痛。这么着，我一直拿手指和嘴唇来安慰木月……明白么？”

我默然点头。

直子眼望窗外的明月。月亮看上去比刚才更大更亮了。

“可能的话，我也不愿说这种事，渡边君。如果可能，我打算把这事永远埋在自己心底。但没有办法啊，不能不说。我自己也束手无策。可是跟你睡的时候，我湿润得很厉害，是吧？”

“嗯。”我应道。

“我，二十岁生日那天晚上，一见到你就湿来着，一直想让你抱来着，想让你抱，给你脱光，被你抚摸，让你进去。这种欲望我还是第一次出现。为什么？为什么会出现这种现象？本来，本来我那么真心实意地爱着木月！”

“就是说尽管你并不爱我？”

“原谅我。”直子说，“不是我想伤你的心，但这点希望你理解：我和木月确确实实是特殊关系。我们从三岁开始就在一起玩。我们时常一块儿说这说那，互相知根知底，就这样一同长大的。第一次接吻是小学六年级的时候，真是妙极了。头一回来潮我去他那里哇哇直哭。总之我俩就是这么一种关系。所以他死了以后，我就不知道到底应该怎样同别人交往了，甚至不知道究竟怎样才算爱上一个人。”

她伸手去拿桌上的酒杯，但没拿稳，酒杯落到地上，打了几个滚，葡萄酒洒在地毯上。我弯腰拾起酒杯，放回桌子。我问直子是不是想再喝一点，她沉默了半天，突然身体颤抖起来，开始啜泣。直子把身体弓成一团，双手捂脸，仍像上次那样上气不接下气地急剧抽噎。玲子扔开吉他，走过来轻轻抚摸直子的背，当她把手放在直子肩上的时候，直子像婴孩似的一头扎在玲子胸口。

“喂，渡边君，”玲子对我说，“抱歉，你到外边转二十来分钟再回来好么？我想等一会她就会好起来的。”

我点头起身，把毛衣套在衬衫外面。

“对不起。”我对玲子说。

“别介意。这不怪你，别往心里去。你转回来，她就会完全镇静下来的。”说着，她朝我闭起一只眼睛。

我踏着梦幻般奇异的月光下的小路，进入杂木林，信步走来走去。月光之下，各种声音发出不可思议的回响。我的足音就像在海底行走的人的足音那样，引起了从截然相反的方向传来的瓮声瓮气的回声。身后时而响起低微而干涩的“咔嚓”声。林中充满令人窒息的沉闷，仿佛夜行动物正在屏息敛气地等待我的离去。

我穿过杂木林，在一座小山包的斜坡上坐下身来，望着直子居住的方向。找出直子的房间是很容易的，只消找到从未开灯的窗口深处隐约闪动的昏暗光亮即可。我静止不动地呆呆凝视着那微小的光亮。那光亮使我联想到犹如风中残烛的灵魂的最后忽闪。我真想用两手把那光严严实实地遮住，守护它。我久久地注视着那若明若暗摇曳不定的灯光，就像盖茨比整夜整夜看守对岸的小光点一样。

三十分钟后，我折身回去。走至楼门口，里面传来玲子弹吉他的声响。我蹑手蹑脚地爬上楼梯，敲了下门。走进房间，不见直子，玲子一个人坐在地毯上弹吉他。她指了指卧室的门，仿佛说直子在里边。随后玲子放下吉他，坐在沙发上，叫我坐在旁边，并把瓶里剩下的葡萄酒分倒在两个杯里。

"她不要紧的。"玲子轻轻拍着我的膝头说,"独自躺上一会儿就会安静下来,别担心,只是心情有点激动。嗯,我们两人到外面散散步可好?"

"好的。"我说。

我和玲子沿着路灯下的路面缓缓移动脚步,走到网球场和篮球场那里,在长凳上坐下。她从长凳底下取出橙色的篮球,捧在手中团团转动,少顷,她问我会不会打网球,我说会倒是会,只是非常差劲儿。

"篮球呢?"

"也不怎么拿手。"

"那么,你拿手的到底是什么呢?"玲子堆起眼角的皱纹笑着问,"除了同女孩子睡觉以外?"

"那也算不得什么拿手。"我有点不悦。

"别生气,开个玩笑。嗳,到底怎样? 什么东西拿手?"

"没有称得上拿手的啊。喜欢的倒是有。"

"喜欢什么?"

"徒步旅行、游泳、看书。"

"喜欢一个人做事啰?"

"嗯——或许。"我说,"以前我就对同别人配合的活动提不起兴致。那类活动,无论哪样我都沉不下心,觉得怎么都无所谓。"

"那么冬天来这儿好了。冬天我们搞越野滑雪,你准保喜欢。在大雪中扑腾扑腾一走一整天,弄得浑身是汗。"玲子说道,然后拉起我的右手,在路灯下像检查乐器似的定定细看。

"直子经常那样吧?"我问。

"是啊,不时地,"玲子这回看着我的左手说,"不时出现那种情况，亢奋、哭泣。不过不要紧。这样还好，因为可以把感情宣泄出去。可怕的是感情泄不出去。那一来，就会憋在心里，越憋越多，各种感情憋成一团，在体内闷死，那可就要坏事了。”

“我刚才没什么失言吧？”

“根本没有。不要紧，就算有什么失言也用不着担心，只管照实直说，那样再好不过。即使那样互相有所伤害，或者像刚才那样一时使对方情绪激动，长远看来也还是那样做最好。如果你诚心诚意地想使直子康复，就那样做好了。你刚来时我就向你说过，不是想帮助那孩子，而是想通过使她恢复而同时恢复自己自身，这就是这里的医疗方式。所以就是说，在这里你必须推心置腹地知无不言、言无不尽。外面的世界，不是什么话都不能和盘托出吗？”

“是啊。”我说。

“我在这里待了七年，亲眼看见很多人进来出去。”玲子说，“也许我看得太多了吧，因此我只要看上一眼，凭直觉就能看出这个人是能好还是不能好。但对于直子，我却完全摸不着头脑。那孩子到底将怎么样呢，我实在把握不住。也许下个月就能出院，也许年复一年地在这里长住下去。因此在她身上我对你提不出什么建议，提也只能是极为泛泛的，例如要诚实啦要互相帮助啦，等等。”

“为什么偏偏对直子看不出来呢？”

“大概是因为我喜欢那孩子的缘故吧，以致不能一下子看透，感情因素掺杂太多啦。我说，我喜欢那孩子，真的。另外，她身上有很多问题交织在一起，挺复杂的，就像一团找不着头绪的乱麻，关键是要一根一根地清理出来。而清理，一来可能要花很多时间，二来说不定会因某种偶然原因而突然前功尽弃。情况大致就是这样，所以我也有些不知所措。”

她再次把篮球捧在手里，团团转动一会，“砰”一声拍了一下。

“最重要的，是不急不躁。”玲子对我说，“这是我对你的又一个忠告。急躁不得。即使事物再错综复杂，甚至叫人无计可施，也不能灰心丧气，不能急于求成地强拉硬扯。要有打持久战的思想准备，必须一根根地耐心清理。做得到？”

“试试看。”我说。

“也许花时间，也许花时间还不能全好。这点你可想过？”

我点点头。

“等待是痛苦的。”玲子一边拍球一边说，“尤其对你这样年龄的人。唯有耐着性子等待她的康复，而且又没有任何期限上的保证。你能办到？你爱直子爱到那个程度？”

“不清楚啊。”我直言不讳，“甚至爱一个人是怎么回事我都不大清楚，当然意义上与直子不同。但是，我准备竭尽全力，若不然，我对自己都不知何去何从了。所以，正像你刚才说的那样，我同直子必须互相拯救，除此之外别无共渡难关的途径。”

“还同路上随便碰见的女孩睡觉？”

“这个我也不知道怎么办才好啊。”我说，“到底该怎么办呢？难道就该一直通过手淫等待下去不成？对我本身都没办法处置，这样下去。”

玲子把球放在地上，轻拍一下我的膝部，说：“听我说，我并不是说你同女孩子睡觉有什么不妥。如果你觉得那样可以，也无所谓。因为那是你的人生，应该由你决定。我要说的，只是希望你不要用不自然的方式磨损自己。懂吗？那是最得不偿失的。十九二十岁，对人格的成熟是至关重要的时期，如果在这一时期无谓地糟蹋自己，到老时会感到痛苦的，这可是千真万确。所以，要慎重地考虑。你要是想珍惜直子，那么也要珍惜自己。”

我说想想看。

“我也有二十岁的时候，那是很久很久以前了。”玲子说，“信吗?”

“信，当然信。”

“打心眼里信?”

“打心眼里。”我笑着说。

“虽说比不上直子，可我也是满可爱的咧，那时候。也没有现在这样的皱纹。”

我说我非常喜欢那皱纹，她说谢谢。

“不过，往后你可不要对女人夸她的皱纹有魅力，虽然我给你这么一说倒是高兴的……”

“一定注意。”我说。

她从裤袋里取出钱包，从该装月票的那栏里拈出张照片给我看。是个十来岁女孩的彩色照。女孩身穿滑雪衫，脚蹬滑雪板，在雪地上漂亮地微笑着。

“长得很漂亮吧? 我女儿。”玲子说，“今年初寄来的。现在，怕是小学四年级了。”

“笑的样子很像。”我说着，把照片还给她。她把钱包揣回裤袋，轻声抽了一下鼻子，叼烟点燃火：

“我年轻时，打算成为一名职业钢琴家来着。才能也还过得去，周围人也都那样认为，听的夸奖话可多得很哩。音乐会上拿过名次，音乐大学里一直名列前茅，毕业后去德国留学也大体定了。可以说，真是一帆风顺的青春时代。干什么都一帆风顺，即使不一帆风顺，周围人也都会设法使我一帆风顺。但出了一件怪事，整个世界在一天里就颠倒过来了。那是大学四年级的时候，有个比较重要的音乐会，我为此练习了很长时间。不料小指突然不会动了，也不知为什么不会动的，反正一点也动不得了。于是又是按摩，又是用热水浸，又是停练两三天，可还是毫不见效。我吓得脸都青了，跑到医院去，做了好多种检查。结果医生也莫名其妙，说手指完全正常，神经也毫无问题，不该不会动的，所以可能是精神方面的原因。我就又找精神科，然而在那里也还是查不出确切起因，只说大概是音乐会前的疲劳造成的，建议我无论如何要离开钢琴一段时间。”

玲子深深吸了口烟吐出，歪了好几下头：

“就这样，我决定到伊豆祖母那里静养一些时日。就是说，放弃音乐会，好好轻松一下，两个星期不接触钢琴，喜欢干什么就干什么。可偏偏不成。无论做什么，头脑里出现的尽是钢琴，除了钢琴别的什么也想不出来。小手指会不会一辈子都这样动弹不得呢？果真那样以后该怎么活下去呢？头脑里反复想的全是这些。其实也难怪，在那以前的人生中钢琴就是我的一切。我四岁开始练琴，生活中想的除了琴还是琴，此外我几乎什么都没考虑过。怕弄坏手指，家务事一点没做过。也就因为钢琴弹得好，周围人都对我倍加小心。你想想看，从如此长大的女孩手里夺走钢琴，还能剩下什么？这么着，‘砰’！脑袋的发条不知飞到哪里去了，脑袋里一片混乱、一团漆黑。”

她把烟头扔在地上踩灭，又歪了几下脖子：

“于是，当钢琴演奏家的美梦化为泡影了。住了两个月院才出来。住院不久，小手指可以动了，便去音乐大学复学，总算毕了业。然而，一种东西已经消失了，一种像活力凝聚体那样的东西已经从我身上永远消失了。医生也说我神经太衰弱了，不适宜当职业钢琴家，劝我死了那份心。因此，大学毕业后，我就在家里收学生教课。可那多么叫人难受啊！就像我的人生被突然拦腰截断了一样，我一生中最美好的时光，二十年刚过就彻底报销了。你不认为这太残酷了？我曾经把所有的可能性掌握在自己手中，但等明白过来时却已两手空空。谁也不再鼓掌，谁也不再娇宠，谁也不再夸奖，只是日复一日地在家里教附近的小孩，除了初级教程就是小鸣奏曲。心里难过死了，动不动就哭一场，窝囊啊！才能比我明显差一大截的人在哪里的音乐会上获得了第二名，又在哪里的音乐厅里举行独奏会——每当听到这类消息，我就懊恼得泪流不止。

"父母也对我小心翼翼，就像生怕触到脓肿似的。其实我也明白，他们一定很失望。直到前不久还为自家女儿自豪来着，可如今却成了精神病院的归来者，婚事都很难谈拢。在一起生活，他们的这种心情我感受得是那样真真切切，难受得不知怎样才好。而一出门，似乎附近的人都在议论我，吓得我门都不敢出。于是就又'砰'的一声，发条飞了，线团乱了，一时天昏地暗，这是在我二十四岁的时候。当时我在疗养院住了七个月。不是这里，是围着很高的院墙，大门紧闭的地方。又脏又没有钢琴……那时我不知如何是好。但我还是一心想离开那里，拼死拼活地配合治疗。七个月——长啊！就这样，皱纹一条条爬了上来。"

玲子咧下嘴角笑了笑：

"出院后不久和丈夫相识结婚了。他比我年纪小，在一家飞机制造公司当工程师，是跟我学钢琴的学生。好人呐！话语虽然不多，但为人厚道，心地善良。差不多练习了半年钢琴后，突然问我能不能同他结婚。是一天练完琴喝茶时突如其来地提出的。嗯，你能相信？那以前我们既没约会过，甚至连手都没握过。我吃了一惊，就说不能跟他结婚。我说我认为他是个好人，也怀有好感，但由于多种缘由不能同他结婚。他说他想听那缘由，我便毫不隐瞒地全都告诉了他，说自己曾因脑子不正常住过两次院，连细节也一一讲了。我告诉他导致那种情况出现的是什么原因，以后也有可能反复。他说让他再想一下，我说尽可以慢慢考虑，万万仓促不得。但下一星期他来的时候，还是说想结婚。于是我说：'等我三个月。这段时间里我们交往一下。之后若你还是有想结婚的心情，那时两人再商谈一次。'

"三个月时间里，我们每周幽会一次，去了很多地方，说了很多话。这一来，我不折不扣地喜欢上了他。同他在一起，我觉得自己的人生好像重新归来了。只要两人在一起，我心里就豁然开朗，各种恼人事一扫而光。虽说当不成钢琴家，住过精神病院，但人生并未因此告终，人生中还有很多很多我所不知道的美好事物——是他使我产生了这种心情，仅这一点我就衷心地感谢他。三个月过后，他说还是想同我结婚。'如果想和我睡觉是可以睡的。'我对他说，'我，还没同任何人睡过觉，但因为我顶喜欢你，要是你想抱我，那是一点关系都没有的。但同我结婚就完全是另一回事。你同我结婚，势必就要连同我的麻烦事都包揽过去，而这要比你想的严重得多。这也不要紧吗？'

"他说不要紧，说他不是单单想同我睡觉，而是想同我结婚，同我共同承担我身上的一切。而且他确实是这样想的，不真这样想他是不会说出口的，而一旦说出口就信守诺言，他就是这样的人。于是我说好吧，那就结婚吧。实际上也只能这样说。结婚大概是在那以后四个月。他因此和他父母吵翻了，断绝了关系。他家是四国乡下有些来历的家族，父母对我进行了彻底调查，知道我住过两次院，就反对这门婚事，吵了起来。反对也是情有可原的。这样，我们连婚礼也没有举行，只去区政府办了结婚登记，到箱根住了两个晚上。但是真叫幸福啊，一切的一切！这么着，我直到结婚还是处女，到二十五岁。像是在说谎吧？”

玲子喟叹一声，重新捧起篮球。

“只要在这个人身边，就问题不大，我当时想，”玲子说，“只要和这个人在一起，就不至于旧病复发。知道吗，对我们这种病来说，最重要的是信赖感。一切交给这个人好了！每当我的情况稍有不妙，也就是发条刚一开始松动，他就会当即察觉，精心地不厌其烦地予以纠正——拧紧发条，解开线团——只要有这种信赖感，我的病一般是不会反复的。只要存在这种信赖感，那‘砰’的一声就不会发生。我是那么高兴，心想人生是多么美好啊！那感觉，就像被人从狂暴而冰冷的海潮中打捞出来、用毛巾被裹着放到温暖的床上一样。婚后两年有了孩子。从那以后一心扑在照料孩子上。自身的病什么的，也因此几乎忘得一干二净。早上起来，做家务，照看孩子，他回来时就让他吃饭……每天都是这样。但我感到幸福，那是我一生中最幸福的时光。持续几年来着？持续到三十一岁。而后便又‘砰’的一声，断裂了！”

玲子给烟点上火。风已经停了，烟直线上升，消失在夜色中。不觉之间，空中已闪出无数的银星。

“遇上什么了？”我问。

“呃——”玲子说，“一件非常奇妙的事。简直就像一个圈套或一口陷阱似的在那里静等着我。现在想起来都不寒而栗。”她抬起没夹烟的那只手，揉了下太阳穴。“对不起呀，光听我说了。本来你是来看直子的。”

“真的想听。”我说，“可以的话，讲给我听听好么？”

“孩子上幼儿园后，我又开始多少弹几下琴。”玲子接下去说，“不是为别人，是为我自己弹的。弹巴赫、莫扎特、斯卡拉蒂。当然，因为有好长时间的空白，乐感很难恢复。手指同以前相比也不能乖乖听从使唤。但我仍很高兴，毕竟又能弹钢琴了。每次一弹起来，我就深深地由衷地感到自己是何等热爱音乐，何等渴求音乐。真是太美妙了，能为自己演奏。

“前边我已说过，我从四岁就开始弹钢琴，但想起来，却连一次都没为自己弹过。或者为通过考试，或者因为是课题曲，或者为使别人感动，弹来弹去为的就是这些。当然这也是很重要的，它可以使人掌握一种乐器。但在过了一定的年纪之后，人就不能不为自己演奏，所谓音乐就是这么一种东西。在我从音乐尖子沦为落伍者，到了三十一二岁之后，才总算悟出这个道理。我把孩子送去幼儿园，抓紧干完家务，便动手弹自己心爱的曲子，一弹一两个钟头。这期间什么问题也没有，没有吧？”

我点点头。

“不料有一天，一位太太，一位只是在路上碰见时打声招呼那种关系的太太登门找我，说她有个女儿想跟我学钢琴，问我能否指教一下。按那太太的说法，那孩子从我家门前路过时经常听到我弹钢琴，感动得不得了，而且认得我，还很崇拜。孩子正在读初中二年级，这以前从师学过好几次，由于不止一个的原因总是进展不顺利，眼下没跟任何人学。

“我拒绝了。我说一来我有好些年空白，二来若完全是初学者还另当别论，而从中途教一名已练过几年的人是十分困难的。况且要照料小孩，忙得抽不出时间。再说——当然这点我没向对方说出——动不动就换老师的孩子，谁接手都伤脑筋。可是那太太非让我见见她女儿，说哪怕只见一面也好。我见这人有点死求活磨的味道,心想不大容易一口回绝,加上对只求见面也不好拒之门外,便说如果仅仅见一面倒也无妨。隔了三天,那孩子一个人来了。漂亮得活像个小天使,而且是近乎透明般的漂亮。那么漂亮的孩子,那以前和以后都没见过。头发像刚刚研出的墨一样油黑油黑,长长地披落下来。十指纤纤,眼睛忽闪忽闪的,小小的嘴唇,看上去十分柔软,简直像刚刚做出来似的。刚见到她时,我半晌都忘了开口——太漂亮了!往我家客厅沙发上一坐,顿时满室生辉,判若别境。细细看去,直觉得炫目耀眼,甚至要把眼睛眯缝起来才行。就是这么个女孩儿,直到今天还历历在目。"

玲子眯起眼睛好半天,仿佛眼前真出现了女孩的那张脸。

"我们边喝咖啡边谈,这个那个,谈了一个多小时,包括音乐方面的、学校里边的。看一眼就知她是个聪明伶俐的孩子,说话有条有理,意见也一针见血,具有吸引对方的天赋才能。甚至有些吓人。至于吓人的到底是什么,当时的我却捉摸不透,只是蓦然间觉得她机灵得令人生畏。不过,当面同那孩子谈起来,便会不知不觉地失去正常的判断力。就是说,对方太年少、太妩媚了,以致被其气势压倒,大为自惭形秽,因而即使一晃闪出否定的念头,也会转而怀疑那定然出自一种不可告人的阴暗心理。"

她摇了几下头:

"假如我像那孩子那样聪明漂亮的话,我会成为一个更地道的更有作为的人。既然那般聪明漂亮,还别有何求呢?既然受到大家如此的宠爱,还何苦要欺侮、蹂躏不如自己的弱者呢?不是根本就不存在非做此手脚不可的客观原因吗!"

"她做什么让你难堪的事了?"

"啊,让我按顺序说吧。那孩子是个病态的扯谎鬼,完全是一种病。无论什么,开口就编造谎话。在编造的时间里,连自己都信以为真。为了使编造的谎言不露出破绽,甚至把周围相关的事物统统改头换面。若是一般情况,肯定让人生疑,而那孩子由于头脑转得飞快,早抢在别人生疑之前就弥合得天衣无缝,因此对方根本察觉不出。这就是所谓扯谎。而且一般说来,谁也不会以为那么漂亮的孩子居然会为鸡毛蒜皮的琐事大扯其谎,包括我在内。那孩子扯的谎话,半年间我听得真可谓数不胜数,但一次也没有怀疑过,尽管从根到梢全是谎话。傻瓜呀,纯属傻瓜!"

"都说什么谎呢?"

"无所不包。"玲子不无嘲讽意味地笑道,"刚才说了吧,人若要在某件事上扯谎,就势必为此编造出一大堆相关的谎言。这就是说谎症。问题是,说谎症患者的谎言在一般情况下属于无罪一类,因为周围人大多心中有数。而那孩子则不同:为了保护自己,她可以满不在乎地任意造谣中伤,利用一切凡可利用的东西。在母亲或亲朋好友等容易识别其谎言的对手面前,她不大扯谎,非扯谎不可的时候也认真考虑再三,绝对不至于让对方发觉。而万一被发觉了,她便从那美丽的眼睛里一滴接一滴挤出眼泪,或解释或道歉,用那小鸟依人般的声音。这一来,谁都不好再发火了。

"至于那孩子为什么选择了我,至今我也不大明白。是把我作为她的牺牲品选择的,还是为寻求某种解脱选择的,今天我也不得而知,全然不知。当然喽,事到如今知不知道都无所谓了。因为一切都已付诸东流了,我又落到了这步田地。"

短暂的沉默。

"她又把她母亲的话重复说了一遍。说在我家门前路过时听到我的钢琴,大为感动。在外面遇到过我几次,很是崇拜。说的可是'崇拜'哟。结果我脸都红了,怎么好让一位布娃娃一般漂亮的女孩崇拜呢!不过,我想她这也并非完全说谎。当然,我已年过三十,又没她那么漂亮那么聪明,又没什么特殊才能。但我身上肯定有一种吸引那孩子的什么东西——或许是她所缺乏的一种什么。也正因如此,她才会对我发生兴趣。嗳,这可不是自吹自擂哟!"

"明白,我能明白。"我说。

"她拿来了乐谱,问我可不可以弹几下试试。我说可以,请弹好了。她就弹了巴赫的创意曲。那个嘛,怎么说呢,弹得很有意思,或者说不可思议,总之不一般。当然,技术并不怎么好。毕竟没有进过专门学校,从师练习也是三天打鱼两天晒网,是她自己的手法,一听就知没经过专业训练。如果在音乐学校的实践考试上这么弹的话,只消一声就会立遭淘汰。可她弹的还是值得一听。就是说,尽管百分之九十一塌糊涂,但剩下的百分之十还是发挥得相当可以的。这也就是巴赫的创意曲。于是我对那孩子发生了极大兴趣,心想这孩子究竟怎么回事呢?

"说起来,世上弹巴赫弹得更好的孩子多的是,弹得比那孩子好上二十倍的孩子怕也不是没有。问题是那种演奏十之八九都没什么内容,干巴巴的空洞无物。可那孩子呢,虽然弹得并不高明,却多少有一种足以打动我的东西。因此我想:这孩子或许有教的价值也未可知。当然,现在把她重新训练成职业性的为时已晚,但培养成像当时的我——现在也如此——那样自弹自娱的快乐的钢琴手估计还是可能的。结果我的希望完全落空了。这女孩,不是一声不响为自己本身做事的那一类型的人,而是个为了让别人倾心而不惜使用一切手段的、工于心计的孩子。

怎样才能让人产生好感，怎样才能获得别人的夸奖——这一套她了然于心。包括怎样的演奏风格才能打动我，也都经过精心算计，并将值得一听的那部分不知拼命练习过多少次，这完全想象得出来。

“可话又说回来，纵使在一切都真相大白的现在，我也还是认为那演奏相当不错。现在再让我听上一遍，我一定仍那样想——除去她的狡黠、扯谎等缺点。知道吗，世上偏偏就有这样的事。”

玲子声音干涩地清了清嗓子，止住话头，沉默良久。

“那么你收她做学生了？”我问。

“是的。每周一次，周六上午，那孩子的学校周六休息。她一回也没缺过课，从不迟到，蛮理想的学生啊！练习也很专心。练完后，我们就吃蛋糕、聊天。”说到这里，玲子突然意识到似的看看表。“噢，我们差不多该回房间了，有点放心不下直子。你怕是把直子忘在脑后了吧？”

“哪里会忘，”我笑道，“只是给你的话吸引住了。”

“要是你想接着听，明天再讲吧。话长，一次讲不完的。”

“简直是《一千零一夜》。”

“哦，那你可就回不了东京啦！”玲子也笑了。

我们穿过来时的那条杂木林小道，回到房间。蜡烛熄了，客厅的电灯也没开。卧室的门开着，里面亮着床头灯，昏黄的光线洒进客厅。就在这若明若暗的灯光中，直子孤零零地坐在沙发上。她已换上长睡衣样子的衣服，领口紧紧扣到脖子上，脚蹬沙发，支起膝盖坐着。玲子走到直子跟前，手放在她头顶上：

“好了？”

“嗯，好了，对不起。”直子低声说。然后转向我，害羞似的又说了声对不起。“你吓了一跳?”

“有一点儿。”我微笑着说。

“到这儿来。”直子说。我挨她身旁坐下。直子依然在沙发上拱着膝盖,仿佛要说悄悄话似的把脸凑近我的耳边,在耳垂上悄悄一吻,再次小声对着我的耳朵说了声“对不起”,随即移开身体。

“有时候我自己都弄不清自己是怎么回事。”直子说道。

“我有时也那样的。”

直子浅浅地露出笑容,看着我的脸。

“嗯,可以的话,想听听你的情况,”我说,“这里的生活,每天都做什么,有什么样的人。”

直子于是缓慢而语言清晰地谈起自己一天的生活。早上六时起床,在这里吃早餐、清扫鸟舍,之后便大多去农场劳动,照看蔬菜。午饭前或午饭后有一小时同主治医生单独会面的时间,或者进行集体讨论。下午是自由活动,可以选择自己喜欢的讲座、野外作业或体育项目。她选听了几个讲座,有法语,有编织,有钢琴,有古代史,等等。

“钢琴由玲子姐教,”直子说,“此外她还教吉他。我们都互为师生,擅长法语的教法语,做过社会科教师的教历史,编织上拿手的教编织。只就这点来说,差不多成了一所学校。遗憾的是我没一样东西可教别人。”

“我也没有。”

“反正我在这里要比在大学时学得起劲。很用功,而且用起功来觉得很有意思,可好着哩!”

“晚饭后一般做什么呢?”

“与玲子姐聊天、看书、听唱片,或到别人房间玩。就这些。”

直子说。

“我练吉他、写自传。”玲子开口了。

“自传?”

“说句玩笑。”玲子笑道,“我们十点左右就上床了。如何?这生活很利于健康吧?睡觉睡得才香呢。”

我看了下表,差不多九点。“那,怕是快要睡了吧?”

“不,今天没关系,哪怕晚一些。”直子说,“好久没见了,想再谈一会。你说点什么可好?”

“刚才只我一个人的时候,一下子想起了很多以前的事儿。”我说,“记得以前我同木月两人去看望你的情形么?在海边医院。大概是高中二年级那年夏天吧。”

“是做胸腔手术时的事吧,”直子淡淡一笑,“记得很清楚哇。你和木月骑摩托去的,提着化得软绵绵的巧克力,吃得我好辛苦。不过总好像是很久很久以前的故事似的。”

“是啊。那时,你还写了一首长诗呢。”

“那个年龄的女孩谁都写的。”直子哧哧笑道,“怎么突然想起这个来了?”

“我也不知道,只是一时想起。海风的气味儿、夹竹桃,这个那个忽然涌上心头。”我说,“好了,木月那时常去探望你吧?”

“哪里谈得上探望,几乎没去。过后我们还因此吵了一架呢。开始时去一次,再就是和你两个,往下就没影了。你说过分不?一开始去那次像有什么急事似的心不在焉,不到十分钟就走了。带橘子去的,嘟嘟囔囔胡乱说了几句什么,然后剥开橘子让我吃,接着又嘟嘟囔囔了几句没头没脑的话,就一晃人不见了,还说什么他一进医院就头疼。”说到这里,直子笑了。“在这方面他那人还一直停留在小孩阶段。这不是,哪里会有什么人喜欢医院呢！也正因为这个，人们才去看望，让病人振作起来。可这些，他竟然莫名其妙。”

“不过和我两人去的时候可不是那个样子，和普通人做的没什么两样。”

“那是在你面前嘛。”直子说，“他那人，在你面前总是那样，拼命掩饰自己脆弱的一面。他肯定是喜欢你，所以才尽可能只让你看他好的那方面，但和我单独在一起时可就不同了，那逞能劲头就没有了，真是个心情说变就变的人。举例说吧，本来一个人口若悬河地说得好端端的，不料一瞬间突然一言不发了。这事经常发生，从小就一直这副德性，尽管他想改变自己、提高自己。”

直子在沙发上调换了一下叠架的双腿：

“他总是想改变、提高自己，却总是不能如愿，又是着急又是伤心。本来他具有十分出色和完美的才能，却直到最后都对自己没有信心，那个也要干，这里也得改——头脑里转来转去的净是这些东西。可怜的木月！”

“不过，如果他真有意只让我看到他好的一面的话，那么他的努力像是成功的。我看到的确实只是他好的方面。”

直子微微笑道：“他要是能听见，肯定高兴。你是他唯一的朋友啊！”

“而对我来说，木月也是我绝无仅有的朋友。”我说，“除了他，过去和现在我没有一个可以称得上朋友的人。”

“所以我很乐意和你、木月三人待在一起，那样我不是也能只看到木月好的一面了吗？那一来，我心里非常快活，也舒展得开。因此我很喜欢三个人在一块儿。你怎么想我是不知道。”

“我倒是担心你会怎么想。”说着，我轻轻摇了下头。

"可问题是这种状态不可能无止境地持续下去,那小圈子般的东西不可能维持到永远。这点木月明白,我也明白,你也心里清楚,不错吧?"

我点点头。

"不过,老实说来,我甚至连他那人弱的一面都喜欢得不得了,就像喜欢他好的一面那样。不是吗?他没有一点坏心和恶意,只是软弱罢了。可我这么说时他不信,并且这样说道:'直子,那是因为你我从三岁就形影不离,你对我知道得太多了,以致什么是缺点什么是优点都分辨不清,很多东西都一锅粥搅在一起了。'他时常这么说。但不管他怎么说,我还是喜欢他,对除他以外的人几乎连兴致都提不起来。"

直子把脸转向我,凄然地漾出浅浅的笑意:

"我们同普通的男女关系有很大区别。那关系就像肉体的某个部分紧紧相连似的。即使有时离得很远,也像有一种特殊引力会重新把我们拉回原来位置。所以我同木月发展成为恋人是极其自然而然的,不存在考虑和选择的余地。十二岁时我们接了吻,十三岁时就已经相互爱抚过了。或我去他房间,或他来我房里玩,我用手把它处理来着……可我一点儿也没意识到我们早熟,以为那是理所当然的。如果他要上上下下摸我,任他摸我也满不在乎,要是他想一泄为快,我会帮助他而丝毫不以为意。因此,假如有人为此责备我们,我肯定会大为意外,或者生气的:我们也没做什么错事,做的不过是应该做的罢了。我们俩,相互细细看过对方的身体,像是双方共有似的,真是这种感觉。但相当长时间里,我们控制自己,没有往前迈一步。一来怕怀孕,二来当时又不清楚该怎样避孕……总之,我们就是这样手拉手长大的。普通处于发育期的孩子所体验的那种性压抑和难以自控的苦闷，我们几乎未曾体会过。刚才也说过了，我们对性一贯是开放的。至于自我，由于可以相互吸收和分担，也没有特别强烈地意识到。我说的意思你明白？”

“我想是明白的。”我说。

“我们两人是一种不能分离的关系。如果木月还在人世，我想我们一定仍在一起、相亲相爱，并且一步步陷入不幸。”

“何以见得？”

直子用手指理了几下头发。发卡已经摘掉，每一低头，头发便落下遮住她的脸。

“或许，我们不能不把欠世上的账偿还回去。”直子扬起脸说，“偿还成长的艰辛。我们在应该支付代价的时候没有支付，那笔账便转到了今天。正因为这个，木月才落得那个下场，我才关在这里。我俩就像在无人岛上长大的光屁股孩子，肚子饿了吃香蕉，寂寞了就相抱而眠。但不能一直这样下去啊，我们一天一天长大，必须到社会上去。所以对我们来说，你是必不可少的存在，你的意义就像根链条，把我们同外部世界连接起来的链条。我们企图通过你来努力使自己同化到外部世界中去，结果却未能如愿以偿。”

我点点头。

“不过我们可压根儿没想利用你。木月的的确确喜欢你，对我们来说，与你的巧遇是我们同外界人的初次交往，并且现在仍在继续。虽然木月死去不在了，但你仍是我同外部世界相连的唯一链条，即使是现在。正像木月喜欢你那样，我也喜欢你。尽管我们完全没那个意思，可是在结果上我们恐怕还是伤了你的心。真是一点都没料到会出现这种情况。”

直子沉下头，一阵沉默。

"如何,喝点可可好么?"玲子开口道。

"嗯,想喝,非常想。"直子说。

"我想喝带来的白兰地,可以吗?"我问。

"请请。"玲子说,"可能给我一口?"

"那还用说!"我笑道。

玲子拿来两个杯子,我和她干了一杯,然后玲子去厨房做可可。

"讲点叫人高兴的事儿?"直子说。

可是我并没有令人高兴的现成话题。我惋惜地想,要是敢死队还在就好了。只要那家伙在,笑料就会源源不断产生,而只要一提那笑料,人们便顿时心花怒放。真是遗憾之至!无奈,只好不厌其烦地大讲特讲大家在宿舍里过着怎样不讲卫生的生活。由于太不讲卫生了,我讲起来都心生不快,但她们两人都似乎觉得十分希罕有趣,笑得前仰后合。接着,玲子又模仿各类精神病患者的神情举止,这也十分好笑。十一点时,直子眼睛里透出睡意,玲子便把沙发背放倒当床,拿来褥单、毛毯和枕头。

"半夜过来玩也可以,只是别弄错对象哟!"玲子说,"左边床上没有皱纹的身体是直子的。"

"胡说,我在右边。"直子说。

"噢,明天下午安排了几项活动,我们去野游好了,附近有个很不错的地方。"玲子道。

"好啊。"我说。

她们轮流去卫生间刷完牙走进卧室后,我喝了一点白兰地,倒在沙发床上依次回想今天一早到现在发生的事,觉得这一天格外地长。月光依然银灿灿泻满房间。直子和玲子睡的卧室里悄无声息,四下几乎不闻任何声响,只是偶尔传来床的轻微吱呀声。闭上眼睛，黑暗中仿佛有小小的图形一闪一闪地往来飞舞，耳畔仍有玲子弹吉他的袅袅余音。但这没有持续多久，不一会睡意袭来，把我拖入温暖的泥沼之中。我梦见了柳树。山路两旁齐刷刷排列着绿柳，数量多得令人难以置信。风吹得并不弱，柳枝却纹丝不动。怎么回事呢？原来每条树枝上都蹲着一只小鸟，压得树枝摇动不得。我拿起一根棍子往眼前的树枝敲去，想把鸟赶走，让柳枝恢复摇动。然而鸟却飞不起来，不但飞不起来，还变成了一个个鸟状铁疙瘩，“啪嗒啪嗒”纷纷落地。

睁眼醒来时，我恍惚觉得仍置身梦境。在月光辉映下，房间里隐约泛着白光。我条件反射般地在地板上寻找鸟状铁疙瘩，当然无处可寻。只见直子孤单单坐在床脚前，静静地凝视窗外。她怀抱双膝，如同饥饿的孤儿，下颏搭在膝头上。我想看看时间，伸手摸枕边的手表，本该放在那里，却没有。从月光的样子看来，估计是两三点钟。我感到喉头干渴难耐，但还是一动未动，只管盯视直子。直子仍穿着刚才那件蓝色睡衣，头发的一侧照例用蝶形发卡拢住。因此，那娇好的前额被月光照得历历在目。我心中生疑：睡前她是取下发卡的呀。

她保持着原有姿势，凝然不动，看上去活像被月光吸附住的夜间小动物。因月光角度的关系，她嘴唇的阴影被夸大了。那阴影显得分外脆弱，随着她心脏的跳动或心的悸动，一上一下微微起伏——俨然是在面对黑夜倾诉无声的语言。

为了缓解喉头的干渴，我吞了一口唾液。在夜的岑寂中，那声响居然意外的大。于是直子像回应这声响似的倏然立起，窸窸窣窣带着衣服的摩擦声走来，跪在我枕边的地板上，目不转睛地细看我的眼睛，我也看了看她的双目。那眼睛什么也没说，瞳仁异常澄澈，几乎可以透过它看到对面的世界。然而无论怎样用力观察，都无法从中觅出什么。尽管我的脸同她的脸相距不过三十厘米，我却觉得她离我几光年之遥。

我伸出手，想要摸她。直子却倏地往后缩回身子，嘴唇略略抖动，继而，抬起双手，开始慢慢去解睡衣的纽扣。纽扣共有七个，我好像还在做梦似的，注视着她用娇嫩的纤纤玉指一个接一个解开。当七个小小的白扣全部解完后，直子像昆虫蜕皮一样把睡衣从腰间一滑退下，全身赤裸裸的，睡衣下面什么也没穿。她身上唯一有的，就是那个蝶形发卡。脱掉睡衣后，直子仍然双膝跪地，看着我。沐浴着柔和月光的直子身体，宛似刚刚降生不久的崭新肉体，柔光熠熠，令人不胜怜爱。每当她稍微动下身子——虽然是瞬间的微动——月光照射的部位便微妙地滑行开来，遍布身体的阴影亦随之变形。浑圆鼓起的乳房，小小的乳头，小坑般的肚脐，构成腰骨和阴毛的粗粒子的阴影，这些都恰似静静的湖面上荡漾开来的水纹一样改变着形状。

这是何等完美的肉体啊——我想。直子是何时开始拥有如此完美的肉体的呢？那个春夜我所拥抱的她的肉体何处去了呢？

那天夜晚，我轻轻地、缓缓地给哭泣不已的直子脱衣服时，得到的印象似乎是她的肢体并不完美。乳房硬硬的，乳头像是安错位置的突起物，腰间也总有点不够圆熟。当然，直子是美丽的姑娘，肉体也富有魅力，这使我爆发性的冲动，一股巨大的力量劈头朝我压来。尽管如此，我在抱着她的裸体爱抚、亲吻的同时，仍不免对肉体这一物件的不匀称、欠精巧蓦然产生一缕奇妙的感慨。我抱着直子，想对她这样解释：我在同你交欢，进入你的体内。但实际并没有什么，本来就是无所谓的，无非是身体间的一种接触罢了，我们不过是在相互诉说只有通过两个不完美的身体的相互接触才能诉说的情感而已，并以此分摊我们各自的不完美性。当然这种解释不可能很好地口述出来。于是我只能默不作声地紧紧搂住直子。一抱住她的身体，我便从中感到有一种类似未经过彻底驯化的异物仍留在她身体表面那样的粗糙而生硬的感触，而这种感触又激起我的情欲，使我冲动得可怕。

然而，现在我眼前的直子身体却与那时截然不同。我想，那肉体已经变迁，如今已变得无比完美而降生在月华之中。首先，少女的轻盈柔软已于木月去世前后骤然消去，而随后代之以成熟的丰腴。由于直子的肉体完成得过于完美无缺了，我甚至感觉不到一丝兴奋，只是茫然注视着她腰间流畅的曲线、丰满而光洁的乳房、随着呼吸静静起伏的平滑的小腹，以及小腹下软软的、黑黑的毛丛。

她把这裸体在我眼前展露了大约五六分钟，而后重新穿起睡衣，由上而下扣好扣子。全部扣罢，她倏地站起身，悄然打开卧室门，消失在里面。

我在床上许久静止未动，而后转念下床，拾起落在地上的手表，对着月光一看：三点四十分。我去厨房喝了几杯水，折身上床，结果直到天光大亮——洒满整个房间的阳光完全抹去青白的月色——之后还未合眼。在似睡非睡的恍惚之中，玲子过来，在我脸颊上“啪啪”拍了两下，叫道“天亮了天亮了”。

玲子给我收拾床的时间里，直子站在厨房里准备早餐。她朝我嫣然一笑：“早上好！”我也回了句“早上好”。直子一边哼着什么一边烧水、切面包，我站在旁边望了一会，根本看不出昨晚在我面前赤裸过的任何蛛丝马迹。

“喂,眼睛好红啊,怎么搞的?”直子边倒咖啡边对我说。

“半夜醒了一次,往下也没睡好。”

“我没打呼噜?”玲子问。

“没有。”我答。

“还好。”直子说。

“他,倒蛮规矩的哩!”玲子打着哈欠说。

最初我以为当着玲子的面直子故意做出若无其事的样子,或者是出于害羞,但在玲子从房间消失后,她的神情仍毫无变化,眼睛依然那么晶莹清澈。

“睡得可好?”我问直子。

“嗯,死死的。”直子回答得十分轻松。这回拢住头发的是不带任何装饰的朴素的发夹。

我这难以释然的心情在吃饭时间也未改变。我往面包上涂黄油,剥煮鸡蛋,同时像要寻找什么痕迹似的坐在直子对面,不时瞟她一眼。

“我说,渡边君,今早你干嘛总看我的脸?”直子好笑似的问道。

“他么,怕是在热恋着一个人。”玲子说。

“你热恋一个人?”直子问。

“或许。”我也笑着说。

两个女子于是就此拿我开起了玩笑。我听着听着,决定不再思索昨天晚间那件事,闷头吃面包、喝咖啡。

早饭后,两人说要去鸟舍给鸟喂食,我也打算跟去。她俩换上工作服,穿上白色长靴。鸟舍在网球场后面一个不大的公园内,里边有各种各样的鸟,从鸡到鸽子都有,还有孔雀、鹦鹉。四周有花坛,有观赏树,有长凳。同是患者模样的两名男子用扫帚在路上清扫落叶，两人看上去都在四十至五十岁之间。玲子和直子走到两人跟前寒暄一句，玲子还说了句什么笑话，逗得两个男子直笑。花坛里开着大波斯菊，观赏树修剪得整整齐齐。鸟儿一见到玲子，马上唧唧喳喳欢叫着在栏里扑来扑去。

她们钻进鸟舍旁边的小仓房，拿出饵料袋和橡胶软管。直子把软管接在水龙头上，拧动开关，然后在注意不让鸟跑出的同时进入栏内，清洗脏物。玲子用硬刷"嚓嚓"刷洗地板。飞溅的水珠在阳光下闪闪耀眼，孔雀们生怕溅到身上，在栏里"扑扑通通"一阵逃窜。火鸡则扬起脖子，像老大不高兴的老人似的拿眼珠瞪着我。鹦鹉在横杆上仿佛心怀不满，弄出很大声音拍打着翅膀。玲子对着鹦鹉学了声猫叫，鹦鹉便钻到角落里缩起肩，少顷叫道："谢谢，神经病，臭屎蛋。"

"谁这么教的？"直子叹息道。

"不是我哟，我哪里会教这种歧视人的话。"玲子说。随即又学了声猫叫，鹦鹉这回没再吭气。

"这小家伙，有一次给猫吓个半死，那以后就怕猫怕得什么似的。"玲子笑道。

打扫完毕，两人放下清扫用具，接着把饵料投进一个个饵槽。火鸡不管三七二十一地扑打地面的积水，跑过来一头扎进槽内，直子拍打它的屁股，它也顾头不顾腚地只管猛啄不止。

"每天早上都做这活儿？"我问直子。

"是啊。新来的女的，一般都做这个，简单嘛。想看兔子？"

"想看。"我说。

鸟舍后面是兔舍，十来只兔子趴在草堆上。她拿扫帚把兔粪扫在一起，给食槽放完食，抱起一只小兔贴在脸上。

"可爱吧？"直子欣欣然地说，然后让我抱，那暖乎乎的小圆团儿在我怀里一动不动地蜷缩着，两耳一抖一抖地直动。

“放心，这人不用怕的。”直子说着，用手指抚摸小兔的脑门，看着我的脸甜甜地一笑。那张笑脸没有一丝阴翳，甚至晴朗得有些耀眼，我也情不自禁地跟着笑了，并且思忖，昨晚的直子到底怎么回事呢？那千真万确是直子本人呀，绝非什么梦境——她确实在我面前脱光身子来着……

玲子打口哨悠扬地吹着《骄傲的玛莉》，一边归拢垃圾，装进塑料袋，扎上口。我帮忙把清扫工具和饵料袋收进小仓房。

“我最喜欢早晨。”直子说，“一切都好像重新开始似的。中午时间一到我就有些伤感，晚上最最讨厌。每天每日我都是这么想着度过的。”

“而且那么想着的时间里，你们也会像我一样上了年纪——就是在朝朝暮暮的时间里哟！”玲子不无得意地说，“快得很哩！”

“不过玲子姐看起来倒是挺高兴上年纪似的。”直子说。

“上年纪我是并不高兴，可也不想再年轻一次。”玲子应道。

“那为什么？”我问。

“嫌麻烦呗，那不明摆着。”玲子回答。随后继续吹着《骄傲的玛莉》，把扫帚放进仓房，关好门。

返回房间，她们脱下长胶靴，换上普通运动鞋，说这就去农场，玲子劝我留在这里看书或做点什么算了，因为去看也没大意思，而且是跟其他人共同作业。

“看完书，卫生间的桶里满满装着我们的脏内衣内裤，洗洗可好？”玲子说。

“开玩笑吧？”我吃了一惊，反问道。

“那还不是，”玲子笑着说，“当然是开玩笑嘛，这种话。你这人倒蛮可爱的，是吧，直子？”

“是的吧。”直子笑着赞同。

“我学德语好了。”我叹了口气。

“乖孩子，我们等不到中午就回来，可得好好用功哟！”玲子说。随即两人呵呵笑着离开房间。窗下传来一伙人走过的脚步声和说话声。

我走进卫生间，重新洗把脸，拿她们的指甲钳剪了指甲。就两位女子居住这点来说，这卫生间真是朴素利落得可以。雪花膏、唇脂膏、防晒膏、洗头膏一类东西倒是零零碎碎排列了不少，而化妆品模样的东西却几乎见不到。剪罢指甲，我去厨房倒杯咖啡，坐在桌前边喝边打开德语课本。我拣了一块暖洋洋的向阳处，只穿圆领半袖衫，逐个往下背德语语法表。这时我不由产生了不可思议的感觉：德语不规则动词同这餐桌之间，似乎隔着所能想象得到的最遥远的距离。

十一点半，两人从农场回来，轮流进去淋浴，换上洁净衣服。接着三人去食堂吃午饭，饭后步行到大门口。这回门卫倒正好在门卫室的桌前津津有味地吃着想必是从食堂端来的午饭。搁物架上的晶体管收音机播放着歌曲。我们走到时，他“呀”一声扬手寒暄，我们也道了声“您好”。

玲子说三个人这就出去散步，大约要三个小时后回来。

“噢，随便，随便。嗯，天气蛮好嘛！沿河谷那条路因最近一场大雨，有塌方危险，其他的尽管放心，没问题。”门卫说。

玲子在一张外出登记表样的纸上写下直子和自己的姓名以及外出时间。

“路上注意些！”门卫嘱咐道。

“挺热情的嘛！”我说。

“那人这地方有点小故障。”玲子用手指戳着脑袋说。

不管怎样，天气确如门卫所说，果然不错。天空掉了底似的一片湛蓝，只有断断续续的云片在穹窿里依稀抹下几缕淡白，宛如漆工试漆时涂出的几笔。我们沿着"阿美寮"低矮的石头围墙走了一会，便离开墙，顺着一条又陡又窄的坡路一路攀援而上。打头的是玲子，直子居中，我最后。玲子在这羊肠小道上步子迈得甚是坚定，一副对这一带的山势无所不知的派头。我们几乎没再开口，只是一个劲儿地搬动脚步。直子身穿白衬衫蓝布裤，外衣脱了拎在手中。我边爬边望着直子肩头飘来摆去的垂直秀发。直子不时地回过头，和我目光相碰时便微微一笑。坡路长得简直令人发晕，但玲子的步调居然一点不乱，直子时而擦把汗，随后紧追不舍。倒是我因好久没跟山打交道了，不免气喘吁吁。

"经常这么爬山？"我问直子。

"一星期差不多一次吧。"直子回答，"够累的吧？"

"不轻松。"我说。

"三分之二了，不多了。你是男孩子吧？顶得住才行！"玲子说。

"运动不足嘛。"

"光顾和女孩厮混了。"直子自言自语似的说。

我本想反驳一句什么，但透不过气，未能顺利出口。头上生着一根装饰性羽毛的红色小鸟不时从眼前掠过，它们那以蓝色天空为背景飞行的身影十分赏心悦目。周围草丛里盛开着各色野花，白的、蓝的、黄的，多得令人眼花缭乱。到处都有蜜蜂的嗡嗡声。我一边观赏眼前景致，一边一步步往上移动，什么也不去想。

又爬了十多分钟，山路没有了，来到高原一般平坦的地方。

我们在这里歇息片刻，擦汗，喘气，喝水筒里的水。玲子找来一种什么叶片，做成笛子吹着。

下坡路便徐缓了，两侧狗尾草已经抽穗，黑压压的又高又密。大约走了十五分钟，路过一处村庄。村里空无人影，十二三座房子全都废弃了，房前屋后长满齐腰高的荒草，墙上的窟窿里沾着白花花的干鸽子粪。有的房子塌得只剩下立柱，有的却似乎只消打开木板套窗便可以马上住人。我们从这早已断绝烟火的无声无息的房子中间的道路穿过。

“其实也就是七八年前，这里还有几个人居住来着。”玲子告诉我说，“四周全是庄稼地。可终归都跑光了，生活太难熬啦。冬天大雪封山，人动弹不得，再说土地也不是那么肥沃，还是去城里干活能赚钱。”

“可惜啊，本来有的房子还满可以使用。”我说。

“嬉皮士住过一阵子，冬天也都冻得逃之夭夭了。”

穿过村庄，前行不一会，便是一片草地，像是一座四周有围栏的广阔牧场，远处可以望见几匹马在吃草。沿围栏走了不久，一只大狗“啪嗒啪嗒”甩着尾巴跑来，扑到玲子身上，在她脸上嗅了嗅，然后又扑向直子摇头晃脑。我一打口哨，它又跑过来伸出长舌头左一下右一下舔我的手。

“牧场的狗。”直子摸着狗的脑袋说，“估计快有二十岁了，牙齿不中用，硬东西几乎啃不动。总在店前躺着，一听到人的脚步声，就蹿上来撒娇。”

玲子从帆布包里掰下一块干奶酪。狗嗅到那气味儿，便奔过去一口叼住，高兴得什么似的。

“和这东西再也见不了几天了。”玲子拍着狗脑袋说，“到十月中旬，就要把马和牛装上卡车，运到山下的牧舍里去。只是夏季在这里放牧，让它们吃草，还开了一个小咖啡店招待游客。说起游客，一天跑来的顶多也就二十来个。怎么，你不喝点什么？”

“可以。”我说。

狗带头把我们领到那家咖啡店。那是座正面有檐廊的小建筑物，墙壁上涂着白漆，房檐下悬挂着一块咖啡杯形状的褪色招牌。狗抢先爬上檐廊，“忽”地躺倒，眯起眼睛。我们刚在檐廊的桌旁坐定，一个身穿教练衫白布裤、梳着马尾辫的女孩闪出，亲热地向玲子和直子寒暄。

“这是直子的朋友。”玲子介绍我。

“您好。”女孩说。

“您好。”我应道。

在三个女士一阵闲聊的时间里，我抚摸着桌下面狗的脖子。那脖子的确老了，硬梆梆的几根筋。我在那硬筋上搔了几把，狗于是十分舒坦似的闭上眼，“哈哧哈哧”喘着气。

“叫什么名字？”我问店里的女孩。

“贝贝。”她说。

“贝贝。”我叫了一声，狗完全无动于衷。

“耳聋，得再大点声才能听见。”女孩的话带有京都味儿。

“贝贝！”我扯着嗓门喊道，狗这回“霍”地立起身，“汪汪”两声。

“好了好了，慢慢睡，好长命百岁。”女孩说罢，贝贝又在我脚前来了个就地卧倒。

直子和玲子要了冷藏牛奶，我要了啤酒。玲子请女孩放立体声短波，女孩便按了下放大器开关，选放立体声，里面传出布莱德·舒特·安德列斯的歌——《飞转的车轮》。

“说实话，我是为听立体声才到这儿来的。”玲子一副满足的神情,“我们那儿连个收音机也没有,要是再不来这里几次,连世上现在唱什么歌都不晓得了。”

“一直住在这里?”我询问女孩。

“那怎么成,”女孩笑着回答,“这种地方,夜晚会把人孤单死的。傍晚由牧场的人用那个送回市内,早上再赶来。”她指了指稍远一点牧场办公室前停着的四轮机动车。

“这里怕也快到闲时候了吧?”玲子问。

“嗯,就要一点点地收摊了。”女孩说。玲子掏出烟,两人抽起来。

“你不在可就寂寞啦。”玲子又说。

“来年五月还来呀!”女孩笑道。

“奶油”的《白房间》播完后,有一段商业广告,接着是西蒙和加丰凯尔乐队演唱的电影《毕业生》主题歌。歌曲播完,玲子说她喜欢这首歌。

“这电影我看了。”我说。

“谁演的?”

“达斯汀·霍夫曼。”

“这人我不知道啊。”玲子不无伤感地摇摇头,“世界一天变一个样儿,在我不知道的时间里。”

玲子请那女孩借吉他用一下,女孩答应着,关掉收音机,从里边拿出一把旧吉他。狗抬起头,“呼噜呼噜”嗅了嗅吉他。“可不是吃的哟,这个。”玲子像讲给狗听似的说。带有青草芳香的阵风吹过檐廊,山脉的棱线清晰地浮现在我们眼前。

“简直像《音乐之声》里的场面。”我对调弦的玲子说。

“你说的是什么呀?”她问道。

她弹起刚刚播过的电影《毕业生》主题曲。听起来她没见过乐谱，是第一次弹，未能一下子准确把握基调。但反复摸索之间，终于捕捉住那种流行的风格，把全曲弹了下来。而到第三遍时，已经可以不时地加入装饰音，弹得很流畅了。

“我的乐感不错。”玲子朝我挤下眼睛，用手指指着自己的头，“只要听上三遍，没乐谱也大致弹得下来。”

她一边低声哼着旋律一边弹，直到把这首主题曲完整地弹完。我们三人一齐拍手，玲子彬彬有礼地低头致谢。

“过去弹莫扎特的协奏曲时，掌声更大着哩！”她说。

店里的女孩说，如果肯弹甲壳虫乐队的《太阳从这里升起》，冷藏牛奶可算店里请客。玲子伸出拇指，做出OK的表示，随即边哼歌词边弹《太阳从这里升起》。音量并不大，而且大概由于过度吸烟的关系，嗓音有些沙哑，但很有厚度，娓娓动人。我喝着啤酒，望着远山，耳听她的歌声，恍惚觉得太阳会再次从那里探出脸来，那心境实在太温馨、太平和了。《太阳从这里升起》一曲唱罢，玲子把吉他还给女孩，再次让她打开立体声短波，然后叫我和直子到附近一带散一个小时步。

“我在这儿听收音机，和她聊天，三点前转回就可以了。”

“两个人单独待那么久没有关系么？”我问。

“照理是有关系的。也就算了吧。我又不是守护婆，也想一个人轻松一下。更何况你大老远来一趟，也攒了一肚子话要说吧？”玲子边说边重新点燃一支香烟。

“走吧！”直子说着，立起身。

我便也起身跟在直子后面。狗睁开两眼，随后跟了几步，终于觉得自讨没趣，跑回了老地方。我们在牧场围栏旁边平坦的路上从容自得地走着。直子不时拉起我的手，或挽住我的胳膊。

“这样子走路，像是很久以前的事了吧？”直子说。

“哪里很久，今年春天嘛！”我笑道，“直到今春还这么来着。这要算很久，十年前岂不成了古代史啦！”

“真有点像古代史似的。”直子说，“昨天真对不起，精神又有点激动。你特意跑来的，都怪我。”

“不要紧的。我想恐怕还是把各种情感发泄出来好些，你也罢，我也罢。所以，如果你想向谁发泄那些情感的话，那么就向我身上发泄好了，这样可以进一步加深理解。”

“理解我又怎么样呢？”

“噢，你不明白。”我说，“这不是怎么样的问题。世界上，有人喜欢查时刻表一查就整整一天，也有的人把火柴棍拼在一起，准备造一艘一米长的船。所以说，这世上有一两个要理解你的人也没什么不自然的吧？”

“或许类似一种什么爱好？”直子好笑似的说。

“说是趣味也未尝不可。一般而言，头脑精明的人称之为好意或爱情。你要想称为爱好也是可以的。”

“嗳，渡边君，”直子说，“你喜欢木月？”

“当然。”我回答。

“玲子呢？”

“那人也极喜欢，好人呐！”

“我说，你喜欢的怎么都是这样的人呢？”直子说，“我们这些人，可全都是哪里抽筋儿、发麻、游也游不好、眼看着往水下沉的人啊。不论我、木月还是玲子，没一个例外。你为什么喜欢不上更健全的人呢？”

“因为我并不那样想。”我略一沉吟，这样答道，“我无论如何也不认为你、木月和玲子有什么不正常。我觉得不正常的那帮家伙全都在神气活现地东奔西蹿。”

“可我们是不正常啊,我心里明白。”直子说。

我们默默走了一会。道路离开围栏,通到一片形状如小湖一般圆圆的、四面围有树林的草地。

“夜里我时不时醒来,怕得不得了。”直子偎依着我的胳膊说,“万一就这样不正常下去,恢复不过来的话,岂不要老死在这里了——想到这里,我就心都凉透了。太残酷了!心里又难受,又冰冷。”

我把手绕到她肩头,拢紧她。

“觉得就像木月从黑暗处招手叫我过去似的。他嘴里说:喂,直子,咱俩可是分不开的哟!给他那么一说,我真不知怎么才好了。”

“那种时候怎么办呢?”

“嗯,渡边君,你可别觉得奇怪哟。”

“好的。”我说。

“让玲子抱我。”直子说,“叫醒玲子,钻进她被窝,求她紧紧抱住,还哭。她抚摸我身体,直到心里都热乎过来。这——不奇怪?”

“不奇怪。只是想由我来代替玲子紧紧抱你。”

“马上就抱,就在这。”直子说。

我们坐在草地的干草上,抱在一起。我们的身体完全隐没在草丛中,除了天空和白云,什么都看不见了。我把直子慢慢放倒在草上,紧紧搂住她。直子的身体柔软而温暖,双手摸索着我的身子。我和直子接了一个深情的吻。

“嗳,渡边君?”直子在我耳边说。

“嗯?”

“想和我睡?”

"自然。"我说。

"能等?"

"当然能等。"

"在那以前,我想再调理一下自己。恢复得好好的,成为一个符合你口味的人。能等到那时候?"

"当然等的。"

"现在变硬了?"

"脚底板?"

"傻瓜!"直子哧哧笑道。

"要是你问的是冲动没有,那倒是的,还用问。"

"嗯? 不说那个'还用问'好不好?"

"好,不说。"我说。

"那滋味,不好受?"

"什么?"

"冲动啊。"

"不好受?"我反问。

"就是,是不是……憋得不舒服。"

"看怎么想。"

"给你放出来好么?"

"用手?"

"嗯。"直子说,"老实说,刚才就一挺一挺弄得我怪痛的。"

我移开一点身体:"这样可好些?"

"谢谢。"

"我说,直子?"

"什么?"

"给人家做嘛。"

“可以呀!”直子迷人地微微一笑,拉开我裤子的拉链,把硬硬的东西握在手里。

“热乎乎的。”直子说。

直子刚要动手,我制止住了她。我解开她半袖衫的纽扣,手绕到背后摘下胸罩的挂钩,嘴唇轻轻吻在她粉白色的乳房上。直子合上眼,开始缓缓移动手指。

“蛮行的嘛!”我说。

“乖孩子,别吭声。”直子说。

事完后,我温柔地抱住她,又接了次吻。直子整理好半袖衫和胸罩,我把裤链拉上。

“这回走路能好受点儿了吧?”

“亏你帮忙。”我回答。

“那么,再走一会儿好么?”

“好的。”我说。

我们穿过草地,穿过杂木林,又穿过草地。直子边走边讲她死去的姐姐。她说,这话还几乎没向任何人讲过,但认为还是向我讲了为好。

“我们年龄相差六岁,性格什么的也很不相同,但关系处得非常融洽。”直子说,“一次架也没吵过,真的。当然,也有水平差距等方面的原因,水平差距大,也是吵不起来的。”

直子接着说:

“姐姐属于无论让干什么都拿第一那种类型。学习第一,体育第一,又有威望又有领导才能。性格热情开朗,在男孩子中间也很有人缘,也很受老师喜爱,得的奖状足有一百张。哪所公立学校都有一两个这样的女孩。不过,倒不是因是自家姐姐才这样说，我姐姐可不是别人一宠就自以为好了不起或对人摆出一副不冷不热面孔的人，她不喜欢哗众取宠，只不过是不论干什么都自然而然干得最好罢了。”

“这么着，我从小就决心当一个可爱的女孩。”直子一边来回旋转着狗尾草穗一边说，“原因很简单，因为我是一直听着周围人夸姐姐脑袋又好使又会体育又有人缘这些话长大的。我觉得我再怎么死追活赶也撵不上姐姐。要是光论长相，倒是我稍漂亮一点儿，父母也像是打算让我在他们的疼爱下长大，因此一上小学就把我送入那样的学校：天鹅绒连衣裙、镶花边的短罩衫、漆皮鞋，还学钢琴和芭蕾舞。不过因此姐姐可喜爱我了，喜爱得不得了，真像对待可爱的小妹妹似的，买各种各样的小东西送给我，领我去各种各样的地方，教我怎样用功，同男朋友约会时也带我一起去来着。实在是个再好不过的姐姐。

“至于她为什么自杀，谁也弄不明原因，和木月的情况一样，一模一样。年龄也是十七，直到事件发生前也没有自杀的征兆，遗书也没有——一样吧？”

“倒是的。”我说。

“大伙都说那孩子聪明过分了，看书看过头了。可也是，确实手不离书，有好大一堆书。姐姐死后我也看了不少，心里很难过。书里有她写的字，夹着标本花，还夹有男朋友的信。为此我哭了好几场。”

直子停了一下，默然转动着狗尾草穗。

“差不多所有的事情都能自己一手处理，几乎没找过谁商量或求人帮忙。也不是因为自尊心特别强，不过是觉得那样做是理所当然的，大概。父母也对此习以为常，说这孩子撒手不管也不要紧。我倒是经常找姐姐商量，她非常热心地教这个教那个，可自己不找任何人商量，全都一个人解决。既不发脾气，也没有不高兴的时候，真的，不是夸大其词。女人嘛，例如来月经的时候不是心情烦躁得要冲人发火吗，或多或少。姐姐连这种情形也没有。在她身上，是用消沉来代替不高兴的。往往两三个月就来一次，一连两三天闷在自己房间睡觉。学校不去，东西也几乎不吃。把房间光线弄得暗暗的，什么也不做，只是发呆，但不是不高兴。我一放学回来，就把我叫到房间里，让挨她坐下，一一问我那一天做了什么。其实没什么大不了的事儿，不外乎和同学做什么游戏了、老师讲什么了、测验成绩如何了等等。姐姐都听得很专心，还谈感想，提建议。可要是我不在——例如去跟朋友玩或出去练芭蕾——她就继续一个人发呆。这两三天一过，她就一下子恢复得和平时一个样，神采飞扬地上学去。这种情形，嗯——好像是持续了四年。一开始的时候，父母也不放心，大概找医生商量过。但她总是两三天一过就好得利利索索的，所以父母后来就以为反正不管也会自然好起来的，说她是个聪明刚毅的孩子。

"可是姐姐死后，我无意中听过父母的谈话。谈的是早就死去的父亲弟弟的事。说那个人也是脑袋好使得很，十七到二十一岁在家里一关四年，结果一天突然说要外出，就跳进电车轨道给压死了。所以父亲这样说来着：'还是血统关系吧，我这方面的。'"

直子一边说一边用指尖一点点掐掉狗尾草穗，撒在风中吹走。全部掐光以后，便把那根梗像缠细绳似的一圈圈缠在手指上。

"发现姐姐死的是我。"直子接着说，"小学六年级的秋天，十一月，天下着雨，一整天都阴沉沉的。当时姐姐读高中三年级。

我练完钢琴回来是六点半，母亲正在准备晚饭，让我叫姐姐吃饭。我跑上二楼，敲姐姐房间的门，喊声吃饭了。可是，没应声，静静的，我觉得有点奇怪，又敲了一下开门进去。本来我以为她睡着了呢，不料姐姐没睡，站在窗口前，脖子稍歪，一动不动地望着窗外，就像在思考什么。房间里一片昏暗，灯也没开，所有东西都显得朦朦胧胧的。我招呼说：'干什么呢，吃饭喽！'但说完后，发觉她的个子比平时高。我有些纳闷儿：怎么回事呢？是穿高跟鞋，还是蹬在什么台子上了呢？我就走到跟前，刚要开口时，心里猛地一震：原来脖子上有一根绳索。那绳从天花板梁上笔直地垂下来——那可是真直，直得可怕，简直像用墨斗在空间'绷'地打下的一条线。姐姐穿着白色的短罩衫——对了，正是我现在身上这件便式的，下身一条灰裙子。脚尖像跳芭蕾舞一样紧绷绷地伸着，地面与脚尖之间有二十厘米左右没有任何阻碍的空间。那情形，我看得可真切着呢。还有脸，脸也看了，不能不看。我心想得赶紧到下边告诉母亲，得大声喊叫，可身体偏偏不听使唤，偏离我的意识自行其是。本来我的意识要赶快下去，身体却要擅自把姐姐的身体从绳子上解下。当然，这不是一个小孩子能办到的，于是呆愣了五六分钟，处于虚脱状态，什么都不明白了，就像体内什么东西僵死了似的。我在那里一动没动，直到母亲来看是怎么回事的时候还没动，和姐姐一起，在那又暗又冷的地方……"

直子摇摇头：

"那以后三天时间里，我一句话都没说，像死在床上了似的，只是眼睛睁着定定不动，好像毫无知觉了。"直子把身体靠在我胳膊上，"信上写了吧？我是个比你想的要不健全得多的人。我病的时间比你想的要长久得多，根也深得多。所以，如果你能往前行的话，希望你只管一个人前行就是，别等我。想和其他女孩睡觉就睡好了。别考虑我顾忌我，喜欢什么就尽情做什么。要不然，我说不定会拖累你的。我，不管发生什么，这事是绝对不想做的。不想耽误你的人生，也不想耽误任何人的人生。我刚才就已说过，只要你时常来看我，永远记着我——我希望的只是这个。"

"我希望的却不只是这个。"我说。

"不过，要是和我牵扯在一起，会毁掉你的一生。"

"我不会毁掉什么。"

"可我或许永远也恢复不过来。即使那样你也等我？能十年二十年地等我？"

"你太悲观了，"我说，"在黑夜、噩梦、死人的力量面前太胆小了。你必须做的是忘记这些。只要忘记，你肯定能恢复的。"

"要是能忘掉的话……"直子摇着头说。

"从这里出去，一起生活好么？"我说，"那样的话，我就可以保护你不受黑夜和梦的干扰，还可以抱你——当离开玲子后你还感到难受的时候。"

直子更紧地贴住我胳膊，说："要是能那样该有多好啊！"

快到三点时，我俩返回咖啡店。玲子一面看书一面听立体声短波中的勃拉姆斯钢琴协奏曲。在没有一个人影的空旷草地一角播放勃拉姆斯乐曲，也的确是妙不可言。玲子吹着口哨，模仿第三乐章大提琴出现的旋律。

"布克·霍斯和彪姆。"玲子说，"这段乐曲，过去我听得几乎把唱片纹都磨光了，真的磨光了。从头到尾听得一点不剩，像整整舔了一遍一样。"

我和直子要来热咖啡。

“话说了?”玲子问直子。

“嗯,说了好多好多。”直子说。

“一会儿可得如实招来哟,他的那个怎么样。”

“哪里干那事了。”直子红着脸说。

“真的什么没干?”玲子又问我。

“是没干。”

“扫兴!”玲子真像很扫兴似的。

“是啊。”我边呷咖啡边说。

※

晚饭光景同昨天差不多。气氛、讲话声、人们的面孔一如昨日,只是食谱不同。昨天大讲无重力状态下胃液分泌的那个白大褂男子,凑到我们三人这张桌来,这回喋喋不休的是脑之大小与其能力的相互关系。我们一边吃着掺有大豆的汉堡牛肉饼,一边无可奈何地听他大讲俾斯麦和拿破仑等人的脑容量。他把碟子推到一边,用圆珠笔在便笺上画出大脑图形,边画边口中念念有词,“哎呀,这里不对,”一再修修改改。画完后,便如获至宝地将那便笺藏进衣袋,把圆珠笔别在胸前。胸袋上居然插着三支圆珠笔,还有铅笔和规尺。吃罢饭,又重复了一句“这里的冬天不错哟,下次务必冬天里来看看”,这才离去。

“这人是医生,还是患者?”我问玲子。

“你看是哪一类?”

“实在琢磨不透。反正看上去不大地道。”

“医生,叫宫田。”直子说。

"不过在这里边,那人脑袋最神经不过,我敢打赌。"玲子道。

"看门的大村也神经得可以。"直子说。

"嗯,他脑袋也少根弦。"玲子用叉子扎着花椰菜,点头说道,"的确,天天早上一边嘴里不知所云地大吼大叫,一边做那不伦不类的广播体操。还有,直子进来前有个叫木下的经理女儿,发神经自杀未遂;一个叫德岛的护理员,去年酒精中毒,闹得天翻地覆,被解雇打发走了。"

"把病员和职员全部对换位置还差不多。"我来了兴致。

"高见高见!"玲子一晃一晃地挥着叉子说,"你也慢慢开窍,懂得社会结构了嘛!"

"好像。"我说。

"我们的正常之处,"玲子说,"就在于自己懂得自己的不正常。"

回到房间,我和直子打扑克牌,玲子抱起吉他练习巴赫。

"明天几点回去?"玲子停下手,边点烟边问。

"吃完早饭就出门。汽车九点多一点儿有一班,赶得上我就不至于耽误晚上打工了。"

"遗憾呐! 时间再充裕些就好了!"

"那一来,我也怕要赖在这里不走喽。"我笑道。

"啊,可也是。"玲子说,然后转向直子,"对了,得去阿冈的家讨葡萄吃,忘得死死的了。"

"一块儿去?"直子问。

"噢,借渡边君一用好么?"

"好好。"

"那么,两人再来个夜间散步吧。"玲子拉起我的手说,"昨天还差那么一点点，今晚搞利索算了。”

“请请，悉听尊便。”直子哧哧笑道。

风凉浸浸的，玲子在衬衫外面套了件对襟羊毛衫，双手插进裤袋。她边走边望天，像狗似的抽鼻子嗅了嗅，说“有一股雨气味儿”。我也同样嗅了一下，却什么也没嗅到。不过天空里云层确实多起来，月亮也被掩到后面去了。

“在这里呆久了，光嗅空气的味道就能大致捉摸出天气。”

走进工作人员住宅所在的杂木林后，玲子叫我稍等一会儿，独自走近一户房前按了下门铃。一位主妇模样的妇女出来，同玲子站着聊了几句，然后嘻嘻笑着钻入房里，再出来时手里提着一个大塑料袋，玲子接过，对她说了声“谢谢，晚安”，朝我这边赶回。

“瞧，葡萄要来了！”玲子举起塑料袋给我看。袋里的葡萄相当有分量。

“喜欢葡萄？”

“喜欢呐。”我说。

她取出最上头的一串递给我：“已经洗过，吃好了。”

我边走边吃，皮和籽随口吐在地上。葡萄着实水灵得很。玲子吃着自己那份。

“三天两日教那家男孩一次钢琴。作为酬谢，那家人这样那样给了我不少东西，这两天喝的葡萄酒就是。还可以托他们在市内买一点零碎用品。”

“昨天你没讲完，想接着听下去。”我说。

“好哇。”玲子说，“不过要是每晚都回去得那么迟，直子怕要怀疑你我的关系吧？”

“就算那样也想接着听完。”

“OK,那就拣主要的讲好了,今天有点凉。”

她从网球场往左拐,走下一段狭窄的楼梯,来到几个像筒屋一样并排在一起的小仓库跟前,打开头排一座的门,进去拉开电灯。

“进来吧,空荡荡的什么也没有。”

仓库里靠墙整齐排列着越野滑雪板、雪杖和靴子,地上堆着扫雪工具和除雪用药等物。

“以前每当想一个人待一会的时候,就常来这里练吉他。小地方不错吧?有条不紊的。”

玲子弓身坐在药品袋上,叫我坐在旁边,我乖乖落座。

“房间里有点憋烟,可以吸烟么?”

“别客气,请。”

“戒不了,就这个戒不了。”玲子蹙起眉头说,旋即如饥似渴地吸了一口。吸烟吸得如此香甜的人怕是为数不多。我一粒一粒揪着葡萄,细嚼慢咽,把皮和籽扔进当垃圾箱用的白铁皮罐里。

“昨天讲到哪儿了?”玲子问。

“在一个狂风暴雨的黑夜,爬上悬崖峭壁掏燕窝,是这里吧?”我说。

“你这人也真怪,开玩笑还一本正经的。”玲子有些愕然。

“讲到每周六上午那女孩来练一次钢琴,大概。”

“对对。”

“如果把世人分为善为人师和不善为人师两类的话,我可能属于前一类。”玲子说,“年轻时并没那样想,当然也是因为不愿意去想的关系。可是一旦上了一定年纪,有了自知之明,便开始这样认为了。就是说,自己擅长教别人东西,我,真的很有两手咧！”

“我也那样看。”我表示同意。

“较之对自己本身，对别人我要耐心得多，而且容易找出对方好的一面，我是这一类型的人。总之就像火柴盒侧面那块粗糙的导火皮，不过这没关系，无所谓的。我也并不厌恶自己的这副德性，同二流火柴杆相比，我还是更乐意当一流火柴盒。明确意识到这一点，呃——还是在教那女孩之后。那以前，年轻时我也短期教过几个人，但当时并没怎么在意，而在教那女孩后就意识到了。嗬，真没想到自己教别人教得那么得心应手。就是说，钢琴教得非常顺利。

“昨天就说过，在技巧这点上，那孩子弹得没有什么突出的地方，况且她本人也没想当音乐家，这样我教起来也格外轻松省力。加上她就读的学校差不多是一所预科式女校，只要成绩说得过去，就可直接升入大学，用不着拼死拼活用功，她母亲也叫她只管尽情学点课外的算了。所以，对那孩子，我没有啰啰嗦嗦指手画脚。而她又讨厌别人这样做，这点刚见面我就看出来了。尽管她口头上百依百顺，可骨子里绝对一意孤行。这么着，我首先让那孩子喜欢怎么弹就怎么弹，百分之百地。然后我才用各种弹法演奏同一支曲子，两人一起探讨哪种弹法好以及喜欢哪一种等等，再让她重弹一遍。结果，她比前次弹得大有长进。她能敏锐地捕捉一种弹法的高明之处。”

玲子停了一下，看着香烟头上的火亮。我则继续默默吃葡萄。

“我自以为自己的乐感已相当不错，可那女孩还在我之上。真替她惋惜啊，假如从小就跟好老师接受系统训练，将会很有出息，可惜不是那样。不过归根结蒂，那孩子也经受不住系统训练。世上是有这种人的：尽管有卓越的天赋才华，却承受不住系统训练，而终归将才华支离破碎地挥霍掉。我就亲眼见过好几个这样的人，一开始果真叫人拍案叫绝，例如对十分深奥的乐谱，有人只消扫一眼就能一气流注地弹奏下来，而且相当精彩，使听的人大为倾倒、自愧不如。但他们仅此而已，而不会再往前迈步。为什么呢？因为不付出努力，不肯下功夫刻苦训练，在宠爱中忘乎所以。小时候凭点小聪明，不用功也弹得不错，对此大家免不了夸奖一番，于是本人便把用功看成了无聊勾当。他们不是可以把其他孩子花三周练的曲子只用一半时间就练完吗，老师势必说这孩子行，叫他往下练习。结果他们又一次只用一半时间弹下来，还是能往下跑。就这样，他们不懂得下苦功夫，忽略了对人格形成必不可少的这一主要因素。这是悲剧。说起来，我也多多少少有这种情形，幸亏我的老师管得严，才保住了如今这个程度。

“不过，那女孩对练琴的确兴致很高，就像一辆性能良好的赛车在高速公路上奔驰一般。手指稍稍一动，便接二连三地顺流而下，尽管有时速度过快。教这种孩子的诀窍首先不要夸奖过头，因为从小就听惯夸奖话了，再多夸她也不会在意，有时掌握好分寸夸两句就可以了。其次不要强加于她，让她自己选择。不是让她贪多求快，而是让她停下来回味。就这几点。也只有这样，才能抓出实效。”

玲子把烟头扔在地上踩灭，深深吸了口气，似乎想使感情平静下来。

“练完琴后，就喝茶聊天。有时我也模仿爵士钢琴教她，告诉她这是巴顿·帕维尔洛，这是塞罗尼亚斯·蒙克。但大多时候是听那孩子滔滔不绝。她那嘴巴也实在灵巧，听着听着就入迷了。昨天我也提到过，大部分话都是无中生有，但有趣还是蛮有趣的。观察准确敏锐，表达恰如其分，有挖苦有幽默，很能挑动人的感情。总之，她是个非常会要手腕来刺激别人感情的孩子。她本人也知道自己有这种才能，会最大限度地加以巧妙而有效的利用，或使人恼怒，或使人悲伤，或使人同情，或使人沮丧，或使人欣喜，随心所欲地刺激别人的感情。她这样做，无非是想尝试一下自己的才能，但却无谓地操纵了别人的感情。当然这点是后来才揣度出来的，当时并不晓得。”

玲子摇一下头，吃了几颗葡萄。

“一种病啊！”玲子说，“是在患病。那种病，就像一个烂苹果要把周围的苹果都毁掉一样。而且她的病谁都无药可医，要一直病到死才能解脱。所以，换个角度想，她也是个不幸的孩子。假如我不是受害者，我也会那样想，认为她同样是个牺牲品。”

接着玲子又吃起葡萄来，仿佛在思索应该怎样叙述。

“半年时间里，尽管她的话听起来有时会不觉一怔，有时会感到纳闷儿，但总的来说还是蛮愉快的。在深入交谈的时间里，我又发觉她不论对谁都怀有一种强烈的恶意，而那恶意无论怎么看都只能是毫无道理而没有任何实际内容的，对此我有时不寒而栗，有时又觉得这孩子太机灵太敏感了，叫人弄不清她心里的真实想法。但转念一想，人谁没有缺点呢？再说我毕竟不过是一个钢琴教师，何苦计较那么多呢，她人品如何性格好坏与我有何相干呢？只要她能乖乖练琴，作为我又别有何求？更何况我毕竟挺喜爱那孩子的，说心里话。

“只是，我注意对那孩子轻易不讲我个人的事，我本能地觉得还是不讲为妙。因此，尽管她在我身上这个那个盘问再三——她着实渴望知道——我都只是轻描淡写地敷衍几句，例如怎么长大的啦，在哪里上学啦。她说还想多知道些，我说知道又有什么用呢，无非在虚度人生，有个普普通通的丈夫，有个孩子，整天操持家务。‘但我就是喜欢老师您’，她说，还定定地看着我的脸，一副小鸟依人的样子。给她那么一看，我心里真有些发怵，倒不是觉得不舒服。可我还是适可而止，没告诉她更多的事。

“大概是五月份吧，一次正练琴的时候，那孩子突然说心里难受。一看脸，果然面色苍白，直冒汗。我就问她，怎么办？回家？她说先让她躺一下，躺一躺就会好的。我说可以，让她过来躺在我的床上。我几乎是把她抱到卧室去的。家里的沙发小得可怜，只能让她进卧室躺下，她说对不起，添麻烦了。我说没关系，别介意。问她要不要喝水，她说不用了，只要我在旁边陪一会儿。我说好的，陪多久都可以。

“不大工夫，她像很吃力地说：‘对不起，给我搓一下背好么？’一看，汗出得很厉害，我就使劲给她搓背。不料她又说：‘实在抱歉，能把胸罩解掉吗？怪难受的。’我只好动手替她解。她只贴身穿件衬衫，我便解开纽扣，摘下背部的胸罩挂钩。就十三岁女孩来说，乳房真够大的，有我的两倍。胸罩也不是小孩用的，不折不扣的大人用品，而且相当高级。但我没在意这些，只是一味替她搓背，傻子似的。那孩子好像非常过意不去，一再道歉，每次我都说没关系，别客气。”

玲子接连把烟灰点落在脚前。这时我已不再吃葡萄，出神地听着。

“这工夫里，那孩子竟抽抽嗒嗒哭出声来。

“‘喂，怎么了？’我问。

“‘没什么。’

"'不会没什么吧?照实告诉我!'

"'我时常这个样子。自己也不知怎么回事,又孤单,又伤心,没一个人可依靠,谁也不理不睬我。所以一难过起来,就这德性。晚间觉也睡不好,饭也不想吃。我唯一的快乐就是到老师这里来。'

"'哦,怎么会那样呢?好不好讲给我听听?'

"'家庭不和,'她说她爱不起父母来,父母也不爱她。说父亲外面有女人,动不动就夜不归宿,母亲气得要死要活,就拿她出气,她几乎天天挨打。她说就怕回家。说着说着就呜呜哭起来,招人怜爱的眼睛里充满泪水。那样子,神仙看了都会动情。于是我跟她说:既然那么不乐意回家,那么练琴时间以外也来我家玩好了。她一下子扑到我身上,说:'真对不起。要是没老师您,我真不知怎么才好。别嫌弃我,要是您都嫌弃,我就没地方可去了。'

"无奈,我抱着她的头抚摸着,连声答应说好的好的。这当儿,她把手绕到我背部抚摸起来,摸着摸着,我渐渐产生了一种奇异的感觉,身上火烧火燎的。也难怪——和那简直像从画上剪下来一般的漂亮女孩在床上抱在一起,让她在背上到处乱摸,那种摸法真是色情得厉害,连被丈夫摸都没那么厉害。每被她抚摸一下,身体就像肢解了一点,厉害到了这种程度。等我明白过来时,她已经脱掉我的衬衫,摘下我的胸罩,摸我的乳房。这时我才清醒过来,知道这孩子是个地地道道的女同性恋者。以前我也曾经历过一次,高中时跟一个高年级女生。我对那女孩子说不行,快住手。

"'求求您,一会就行。我,实在太寂寞了,不骗人,真太寂寞了。我只有老师一个人,别嫌弃我。'说着,她抓起我的手贴在她胸前。那乳房形状好看得不得了，手一接触，就连同性的我，胸口都禁不住一阵酥麻。我一时不知所措，只是傻呆呆地一个劲儿说不行、那可不行。但不知什么缘故，身体却一点儿动弹不得。高中时还可以把对方一把推开，可那时就是身不由己。对方抓住我的手按在她自己的胸部上，嘴唇在我乳头上又舔又吮，右手在我后背、侧腹、屁股上摸来摸去。结果在拉合窗帘的卧室里被这十三岁女孩脱得光光的——衣服不知什么时候给她一件件脱掉了——由她爱抚。现在想来真是难以置信，可当时就好像着了魔似的。那孩子一边吸我的乳头，一边一声接一声地说'我太寂寞了，我只有老师一人，别嫌弃我，我实在太寂寞了'。而我只是一口一个'不行、不行'。"

玲子止住话，吸了口烟。

"知道吗，我对男人提起这事还是第一次。"玲子看着我的脸说，"我觉得还是对你说了好，可毕竟难以启齿得很，这种事。"

"对不起。"我说。此外便不知说什么好了。

"这样持续了一会，她右手慢慢下滑，从内裤摸到那地方。那时我已受不住了，那地方。说起来真不好意思，以前从没那么湿过，我还一直以为自己是个性冷淡呢。所以，到了这地步，我自己也有点茫然不知所措了。接着，在内裤里，她那又细又滑的手指放了进去，往下……喂？懂吗？大概的？我说不出口，实在说不出。那和男人又粗又硬的手指全然不同，真厉害，真的，简直就像用羽毛搔痒痒似的。我脑袋里的保险丝眼看就要断掉。然而，尽管血冲头顶，我还是意识到这样万万使不得。一来这种勾当一旦开头往后势必持续下去，而如果背上这个秘密包袱，我的脑袋肯定又要四分五裂；二来我还考虑到孩子，这种场面被孩子撞见可怎么办？虽说孩子星期六去我娘家玩，要到三点才能回来，但要是突然赶回来可怎么收场呢？这么一想，我就拿出吃奶力气翻身坐起，叫一声‘快住手’！

“可她没停。那女孩当时脱了我的衣裤，用起了嘴，我，真是丢脸，连丈夫也没让那么干，一个十三岁的女孩却在那地方好一阵舔。我垮掉了，哭了。那厉害劲儿让人觉得就像上天堂了一样。

“‘住手！’我又一声大叫，打了她一个嘴巴，狠狠地。她这才总算作罢，抬起身来目不转睛地看着我。当时我们两人都一丝不挂，坐在床上面面相觑。她十三，我三十一……但我一看那女孩的身体，真有些自惭形秽，至今仍然历历在目。我怎么也不能相信那就是十三岁女孩的身子，现在都不能相信。往那女孩面前一站，自己这身子算什么东西呀，简直惨不忍睹，恨不得呜呜哭上一场，真的。”

我不好说什么，默然。

“女孩问我为什么叫她停止。她说：‘老师也喜欢**这个**吧？我一开始就知道了。是喜欢吧？看得出来，那情形。比和男人干有味道得多吧？你湿得都这样了。我还会为你干得更好，真的，好得让你身子都溶化了。好吗？’可是，真的是像那孩子说的一样，真的。和她干比和丈夫干有味得多，还更想干。可那是不行的。‘我们一星期来一次吧，一次就行。谁也不会觉察，作为我和老师两人的秘密，嗯？’那女孩说。

“我站起来，披上睡衣，叫她回去，并说再别登我家门。女孩一动不动地看着我，眼神却不同往日，变得毫无生气，简直就像画笔在纸皮球上涂的两个圆点，平板呆滞，没有纵深感。她定定地看了我半天，然后默默归拢衣服，像有意给我看似的一件一件慢慢穿起，接着返回钢琴间，从小盒里拿出发梳理好头发，用手帕擦去嘴唇的血，穿鞋出门。临出门时她这么跟我说的：‘你是同性恋者，这没错。不管你怎么装腔作势，到死都是改不了的。’”

“真是那样吗？”我试着问。

玲子扭起嘴唇沉吟片刻：“既非是，又非不是。因为较之同丈夫之间，跟那个女孩那次更为兴奋，这是事实。所以我一度真怀疑自己是同性恋者来着，深深苦恼过，而那以前我并没意识到。但近来我改变了想法。当然不能说身上不存在那种倾向，可是在严格的意义上，我并不是同性恋者。为什么呢？因为看见女孩时，我自己这方面并未积极产生过情欲，懂吗？”

我点点头。

“只是某种女孩会对我发生感应，那感应反传给我，仅在这种情况下我才会那样。所以说，我即使搂着直子，也几乎无动于衷。大热天里，我俩几乎光着身子住在一起，洗澡也一块儿下去，偶尔还在一个被窝睡觉……但都没有什么，没任何感觉。尽管直子的身子是那样娇美动人，但是，呃——仅此而已。知道吗，我们做过一次同性恋游戏呢，直子和我。这话你不想听吧？”

“请说下去。”

“我向直子提议的时候——我俩之间无话不谈——直子试着用各种技巧在我身上抚摸起来。两人都脱得光光的，但就是不行，根本不行。只觉得痒痒的，痒得要死要活，现在想起来都不是滋味。这方面，直子实在笨得可以！怎么样，多少放心了吧？”

“嗯，的确是。”我说。

“喏，大致就是这样。”

玲子边说边用小指尖搔着眼眶：“再说那个女孩。她走出门后，我坐在椅子上发呆发了半天，茫然若失。只听得从体内很深很深的地方传来心脏‘突突’的跳声，手脚沉重得出奇，口中就像吃过飞蛾似的干苦干苦。但想到小孩就要回来，不管怎样得先洗个澡，把身体洗得一干二净。可问题是，无论我怎么打香皂猛劲搓洗，那痕迹硬是赖在身上掉不了。或许是精神作用，反正就是不成。那天夜里我让丈夫抱来着，想通过他来清除污秽感。当然我绝口没提那件事，实在羞愧难言——除非鼓起很大勇气。我只是说抱一下，让他做了那种事情。我叫他比平时慢些，时间长些。于是他非常耐心，花了相当长时间。我也因此陡然冲到了顶峰。那么厉害的冲动，婚后还是头一回。你知道为什么？因为那女孩手指的感觉还留在体内，就因为这个。咳，难为情啊，说这种话。汗都出来了，还说什么‘干哪’、‘上呀’。”玲子翘起嘴唇笑道，“可是不行，还是不行。两天过去了，三天过去了，那女孩的感触还是赖在身上，并且她最后那句话也像一种什么回声似的在头脑里嗡嗡不止。

“下个星期六，她没来。那些天我在家一直心惊肉跳，什么都没心思干，生怕她来了弄得我不知所措。但她没来，本来自尊心就强，况且当时又那么狼狈。再下一星期，再再下一星期也没登门。这样过了一个月。我本以为随着时间的推移会淡忘的，但却偏偏不能痛快忘掉，一个人在家里，总觉得那女孩无所不在，心里七上八下。既弹不成钢琴，又想不了事情，干什么都忐忑不安。如此熬过一个月后，一天我突然发觉，自己一出门就好像有点蹊跷。附近的人对我分外留神，看我的眼光总有些异样，显得十分陌生。当然寒暄也是寒暄的，但那声调神态却和往常不同。常来我家玩的隔壁太太也一副躲闪惟恐不及的样子。但我尽可能不把这些放在心上。因为对此斤斤计较，是那种病的初期征兆。

"一天，和我要好的一位太太前来串门。她和我同岁，是我母亲一位熟人的女儿，两家小孩又在同一个幼儿园，和我相处得不错。这太太突然跑来，问我知不知道外面正流传着一种关于我的十分不成体统的谣言，我说不知道。

"'怎么样的呢？'

"'怎么样的？实实在在不好开口。'

"'不好开口？既然话已点破，就请和盘托出好了。'

"尽管她十分不情愿，但我还是一一抠了出来。噢，说不定她本人原本就是为说这事才来的。她什么也没隐瞒。按她的说法，所谓谣言，是说我是住过几次精神病院的不折不扣的同性恋者，把一个来学钢琴的女学生浑身扒光，动手动脚，那女孩不让，便把脸给打肿了。仅仅这番说谎就已编得骇人听闻，但为什么连我住过院的事都抖落出来了呢？两方面都使我吃惊不小。

"'我嘛，以前就了解你，告诉大伙说你不是那样的人。'那太太说，'问题是，那女孩儿的父母确信不疑，对邻近的人统统张扬一遍，说什么由于女儿被你动过手脚，就调查了你，结果知道你有过精神病史。'

"那太太告诉我：一天——就是发生那件事的当天——那女孩练完琴肿着脸回到家里，母亲问她到底怎么回事。说是脸肿了，嘴唇裂了，出血了，衬衣纽扣掉了，内裤也不完整了。嗯，你能信？不用说，都是那女孩子为了无中生有自己搞的鬼：故意往衬衫上抹点血，扭掉衣扣，撕去胸罩的花边，自个儿把眼睛哭红，头发抓得乱七八糟，然后才回家，足足捏造了三大桶谎言。那情景我一闭眼就能浮现出来。

"可话又说回来，也不能怪罪大伙都相信女孩的话。连我都会信的，假如处在那种立场。漂亮得活像个布娃娃而扯起谎来如同恶魔附体的女孩，一边抽抽嗒嗒地哭一边说‘我不嘛，我什么都不想说，我害羞’——给她这么一说，有谁能不当即信以为真呢！更何况，祸不单行的是我又果真住过精神病院，狠命打那女孩一巴掌也确有其事！这一来，有谁肯信我的话呢？肯信的不外乎丈夫一个人。

“我思前想后了好几天，最后还是心一横，告诉了丈夫。他相信了，当然。我把那天发生的事一五一十跟他说了一遍，说那女孩动手动脚要搞什么同性恋那样的鬼名堂，所以才打了她。自然我没有把自己的感受也说出来。那毕竟不大合适，不管怎么说。‘这可不是儿戏，我直接找那家摊牌去！’他大为恼火，‘岂有此理！你和我结婚，小孩都有了，居然还被人胡说什么搞同性恋，哪有这样的混账玩笑！’

“但我拦住了他，让他别去。我说：‘算了，那样只能加深我们的创伤。’是的，这我明白，已经明白了。就是说，那女孩患的是心病。这种病人我看得多了，心里有数。她早已烂入骨髓，剥掉那层好看的外皮，里面全是烂肉。这么说也许过于尖刻，但确实如此。可是世上的人还没看透这点，因此我们再怎么挣扎，也是徒劳无益的。那女孩原本就善于驾驭大人的感情，何况我们手头又没掌握任何有利的材料。说一千道一万，有谁能相信一个十三岁的女孩会对一个三十多岁的半老徐娘搞什么同性恋呢？任凭怎么解释，世人也只能相信自己愿意相信的事情。越是拼命挣扎，我们的处境越是狼狈。

“搬家吧，我说，别无他法。再在这里住下去，只能更加紧张，以致脑袋的发条再次飞掉，即使是现在，我都有些神思恍惚。总之我提出搬到没有一个熟人的远地方去，但丈夫不乐意动，他还没有清楚地意识到事情的严重性。当时他正在公司干得起劲，而且房子刚刚买到手，尽管是小型商品住宅。再说，女儿也习惯了那所幼儿园。他说稍等等，不可能说搬就搬，一来工作不易一下子找到，二来又要卖房子，就连小孩的幼儿园都要落实，再怎么急，也要等两个月才行。

“我说不行，那一来，我就要一蹶不振，再也无法恢复。这不是危言耸听，是真的。我说这我自己清楚。那时就已开始有点耳鸣、幻听和失眠。他说：‘那么就先自己一个人到哪里住段时间，我处理完一摊子事就去。’

“‘不干。’我说，‘一个人我哪也不想去。现在要是和你离开，我马上就会瘫痪。现在少不得你，千万别剩下我一个人。’

“他听我这么说，伸手把我搂在怀里，叫我暂时忍耐一下，暂时的，顶多一个月。‘这时间里我把一切安排妥当。工作收尾，房子卖掉，落实孩子的幼儿园，物色新的工作。如果顺利，说不定会在澳大利亚找到一份差事。所以等我一个月，那样一切都会好起来。’被他如此一劝，我不好再说什么了，越说就会越感到孤独。”

玲子喟然叹息，仰望着天花板上的电灯。

“可是没等到一个月。一天，脑袋的发条脱落了——‘砰’！这回严重啊，吃了安眠药，煤气开关也打开了。但没有死，苏醒过来时已躺在了医院病床上。一切都完了！几个月过去后，多少能冷静考虑问题的时候，我对丈夫提出离婚，‘那样对你对孩子都有好处。’他说没有离婚的打算。

“‘再一次从头开始好了，三个人到新的地方重新开始！’

“‘已经晚了。’我说，‘那时就一切都完结了，在你叫我等一个月的时候。如果你真想重新开始，那时是不该那样说的。现

在无论去哪里,无论搬多远,结果都同样。我只能再次提出同样要求纠缠你折磨你,而我再也不愿意那样做了。'

“我们就离婚了,或者说是由我单方面强行离婚的。他两年前才再婚,我至今仍认为那样做是对的,是的。当时我就已觉察出自己恐怕得终身如此,我不愿意拖累任何人,不愿意把自己这种整天为脑袋断弦而心惊胆战的生活强加到任何人头上。

“他对我好得无可挑剔。他为人真诚,值得信赖,性格坚毅,富有耐性,对我来说是理想的丈夫。为了治愈我的病,他尽了最大努力,为了他和孩子,我也主动地配合,而且我也觉得好利索了。婚后六年,真叫幸福啊!他百分之九十九做得完美无缺,但是百分之一,只有百分之一马虎大意了,于是就‘砰’的一声。就这样,我们精心构筑的一切在那一瞬间彻底崩溃了,完全化为泡影,整个坏在那女孩一个人的手里。”

玲子拾起脚前踩灭的烟头,扔进白铁皮罐。

“太残酷了!那一切是我们千辛万苦、一点一滴倾注心血的结晶啊!而崩溃却在眨眼之间,眨眼间就荡然无存了。”

玲子立起身,两手插进裤袋:“回房间吧,已经晚了。”

天空比刚才阴沉了,布满乌云,月亮早已无影无踪。现在,连我都能感到风雨欲来的气息,那气息里掺杂着手中塑料袋里水灵灵的葡萄味儿。

“所以,我实在不能离开这里。”玲子说,“我害怕走出去同外界发生关系,怕见各种人,怕想各种事。”

“心情很能理解。”我开口了,“不过我认为你是有能力的,有能力到外面适应一切。”

玲子微微漾出笑意,再没做声。

※

直子坐在沙发上看书。她架起腿，边看边用手指按着太阳穴，仿佛在清点进入脑海的词句。雨开始星星点点飘落下来，灯光宛如细粉末一般点缀在她身体四周。在同玲子长谈过后再看直子，不禁再次意识到她是何等地流溢着青春光彩。

“对不起，晚了。”玲子摸了下直子的脑袋。

“两个人挺开心?”直子扬起脸说。

“那还用问。”玲子回答。

“做什么事了，你们俩?”直子问我。

“说不出口的事。”我说。

直子哧哧笑着放下书，接着我们边听雨声边吃葡萄。

“这么一下雨，简直就像世界上只剩下我们三人。”直子说，“要是一直下雨，三个人一直这样该多好啊!”

“而且你们两人抱在一起，我像个不知趣的黑人女仆似的，拿一把长柄扇子啪哒啪哒扇来扇去，再不然就弹吉他为你们助兴——是吧？我才不干咧!”玲子说。

“哎哟，时不时地借给你好了!”

“噢——那还差不多。”玲子说，“雨呀，下吧!”

雨继续下着，不时响起雷声。吃罢葡萄，玲子照例点燃香烟，从床下取出吉他，弹起《并非终曲》和《来自伊帕内马的女孩》，之后弹了伯克拉库，弹了列农、麦卡特尼的曲子。我和玲子喝起葡萄酒，之后又把薄金属筒里剩的白兰地分开喝了。我们谈天说地，其乐融融。我也觉得这雨永远下不完该有多妙。

"还会找时间来的吧?"直子问。

"那当然。"我说。

"也写信来?"

"一星期一封。"

"也能给我写几个字?"玲子开口道。

"好的,敢不遵命。"我说。

十一点,玲子放倒沙发,仍像昨天那样为我做了张床。接着我们道过晚安,熄灯就寝。我上不来睡意,从帆布包里掏出电筒和《魔山》,闷头读下去。临近十二点时,卧室门悄然闪开,直子走来钻进我的被窝。和昨晚不同,直子仍是往日的直子,目光不再呆板迟滞,动作灵活快捷。她贴着我耳畔小声说:"不知为什么,总睡不着。"我说我也一样,随即放下书,关掉手电筒,搂过直子吻了一下。黑夜和雨声温柔地拥裹着我们。

"玲子呢?"

"没关系,睡得实实的。那人睡过去一般醒不来。"直子说,"你真的还会来?"

"来。"

"即使什么也不为你做?"

我点点头。黑暗中,胸口处明显感觉出了直子乳房的形状。我隔着睡衣,用手心抚摸她的身体,从肩到背,从背到腰,反复缓慢地移动着,把她身体的曲线和丰腴输入脑海。我们就这样亲亲热热地相抱片刻,直子在我额头轻轻一吻,身子一滑下床离去。夜色里,那淡蓝色的睡衣如同游鱼般一摇一摆。

"再见。"直子低声说。

我听着雨声,进入了静静的梦乡。

翌日清晨，雨仍下个不停，但和昨晚不同，成了毛毛秋雨。四下一片迷濛，若非一洼洼积雨的水纹和顺檐滴落的雨点声，几乎察觉不出下雨。睁眼醒来时，窗外笼罩着乳白色的雾霭，随着太阳的升起，雾霭随风飘去，于是杂木林和山脉的棱线一点点显露出来。

三人像昨天那样吃罢早餐，便去打扫鸟舍。直子和玲子穿上带头罩的黄色塑料雨衣，我在毛衣外面加了一件风衣。空气潮乎乎、凉丝丝的，鸟儿都静悄悄地挤在鸟舍尽头避雨。

"冷啊，下起雨来。"我对玲子说。

"一场秋雨一场凉，不知不觉就要成雪花了。"她说，"日本海那边飘来的阴云，要在这一带下足雪后才往前去。"

"鸟儿们怎么办呢？"

"当然移入屋内。瞧你，总不至于到来年春天才把冻硬的鸟儿们从雪下挖出解冻，让它们活过来，说什么'喂喂都来吃食'吧？"

我用手指捅了捅铁丝网，鹦鹉扑棱一下翅膀，叫道："臭屎蛋，谢谢，神经病。"

"真恨不得这家伙一下子冻死。"直子闷闷不乐地说，"每天一大清早就听它说这个，脑袋真快要神经了。"

打扫完鸟舍，我们返回房间。我开始收拾东西，她俩做去农场的准备。我们一起走出楼，在网球场稍前一点分手。她俩往右拐，我一直往前。她俩道了声再见，我也同样说声再见。"还来的。"我说。直子微微一笑，随即拐弯消失了。

去大门口的路上，和好几个人擦肩而过。我发现每个人都穿着直子和玲子那种黄色雨衣，脑袋罩得严严实实。由于下雨，所有的东西都显得色调格外鲜明。地面乌黑乌黑，松枝翠绿翠绿，而身裹黄色雨衣的行人看上去仿佛是唯一被允许在下雨的早晨游动于地表的特殊魂灵。他们或拿农具，或背筐篓，或提一种什么袋子，悄无声息地在地面往来移动。

门卫记得我的名字，翻开来访登记簿，在我姓名那里打个记号表示离去。

“从东京来的吧？”老人看着我的住址说，“那儿我只去过一次，是个猪肉香的地方啊。”

“是吗？”我不大清楚，不置可否地应了一句。

“在东京吃过的东西，大多都不怎么好吃，独有猪肉够味儿。怕是用什么特殊方法饲养的吧？”

我说我还真不晓得，就连东京猪肉香都是第一次听说。

“是什么时候，你去东京？”我问。

“什么时候来着？”老人歪了歪脖子，“八成是皇太子殿下成婚大典的时候。儿子在东京，叫我去一次看看，就去了。是那时候。”

“呃，肯定是那时候东京猪肉香来着。”我说。

“近来怎么样？”

我说不太清楚，也没怎么听到这方面的议论。他显得有点失望。老人似乎还想唠叨下去，我说还要赶车，截住话头，往路那边走去。沿河边伸展的山路还断断续续剩有一些雾气，被风一吹，在山坡前彷徨不定。路上，我好几次停住脚回头张望，情不自禁地喟然叹息。我总觉得自己似乎来到了引力略有差异的一颗行星。是的，这的确是另外一个世界——想着，心里不由生出悲戚。

回到宿舍，已经四点半了。我把东西往房间一扔，赶紧换上衣服，赶到新宿那家我打工的唱片店。六点到十点半，由我值班卖唱片。这时间里，我怅怅地望着店外穿行不息的男男女女。有全家老小，有对对情侣，有醉鬼，有无赖，有穿超短裙的青春女郎，有留嬉皮士胡子的男子，有夜总会的女招待，以及其他莫名其妙的各色人等——他们络绎不绝地一路走过。我拿起一张摇摆舞唱片，刚开始播放，几个嬉皮士和打扮怪异的汉子便聚到店前，有的跳舞，有的吸强力胶，有的百无聊赖地坐着不动。而放上托尼·贝内特以后，他们就不知消失到什么地方去了。

唱片店隔壁，是一家成人玩具店。一个总像睡不醒的中年男子在卖怪模怪样的性器官模型。在我看来，无一不是不知何人做何用的玩艺儿，但买卖居然相当兴旺。店斜对面的胡同里，一个喝得酩酊大醉的学生在大反其胃。马路对面的娱乐厅里，附近一家餐馆的厨师在玩一种需投入现金的排五点① 游戏，以此消磨时间。脸色污黑的流浪汉蜷缩在已经关门的店檐下一动不动。一个涂着淡粉色口红、怎么看都只能是中学生模样的女孩跨进店来，问我能否放滚石乐队的《飞起的弹簧影》给她听。我便拿来唱片放上，她打着响指伴奏，扭动腰肢跳起来，接着又问我有没有香烟，我抽出一支店长留下的“百灵鸟”递过去，女孩抽得有滋有味。唱片放完后，连声谢谢也不说便扬长而去。每隔十五分钟传来一阵救护车或警车的怪叫声。三个醉得五十步笑百步的公司职员冲着一个正在打公共电话的长发漂亮女郎连声叫“阿满”，嬉笑不止。

面对如此光景，头脑渐渐乱成一团，茫无头绪。这到底算什么呢？这纷纭杂陈的场面到底意味着什么呢？

---

① 排五点：一种用纸牌拼凑方块的赌博。

店长吃完晚饭回来，对我说："喂，渡边，前天我和那边服装店的女的干了一家伙。"他很早就看中了在附近一家服装店做工的女孩，经常拿店里的唱片当礼物送给她。我说那不错嘛，他便从头到尾细讲一遍。"要是想搞女人嘛，"他得意洋洋地开导我，"反正就是要送东西，接下去反正就是不管死活地给她灌酒，要灌醉，一杯接一杯灌，反正。再接下去就只剩下动干戈了。简单吧？"

我抱着混乱不堪的脑袋乘电车返回宿舍，拉合窗帘，熄灯上床。刚一躺下，恍惚觉得直子即将钻进自己被窝。而一合眼，便感到她那柔软丰满的乳房紧贴着自己胸口，耳边响起她的娓娓细语，手心腾起她身体的曲线。借助冥冥夜色，我得以重返直子那狭小的天地。我呼吸草地的清香，谛听暗夜的雨声，回味月光下目睹的直子裸体，想象那被黄色雨衣拥裹的丰腴匀称的胴体清扫鸟舍、照看蔬菜的情景。于是我握住勃起的东西，一边想着直子一边自慰。一泄而出之后，混乱的头脑似乎有所平息，但还是毫无睡意。本来折腾得够疲乏了，却无论如何也不能成眠。

我翻身下床，在窗口前对着升旗台茫然注视良久。那没有挂旗的白色旗杆，活像一具划破夜幕的巨大的白骨。直子现在做什么呢？当然是在睡觉吧？是在那不可思议的狭小天地的暗影中安然入睡吧？但愿她别再陷入痛苦的梦境。

第七章

第二天是星期四,上午有体育课。我在长五十米的游泳池中游了几个来回。由于剧烈运动的关系,心情多少变得开朗些了,食欲也增加了。我在专售套餐的店里饱吃了一顿午饭,然后往文学院图书室走去,准备查点资料,不想在路上碰到了小林绿子。她和一个戴眼镜的小个子女孩一起走路,瞥见我,便独自朝我走来。

“去哪儿?”她问我。

“图书室。”我说。

“别去那种地方,和我一同吃午饭去如何?”

“刚吃过。”

“那有什么,再吃一次就是。”

最终,我还是和绿子走进了附近一家饮食店。她吃咖喱饭,我喝咖啡。她身穿白衬衣,外面套一件编有小鱼图案的黄毛线背心,挂一条细细的金项链,戴一块迪斯尼手表。她狼吞虎咽地吃完咖喱饭,一口气干了三杯白水。

“一直不在这边吧?我打了好几次电话。”绿子说。

“有什么事?”

“事倒没有,只是打个电话。”

“噢——”

"这'噢——'是什么,到底?"

"也不是非是什么不可,一种回答方式罢了。"我说,"怎样,这几天可又失火了?"

"唔,那次好玩极了。没发生多大伤亡,烟倒是铺天盖地冒得可观,太有现实性了,真叫人开心。"说罢,绿子又咕嘟咕嘟大喝其水,然后透过一口气,定定地注视着我的脸。"咦,渡边君,怎么搞的? 表情好像有点发呆,眼珠也聚不起光来。"

"刚旅行回来,有点累。其实没什么。"

"瞧你那脸,活像见过幽灵了。"

"噢——"

"嗳,渡边君,下午有课?"

"德语、宗教学。"

"不能逃课?"

"德语不成,今天考试。"

"几点完?"

"两点。"

"那,完了一起上街喝酒好不?"

"下午两点就喝?"我问。

"偶一为之嘛。你那样半死不活的,一块儿喝酒提提神,再说我也想借着同你喝酒振作一下。嗯,没问题吧?"

"好吧,那就去喝。"我叹口气说,"两点在文学院的院子里等你。"

德语课一结束,我们就乘上公共汽车来到新宿,钻进纪伊国屋书店后面的地下酒吧间,各自喝了两杯伏特加。

"我常来这里。这里即使白天喝酒,也觉得心安理得。"

"大白天就这么喝?"

"偶尔的。"绿子哗哗啦啦摇着杯里剩的冰块。"每当社会叫我不快,就来这儿喝伏特加。"

"社会叫你不快?"

"偶尔的。"绿子说,"我自身也问题蛮多哩。"

"举例说?"

"家里、恋人、月经不调——多着呢!"

"再来一杯?"

"那自然。"

我扬手叫来男侍,又要了两杯伏特加。

"咦,上次那个星期日你吻我了吧?"绿子说,"我左思右想,还是认为那很好,好极了。"

"那就好了。"

"'那就好了',"绿子又学舌起来,"你这人,说话真的与别人不同。"

"是吗?"我说。

"是不是先不管。当时,我这么想来着:假如这是生来同男孩子的第一个吻,那该有多棒! 假如可以重新安排人生的顺序,我一定把它排为初吻,绝对。之后就这样想着度过余下的人生:我有生以来第一次在晾衣台上吻过的那个叫渡边的男孩如今怎么样了呢,在这五十八岁的今天? 如何,你不觉得棒极了?"

"是很棒吧。"我边剥开心果边说。

"我说,你干嘛老那么呆愣愣的,再问你一次。"

"大概是不能适应这个世界吧。"我沉吟一下说,"总觉得这并不像是现实中的世界,男男女女也罢,周围景致也罢,都似乎脱离了现实。"

绿子一只胳膊拄在台面上，看着我的脸说："吉姆·莫里森的歌里好像有这么一句。"

"People are strange when you are a stranger."①

"Yes."绿子说。

"Yes."我也应道。

"同我一起去乌拉圭算了。"绿子依然一只胳膊拄着台面说，"什么恋人呀，家呀，大学呀，统统抛开不管。"

"那也不坏嘛。"我笑道。

"摆脱一切纠缠，跑到没有一个熟人的地方去——你不认为这样好得很？我可总是跃跃欲试。所以，要是你一下子把我领去遥远的地方，我保准为你生一大堆牛犊子那么大个儿的壮娃娃，大家一块儿无忧无虑地过活，抱在地上打滚，唧里咕噜的。"

我笑了笑，端起第三杯伏特加一饮而尽。

"你还不大想要牛犊子那么大个儿的壮娃娃吧？"绿子问。

"兴趣倒是极浓的，想看看到底是什么模样。"我说。

"无所谓，不想要也无所谓。"绿子边吃开心果边说，"我这人也怪，下午一喝起酒来就不着边际地胡思乱想，说什么要抛开一切一走了之。就算跑到乌拉圭去，恐怕除了臭驴粪还是臭驴粪。"

"呃，或许。"

"到处都是臭驴粪，留在这里也罢，去那地方也罢，整个世界就是臭驴粪。喏，这硬的给你。"绿子递给我一个壳更硬的开心果，我费了好大劲才剥开皮。"不过，上次那个星期天，实在太让我开心了。和你两人在晾衣台上看火灾，喝酒，唱歌。的的确确

① 英语，大意是：当你是个陌生人时，别人也会陌生。

好久都没那么开心过了。哼,别人总是对我横挑鼻子竖挑眼,一见面就叫我要这样不要那样。起码你什么也没强加于我。”

“大概对你的了解还没达到要强加什么的程度。”

“那么说,如果再多一些了解,你也要这个那个强加于我啰?和别人一样?”

“那种可能性是存在的吧。”我说,“现实世界里,很多方面人们都在互相强加,以邻为壑,否则就活不下去。”

“但我觉得你不会那样,这我看得出来。在分析强加于人和被人强加这点上,我还算是个小小的权威。你不属于那种类型,所以同你在一起才心里安然。嗳,你知道么,世上喜欢强加于人或被人强加的人还有相当一大批哩!他们为此争吵不休、相互扯皮,并且乐此不疲。可我就是不喜欢,除非非那样不可。”

“你强加给人什么或别人强加给你什么了,你?”

绿子把冰块放进口里,含了一会说:

“你想进一步了解我?”

“有兴趣,多多少少。”

“咦,我在问你是不是‘想进一步了解我’。你这么回答,不认为太冷酷了?”

“是想进一步了解你。”我说。

“当真?”

“当真。”

“即使我不愿理解你?”

“那么不近人情?”

“在某种意义上。”说着,绿子皱起眉头,“再来一杯。”

我叫过男侍,让他拿第四杯来。等酒的时间里,绿子臂肘拄着台面,支颐凝坐。我默默听着塞罗尼亚斯·蒙克弹的《金银花》。店里有五六个客人,但喝酒的只我们俩。咖啡沁人心脾的香气,在午后幽暗的店里酿出亲密融洽的气氛。

"这个星期天,你有空?"绿子问我。

"以前也说过,星期天总是闲着没事,除了六点钟要去做工。"

"那,这个星期天能陪陪我?"

"好的。"

"星期天早上去宿舍接你,时间倒说不准。可以么?"

"可以,完全可以。"

"嗳,渡边君,可晓得我现在想干什么?"

"这——想象不出。"

"想躺在一张大大的、软绵绵的床上,首先。"绿子说,"喝得大醉,而且醉得舒舒服服,即使周围有臭驴粪也毫无关系。身旁有你躺着,你一点一点脱我的衣服,轻手轻脚地,就像母亲给婴儿脱衣服一样小心翼翼。"

"唔。"

"脱到中间我还觉得怪舒服的,迷迷糊糊地不动。但我突然清醒过来,叫道,'不行,渡边君!'我说:'我是喜欢你,可我另有相处的人,万万使不得,这方面我还相当保守。快别那样,求求你。'可你偏偏不听。"

"听的呀,我。"

"知道。这是幻想场面,让我继续下去。"绿子说,"接着,你把那家伙亮出来,那个气势汹汹的家伙。我马上闭起眼睛,但还是瞥了一眼,并且说:'不行,真的不行,那么大那么硬,怎么也进不去的。'"

"不怎么大呀,一般。"

"行了，你。幻想嘛！那一来，你显得十分沮丧。我看你太可怜了，只好慰劳一下说，'好好，瞧你那馋样儿。'"

"这就是你现在想做的？"

"是啊。"

"得，得。"我说。

总共喝罢五杯，我们才起身。我刚要付款，绿子"啪"一声把我的手拨开，自己从钱包里抽出一张没打褶的万元钞票递了出去。

"算啦，你那钱是汗水钱，再说又是我拉你来的。"绿子说，"当然喽，如果你是铁杆法西斯，不乐意让女人请客，那另当别论。"

"哪里，我没不乐意啊。"

"况且又没让你进去。"

"因为又硬又大。"

"就是，"绿子说，"因为又硬又大。"

绿子有点醉了，踩空了一级楼梯，两人险些滚到楼下去。走出店门，原先隐约遮蔽天空的云层尽皆散去，薄暮的阳光温和地倾泻在街头。我和绿子在街上东摇西晃逛了一会。绿子说想爬树，不巧新宿没有可爬的树，御苑已经关门了。

"遗憾呐，我顶喜欢爬树的。"绿子说。

我和绿子一路逛着商店。同刚才相比，街头光景似乎没那么不自然了。

"见到你，我觉得多少适应了这个世界。"我说。

绿子立定脚，细细看着我的眼睛，说："真的，眼睛的焦点是好像比刚才稳定了。喏，和我交往收获不小吧？"

“的确。”我说。

五点半，绿子说得赶回家做饭，我要坐车回宿舍。于是我把她送到新宿站，在那里道别。

“嗳，猜我现在想做什么？”临分手时绿子问道。

“猜不出来，你想的事。”我说。

“想我俩被海盗抓住，被他们浑身扒光，脸对脸五花大绑捆在一起。”

“何苦搞这名堂？”

“变态海盗呀，那是。”

“我看你倒像变态得可以。”

“一小时后把你们扔进大海，扔之前让你们单独呆在船舱里好好受用，海盗说。”

“往下呢？”

“咱俩尽情受用一小时呀，在地上滚来滚去，浑身扭动。”

“这就是你现在最想做的？”

“嗯。”

“得，得。”我摇摇头。

星期日早上九点半，绿子来接我。我刚睁开眼睛，脸还没洗，只听有人“咚咚”敲门吼道：“喂，渡边，有女人找你！”我跑下门厅，只见绿子穿一条短得令人难以置信的牛仔裙，跷着二郎腿坐在椅子上，还在打哈欠。去吃早饭的一帮人路过，全都左一眼右一眼打量她那苗条而光洁的双腿。她的腿也确实十分诱人。

“太早了吧，我？”绿子说，“渡边君，看样子刚刚起床？”

“就去洗脸刮胡子，能等十五分钟？”我说。

“等倒可以，问题是他们总贼溜溜地往我腿上盯着看。”

“那还用说！在男宿舍里穿那么短的裙子，人家肯定看的嘛。”

“不过没关系，今天的内裤可爱得不得了，粉红色的，还镶有漂亮的花边，一飘一飘的。”

“那就更招惹是非。”我叹口气，随即返回房间，迅速洗把脸，刮去胡子，找出一件灰色粗花呢上衣，套在蓝衬衣外面。下得楼，领绿子走出宿舍大门。我冷汗都出来了。

“咦，这里的人莫非全都手淫不成？一下一下的？”绿子扬头看着宿舍楼说。

“差不多吧。”

“男人们一边想女孩一边搞那个？”

“基本上。”我说，“总不至于有一边想什么股票行情、什么活用动词、什么苏伊士运河，一边手淫的男人吧。一般来说，恐怕还是边想女孩边搞的。”

“苏伊士运河？”

“比方说。”

“就是说想的是特定的女孩？”

“我说，这个你问你男朋友去好不好？”我说，“我干嘛星期天一大早就非得给你一五一十介绍这个不可？”

“只是想知道一下嘛！”绿子说，“何况问他这个他肯定大发雷霆的，说女人不可以对这种事刨根问底。”

“言之有理。”

“可是想知道呀，我。纯属好奇心。告诉我，手淫时想的是特定的女孩子？”

“是的，至少我是这样，别人如何不大清楚。”我无可奈何地回答。

“可想着我搞过？老实交待，我不生气。”

“没有过，说实话。”我如实答道。

“为什么？莫非我缺少魅力？”

“不然。你有魅力，又可爱，富于挑逗性的样子也绝对合适。”

“那为什么没想我？”

“首先我把你当朋友，不想把你卷到里边去；第二……”

“因为另有供你想的人？”

“也可以那样理解。”我说。

“在这种事上你倒也蛮守礼节。”绿子说，“我，喜欢你这点。不过，能不能叫我也扮演一次？哪怕一次都好。就是进到性的幻想或妄想之中。我很想出场试试，我们是朋友，所以才求你。这事不好求别人——总不能开口说今晚手淫时想着我点儿吧？正因为把你当作朋友才求的。事后把结果告诉我，例如都做了哪些。”

我叹息一声。

“不过进去可不成哟！我们毕竟是朋友，嗯？只要不进去，其他随你便，怎么想都行。”

“行不行呢……居然还有限制，这可没尝试过。”我说。

“能想我一次？”

“想就是喽。”

“我说，渡边君，你别认为我这是淫乱啦性饥渴啦勾引啦什么的，别那样认为，我仅仅是对此深感兴趣，急于想知道罢了。我不是一直在女校的女孩子当中长大的吗？因此十分想知道男人在考虑什么，身体结构是什么样子。妇女杂志的附录上面写的，和这不是一码事。我只是作为一种case study[①]。”

“case study?”我绝望地低声重复。

“有很多事我都想知道，想试一试，可每当这时候他都沉下脸发脾气，说我淫乱，神经不正常，连爱抚那里一下都不让。本来我想充分研究研究来着。”

“唔。”

“你讨厌那个?”

“不，不算讨厌。”

“相对来说是喜欢喽?”

“相对来说是喜欢。”我说，“不过，这话下次再说可好？今天这个周日早上多叫人心情舒畅，不想谈什么手淫把这大好时光糟蹋掉。谈点别的吧，你那位是我们大学的?”

“哪——里。其他大学，还用说。我们是在高中课外活动中相识的。我在女校，他在男校。不是经常有合作音乐演奏会什么的吗？就是这种活动。确立恋爱关系倒是在高中毕业以后。嗳，渡边君?”

“嗯?”

“真的想我一次好吗，就一次?”

“试试吧，下次。”我走投无路，只得应允。

我们从车站乘电车来到御茶水。我没吃早餐，在新宿站换车时在站台售货亭买了一个薄薄的三明治，喝了一罐咖啡，咖啡居然一股报纸油墨味儿。周日上午的电车里，挤满合家外出的人和成双成对的情侣。一群身穿制服的小男孩手拿球拍在车厢

---

① case study：事例分析。事例研究方法。

里往来追逐。穿短裙的女孩车内倒是有几个,但短到绿子那种地步却是一个也没发现。绿子不时往下一顿一顿地拉拽裙角。好几个男人的目光在她大腿上溜来溜去,弄得我心神不定,但她本人却似乎不大在乎。

“喂,猜我现在最想做什么?”车到市谷一带时绿子小声说。

“猜不着。”我说,“求求你了,别在电车里说那种话,给人家听见多不好。”

“可惜呀,相当厉害咧,这回。”绿子果真不胜惋惜地说。

“对了,御茶水可有什么事?”

“跟我来就是,跟我来就明白了。”

星期天的御茶水,到处挤满参加模拟考试或预科讲习班的中学生。绿子左手攥紧挎包带,右手拉起我,游刃有余地从拥挤的学生堆里穿过。

“渡边君,你能够完整地解释出英语现在假定形和过去假定形的区别?”绿子突发奇想。

“我想没问题。”

“那我问你一句,这东西在日常生活中有何用处?”

“日常生活中有何用处倒谈不上多少。”我说,“不过我想,与其说具体有何用处,莫如说它是一种训练,训练我们更加系统地把握事物。”

绿子认真地沉思良久。“你这人不简单。”她开口道,“以前我根本没想到这点。什么假定形微积分化学符号,我统统认定它们毫无用场,一直没放在心上,嫌啰嗦。这种生活态度难道有什么不妥?”

“没放在心上?”

“嗯,是啊。那玩艺儿,我权当它们根本不存在。就连正弦余弦我都一无所知。”

“那也居然高中毕业进大学来了?”我不禁愕然。

“你真是榆木疙瘩脑袋。”绿子说,“只要直感好,即使不学无术也能考上大学。我在直感上可谓出类拔萃,不是叫三个之中选一个正确的吗,我就灵机一动,百发百中。”

“我没有你那么好的直感,就要在某种程度上掌握系统考虑事物的方法,就像乌鸦往树洞里贮存玻璃片一样。”

“那又有何用处?”

“怎么说呢,”我答道,“会使某些事情做得顺利吧!”

“举例说?”

“形而上学式的思考,几种外国语的掌握。”

“那又有何用处?”

“因人而异。有的人有用处,有的人没用处。说到底,它是一种训练,有用处与否倒是次要问题,这点刚才就已说过。”

“呃——”绿子似乎心悦诚服,撒开我的手,继续沿坡路往下走,“你很擅长向别人解释什么。”

“是吗?”

“是的。这以前我向很多人问过英语假定形有何用处,但没有一个人阐述得如此头头是道,英语老师都在内。每次给我一问,那些人不是瞠目结舌就是恼羞成怒,再不就不屑一顾,谁也不好好教我。要是当时有人像你解释得这么透彻,说不定我也会对假定形发生兴趣。”

“唔。”

“你读过《资本论》?”绿子问。

“读过,当然不是全部,和大多数人一样。”

“理解得了?”

"有理解得了的，也有理解不了的，要想真正读懂《资本论》，必须掌握与之相关的系统思维方式。当然，对于整体上的马克思主义，我想我还是基本可以理解的。"

"没有读过这方面书的新大学生，读《资本论》也能融会贯通?"

"那怕不大容易吧。"我说。

"跟你说，我刚进大学的时候，参加了民歌方面的课余活动小组，想唱歌来着。不料凑在那里的，尽是些道貌岸然招摇撞骗的坏家伙，现在想起来都直起鸡皮疙瘩。刚一进去，就叫读马克思，喝令从第几页读到第几页。还有演讲，说什么民歌必然同社会同经济基础息息相关……没法儿，一回家我就玩命地读。可就是全然不知所云，比假定形还难，读不到三页就扔开了。这样，下周聚会时我就说：读了，但什么也没读懂，是的。结果怎么着，打那以后奚落呀嘲弄呀都来了，什么没有问题意识啦缺乏社会性啦。开哪家的玩笑！我不过说了句读不懂那些文字罢了。你说可恶不?"

"唔。"

"讨论的时候就更加不可一世。一个个无不摆出无所不通的架势，玩弄一大堆玄而又玄的词句。我莫名其妙，就接连发问说：'帝国主义剥削是怎么回事? 同东印度公司有 F 什么关系?' '粉碎产学协同体是不是必须走出大学去公司工作?'可是谁也不作解释。不仅不解释，还煞有介事地大发脾气。那情形，你能信?"

"能信。"

"说我连这个都不懂是干什么吃的，'你一天天活着都想什么来着！'这就完了。岂有此理！是的，我脑袋是不好使，普通小民嘛！可支撑这世界的不就是小民吗？被剥削的不也是小民吗？口口声声兜售一大堆小民们不知所云的话，那算什么革命，算什么社会变革！我也不是不想让世界变好！要是有谁真的受剥削，我也不想让他逆来顺受嘛！所以我才提问，是不是？”

“倒也是。”

“那时我就想来着，这些家伙全是江湖骗子，自鸣得意地炫耀几句高深莫测的牛皮大话，博取新入学女孩的好感，随后就把手插到人家裙子里去——想的全是这玩艺儿，那号人。一上四年级，就赶紧把头发剪短，忙不迭地钻到什么三菱商社、什么东京广播局、什么IBM公司、什么富士银行找份差事，讨一个压根儿没读过马克思的老婆，挖空心思给孩子取个玄而又玄的名字。至于粉碎产学协同体，简直笑得掉眼泪。那些新生也恬不知耻，本来狗屁不懂，却装出大彻大悟的样子，低三下四，事后还居然开导我说：‘你真傻，不懂也说懂不就得了。’喂喂，还有更伤脑筋的呢，你听不听？”

“听，听。”

“一天，要去参加一个夜间政治集会。叫我们女孩每人做二十个饭团，带去当夜宵。开玩笑，这岂不是彻头彻尾的性别歧视？不过转念一想，总兴风作浪也不太好，我也一声没吭乖乖地做了二十个，每个都放了酸梅干，用紫菜包好。结果你猜怎么着，说什么小林的饭团里只有酸梅干，连菜都没放，而其他女孩都放有马哈鱼或咸明太鱼子，还有放煎蛋的。气得我愣张着大嘴说不出话来。这伙一口一个革命的家伙干嘛为夜宵饭团这芝麻粒小事大声起哄、挑肥拣瘦？外面包紫菜里面有酸梅干，不挺高级的吗？想想印度儿童去好了！”

我笑道：“那，民歌小组怎么办了？”

“六月份退出了。头都气炸了。”绿子说，“不过，这所大学的男男女女差不多全都是江湖骗子，都生怕自己不学无术的真面目被人看穿，惶惶不可终日。于是都看同样的书，喷吐同样的话，都听约翰·科尔特伦，看帕索里尼的电影，还觉得津津有味。这能算得上革命？”

“这——怎么说呢？我又没亲自目睹过革命，无可奉告。”

“假如这也算是革命，我才不希罕什么革命！我肯定因为只往饭团里放酸梅干而被拉去枪毙。你也定然同样下场——由于能彻底弄懂假定形的缘故。”

“有可能。”

“哼，我早看透了：我是平头百姓，革命发生也罢不发生也罢，平头百姓还不同样只能在窝窝囊囊的地方委屈求生！何谓革命，无非更换一下政府名称。可那些人根本不懂得这点，那些卖弄陈词滥调的家伙。你可见过税务员？”

“没有。”

“我不知见过多少次。横冲直闯地跑到我家大吼大叫：什么呐，这账簿？你们做的什么混账买卖！这就是经费？把收据拿出来，收据！吓得我们缩在墙角里大气不敢出，到吃饭时候，还要献上特级寿司[①]。其实，我爸爸一次都没逃税漏税，真的。他就是那样的人，古板得很。尽管这样，税务员还是横挑鼻子竖挑眼，什么收入是不是太少了等等。笑话，收入少不是因为赚得不多吗！我听了，心里憋屈得要死，恨不得朝他们发一顿脾气，叫他们找有钱人算账去。喂喂，你以为革命爆发后税务员的态度

① 寿司：日本特有的一种食品。把米饭用醋和盐调味，再拌上或卷上鱼肉、蔬菜或紫菜制成。

会改变?"

"极可怀疑。"

"既然那样,我才不信什么革命哩! 我只信爱情。"

"Yes!"我说。

"Yes!"绿子异口同声。

"我们往哪边走呢,这是?"我问。

"医院呗。我爸爸住院,今天该我陪伴一天,轮到我了。"

"你爸爸?"我吃一惊,"你爸爸不是去乌拉圭了么?"

"骗你的,那是。"绿子一副若无其事的样子,"很早以前他就吵着要去乌拉圭,哪里去得成。说实在的,连东京以外的地方都没去过几处。"

"病情如何?"

"说痛快点,只是时间问题。"

我们不再做声,默默移动着脚步。

"这个瞒不过我,因为和妈得的同一种病,脑肿瘤。你能信?我妈妈因这种病刚死两年,这回又找到我爸爸头上。"

大学附属医院里边,也是由于星期日的关系,到处挤满探病的人和轻患者,混乱不堪,而且充溢着显然是医院特有的气味儿。消毒药味儿、探病花束味儿、小便味儿、被褥味儿混在一起,把医院整个笼罩其中,护士踏着咯噔咯噔的脚步声在里面走来走去。

绿子父亲住的是两人一间的房间,他躺在外面那张床上。躺着的姿势,不禁使人想起身负重伤的小动物。他侧着脸,瘫痪般地躺在那里,打点滴的左臂软绵绵地探出,身子纹丝不动。给人的印象是:他本来就长得又瘦又小,而这以后似乎还要瘦小下去。头上缠着白绷带，苍白的胳膊上布满注射或打点滴的点点遗痕。他眼睛半睁半闭，茫然注视着空间的某一点。我进去时，他略微转动一下布满血丝的眼睛，看着我们。大约看了十秒钟，便收回极其微弱的视线，重新盯视空间的一点。

一看那眼睛，便可知道他已不久人世。从他身上，几乎看不到生命力的跃动，有的不过是垂危的生命的蛛丝马迹而已，就像一座破旧的房屋——一座搬出所有家具、卸下所有拉门隔扇而只等拆毁的房屋。干裂的嘴唇四周，乱糟糟地生着杂草样的胡子。我不由纳闷，生命力枯竭到如此地步的人居然会生出这等繁茂的胡须。

绿子对躺在靠窗那张床上的微胖的中年男子道了声“您好”。对方仿佛已口齿不灵，只是微笑着点下头，然后咳嗽了两三声，拿起枕边的水杯喝了一口，磨磨蹭蹭地翻过身子，眼望窗外。窗外只有电线和电线杆，此外一无所见，连云影都没有。

“怎么样，爸爸，精神好些？”绿子对着她父亲的耳穴说道，简直像在试麦克风。“怎么样，今天？”

她父亲哆哆嗦嗦动了动嘴唇，说“不大好”。那其实不是说，而似乎是在把喉头深处的干空气勉强换成语言。“头。”他说。

“头痛？”绿子问。

“嗯。”父亲应道。看来很难一连吐出四个音节。

“那也是没办法的。刚动过手术，肯定痛的。知道你不好受，还是得忍一忍才行。”绿子说，“这是渡边君，我的朋友。”

我说了句“打扰了”。这位父亲半张了下嘴，又马上合上了。

“坐呀。”绿子指着床腿旁一把圆塑料椅说。我便顺从地弯腰坐下。绿子给父亲喝了一点壶里的水，问要不要吃水果或果子冻，父亲说不要。绿子说还是要吃点才是。“吃了。”他回答。

床头有个床头柜样的小桌，上面放着水壶、水杯、碟和小钟。绿子从桌下一个大纸袋里掏出替换的睡衣、内衣和一些零碎物品，整理一番，放入门旁的贮物柜里。纸袋最底层装有给病人准备的食物：葡萄柚两个，果子冻和三根黄瓜。

"黄瓜?"绿子吃惊地失声叫道，"这里怎么冒出黄瓜来了?姐姐这人想什么来着? 活见鬼! 本来电话里交待得清清楚楚，根本没让她买什么黄瓜，真是。"

"是不是把猕猴桃[1]听错了。"我说。

绿子"啪"一声打了个响指。"不错，我是叫她买猕猴桃了，是的。可她稍动脑一想不就明白了：病人哪里能啃生黄瓜! 爸，吃黄瓜?"

"不要。"父亲说。

绿子在枕边坐下，对她父亲絮絮叨叨说了好多事：电视图像不清请人修理啦，高井户伯母两三天来看望一次啦，药店的宫胁骑自行车摔个跟头啦，不一而足。对这些，父亲只是"唔、唔"作答。

"真的不想吃点什么，爸?"

"不吃。"父亲回答。

"渡边君，你不吃葡萄柚?"

"不吃。"我也同样应道。

过不一会，绿子把我拉去电视室，坐在沙发上吸了支烟。电视室里，三个穿睡衣的病人同样在喷云吐雾，看一个什么政治讨论会的节目。

"嗳，那边那个拄松木拐杖的老头儿，我们一进来就鬼鬼祟

---

① 猕猴桃的发音在日语中同黄瓜相似。

祟地往我腿上看，就那个穿蓝衣戴眼镜的老头儿。”绿子不无陶醉地说。

“当然要看，穿那样的裙子谁都得看。”

“不过也蛮好嘛，反正大伙都无聊之极，偶尔欣赏一下年轻姑娘的腿调剂调剂也好。兴奋起来促进康复也未可知。”

“但愿别适得其反。”我说。

绿子望了半天烟头上笔直升起的烟。

“提起我爸爸，”绿子说，“他那人，人并不坏。有时说话挺气人，但至少秉性耿直，一个心眼地爱我妈。而且他也在尽他的努力来生活。性格是多少有软弱的地方，又没有经商手腕，也没有人缘，但同周围那些满嘴谎言、投机钻营、耍小聪明的家伙们比起来，不知要地道多少倍。我这人也是说起话来就没完的性子，和他动不动就吵嘴，但他人并不坏。”

绿子就像拾起一件掉在路上的什么东西似的抓起我的手，放在自己膝盖上。手一半在裙子上，一半贴着她的大腿。她望了一会我的脸，说：

“渡边君，这地方不好——能再多陪陪我？”

“五点以前没问题，奉陪就是。”我说，“和你在一起挺有意思的，况且我又没事可干。”

“星期天一般都干什么？”

“洗衣服，”我说，“再熨好。”

“渡边君，你不大乐意向我谈那个女人的事吧？你结交的那个人。”

“是啊，是不大想谈。就是说很复杂，不容易说明白。”

“没什么，不说也无所谓。”绿子说，“不过说一下我想象的总可以吧？”

“只管说。你想象的东西怕是很逗儿，我洗耳恭听。”

“我想，你交往的肯定是人家的老婆。”

“唔。”

“是位大亨的太太，漂亮，三十二三岁，身穿毛皮大衣、查尔斯·约尔旦皮鞋、丝绸内衣，而且性需求简直如狼似虎，干起来花样层出不穷。平日一到下午，就和你大动干戈。但星期天丈夫在家，所以不能会你。对不？”

“有趣有趣。”我说。

“肯定叫你把她身体绑上，蒙住眼睛，把整个身子上上下下全舔一遍。接着，对了，叫你把乱七八糟的东西塞进去，活像特技表演，再用立拍立现的照相机把那场景拍下来。”

“真快活。”

“由于欲火中烧，大凡能干的概不放过。她每天每日为此绞尽脑汁，反正有的是时间，下次渡边君来的时候如此这般、这般如此，想个没完。刚一上床，就急不可耐地摆出花样翻新的体位，一连三次冲上顶峰。然后对你这样说：‘如何，我这身子够味儿吧？年轻女孩根本满足不了你的。喏，年轻女孩能这样侍候你？怎样？兴奋不？哎呀不好，又要出来了……’”

“你看色情电影看得太多了吧？”我笑道。

“怕是那样。”绿子说，“不过我顶喜欢色情电影，下回不一起去看一场？”

“可以。你有空时一块儿去好了。”

“当真？高兴死了。看那种变态的去——用鞭子噼里啪啦地抽完，让女孩当众撒尿。我最中意这一手。”

“好好。”

“嗳，渡边君，你知道在色情影院里我顶喜欢的是什么？”

“这——想不出来。”

“告诉你，一出现那种场面，就听见周围人‘咕噜’咽唾液的声音。”绿子说，“那‘咕噜’最叫人喜欢，我觉得。可爱得不得了。”

回到病房，绿子又向父亲天南海北絮絮不止，父亲或“啊”或“唔”地应和着，不然就缄口不语。十一点时，邻床男子的太太来了，给丈夫换睡衣、削果皮。这圆脸太太看来人很随和，同绿子这个那个闲话家常。护士进来，换上一瓶新点滴，同绿子和邻床太太交谈几句，便走开了。这时间里我无所事事，呆呆地四下打量病房，或看窗外的电线。电线上不时有麻雀飞来歇脚。绿子则向父亲搭话，给他擦汗、取痰，同旁边的太太和护士交谈，还找些话跟我说，不时看看点滴状况。

十一点半，医生进来查房，我和绿子到走廊等候。医生一出来，绿子便问：

“大夫先生，情况怎么样？”

“手术刚完不久，正采取止痛措施，身体消耗得相当厉害。”医生说，“不经过两三天时间，我也弄不清手术结果。顺利的话就顺利，若不顺利到那时候再想办法。”

“不至于还打开脑袋吧？”

“这也只能到时候再说。”医生回答，“喂，今天怎么穿这么短的裙子？”

“好看吧？”

“可上楼梯怎么办，这？”医生问道。

“不怎么办呐，亮相就是。”

后面的护士哧哧直笑。

"我说你呀,过几天最好来住院打开脑袋看看。"医生惊讶地说,"另外,在医院里尽量乘电梯,我可不愿再增加病人,现在都已忙得不亦乐乎。"

查完房后不多会儿,到了开饭时间。护士推着装饭菜的小车逐个病房分发。绿子父亲那份,是肉汁汤、水果、煮得很软的去骨鱼肉和捣成果酱状的蔬菜。绿子把父亲仰面放平,转动脚下的手柄,把床头升起,用汤匙喂汤。父亲喝了五六口,便侧过脸说"不要了"。

"这点都吃不完怎么行啊,你?"

"过会儿。"父亲说。

"这哪成,不好好吃东西,哪里能有精神。"绿子说,"小便还不要紧?"

父亲"啊"了一声。

"渡边君,我们到下面食堂吃饭去?"

"也好。"我说。

不过说实在话,我没什么心思吃东西。食堂里,又是医生又是护士又是来探病的客人,搅得天翻地覆。这本是地下一间空荡荡的大厅,一个窗口也没有,摆着一排排餐桌餐椅。人们一边吃饭,一边七嘴八舌议论什么——大概是有关病情方面的。那声音听起来就像在地道中说话似的,发出"嗡嗡"的回声,还不时地响起比这回声还大的广播,呼叫医生护士。在我占据餐桌的时间里,绿子用铝盘端来两人的套餐。有奶油炸肉饼、土豆色拉、生甘蓝丝、炖菜、米饭和酱汤,装在患者用的那种白塑料碟碗里。我吃一半剩了一半,绿子则吃得很香,一扫而光。

"渡边君,你肚子不怎么饿?"绿子边呷绿茶边问。

"呃,不怎么。"我说。

“医院的关系。”绿子环顾四周说，“不习惯的人都这样。味道、噪音、沉闷的空气、病人的面孔、紧张、焦躁、失望、痛苦、疲劳——就是这些造成的。是这些东西勒紧人的胃袋，把食欲搞没了。不过一旦习惯也就不在话下了。再说不好好填饱肚皮，照看病人也无从谈起，真的。爷爷、奶奶、妈妈、爸爸，四个人的病是我一直照看下来的，经验丰富着哩。要是遇到意外，下顿饭吃不上的情况也是有的。所以能吃的时候务必吃饱喝足才行。”

“有道理。”我说。

“亲戚来探望的时候，不也一起在这里吃饭嘛，结果他们也都吃一半就放下筷子，和你同样。见我吃得干干净净，就说‘绿子这么好胃口，我可难受得根本吃不下东西’。问题是，看护的是我呀，这可不是闹着玩。别人偶尔来一趟，充其量不过是同情！接屎接尿接痰擦身子都是我一个人干。要是光同情就能解决屎尿，我可以比他们多同情五十倍。尽管这样，他们见我吃饭吃得一点不剩，都拿斜眼珠看我，说什么‘绿子这么好胃口’。在他们心目中，大概我是头拉车的傻驴。一个个老大不小的，干嘛那么不通情达理，那些人？嘴皮子上说什么都轻巧得很，关键是能不能给端屎端尿。我有时也伤心，我有时也筋疲力尽，我有时也恨不得大哭一场。本来已无可救药，医生们却聚在一起把脑袋掀开搅来拌去，而且不知要重复多少次，越重复就越恶化，神经也给弄得莫名其妙——这种情况你一直守在眼前看着试试，根本吃不消，吃不消的。还有，存款也一天比一天少了，往后这三年半大学我能不能读完都在两可之间，姐姐在这种状况下婚礼都办不成。”

“你一星期来这儿几天？”我问。

“四天。”绿子说，“这里原则上是特级护理，但实际上光靠护士也干不过来。那些人的确尽心尽力,但人手不够,而要做的事又堆成山。所以在一定程度上,无论如何都得有家人来陪。姐姐要管店里的事,就只好由我找课余时间来。就算这样姐姐每星期也还是得来三天,我四天。又要见缝插针地去幽会,我们超负荷运转啊!"

"既然忙成这样,为什么还时常找我?"

"喜欢和你在一起呀。"绿子摆弄着空塑料茶杯说。

"你一个人去附近散散步吧,两个小时。"我说,"你父亲我来照看一会。"

"为什么?"

"最好离开一会医院,一个人轻松轻松。别和任何人说话,脑袋里什么都不要想。"

绿子略一沉吟,点头说:"倒也是,或许这样好些。不过你懂得做法吗?就是护理方法?"

"看了,大致差不多少:确认点滴、给水喝、擦汗、取痰、尿壶在床下、肚子饿了给吃午间剩的东西。其他不明白的问护士。"

"知道这些差不多也就可以了。"绿子微笑着说,"只是,他脑袋已开始不大正常,常说怪话,叫你摸不着头脑。要是说了,可别太往心里去。"

"没问题。"我说。

返回病房,绿子对父亲说自己有点事稍出去一下,这时间里由我照料。她父亲对此似乎没什么想法,或者根本没理解绿子说的也有可能。他仰面躺着,目不转睛地看着天花板,若非不时眨巴一下,说死了都有人信。眼睛如同喝得烂醉一般充满血丝,深呼吸的时候,鼻翼微微鼓胀。他已经全然动弹不得,无论绿子说什么都无意回答。他那混沌的意识底下所思所想的是什么呢？我无法推测。

绿子走后，我也想对他说点什么，但不知说什么、怎么说好，终于未能开口。不大工夫，他闭上眼睡了过去。我坐在他枕旁的椅子上，一边祈祷他千万别就这样死去，一边观察他不时一鼓一鼓的鼻翼，并且思忖，要是这人在我陪伴的时间里溘然长逝，那可真富有戏剧性了——我同他刚刚初次见面，把我和他联结起来的是绿子，而绿子同我的关系不过同在一班学"戏剧史Ⅱ"罢了。

好在他还算不得临终，只是昏昏沉睡。我把耳朵凑近他的脸，尚可听见微弱的喘息声。于是我放下心来，同旁边那位太太搭话。她似乎以为我是绿子的恋人，对我说的尽是绿子。

"那孩子，真是好样的。"她说，"照顾父亲照顾得可周到了，对人热情，脾气又好，心眼转得快，又有主意，还一副俏模样。你呀，可得好好待她，千万撒手不得，上哪儿找那么好的女孩子家。"

"好好待她。"我适当地应了一句。

"我家也有个二十一岁的女儿，还有个十七岁的儿子，可医院里压根儿见不到两人的影儿。一有时间就去冲浪呀幽会呀，反正不知跑到哪里厮混去了，简直不成样子。要钱花嘛，能榨多少就榨多少，然后就一溜烟不见人了。"

一点半时，那太太说去买点东西，离开了病房。两个病人都睡得很实。午后柔和的阳光泻满房间，我也不由得在椅子上昏昏欲睡。窗边桌上的花瓶里插着黄白两色菊花，告诉人们已是秋天时节。病房里荡漾着午间原封不动剩下来的炖鱼的腥味儿。护士们依然"咯噔咯噔"在走廊里走来走去，交谈声听起来分外清脆悦耳。有时她们也进病房看看,见两名患者都在沉睡,便向我可爱地微微一笑,转身消失了。我想读点什么,但病房里一无书刊二无报纸,唯有日历挂在墙上。

我想起直子。想她那全身只剩一个发卡的裸体,想她那腰间的曲线和毛丛的暗影。为什么她在我面前脱光身子呢?莫非直子那时处于梦游状态不成?抑或仅仅是我的幻觉呢?时间越是流逝,那狭小的天地越是远离开去,我便越是怀疑那天夜里发生的是否真有其事。若以为是幻觉便似乎是幻觉,但就幻觉而论,细节又过于宛然在目,而如果确有其事,又过于完美无缺——无论直子的形体还是明月的银辉。

绿子父亲突然睁开眼睛,开始咳嗽,我的思路就此中断了。我用纸巾接下痰,拿毛巾擦他额头的汗。

"喝水吗?"我问道。

他点了一下大约四毫米幅度的下颏。我拿起小小的玻璃壶,慢慢往他嘴里倒一点点。那干巴巴的嘴唇颤抖一下,喉咙上下动了动,终于把壶里的温水全部喝了。

"还喝吗?"我问。

我见他似乎想说什么,便把耳朵凑过去,只听他用干涩而微弱的声音说"可以了"。那声音比刚才还要干涩,还要微乎其微。

"不吃点什么?肚子饿了吧?"我又问。

绿子父亲再次略略点了下头。我便学绿子的样子,摇动手柄把床头升高,用汤匙交替舀起蔬菜羹和炖鱼肉,一口口喂他,花了好长时间才吃去一半。然后他微微摆下头,仿佛说可以了。他的头摆得的确十分十分轻微,可能摆动得大会引起头痛。我问水果如何,他说不要。我拿毛巾给他擦擦嘴,重新把床放平,把碟碗放到走廊里。

“好吃么?”我试着问。

“不好。”他说。

“嗯,的确不像是什么好吃的东西。”我笑道。

这位父亲一言不发地盯着我看,眼神有些迷惘,似乎不知是睁开还是闭上好。我陡然想起,他可能不晓得我是谁。但同绿子在时相比,他倒像是和我单独在一起更轻松一些,或许把我错看成另外某个人了,果真如此,对我可谓求之不得。

“外头好天气,好得很。”我坐在圆椅上,架起腿说,“秋天,星期日,天气又好,去哪里都人山人海。这种日子还是这样在房间里闲聊再好不过,免得辛苦。到人堆里挤来挤去,只落得浑身疲劳,空气又糟糕。星期天我差不多总是洗东西,早上洗,晾到楼顶天台去,傍晚收回,一件一件熨好。我不讨厌熨衣服。眼看着皱皱巴巴的东西变得平平展展,心里那个舒坦劲儿就别提了,真的。说起熨东西,我还真有两手咧。当然喽,刚开始那阵子不行,简直不像话,咳,反倒弄得除了皱纹没别的。可过了一个月后,就上手了。这么着,对我来说,星期天就成了洗东西熨东西的日子。今天是不成了,遗憾呐,这么大好的洗衣服天气。

“不过也不要紧,明天早点起来再干就是,用不着介意。反正星期天也没其他要干的事。

“明天一早洗完衣服晾好,十点钟去上课。这门课同绿子一起上,是‘戏剧史Ⅱ’,眼下正讲欧里庇得斯。欧里庇得斯您知道吗?是古希腊人,和埃斯库罗斯、索福克勒斯并称希腊三大悲剧作家。据说最后在马其顿被狗吃了,但也有别的说法。这是说欧里庇得斯,我倒更喜欢索福克勒斯。这恐怕是各有所好的问题,很难说是因为什么。

“他戏剧的特征是各种各样的事物一古脑儿搅在一起,人在里边根本施展不开身手。明白么？就是很多人一齐出场，每个人都有每个人的情况、缘由和道理，每个人都在追求自以为是的正义与幸福。这倒可以理解。但所有人的正义都大行其道、所有人的幸福都圆满获得，客观上是不可能的，而必然导致混乱状态的出现。后来你猜怎么样，解决起来倒也非常简单：最后神粉墨登场，整顿交通秩序，发号施令：你去那边，你来这里，你和他一起，你先在那里老实呆着别动！就像中间调解人一样。结果三下五除二就处理完毕。神的名字叫解围之神。欧里庇得斯戏剧里经常出现解围之神。也就在这点上对欧里庇得斯的评价存在分歧。

“要是现实世界中也有解围之神出现，那该有多妙啊！每当遇到难处进退不得的时候，神就从天上飘然降下，一一给排忧解难——再没比这更开心的事了。总而言之这就是所谓‘戏剧史Ⅱ’，我们在大学里学的大致就是这种东西。”

我说话的时间里，绿子的父亲一声未吭，目光迟滞地看着我。至于我说的他是否多少有所理解，从那眼神中是无从判断的。

“好了。”我说。

说罢这些，肚子一下瘪了下来。早餐几乎颗粒未进，午间套餐也只吃了一半。我着实后悔午间没好好吃饭，但后悔也无济于事了。我找了放东西的地方，看有什么可吃的没有。里面只有紫菜罐、无花果糖和酱油。纸袋里有黄瓜和葡萄柚。

“肚子饿了，把黄瓜吃掉可以么？”我问。

绿子父亲什么也没说。我去洗脸间把三根黄瓜洗了，往碟子里倒了点酱油，用紫菜卷起，蘸酱油“咔嚓咔嚓”咬起来。

“好吃好吃，”我说，“质朴、新鲜，散发着生命力的清香，比什么猕猴桃地道得多。”

吃罢一根，又抓起第二根。整个病房都响起“咔嚓咔嚓”的令人愉悦的声声脆响，连皮吃完两根黄瓜，我才总算缓过一口气，之后用走廊里的煤气炉烧了点水，沏茶喝起来。

“不喝点果汁或水什么的？”我问。

“黄瓜。”他说。

我由衷地一笑：“好好，卷紫菜么？”

他略一点头。我又把床头升高，用水果刀把黄瓜切成容易吞食的形状，卷上紫菜，蘸点酱油，用牙签扎起，递到他嘴里。他几乎没改变表情地反复咀嚼不止，吞了下去。

“怎么样，好吃吧？”我问。

“好吃。”他说。

“吃东西香是好事，是有生命力的证据。”

终于，他吃了一整根黄瓜。吃完后想喝水，我又拿起小水壶让他喝了一点。喝罢水说要小便，我从床下拿出尿壶，把口对准他的阳物。我去厕所倒出小便，把壶用水冲洗干净，然后折回病房喝没喝完的茶。

“心里舒服些吧？”我试着问。

“稍微。”他说，“头。”

“头有点痛？”

他露出一丝苦相，似乎说是的。

“刚做完手术，不可能不痛。我没做过什么手术，不晓得是什么滋味。”

“票。”他开口道。

“票？什么票？”

“绿子。”他说，“票。”

我弄不清是什么意思，无言可对。他沉默片刻，然后又说了句“拜托了”——确实像是“拜托了”。他毅然睁开眼睛，定定地注视我的脸，看样子想对我诉说什么，但内容我无从琢磨。

“上野，”他说，“绿子。”

“上野车站么？”

他微微点头。

“票，绿子，拜托了，上野车站。”我试着归纳，但根本不知所云。我猜想他可能神志有些模糊，但其眼神却要比刚才坚毅镇定得多。他抬起那只没打点滴的胳膊，朝我伸来。这举动对他显得相当吃力，手在空中哆嗦不止。我于是站起身，握住他那皱皱巴巴的手掌。他有气无力地回握了一下，重复道：“拜托了。”

我说票也好绿子也好我都一定尽心尽力，只管放心好了。他这才放下手，如释重负地合上双眼，发出睡觉的声息。我确认他还活着，便出去烧水，接着啜茶。我发觉自己对这位命在旦夕的瘦小男子开始怀有类似好感的感情。

此后不大一会，邻床的那位太太回来，问我要不要紧，我答说不要紧的。他丈夫也均匀地喘息着，似乎睡得很香甜。

时过三点，绿子返回。

“在公园放松了好一大阵子。”她说，“照你说的，独自一人，什么也不说，让脑袋处于真空状态。”

“如何？”

“谢谢。觉得痛快多了。虽说还有点乏力，但身上比刚才轻松好多。我，好像比我自己想的还要疲劳。”

绿子父亲睡得很熟，又没别的事可干，我们便从自动售货机里买来咖啡，拿去电视室喝着。我向绿子一五一十汇报了她不在时发生的事：睡得很实，欠身吃了一半午间剩的食物，看见我吃黄瓜他也说想吃，就吃了一根，小便，睡了。

“渡边君，你这人真有两下子！”绿子感激地说，“为了叫他吃东西，大家费了不知多少劲，你却连黄瓜都让他吃了，真是难以相信，嗬！”

“为什么我倒不知道，大概是看我吃黄瓜吃得很香的缘故吧。”

“或者你有一种让人心里坦然的能力也未可知。”

“不见得。”我笑道，“说反话的人多的是嘛。”

“觉得我父亲怎么样？”

“喜欢。虽然没怎么交谈，但总觉得他人很不错。”

“老实？”

“非常。”

“一星期前可凶着哩。”绿子摇头说，“脑袋有点不正常，大发脾气。往我身上扔茶杯，骂我混账东西，死了算了。这种病往往这样的。也不知是为什么，反正有时候专门跟人过不去，我母亲那时候也这样。你猜母亲对我说什么来着？说我不是她生的，看我最最不顺眼。听得我眼前顿时漆黑一团。这就是这种病的特点。什么东西在压迫大脑的某一部位，让人心烦意乱，有的也说没的也说。这个我也明白的，虽说明白，也还是伤感情，人家这么拼死拼活地照料，却还要听这些话，心里憋屈透了。”

“能理解。”我说。随即我想起绿子父亲说的叫我摸不着头脑的话来。

“票？上野车站？”绿子说，“怎么回事呢？不好明白。”

“还说‘拜托了’‘绿子’。”

“怕是拜托我的事吧?”

“也许要我去上野车站为你买票。”我说,“总之这四个词的顺序挺不好安排,弄不清含义。上野车站方面可有什么想得起来的事?”

“上野车站……”绿子沉思着。“上野车站能想得起来的,不外乎两次离家出走的事。那还是小学三年级和五年级的时候,两次都是从上野乘电车到福岛去,从自动取款机里取的钱。是一件什么事把我惹火了,赌气去的。福岛有我伯母,我挺喜欢那位伯母,就跑了去。这一来,父亲就赶去福岛把我领回。两人乘上电车,吃着盒饭返回上野。那时候,父亲向我说了很多话,尽管十分不连贯。他讲了关东大地震,讲了战争,讲了我出生前后,都是平时没怎么提起过的事情。想来,我和父亲两人单独那么心平气和地交谈,恐怕只那一次。嗯,你能相信?我那位父亲,关东大地震的时候,在东京市中心居然连发生地震都没察觉到。”

“不至于吧。”我不禁讶然。

“这还能假,真的。父亲说,当时他正蹬自行车,后面挂个小拖车在小石川一带赶路,却一点感觉都没有。回家一看,见周围房上的瓦都掉了下来,家人正抱着柱子簌簌发抖。父亲居然莫名其妙,还问‘你们干什么呢,到底?’这就是父亲对关东大地震的回忆。”说到这里,绿子笑了,“父亲对往事的回忆都是这个样子,一点都不波澜起伏,都好像缺东少西,平淡得很。听他那么一说,觉得这五六十年来日本似乎没发生任何重大事件。无论二·二六事件还是太平洋战争,你若提起来,他便说那大概是有过的。好笑不?

“从福岛回上野的时间里，他断断续续地讲的就是这些，而且最后总忘不了补上这么一句：去哪里都一样，绿子。给他那么一说，也就以为可能真是那样，小孩子嘛。”

“这就是上野车站的回忆？”

“是啊。”绿子说，“你也离家出走过？”

“没有。”

“为什么？”

“没想到离什么家。”

“你这人真够特殊。”绿子歪着头，不无钦佩地说。

“或许。”

“不过，反正我想父亲是想说把我拜托给你。”

“真的？”

“不错。这事我十分清楚，凭直感。那，你怎么回答的？”

“我不明白他的意思，就说放心好了，没关系，绿子也好票也好我尽心尽力就是，没关系的……”

“那么你是向父亲说定了？说定关照我？”绿子说着，神情认真地凝视我的眼睛。

“不是那么回事。”我慌忙分辩，“那时分析不出是什么意思……”

“别害怕，开玩笑，只是逗逗你。”绿子笑道，“你这种地方实在可爱得很。”

喝完咖啡，我和绿子折回病房。她父亲还在酣睡，凑上耳朵听听，尚在微微喘息。随着午后时间的推移，窗外阳光的色调变得柔和而沉静，一派秋日气息。小鸟成群结伙地飞来，落在电线上，又一忽儿飞去。我和绿子两人并坐在屋角处，压低声音说个不止。她看了我的手相，预言我能活到一百五十岁，结婚三次，最后死于交通事故。我说这一生还算不赖。

时过四点,她父亲醒来。绿子坐在枕旁,擦汗、喂水,问头痛好些没有。护士进来量体温,询问小便次数,确认点滴情况。我到电视室,坐在沙发上稍微看了一会足球比赛的转播。

"我得走了。"五点时我说,转而对她父亲解释,"现在得赶去打工,六点到十点半在新宿卖唱片。"

他朝我转过眼睛,略略点下头。

绿子把我送到大厅,说:"渡边君,现在我也表达不好,反正今天太感激你了,谢谢。"

"我也没做什么呀。"我说,"要是我来有用,下星期再来就是。也想再见见你父亲。"

"当真?"

"反正呆在宿舍里也没什么事,来这里还有黄瓜吃。"

绿子抱着双臂,脚跟用力地磕着漆布地板。

"下次真想两人再喝酒去。"她稍稍歪起脖子说。

"色情电影呢?"

"看完色情电影就去喝。"绿子说,"再像往常那样,两人说上一大堆脏话。"

"我可不说,你说好了。"我抗议道。

"随你便。反正边说那种话边放开肚皮喝酒,喝它个烂醉如泥,抱在一起睡觉。"

"往下就可想而知了。"我叹了口气,"我若是真干,你会拒绝的吧?"

"哪里。"她说。

"好了,总之你仍像今早那样去接我就是,下个星期。再一块儿来这里。"

"裙子穿条长点的?"

"嗯。"我应道。

但下星期日我终究没去成医院,绿子父亲在星期五早上就已经去世了。

那天早晨六点半,绿子打电话来通知我。告知来电话的蜂鸣器一响,我赶紧在睡衣外披上羊毛衫跑下门厅,拿起听筒。外面无声无息地下着冷雨。绿子声音低沉地说她父亲刚才死了。我问有什么需我帮忙的没有。

"谢谢,没什么。"绿子说,"我们对葬礼早已习以为常,只是想告诉你一声。"

她发出一声叹息——应该是叹息。

"葬礼你别来。我不喜欢的,不愿意在那样的场合见你。"

"明白了。"我说。

"真是领我去看色情电影?"

"当然。"

"可要挑黄得不得了的哟!"

"留心找找看,专找那样的。"

"嗯,我来跟你联系。"绿子说罢,挂断电话。

然而那以后的一周时间里,没得到她任何联系。学校教室里没有见到,也没电话打来。每次回到宿舍,我都注意看有没有自己的留言条,找我的电话却一次都没有。一天夜里,为了履行诺言,我开始想着绿子手淫,但总觉得上不来兴致。无奈,便中途换成直子,结果还是没多大效用。于是我感到自己有些傻气,索性作罢,而后喝了口威士忌,刷牙睡觉。

※

星期日上午，我给直子写信，信中写了绿子的父亲。我写道：自己去探望一个同班女生的父亲，大吃大嚼了那里剩的黄瓜，结果对方也想吃，一点一点地吃了一根。不料五天后的早上，他去世了。自己现在还清楚记得他咬黄瓜时发出的“咔嚓咔嚓”的脆弱声响，看来人的死总会给人留下奇妙的回忆。

我继续往下写：“早上一睁眼醒来，我就在床上想你、玲子和那鸟舍，想孔雀、鸽子、鹦鹉、火鸡以及小兔，也记得下雨那天早晨你们穿的带头罩的黄色雨衣。在温暖的被窝里想你是十分惬意的事。恍惚觉得你就在我的身边，弓着身子睡得很熟很熟。倘若这是真的，那该多美呀！我想。

“尽管我有时寂寞难耐，但基本上还是活得蛮有兴味的。如同你每天早上照看小鸟和在田里做活一样，我每天早晨也都上紧自身的发条。爬起床就刷牙、刮胡子、吃早餐、换衣服、走出宿舍大门。在去学校的路上，我一般要‘咔咔’拧三十六下发条，并且想：好，今天要精神抖擞地开始一天的生活！我本身倒未注意，别人告诉说近来我常常自言自语，或许是一边上发条时一边口中念念有词吧。

“见不到你固然是痛苦的，但倘若没有你，我在东京的生活将更不堪忍受。正因为一清早我就在床上想你，我才下决心拧紧发条，自强不息地生活下去。如同你在那边自强不息一样，我在这里也必须自强不息。

“但今天是星期日，不用拧发条。早上洗罢衣服，现在正在房间给你写信。写完这封信，贴上邮票投进邮筒，傍晚之前便没事可做了。星期日我不学习。平时我已利用课余时间，在图书馆扎扎实实下了不少功夫，因此星期日无事可干。周日的下午是安静而平和的，也是孤独的。我一个人看看书、听听音乐，有时也逐一回忆你在东京时星期日咱俩行走的路线。你穿的衣服也清楚得如在眼前。星期日的下午我确实能记起很多东西。

“代向玲子问好。每当夜晚来临，我就不胜怀念她的吉他。”

写完信，我把它投进二百米远处的邮筒里，然后在附近一家面包店买来夹鸡蛋的三明治和可口可乐，坐在公园凳子上当午饭吃。公园有少年棒球比赛，我就袖手观战，借以消磨时间。天空随着秋意的渐浓，愈发变得寥廓澄澈、一碧万里。蓦然举头望去，只见两架飞机拖着电车钢轨般的气流向西方笔直地平行飞去。我拾起滚到我脚边的界外球扔还过去，孩子们挥帽称谢。像大多数少年棒球队那样，他们玩的也几乎都是四球和盗垒。

到了下午，我便返回房间看书，精神集中不到书上的时候，就望天花板，想绿子，揣度那位父亲是否真的想说把绿子拜托给我。当然，已经无法晓得他话里的真正含义了。恐怕他把我错看成另外某个人。不管怎样，他已经在那个冷雨飘零的星期五早晨魂归泉路，其心曲已无从确认了。在我的想象里，死时的他可能蜷缩得愈发瘦小，而后在高温炉里化为灰烬。他身后留下来的，只有那家位于商店街中间的不甚起眼的书店和两个女儿——至少其中一个还有些神神经经的味道。我想，他的一生到底是怎样的呢？在医院的病床上，他在那颗被切开的混沌脑袋的折磨下，是以怎样的心情看待我的呢？

如此围绕绿子父亲思来想去的时间里，胸口渐渐产生一种堵塞沉闷之感，便提早把天台上晾的衣服收回，跑去新宿逛街来打发时间。嘈杂的周日街头使我的心头舒展开来。我在通勤电车一般拥挤不堪的纪伊国屋书店里买了一本福克纳的《八月之光》，然后挑一家听起来声音开到尽可能大的爵士酒吧走进去，一边听奥内特·科尔曼和巴顿·帕维尔洛的唱片，一边喝又热又不好喝的咖啡，翻看刚买的书。五点半时，合上书，出门吃了简单的晚饭。我不由心想：这样的星期日以后将重复几十次、几百次吧？“安静的、平和的、孤独的星期日”——我出声说道。星期日我是不上发条的。

第八章

这星期刚过一半，手心被玻璃片划了一道很深的口子。其实唱片架上的一块玻璃档格早已经打裂，而我没注意到。血流得很多，连我自己都吓了一大跳。居然一滴接一滴地滴落下来，把脚前的地板染得红红的一片。店长拿来好几条毛巾，代作绷带紧紧缠住，旋即拿起电话，询问晚间也开业的急诊医生在什么地方。这人虽说不地道，但处理起这种事来却十分麻利。幸好医院就在附近，去的路上血已把毛巾里外染透，涌出的血滴在柏油路面上。人们慌忙闪开路，大概他们以为是打架打伤的。痛倒不觉得怎么痛，只是血接二连三流个不止。

医生丝毫不当回事地取下浸透血的毛巾，勒紧手腕，止住血，给伤口消毒，用针缝合，告诉说明天再来。返回唱片店，店长说："你回去吧，算你出勤。"我便乘公共汽车回到宿舍，拐去永泽房间。一来由于受伤的缘故，心情有些亢奋，想找人聊聊，二来觉得好长时间都没见他了。

他在房间，正在边喝易拉罐啤酒边看电视里的西班牙语讲座。见我手包着绷带，问我怎么搞的。我说受了点伤，不要紧的。他问我喝不喝啤酒，我说不喝。

"马上就结束，等等。"永泽说完，便练习起西班牙语的发音。我自己动手烧水，用袋装茶泡了红茶来喝。一位西班牙女子朗读例句:“这么厉害的雨还是头一次,巴塞罗那有好几座桥被冲跑了。”永泽自己也读那例句,发完音后,“好凶的例句,”他说,“外语讲座的例句怎么会是这类货色,荒唐!”

西班牙语讲座结束后,永泽关掉电视,从小冰箱里又取出一瓶啤酒喝起来。

“不打扰你么?”我问。

“我?有什么好打扰的,正无聊着呢。真的不要啤酒?”

我说不要。

“对了对了,上次那场考试发榜了,中了。”永泽说。

“外务省考试?”

“嗯。正式名称叫外务公务员录用考试。滑稽吧?”

“祝贺你!”我伸出左手同他握手。

“谢谢。”

“也是理所当然的吧?”

“噢,倒是理所当然。”永泽笑道,“不过,正式定下来毕竟是好事,不管怎么说。”

“出国吗,报到以后?”

“不。开始第一年是国内进修,接下去就要被派往国外了。”

我啜着红茶,他津津有味地喝着啤酒。

“这电冰箱,要是你不嫌弃,我搬出这里时就给你好了。”永泽说,“想要吧?有这家伙可以喝冰镇啤酒。”

“可以的话自然求之不得。不过你也要用吧?反正都要在公寓里生活。”

“别说糊涂话了。离开这鬼地方,我要买台大冰箱,过过豪华生活才是,在这寒酸地方已足足熬了四年嘛!凡在这里用过的东西,我一概不想再看第二眼。统统奉送,电视也罢,暖水瓶也罢，收音机也罢，只要你喜欢。”

“噢，什么都可以的。”我说，随后拿起桌上的西班牙课本看了看。“开始学西班牙语了？”

“嗯。语言这东西还是多学一种有好处，再说这是我天生的拿手好戏。法语也是自学的，几乎达到无懈可击的地步。和玩一个道理，只要摸到一条规律，往下任凭多少都是一个模式。喏，和搞女人也是一码事。”

“你这生活态度倒是蛮会反省的嘛。”我挖苦道。

“对了，下次一起吃饭去好么？”永泽说。

“莫不是又去勾引女人？”

“不不，这回不是，纯属吃饭。加上初美，三个人去饭店聚餐，庆祝我即将上任。尽量去高级地方，横竖老头子掏钱。”

“若是那样，和初美两人单独去岂不更好？”

“还是有你在快活些，对我也好，对初美也好。”

得，得，我想。这一来，不是同木月、直子那时候如出一辙了？

“饭后我去初美那里过夜，饭还是三人一块儿吃。”

“噢，要是你们二位都觉得那样合适，我奉陪就是。”我说，“不过，初美的事你怎么办呢？进修之后要出国工作，几年也回不来吧？她可如何是好？”

“那是初美的问题，不是我的问题。”

“不明白什么意思。”

他把脚搭在茶几上喝着啤酒，打了个哈欠。

“就是说，我没有同任何人结婚的念头。这点对初美也说得明明白白。所以嘛，初美如果想同某人结婚也是可以的，我不干涉；要是不结婚而想等着我，那她就等。就这个意思。”

“呃——”我不由得佩服起来。

“你认为我不近人情吧?”

“是啊。”

“社会这东西,从根本上就是不公平的。这不能怪我,本来就是这样。我可是一次都没有骗过初美。在这个意义上,我这人是可谓不近人情,我早已告诉她,如果不愿意,那就各奔东西。”

喝罢啤酒,永泽叼上一支烟,点燃火。

“你对人生没有产生过恐怖感?”我问。

“我说,我并不那么傻。”永泽说,“固然,有时也对人生怀有恐怖感,这也是理所当然!只是,我并不将它作为前提条件来加以承认。我要百分之百地发挥自己的能力,不达到极限绝不罢休。想拿的就拿,不想拿的就不拿,就这样生存下去。不行的话,到不行的时候再另行考虑。反过来想,不公平的社会同时也是大有用武之地的社会。”

“这话像是有些我行我素的味道。”我说。

“不过,我并不是仰脸望天静等苹果掉进嘴里,我在尽我的一切努力,在付出比你大十倍的努力。”

“恐怕是的。”我承认。

“所以,有时我环顾世人就气不打一处来——这些家伙为什么不知道努力呢?不努力何必还牢骚满腹呢?”

我惊讶地看着永泽的脸:“在我的印象中,世上的人也都在辛辛苦苦拼死拼活地忙个没完,莫不是我看错了?”

“那不是努力,只是劳动。”永泽断然说道,“我所说的努力与这截然不同。所谓努力,指的是主动而有目的的活动。”

“举例说,就是在职业确定之后其他人无不只顾庆幸的时间里开始学习西班牙语——是这样的吧?”

“正是这样。我要在春天到来之前完全掌握西班牙语。英语、德语和法语早已会了,意大利语也基本可以。如果不努力,这些能得到吗?”

他吸着烟,我则想起绿子的父亲。我想绿子的父亲恐怕从来就未曾想过要开始学什么西班牙语,恐怕根本就未曾考虑过努力和劳动的区别在哪里。他恐怕太忙了,忙得来不及考虑这样的事情。工作本身就忙,又得跑去福岛领回离家出走的女儿。

“吃饭的事,这个星期六如何?”永泽问道。

“可以。”我说。

永泽选的饭店位于麻布后面,是一家安静而高雅的法国风味餐馆,永泽道出姓名后,我们被领到里面的单间。房间不大,墙上挂有十五六幅版画。等初美的时间里,我们边喝美味的葡萄酒边谈论康拉德的小说。永泽身穿显然相当高级的灰色西装,我穿的则是普通的海军蓝便上装。

过了十五分钟,初美赶来了,妆化得相当精心,一对金耳环,一身漂亮的深蓝色连衣裙,脚上一双式样别致的红色船形皮鞋。我夸她连衣裙的颜色好,她教给我说是“midnight blue”①。

“好气派的地方。”初美说。

“父亲每次来东京都在这里吃饭,还领我来过一次。其实我不大喜欢这种过分考究的吃法。”永泽说。

“瞧你,偶尔吃一次也不坏嘛。是吧,渡边君?”初美说道。

“嗯。只要不用自己掏腰包。”

---

① midnight blue:英语,深黑色、深蓝色。

“老头子差不多每次都带女的一块儿来。”永泽说，“他在东京有女人。”

“真的？”初美问。

少顷，侍者走来，我们要了菜，先点了冷盘和汤，主菜永泽点了烤鸭，我和初美点了鲈鱼。菜上得非常之慢，我们边喝葡萄酒边聊天。永泽首先讲起外务省考试的事。他说应试者几乎全是扔进无底泥潭也不足惜的废物，不过其中也有几个正路货。我问那比率同社会上的相比孰高孰低。

“一样，还用说。”永泽一副毋庸置疑的神色，“这种比率，哪里都一样，一成不变。”

葡萄酒喝完，永泽又要了一瓶，另外为自己要了两杯苏格兰威士忌。

接着，初美谈起准备介绍给我的女孩子。这是初美同我之间永恒的话题。她很想把“课外活动小组一个极其可爱的低年级女孩”介绍给我，而我总是躲闪惟恐不及。

“确实是个好孩子，人又漂亮。下回领来谈一次，保准你一见钟情。”

“不行不行。”我说，“同你那所大学的女孩子交往，我是太穷困潦倒了。囊空如洗，如何谈得拢。”

“哎哟，没那事儿。那女孩淡泊得很，根本不会介意。”

“那就见一次算了，渡边。”永泽说，“又不是非干不可。”

“那自然。动手动脚还得了，人家可是黄花闺女。”

“像你以前一样。”

“嗯，像我以前一样。”初美莞尔一笑，“不过，渡边君，穷也罢富也罢，跟这没什么关系。确实，班里有好几个神气活现的阔女孩，其余像我们都不过普普通通，午间在学生食堂吃二百五十元的套餐……”

“我说初美,”我插嘴道,“我那学校食堂的套餐,分 A、B、C 三等,A 一百二十元,B 一百元,C 八十元。我偶然吃一次 A,大家还没好眼色瞅我。C 都吃不起的家伙,就只好吃六十元的中国汤面。这么一所学校,你说能谈得来?”

初美大笑起来:“太便宜了,我去吃一次怎么样。不过,渡边君,你人不错,肯定能和她情投意合。她也未见得就不喜欢一百二十元的套餐。”

“不至于吧。”我笑道,“其实哪个人也谈不上喜欢,都是迫不得已的。”

“别用那种眼光看待我们,渡边君。就算是一所花枝招展的千金学校,认真对待人生对待生活的女孩也还是不在少数。别以为每个女孩都愿意同开赛车的小伙子交往。”

“这我当然明白。”我说。

“渡边有喜欢的女孩。”永泽开口道,“可这小子就是只字不提,嘴巴牢得很。简直是个谜。”

“真的?”初美问我。

“是真的,不过谜倒谈不上。只是事情非常复杂,很难三言两语说清。”

“莫非是见不得人的恋爱?嗯,让我参谋参谋好么?”

我端起酒杯,掩饰过去。

“如何,我说他嘴巴牢嘛。”永泽边喝第三杯威士忌边说,“这家伙一旦决定不说,就绝对守口如瓶。”

“遗憾呐。”初美把熏鱼切成小块,用叉子送进嘴里,“要是那女孩和你处得顺利,我们原本可以来个双重约会的。”

“喝醉了还能相互交换。”永泽说。

“别说怪话。”

“怪什么，渡边喜欢你的嘛。”

“那和这是两回事。”初美声音沉静地说，“他不是那类人，对自己的东西十分珍惜，这我看得出来。所以我才想给他介绍女孩子。”

“我同渡边可是玩过一次换女孩游戏的哟，以前。喂，不错吧？”永泽一副若无其事的样子，喝干威士忌，叫再上一杯。

初美放下刀叉，用餐巾轻轻擦下嘴，然后看着我的脸问：

“渡边君，你真做那种事了？”

我不知如何回答，没有做声。

“你就交待嘛，那有什么。”永泽说。

我意识到情况不妙。一喝起酒，永泽往往变得居心不良。况且，今晚他那居心不良并非对我，而是针对初美的。这点显而易见，作为我就更加居中为难了。

“我很想听听，怕是有趣得很。”初美对我说。

“喝醉的关系。”我答道。

“没什么，不必顾虑，又不是要责备你。我只是想听听是怎么回事。”

“在涩谷一家酒吧同永泽君喝酒的时候，和两个搭伴来的女孩子混熟了，两人都在一所短期大学念书。对方也挺有意的，后来一起进到附近一家旅馆。开的房间我同永泽君是隔壁，结果半夜时他来敲我的门，说‘喂，渡边，换女孩喽’，我就去他那里，他到我这来。”

“女孩也没生气？”

“她俩也都醉醺醺的。再说怎么都无所谓，即使作为她们。”

“那么做也是有那么做的原因的。”永泽说。

“什么原因?”

“那对女孩,实在天地之差。一个如花似玉,一个简直奇丑无比,我觉得这有失公道。就是说,我要的是漂亮的,对不住渡边,所以才交换一下。对吧,渡边?”

“啊,是的。”我说。

不过说实话,我倒蛮喜欢那个不漂亮的。说话风趣,性格也好。我和她完事后,躺在床上谈得相当开心。正说着,永泽说要交换。我问她同意不同意,她说:“也罢,要是你愿意的话。”她大概以为我很想那漂亮的女孩。

“开心?”初美问我。

“交换的事?”

“反正那一切。”

“也不怎么开心。”我说,“无非干罢了。那样跟女孩睡觉,谈不上有什么特别开心的。”

“那又何苦?”

“是我拉他去的。”永泽说。

“我问的是渡边君。”初美斩钉截铁,“何苦做那种事?”

“有时候非常想同女孩子睡觉。”我回答。

“既然有意中人,那么不能同她想想办法?”初美沉吟一下说。

“这里边很复杂。”

初美叹息一声。

这时门开了,侍者端菜进来。永泽面前摆的是烤鸭,我和初美面前各放上一盘鲈鱼,盘里盛有加热过的蔬菜,上面淋有调味汁。侍者退下后,又只剩下我们三人。永泽用刀切开烤鸭,吃得津津有味,还不时喝口威士忌,我尝了尝菠菜,初美则没有动手。

"渡边君，具体缘由我倒不清楚，不过我想那种事不适合你做，你做不合适，是不是？"初美说着，把手放在桌面上，目不转睛地注视我的脸。

"是啊，"我说，"我也常那样想。"

"那为什么不改呢？"

"有的时候需要得到温暖。"我老实回答，"如果没有体温那样的温暖，有时就寂寞得受不了。"

"总之我想就是这样，"永泽插嘴道，"渡边虽说有他喜欢的女孩，但由于某种缘故干不了，所以只好在别人身上发泄性欲。这又有什么不好，情理上也说得通嘛！总之不能整天闷在屋子里不停地手淫吧？"

"不过，如果你真心喜欢她，还是可以忍耐的吧，渡边君？"

"或许。"说着，我叉起一块淋有奶油柠檬酱的鲈鱼肉，放进嘴里。

"你无法理解男人性欲那种东西。"永泽对初美说，"举例说吧，我和你相处了三年，在这期间我同不少女人睡过觉。但对那些女人，我却什么都不记得。既不知道姓名，又不记得长相。而且和任何人都只睡一次，见面，干，分手，如此而已。这有什么不妥？"

"我不能忍受的是你那种傲慢态度。"初美平静地说，"问题不在于你同女人睡不睡觉。我从来就没有认真计较过你的拈花惹草，是吧？"

"也不是你所说的拈花惹草，仅仅是一种游戏，谁也不受伤害。"永泽说。

"我受伤害。"初美说，"为什么光有我还不够？"

永泽摇晃着威士忌酒杯，默然良久："并非不够，这完全是另外一个方面的问题。我体内有一种类似饥渴的感觉,总在寻求那种东西。如果你因此而受到伤害,我觉得很抱歉。决不是什么光有你不够。我这个人只能在渴望下生活,不那样不成其为我,有什么办法呢!"

初美总算拿起刀叉,开始吃鲈鱼:"只是,你至少不该把渡边君拉进去。"

"我和渡边有相似的地方。"永泽说,"他和我一样,在本质上都是只对自己感兴趣的人,只不过在傲慢不傲慢上有所差别。自己想什么、自己感受什么、自己如何行动——除此之外对别的没有兴趣,所以才能把自己同别人分开来考虑。我喜欢渡边也无非喜欢他这一点。只是他这小子还没有清楚地认识这点,以致感到迷惘和痛苦。"

"不迷惘和痛苦的人哪里能找得到!"初美说,"或者说你从来没有迷惘和痛苦过?"

"我当然也迷惘也痛苦,只是可以通过训练来减轻。就拿老鼠来说,如果让它触电的话,它也要设法使自己少受损害。"

"可老鼠并不恋爱。"

"老鼠并不恋爱。"永泽重复一句,然后看了看我,"好!听一段音乐如何?管弦乐加两把竖琴……"

"别当玩笑,我可是认真的!"

"现在正吃饭,"永泽说,"再说渡边又在,认真的话还是另找机会再说才合礼节,我想。"

"我离开吧?"我说。

"在这里,就在这里好了。"初美劝阻道。

"好容易来一趟,点心还没吃咧!"永泽说。

"我倒无所谓。"

随后，我们默默吃了一会儿。我把鲈鱼吃得一干二净，初美剩了一半。永泽那份烤鸭早已吃光，在继续喝威士忌。

"鲈鱼真够味道。"我开口道。但谁也没搭腔，如同小石子掉进了无底洞。

盘子撤去后，端来柠檬汁和蒸馏咖啡。永泽每样都浅尝辄止，随即吸起烟来。初美则根本没动柠檬汁，我不由庆幸，一口气把柠檬汁喝光，接着啜咖啡。初美望着自己并放在桌面上的双手。那手同她身上所有的东西一样，显得非常高贵，楚楚动人。我想起直子和玲子——她俩现在做什么呢？想必直子躺在沙发上看书，玲子用吉他弹《挪威的森林》吧。我油然腾起一股不可遏止的冲动，恨不能马上返回那小小的房间。我在这里到底干的是什么？

"我同渡边的相近之处，就在于不希望别人理解自己。"永泽说，"这点与其他人不同，那些家伙无不蝇营狗苟地设法让周围人理解自己。但我不那样，渡边也不那样，而觉得不被人理解也无关紧要。自己是自己，别人归别人。"

"是吗？"初美问我。

"难说。"我答道，"我不是那样的强者，也并不认为不被任何人理解也无所谓，希望相互理解的对象也是有的。只不过对除此以外的人，觉得在某种程度上即使不被理解也无可奈何，这是不可强求的事。因此，我并不是像永泽君说的那样，以为人家不理解也无关紧要。"

"我说的也差不多是同一意思。"永泽拿起咖啡勺说，"真的是同一回事，不过是晚一点的早饭和早一点的午饭之间的区别罢了。吃的东西一样，吃的时间相同，不同的仅仅是名称。"

"永泽，你认为不被我理解也可以？"初美问。

“你好像还没最后明白，人理解某人是水到渠成的事，并非某人希望对方理解所使然。”

“那么说，我希望某人理解自己莫非错了不成？譬如希望你？”

“不不，那并不是什么错。”永泽回答，“正人君子称之为爱，假如你想理解我的话。我的人生观和别人的相当不同。”

“就是说不爱我？”

“所以你要对我的人生观……”

“人生观，人生观，管什么人生观不人生观！”初美发起火来。她的发火，前前后后我只见过这一次。

永泽按一下桌旁电铃，侍者拿来账单，永泽取出信用卡送过去。

“今天对不起，渡边。”他说，“我送送初美，你一个人回去吧。”

“没关系的，我。美美吃了一顿。”我说。但两人对此都没再接话。

侍者把信用卡拿来，永泽确认一下款额，用圆珠笔签了名。然后，我们离席出店，永泽走到路中准备叫一辆出租车，初美制止道：

“谢谢。但今天再也不想和你待在一起，你就不必送了。多谢招待。”

“随便。”永泽说。

“让渡边君送我一段。”

“随便。”永泽道，“不过渡边君也差不多，和我。亲切热情倒是不假，但就是不能打心眼里爱上某个人，而总是有个地方保持清醒，并且有一种饥渴感，如此而已——这我看得明白。”

我叫住一辆出租车，让初美先上去。

“反正送送就是。”我对永泽说。

“对不起。”他道了声歉，但脑袋里却似乎已开始思考全然不相干的事。

“去哪里？回惠比寺？”我问初美，因为她的公寓在那里。

初美摇摇头。

“那么，找地方喝一杯？”

“嗯。”她点头道。

“涩谷。”我告诉司机。

初美拱手闭目，倚靠在车座的角落里。随着车身的晃动，小小的金耳环不时闪闪烁烁。她那深蓝色的连衣裙，简直就像比照车座角落那片黑暗做成的一样。涂着淡淡颜色的形状娇美的嘴唇不时陡然一动，仿佛独自欲言又止。目睹她这副风度情态，我似乎明白了永泽所以选择她作为特别对象的缘由。比初美漂亮的女子不知会有多少，永泽不知会搞到多少那样的女子，但初美这位女性身上却有一种强烈打动人心的力量，而那绝非是足以撼倒对方的巨大力量。她所发出的不过是微不足道的力，然而却能引起对方心灵的共振。车到涩谷之前，我一直注视着她，一直在思索她在我心中激起的这种感情震颤究竟是什么东西，但直到最后也未能明了。

当我恍然领悟到其为何物的时候，已是十二三年以后的事了。那时，我为采访一位画家来到新墨西哥州的圣菲城。傍晚，我走进附近一家意大利比萨饼店，一边喝啤酒嚼比萨饼，一边眺望美丽的夕阳。天地间的一切全都红彤彤一片。我的手、盘子、桌子，凡是目力所及的东西，无不被染成了红色，而且红得非常鲜艳，俨然被特殊的果汁从上方直淋下来似的。就在这种气势夺人的暮色当中，我猛然想起了初美，并且这时才领悟她给我带来的心灵震颤究竟是什么东西——它类似一种少年时代的憧憬，一种从来不曾实现而且永远不可能实现的憧憬。这种直欲燃烧般的天真烂漫的憧憬，我在很早以前就已遗忘在什么地方了，甚至很长时间里我连它曾在我心中存在过都记不起了。而初美所摇撼的恰恰就是我身上长眠未醒的“我自身的一部分”。当我恍然大悟时，一时悲怆之极，几欲涕零。她的确、的的确确是位特殊的女性，无论如何都应该有人向她伸出援助之手。

然而，无论永泽还是我都未能使她幸免。当初美她——如同我的许多熟人那样——来到人生的某一阶梯的时候，就像突然想起似的自行中断了生命。她在永泽去德国两年后和一个男子结了婚，又过了两年便用剃刀割断了手腕动脉。

向我告知她的死的自然是永泽。他从波恩给我写来信，信上说：“由于初美的死，某种东西消失了，这委实是令人不胜悲哀和难受的事，甚至对我来说。”我把这封信撕得粉碎，此后再未给他写过信。

※

我们走进小酒吧，各自喝了几杯。我也罢，初美也罢，几乎都没开口。两人就像处于倦怠期的夫妻，默默对饮，嚼着花生米。这工夫里，店里人多起来，我们便准备离开，出去稍事散步。初美说要自己付款，我说是我邀的，抢先付了。

走到外边，晚间的空气彻骨生寒。初美披上一件灰色羊毛衫，仍旧一声不响地在我身旁走着。也没有什么目的地，我只是双手插进裤袋，在这夜晚的街头缓缓移动脚步。我不由想道：这简直同直子并行时一模一样。

“渡边君,知道这一带可有打桌球的地方?”初美突如其来地说。

“桌球?”我吃了一惊,“你会打桌球?”

“嗯,还相当不错哩。你怎么样?”

“四个球的,打是能打,就是打不大好。”

“那就去吧。”

我们在附近找到一间桌球室,走了进去。这是一家位于胡同尽头的小店。初美一身漂亮的连衣裙,我则是海军蓝便上装和便式领带——我俩的这副打扮在桌球室里极为显眼,初美却不甚在意,挑了支球杆,握住中间,用擦粉“嚓嚓”擦了几下杆头,随即从挎包里取出发卡,别在额旁,以免头发影响击球。

我们玩了两局四个球的。初美果然如她自己说的,球技相当娴熟。我因为缠着厚厚的绷带,击球总有些不够灵便,结果两局都她赢了。

“打得不错嘛!”我甘拜下风。

“人不可貌相,是吧?”初美一边认真测算球的位置,一边嫣然笑道。

“到底是在哪里练出来的?”

“我爷爷从前专门喜欢玩这个,自家就有球台。小时候每次去那里,都和哥哥两人捅来捅去。稍大一些后,爷爷就教给正规的击球方法。是个好人呐,又时髦又潇洒,已经死了。他最得意的,就是说自己过去在纽约见过迪亚娜·达宾。”

她接连赢了三回,第四回输了。我好不容易捞回一回,但随后便打歪了几个很容易打的球。

“都怪绷带。”初美安慰道。

“好久没打的关系，两年零五个月没打了。”

“怎么记得那么清楚?”

“一个朋友就是和我打桌球那天夜里死的，所以记得很确切。”

“那以后就不再打了?”

“不，倒也不全是为这个，”我沉吟一下答道，“只是不知为什么，从那以后就失去了打桌球的机会——就这么回事。”

“朋友怎么死的?”

“交通事故。”

她又击了几球。她察看球路时的眼神分外专注，击球时的用力也均匀无误。她把梳理得恰到好处的秀发一转挽到脑后，光亮亮地闪出金耳环，一双船形鞋准确地站定位置，修长的纤纤玉指按住球台台面，而后将球一击而出——看她这副神情举止，令人觉得在这不无脏污之感的桌球室里，惟独她所在的位置俨然成了华贵的社交场所的一角。和她单独在一起还是初次，但对我来说实在是难得的可贵的享受。只消和她在一起，我就恍惚觉得自己的人生被拽上了更高一级阶梯。三局结束的时候——当然她是三连胜——我手上的伤口开始隐隐作痛，我们便到此为止。

“原谅我，本不该拉你打什么桌球。”初美十分歉然。

“没关系，不是大不了的伤，再说又开心得很。”

临走时，一位桌球室主人模样的瘦瘦的中年妇女对初美说：“小姐，训练有素啊!”初美妩媚地一笑，道了声“谢谢”，随即付了账。

“痛吗?”出门后初美问道。

“不怎么痛的。”我说。

“伤口裂开了吧?”

“不要紧。或许。”

“肯定的。到我那儿去,看看伤口,给你换条绷带。”初美说,“我那里绷带和消毒药都是现成的,不远就是。”

我说不怕,用不着那么担心,但她坚持说一定要看看伤口裂开没有。

“或者说讨厌和我在一起?恨不得马上返回自己宿舍不成?”初美用开玩笑的口吻说道。

“哪里。”

“那就别客气,去一趟就是。走路很快就到。”

从涩谷到惠比寺初美住的公寓,走路花了十五分钟。公寓算不上豪华,但也相当气派,既有小型楼厅,又有电梯。一进门那个房间有张餐桌,初美叫我在桌旁坐下,她去隔壁换衣服,出来时,身穿一件有“普林斯顿大学城”字样的带风帽的上衣和一条棉布裤,金耳环也不见了。不知她从哪里拿出一个急救箱,放在桌上,解开绷带,确认伤口并未裂开后,大致消了消毒,用新绷带重新缠好。这一切做得非常利落。

“你怎么无论什么事都做得这么漂亮呢?”我问。

“以前在志愿服务队里做过,学过护士工作,就记住了。”初美说。

缠完绷带,她从冰箱里取出两罐啤酒,她喝了半罐,我喝了一罐半。接着,初美拿出课余活动小组里低年级女生的照片让我看,果真有几个蛮可爱。

“要是想交女朋友,随时到我这儿来,我马上介绍。”

“遵命。”

“不过渡边君,在你眼里我怕像个老媒婆吧?乖乖告诉我。”

“有点儿。”我笑着老实回答。初美也笑了，她是个非常适合脸上挂笑容的人。

“渡边君，你是怎么看的，我和永泽的关系？”

“怎么看？指什么？”

“我该怎么办呢，往后？”

“我说什么都为时已晚吧。”我边喝冰凉冰凉的啤酒边说。

“可以的，尽管说，怎么想怎么说。”

“假如我是你，就和他各奔东西，找一个头脑更为地道的人去幸福地生活。无论怎么善意地看，和那个人相处都不能有幸福可言。自己幸福也罢，使别人幸福也罢，他并不把这个放在心上。和他在一起，神经非出问题不可。依我看，你和他交往三年之久已经是一种奇迹。诚然，我也不是不喜欢他，他这人风趣，长处很多，本事大，又坚强，我这样的角色根本望尘莫及。问题是，他考虑事物的方式和生活态度不够地道。同他交谈起来，时常觉得我总在同一地方来回兜圈子。他以同一程序不断勇往直前，而我却总是原地徘徊，并且空虚得很。一句话，就是人生观本身不同。我说的你明白吗？”

“一清二楚。”说罢，初美又从冰箱里拿出一罐啤酒。

“再说，他进了外务省，在国内进修一年，之后就要出国吧？你怎么办？一直等待下去？那个人，根本就没心思同谁结婚。”

“这我也清楚。”

“那好，我再没有什么该说的了。”

“唔。”

我往杯里倒进啤酒，慢慢喝着。

“刚才同你打桌球时我突然产生一个念头。”我说，“就是，我无兄无弟，从小到大都是一个人，因此从未感到过寂寞或希望有兄弟姐妹，一个人心满意足。但刚才同你打桌球的时候，我猛然想到如果有你这样一位姐姐该有多好——一位又时髦又高雅、适合穿深蓝色连衣裙和戴金耳环、会打桌球的姐姐。”

初美满脸欣喜的笑容，看着我说：“至少这一年来我所听到的各种话里，你刚才这句最让我高兴，真的。”

“所以，作为我也但愿你获得幸福。”我脸上有点发热地说，“不过也真是不可思议，你看起来同任何人都能处得快乐，为什么偏偏看上永泽那样的人了呢？”

“大概是命中注定吧，我自己也不知所以然。要是让永泽来说，恐怕就成了我的责任，与他毫不相干。”

“想必是。”我表示赞同。

“可是渡边君，我并不是脑袋好使的女人，总的说来，有些迂腐和古板。什么人生观啦责任啦，什么都无所谓。结了婚，每晚给心上人抱在怀里，生儿育女，就足够了，别无他求。我所追求的只是这个。”

“他所追求的却截然不同。”

“但人是会变的，对不？”

“你是说，到社会上几经风雨，几遭挫折，然后成熟起来？……”

“嗯。加上长时间同我天南地北，说不定对我的感情也因而发生变化，是吧？”

“那是就普通人而言。”我说，“若是普通人，或许会那样。但那个人另当别论。那个人的意志比我们想象的还要坚强，而且每天每日都在不断加强，越是遭受打击越是自强不息。他甚至宁肯生吞蛞蝓也不在人前认输。对这样的人你还能指望什么呢？”

“不过渡边君，现在的我惟有等待而已。”初美在桌面上支颐说道。

“喜欢永泽喜欢到那个程度？”

“喜欢。”她当即回答。

“也罢也罢。”我叹息一声，喝干杯底的啤酒。“能如此执着地爱上一个人，这本身恐怕就是件了不起的事。”

“我不过是迂腐古板罢了。”初美说，“再喝点啤酒？”

“不，可以了，该回去了。又包扎又招待，谢谢了！”

我立起身，在门口穿鞋。这当儿电话铃响了，初美看看我看看电话，又看看我。我道声“晚安”，开门走出。门悄然合上时，我瞥见初美正拿起听筒——那是我见到她的最后情景。

回到宿舍，已经十一点半了。我径直去永泽房间敲门，敲了十多下，才想起今天是星期六。星期六晚间永泽以去亲戚家为由，每次都被允许在外面过夜。

我折回自己房间，解下领带，把上衣裤子挂在衣架上，换上睡衣，刷牙漱口。随即想起：得得，明天又是星期日。我觉得简直就像每隔四天就来一个星期日。再过两个星期日，我将满二十岁。我歪倒在床上，望着墙上的挂历，不觉黯然神伤。

※

星期日上午，我仍像以往那样伏在桌上给直子写信。我写了封长信，边写边用大杯子喝咖啡，听迈尔斯·戴维斯的唱片。窗外细雨霏霏，室内如同水族馆似的凉意侵人。刚从衣箱里掏出的厚毛衣还残留着樟脑丸气味。窗玻璃上方，一只圆鼓鼓的苍蝇停在那里纹丝不动。由于无风,太阳旗俨然元老院议员长袍的下摆,垂头丧气地裹在旗杆上一动不动。一条有气无力的褐毛瘦狗不知从哪里跑进院子,围着花坛团团转,粗声大气地逐个嗅花瓣。狗为什么在雨天里非要来回嗅着花瓣气味不可呢?我全然捉摸不透。

我伏案疾书。握笔的右手一作痛,便茫然地打量院里的这番光景。

我首先写了在唱片店打工时把手割了一道深口,写了我同永泽、初美三人祝贺永泽通过外交官考试的情形,告诉直子那是怎样一家饭店,点的什么样的菜,还告诉她尽管菜肴非比一般,但席间气氛却有些尴尬等等。

写到同初美去桌球室时,我想起了木月,一时有些踌躇,但终归还是写了,我觉得是应该写的。

我清楚地记得那天——木月死的那天他击最后一个球的情景。那其实是个需要相当冲击力的难球,我以为他不至于一举成功。然而大概是一种巧合吧,那一击居然百分之百的准确无误,白球与红球在绿色的台面上悄无声息地轻轻撞合,结果成了他得的最后一分。那动人的一击给我留下很深的印象,至今仍历历在目。那以后的近两年半时间里,我未曾打过桌球。

但是,在同初美打桌球的那个晚间,直到第一局打完也一点没有想起木月。对我来说,这是个不小的打击。因为,自从木月死后,我一直以为每逢打桌球必然想起他,不料直到打完第一局在店内自动售货机买百事可乐前,我都全然未能想起。至于为什么在那里才想起木月，是由于我和他常去的那家桌球室也有同样一台百事可乐自动售货机，我们常常用买可乐的钱来打赌玩。

打桌球时居然未想起木月，这使我感到似乎做了一件对不起他的事。当时我觉得自己已将他彻底忘在脑后，然而夜里返回宿舍，我开始这样想道：那以后已经过去了两年半，而他依然十七岁。但这并不意味他在我的记忆中已渐趋淡薄，他的死带来的东西依然鲜明地留在我的脑海里，有的反而比当时还要鲜明。我即将满二十岁，我同木月在十六岁和十七岁那两年里所共有的东西的某部分早已消失得无影无踪，无论怎样长吁短叹，都已无法挽回——我无法表达得更为确切，但我觉得对于我的感受、我想要表达的，你是会充分理解的，而且能理解此事的恐怕也只有你一个人。

我比以前任何时候都更仔细地思考你的问题。今天在下雨，下雨的星期天多少使我有些惶惶然。因为下雨不能洗衣服，自然也不能熨衣服。既不能散步，又不能在天台上东倒西歪。只好坐在桌前，一边用自动反复唱机周而复始地听《温柔的蓝》，一边百无聊赖地观望院子的雨中景致。以前我也写过，星期天我是不上发条的，因此信也就写得很长很长。不再写了，这就去食堂吃午饭。再见。

第九章

第二天是星期一,课堂上也没见到绿子。到底怎么回事呢?从最后那次打电话以来,已经过去十天了。本想打电话到她家里问问,但想起她说过由她联系,只好作罢。

星期四,在食堂遇到永泽。他端着食盘在我身旁坐下,道歉说这段时间做了很多抱歉的事。

"哪里的话,倒是让你破费招待。"我说,"上次庆祝你工作定下,说奇妙也真够奇妙的了。"

"一塌糊涂!"他说。

我们默默吃了一会饭。

"和初美已经和解了。"他开口道。

"噢,想必是的。"

"好像对你也说了些不大入耳的话。"

"怎么搞的,反省吗? 身体怕是不大舒服吧?"

"或许。"他轻轻点了两三下头,"对了,听说你劝初美和我分手?"

"理所当然吧。"

"怕也是,咳。"

"那是个好人呐!"我边喝汤边说。

"知道。"永泽叹了口气,"对我有点好过头啦!"

※

通知有电话打来的蜂鸣器响起的时候，我酣睡得如同昏死一般。当时确实达到了睡眠状态的极限，根本搞不清发生了什么事。熟睡当中，恍惚觉得头颅里灌满了水，大脑被泡得胀鼓鼓的。一看表，六点十五分，却不知是上午还是下午，也想不起是几号星期几。望望窗外，院里的旗杆没有挂旗，于是我估计大概是晚上六点十五分。升国旗也是大有用场的。

“喂，渡边君，现在有空儿?”绿子问。

“今天星期几来着?”

“星期五。”

“现在是晚上?”

“那还用说，好个怪人。是下午……六点十八分。”

到底还是傍晚，我想。对对，是躺在床上看书时一下子睡过去的。我转动脑筋：是星期五。星期五晚上不用打工。

“有空儿。你现在在哪儿?”

“上野车站。这就去新宿，能在那儿等我?”

我们商定了场所和大致时间，放下电话。

到酒吧时，绿子早已坐在吧台最尽头处自斟自饮了。她穿一件男人穿的那种皱皱巴巴的白色直领外套，里面是薄薄的黄毛衣，下着蓝色牛仔裤，手腕上套着两个手镯。

“喝什么?”我问。

“鸡尾酒。”绿子说。

我要了一杯掺汽水的威士忌，这时我才注意到脚下有个很大的皮包。

“旅行去了,刚回来。”她说。

“去哪儿?”

“奈良、青森。”

“一次去的?”我不禁愕然。

“怎么至于! 我就是再发神经,也不可能一次跑这两个地方。分两次去的。去奈良和他一起,青森我一个人。”

我呷了一口汽水威士忌,给绿子嘴上的“万宝路”点燃火:“折腾得天翻地覆吧? 葬礼啦什么的。”

“葬礼倒轻松得很,我们早已习以为常。只消穿上黑衣服煞有介事地往那里一坐,周围人——就是伯父和左邻右舍的人,就会一齐按部就班地料理妥当。有的自作主张地买来酒,有的去订寿司饭,有的好言安慰,有的哭,有的嚷,有的随意分纪念遗物,好玩极了,就跟出去野餐差不多。同一天接一天没完没了的那种护理相比,确实算得上野餐。姐姐也好我也好,都累得筋疲力尽,哭都哭不出来了,心里空洞洞的。根本流不出眼泪,真的。可这样一来,四周人就会暗地里说坏话,说我们姐俩心肠硬,连个泪珠都没掉。而我俩为了赌这口气,偏偏就是不掉。本来装哭也是装得出来的,但绝对不装,气死他们! 大家越是指望我们哭,我们越是不给他们哭。我和姐姐在这点上倒是配合默契,尽管性格大相径庭。”

绿子把手镯弄得“格格”作响,以此叫来男侍,让他再来一杯鸡尾酒和一碟开心果。

“葬礼完后,大家都回去了。我们姐俩就喝起日本酒,喝了一升半,直喝到天亮。边喝边把那些家伙逐个骂了一遍:谁是傻瓜、谁是混蛋、谁是癞皮狗、谁是蠢猪、谁是伪君子、谁是扒手,如此骂将下去,结果心里畅快多了。”

"想必是的。"

"喝得天旋地转,然后钻到被窝里大睡特睡,睡得香极了,当中有电话打来也装做压根儿没听见,只管呼呼大睡。一觉醒来,两人叫来寿司吃了,商定先闭店一段时间,随心所欲地休整一番。两人拼死拼活忙到现在,也算是够意思了。姐姐和她那位去卿卿我我,我和他旅行,尽情大干两个晚上。"说到这里,绿子抿了抿嘴,出声地搔搔耳畔。"别见怪,口吐粗话了。"

"没关系。所以就去奈良了?"

"嗯,奈良以前就喜欢。"

"干了两个晚上?"

"一次也没干。"她叹了口气,"到旅馆刚一扔下挎包,月经就来了,涨潮似的。"

我不由得笑起来。

"还笑呢,你! 提前了一个星期,哭都哭不过来,真是! 大概这个那个弄得太紧张了,以致月经也乱了套。他也气呼呼的。那个人,动不动就生气。可有什么办法,又不是我想来就来的。而且,我那东西一来就相当厉害,头两三天什么都没心思做。那种时间你可不要见我。"

"不见倒可以,可怎么能知道呢?"我问。

"月经一来,我就戴两三天红帽子。这回能知道吧?"绿子笑道,"我一戴上红帽子,你在路上遇见也别打招呼,赶紧逃命。"

"世上的女人索性都这么做就好了。"我说,"那么在奈良干什么来着?"

"无奈,只好逗鹿玩,在那一带散散步,就回来了,凄凉得很。还同他吵了一架,那以后再没见面。返回东京后,游逛了两三天,这回想一个人无拘无束地旅行一趟,就去了青森。弘前有一位朋友，在她家住了两个晚上，然后去下北和龙飞兜了一圈。好地方，好极了！我给那一带的地图写过解说词。你去过？”

“没有。”我说。

“这么着，”说着，绿子啜了口鸡尾酒，剥开一颗开心果。“一个人旅行的时候一直想你来着，心想要是你在身边该有多好。”

“为什么？”

“为什么？”绿子像盯视幻景一样看着我，“为什么？什么意思，你这是？”

“就是，你为什么想起我呀？”

“那还用说，因为喜欢你嘛！此外你说还能有什么？能有哪个人乐意同自己不喜欢的人在一起？”

“可你有恋人，不是没有必要想我吗？”我一边慢慢品味汽水威士忌一边说。

“你是说有恋人就不能想你不成？”

“不不，也不是那样的意思……”

“喂，渡边君，”绿子把食指对着我，“我警告你，我心里现在乱糟糟的，**乱得很**，足足一个月攒下的东西全都憋在里边。你可别再说气人话！要不然我就在这里嚎啕大哭，一旦哭起来，整个晚上都收不住。这你也觉得没关系吗？我会肆无忌惮地像野兽那样哭叫，不骗你。”

我点点头，再未开口，接着又要了一杯汽水威士忌，嚼着开心果。店里充满鸡尾酒搅拌器的搅拌声、酒杯相碰声、从制冰机捞取冰块的“哗啦”声，店后又传来莎娜波恩唱古典情歌的唱片声。

“大体说来，自卫生棉条事件以来，我和他的关系就有点剑拔弩张了。”绿子说。

"卫生棉条事件?"

"嗯。大约一个月前,我同他和他的朋友五六个人一块儿喝酒,我提起我家附近一位阿姨,她打喷嚏一下子把下面的卫生棉条打了出来。好笑不?"

"好笑。"我笑着赞同。

"大家也觉得十分好笑。可他竟发起火来,叫我别扯下流话,还说我大煞风景。"

"唔。"

"人倒是好人,就是这种地方很偏激。"绿子说,"例如我一穿白色以外的内裤,他就发脾气。你说偏激不偏激?"

"唔——不过这属于各有所好的问题。"我说。其实我有些诧异,那般人物居然会喜欢上绿子,这本身就不可思议。但我没说出口。

"你干什么了?"

"没干什么,老样子。"随即,我想起那个约定——想着绿子作乐的事。为了不使旁边人听见,我压低嗓音讲给绿子听。

绿子满面生辉,打个响指问:

"如何? 顺利?"

"中间总觉得难为情,半途而废。"

"那怎么行。"绿子斜眼看着我说,"别有什么不好意思,最大限度地想入非非就是,我说行就行嘛! 对了,下次打电话给你,我就说:啊……就那里……妙得很……不得了,我,我不行了……啊,别那样……你就一边听一边来你的。"

"宿舍的电话在门厅里,大家都从那里出出进进。"我解释道,"在那地方做,保准给管理主任打个半死,毫无疑问。"

"是吗? 伤脑筋。"

“别伤脑筋，过两天我再一个人想法试试。”

“加油哟！”

“嗯。”

“是我没什么性感吧，我这人本身？”

“不，不是那回事。”我说，“怎么说好呢，怕是立场问题吧。”

“我么，背部非常敏感，如果用手指抚摸的话。”

“我当心就是。”

“喂，这就去看成人电影如何？挑个黄的。”绿子说。

我和绿子去鳗鱼店吃了鳗鱼，之后走进在新宿也数得上门庭冷落的一家成人电影院，看那种一连放三部的电影。因为买来报纸一查，只有这里上映黄色电影。场内充斥着莫名其妙的怪味。碰巧的是我们进去时那色情场面刚开始，讲的是当女职员的姐姐和上高中的妹妹被几个男人抓住，监禁在一个地方，百般遭受淫虐。男的威胁姐姐说要糟蹋妹妹，随即对姐姐大发兽性，如此一来二去，姐姐竟也成了性变态者，而妹妹在一一目睹眼前场面的时间里，头脑也渐渐不正常起来。电影不仅气氛离奇、光线幽暗，而且千篇一律，看到中间我就有些不耐烦起来。

“我要是里边的妹妹，神经就绝对不会出问题，而要看得更加真切。”绿子对我说。

“很有可能。”

“不过那个妹妹，作为处女和高中生，你不觉得乳头太黑？”

“有道理。”

她看得全神贯注，饿虎扑食一般。我不由暗暗感叹：看得如此入迷，票钱可是一点没有赔本。绿子每当想起什么，都一一向我报告。

——“喂喂，厉害厉害，竟有那种干法。”

——“不得了，三个人一起来，会搞坏的哟！”

——“喂，渡边君，我也想和谁那么试一下。”

较之看电影，看绿子要有趣得多。

休息时间里，四下一片通明。我环视场内，除绿子外，好像没一个女性。邻座一个学生模样的小伙子见了绿子，赶紧远远躲开。

“喂，渡边君，”绿子问我，“看这玩艺儿，会挺起来？”

“啊，一时一时的吧。”我说，“这种电影，本来就是为这个拍的嘛。”

“那么说，那样的镜头一出现，这里所有人的那东西全都一齐竖起来喽？三十条或四十条，齐刷刷地？想到这点，不觉得有些不可思议？”

“那么说怕倒也是。”我应道。

第二部影片较为正规些，惟其如此，比第一部还要无聊。口交镜头纷至沓来，还满场响起了很大的模拟音。听到这种声音，我便产生莫可名状的感慨——自己居然活在如此奇妙的行星上。

“这声音是哪个琢磨出来的呢？”我问绿子。

“我倒极喜欢的哟！”绿子说。

其间也夹杂着抽送时的声音，我还从来没注意到竟有这样的声音。男的气喘吁吁，女的呻吟不止，说什么“行啦”、“再来”。还可听到床的吱呀声。这种做爱场面绵绵不断地持续了很久。起始绿子还看得津津有味，后来到底显得扫兴起来，提议出去。于是两人欠身离座，到外面深深吸了口气。新宿街头的空气竟然如此沁人心脾，这在我还是第一次感觉到。

“有趣有趣。”绿子说，“下回再看一次。”

“看多少次演的都是同一码事。”我说。

“那有什么办法，我们干的也始终是同一码事嘛！”

经她这么一说，也的确如此。

我们又走进一家酒吧喝酒。我喝威士忌，绿子喝了三四杯品不出成分的混合饮料。出了店，绿子说想爬树。

“这一带根本就没树。再说你喝得晕头晕脑的，哪里爬得上去。”我说。

“你这个人，总是用一大串说教来捉弄人。我是想醉才喝醉的，醉了又有什么，再醉爬棵树也没问题，哼！找一棵很高很高的大树爬上去，像知了那样从最顶端往人们头上撒尿。”

“我说，你怕想上厕所吧？”

“不错。”

我把绿子领到新宿车站的收费厕所，她付了零币进去。我在小卖店买了份晚报，边看边等她出来。但左等右等硬是不出来。过了十五分钟，我有些担心，刚想去看看怎么回事，碰巧她终于走了出来，脸色有几分苍白。

“对不起，坐在那里迷迷糊糊睡着了。”绿子说。

“心情怎么样？”我边给她披外套边问。

“不大舒服。”

“送你回家。”我说，“回家慢慢洗个澡，睡上一觉就好了。你太累了。”

“回什么家！回家也空荡荡没人，我不愿意在那种地方一个人睡。”

“得得，”我说，“那怎么办？”

“在附近找家情人旅馆，进去和你抱在一起睡，一觉睡到大天亮。早上在那一带随便哪里吃顿饭，然后两人一道上学。”

“你叫我出来，一开始打的就这主意?”

“当然。”

“那么就不该叫我，叫他不就行了。怎么想都是叫他才地道，恋人的作用也就在这里。”

“但我想和你在一起。”

“这可不成。”我断然拒绝，“首先，十二点前我必须赶回宿舍，否则就犯了擅自夜不归宿之戒。以前闹过一次，啰嗦透了。第二，一旦同女孩子睡觉，我当然也想干的，我可不乐意憋得死去活来。说不定真的强行大动干戈。”

“莫非把我五花大绑了硬干?”

“我说，你别开玩笑好不好，这种事。”

“可我觉得孤单，孤单得要命。我也自知对不住你，什么也没给予，光是没完没了地对你指手划脚。又是叫你听我信口开河，又是找你出来，拉着你团团转。不过，能允许我这样做的人只有你一个。在以往二十年人生当中，我连一次、哪怕一次都没撒娇任性过。爸爸妈妈压根儿不理我这个碴儿，他也不是那种类型，我一任性一撒娇他就发脾气，吵得不欢而散。因此，这些话我只能跟你说。加上我现在的确筋疲力尽，实在想在夸我可爱夸我漂亮的甜言蜜语中睡一觉，别无他求。醒来以后就彻底来个精神焕发，再也不求你干这干那，绝对！一定做个非常乖的乖孩子。”

“可我还是不好办。”我说。

“求你了。要不然我就坐在这儿呜呜哭一晚上，谁向我第一个搭话，就跟谁睡去。”

事既至此，我只好给宿舍打电话叫出永泽，请他做点手脚，使我看起来像是已经归宿。

“和女孩子在一起呢。”我说。

“好好,此事我甘愿效劳。”他应道,“我把姓名卡巧妙地换在你‘在室’位置上,你尽管放心大胆地寻欢作乐,明早从我窗口爬进来。”

“太劳你费心了,实在谢谢。”说罢,我挂断电话。

“安排妥了?”绿子问。

“嗯,总算是。”我喟然长叹一声。

“那么,时间还早,去跳迪斯科吧。”

“你不是累了么?”

“既然这样就全然不在话下了。”

“瞧你瞧你!”我说。

果不其然,进舞厅跳迪斯科时,绿子似乎多少打起了精神。她喝了两杯威士忌和可口可乐,在舞池里一直跳到额头冒汗。

“痛快极了!”绿子在桌旁喘口气说,“许久没这么跳了。四肢一动起来,觉得精神也好像解放了。”

“你看起来总像是解放的嘛。”

“哎哟,没那事儿。”她微微一笑,歪了下脖子说,“这一来精神不要紧,肚子都折腾瘪了。不去吃点比萨饼?”

我把她领到我常去的一家比萨饼店,要了生啤和比萨饼。我并不怎么饿,十二块我只吃了四块,其余给绿子一扫而光。

“你恢复得可真够快的,刚才还脸色发青,东摇西晃。”我愕然说道。

“因为那些无理要求你都满足我了嘛,”绿子说,“心里的闷气也就跑得精光。不过这比萨饼还真挺够味儿。”

“我说,你家里真的谁也没有?”

“嗯，没有。姐姐不在，在朋友家住了。一个十足的胆小鬼，我要是不在，她不敢一个人睡在家里。”

“那就别去什么情人旅馆了。”我说，“去那种地方只落得一场空虚。还是去你家算了，我盖的被褥总该有吧?”

绿子略一沉吟，点头道：“也罢，那就到我家住。”

我们乘上山手线电车，来到大冢，抬起小林书店的卷闸门。门上贴了张纸，写着“暂停营业”。门大概好久都没打开过，昏暗的店内荡漾着一股旧报纸气味。书架有一半空空如也，杂志几乎全部打捆，准备退回，整个书店比第一次来时还要空荡凄凉，俨然一只被冲上岸的废船。

“书店不想再办下去了?”我试着问。

“决定卖掉。”绿子不无凄然地说，“卖了，我好和姐姐分钱。以后就独立生活，不用任何人保护。姐姐来年结婚，我再读三年大学——这点钱总卖得出来吧。另外我还打工。书店一旦脱手，我就和姐姐去哪里租间公寓，暂时两人过活。”

“店卖得掉?”

“差不多。有个熟人想要开店经营毛线，不久前还问过这里卖不卖。”绿子说，“可怜的父亲，玩命操劳一辈子，才弄了这么间小破店，借款也一点点还了，结果却几乎什么都没剩下，像泡沫一样消失啦。”

“你剩下了。”我说。

“我?”绿子觉得滑稽似的笑了笑，然后深深吸口气吐出。“到上面去吧，这儿冷。”

爬上二楼，她叫我坐在餐桌旁边，便去烧洗澡水。这时间里，我用水壶烧了水，倒进茶叶。洗澡水烧开之前，我和绿子隔着桌子，对坐饮茶。她手托着腮，目不转睛地在我脸上盯视良久。房间里除了钟的嘀嗒声和电冰箱恒温器时动时停的声响,其他什么也听不见。时针即将指向十二点。

“你这个人,细看起来,一张脸还蛮有味道的。”绿子说。

“是吗?”我有点不悦。

“我对人的长相已够挑剔的,但你这张脸,嗬,仔细看去,渐渐觉得跟你也未尝不可。”

“我自己有时也那么想——即使我也未尝不可。”

“嗳,我说话可能不大中听,我不善于用语言表达感情,时常被人误解。其实我想说的是:我喜欢你。刚才也说了吧?”

“说了。”

“就是说,我在一点点研究男人。”绿子拿来一盒万宝路香烟,吸上一支。“一开始一无所知,反倒能弄懂很多东西。”

“有可能。”我说。

“啊,对了,为我父亲上炷香好么?”

于是我跟在她后头,走到供奉亡灵的房间,上了炷香,合掌致意。

“我,前些天在父亲这张遗像前脱光来着,脱得一丝不挂,让他看个一清二楚。像做瑜伽功似的。”绿子说道。

“这又何苦?”我不无惊诧地问。

“反正就是想给他看看。我身体的一半不是父亲的精子么?给他看看也是正当的嘛:这就是你女儿!当然,也同醉意有关。”

“唔。”

“姐姐进来吓一大跳。也难怪,我正在父亲遗像前赤条条张开腿,无怪乎她吃惊。”

“啊,那自然。”

"这么着,我就向她解释用意:这是怎么怎么回事。我劝她也来我旁边脱光,一起给父亲开开眼,可她不干,吓得赶紧跑出去。这方面她相当保守。"

"是比较地道。"我说。

"嗳,渡边君,对我父亲你怎么看的?"

"在初次见面的人跟前,我一般都有些不知所措。但和他单独相处,却没觉得不自在,而感到相当愉快,说了好多话。"

"说什么来着?"

"欧里庇得斯。"

绿子笑得极其开心:"你这人也真逗,居然向一个初次见面的垂死挣扎的病人突然大谈什么欧里庇得斯,少见少见。"

"对着父亲遗像张开大腿的女儿也怕不多。"我说。

绿子哧哧笑了,然后摇了一下灵前小铃:

"爸爸,晚安。我俩这就寻欢作乐,您放心睡就是。不再痛苦了吧? 已经死了,应该不会痛苦。要是现在还痛苦的话,那就找上帝算账去,就说这也太和人过不去了。在天国里见到我妈,两人好好云雨去吧。接尿时看见你的小鸡鸡了,蛮神气的嘛。要干尽兴哟! 晚安!"

我们轮流洗过澡,换上睡衣。我借她父亲穿了没几次、差不多还是崭新的睡衣穿上,有点小,但总比没有强。绿子在摆着灵位的房间里摊开客用卧具。

"在灵位前不害怕?"绿子问。

"怕什么,又不干什么坏事。"我笑道。

"可以在旁边抱我,一直到我睡着?"

"可以。"

于是我倒在绿子那张小床边上，久久抱着她，好几次都险些跌下床去。绿子把鼻子贴着我的胸口，手搭在我腰部。我右手搂着她的背，左手抓住床沿，以免身体跌落。这种环境，实在难以激起亢奋。鼻子底下就是绿子的头，那剪得短短的秀发不时弄得我鼻端痒痒的。

“喂，喂喂，说点什么呀！”绿子把脸埋在我胸前说。

“说什么？”

“什么都行，只要我听着心里舒坦的。”

“可爱极了！”

“绿子，”她说，“要加上名字。”

“可爱极了，绿子。”我补充道。

“极了是怎么个程度？”

“山崩海枯那样可爱。”

绿子扬脸看看我：“你用词倒还不同凡响。”

“给你这么一说，我心里也暖融融的。”我笑道。

“来句更棒的。”

“最最喜欢你，绿子。”

“什么程度？”

“像喜欢春天的熊一样。”

“春天的熊？”绿子再次扬起脸，“什么春天的熊？”

“春天的原野里，你一个人正走着，对面走来一只可爱的小熊，浑身的毛活像天鹅绒，眼睛圆鼓鼓的。它这么对你说道：‘你好，小姐，和我一块儿打滚玩好么？’接着，你就和小熊抱在一起，顺着长满三叶草的山坡咕噜咕噜滚下去，整整玩了一大天。你说棒不棒？”

“太棒了。”

“我就这么喜欢你。”

绿子紧紧贴住我的胸口,“好上天了!”绿子说,“既然这么喜欢我,我说什么你都肯听?不生气?”

“当然。”

“那么,你能永远不嫌弃我?”

“那还用说。”说着,我抚摸起她像小男孩那般的又短又软的头发。“不要紧,放心,一切都会一帆风顺。”

“可我就是怕。”绿子说。

我温柔地搂住她的肩。不一会儿,她肩头开始有规律地上下抖动,响起睡熟的声音。于是我溜下床,去厨房取了瓶啤酒喝。由于全无睡意,想看本什么书。但四处查看一下,根本见不到书本样的东西。本想去绿子房间从书架上找一册来,又怕扑扑腾腾把她吵醒,只得作罢。

我便怔怔地喝啤酒。喝着喝着,我猛然想起:对了,这里是书店!我下楼拉开灯,在文库丛书架上找来找去。我想读的东西很少,大部分都已读过。但由于反正必须读点什么,便挑了一本书脊已经变色、似乎长期滞销的赫尔曼·黑塞的《在轮下》,把书钱放在电子收款机旁边。小林书店的库存至少可以因此减少一点。

我边喝啤酒,边对着厨房餐桌看《在轮下》。最初看这本书,还是刚上初中那年。就是说,时过八年,我又在一个少女家的厨房里,半夜穿着她亡父穿过的尺寸不够大的睡衣读同一本书。我总觉得有些鬼使神差,若非处在这种情况下,我恐怕一辈子都不至于重读什么《在轮下》。

可话又说回来,《在轮下》尽管有的地方未免过时,但仍不失为一本不错的小说。在这万籁俱寂的夜半厨房里,我自得其乐地一行行细读下去。搁物架上有一瓶落满灰尘的白兰地，我拿下来往咖啡杯里斟了一点。白兰地喝得我身上一阵暖和，但睡意却硬是不肯光顾。

时近三点，我去看了看绿子。她大概确实很累，正酣然大睡。窗外商店街上路灯的光亮宛如一派月华，给房间镀上了一层若明若暗的银辉。她以背光姿势睡着，身体仿佛冻僵一般一动不动。凑近耳前，只听见喘息声。我发觉那睡姿竟和她父亲一模一样。

床旁依然放着旅行包，白外套搭在椅背上。桌子拾掇得整整齐齐，桌前的墙上挂着木偶画月历。我拨开一点窗帘，俯视阒无人息的街道。所有的店都落着卷闸门，惟独酒店前排列的自动售货机瑟缩着身子静等黎明的来临。长途卡车胶轮的呻吟声时而滞重地摇颤一下周围的空气。我折回厨房，又喝了杯白兰地，继续读《在轮下》。

书读完时，天已开始放亮。我烧水冲了杯速溶咖啡，拿起圆珠笔在桌面便笺上写了几句：喝了些白兰地。《在轮下》我买了。天已放亮，我这就回去。再见。我踌躇一下，又补上一句："熟睡中的你非常可爱。"之后，我洗净咖啡杯，熄掉厨房灯，下楼悄悄抬起卷闸门，走出门外。我担心被附近的人发现招致怀疑，好在清早六点之前的街上尚无任何人通过，只有乌鸦照例蹲在房顶睥睨四周。我抬头望了一眼绿子房间那垂有粉红色布帘的窗口，往都营电车站走去，乘到终点下来，步行赶回宿舍。一家供应早餐的套餐店已经开了，我进去用了份热腾腾的米饭、酱汤和咸菜加煎蛋。之后绕到宿舍后院，轻声敲了敲一楼永泽房间的窗户。永泽马上开窗，我爬进他的房间。

"喝杯咖啡?"他问道。我说不要,谢过他后,回到自己房间。刷过牙,脱去裤子,钻进被窝狠狠闭上眼睛。少顷,那铅门一样沉重的无梦睡意便迎面压来。

※

我每周都给直子写信,直子也来了几封信,信都不很长。进入十一月后,直子信上说早晚渐渐冷了起来。

秋意的加深是与你返回东京同时开始的,因此我许久都捉摸不透自己心里仿佛出现一个大洞的感觉是由于你不在造成的,还是时令的更迭所致。我同玲子时常谈起你,她再三让我向你问好。玲子依然待我十分亲热。假如没有她,我恐怕很难忍受这里的生活。孤寂起来我就哭。玲子说能哭是好事。不过,孤寂这滋味着实不好受。每当孤寂难耐,晚间我就从黑暗中对各种各样的人说话,而那些人也同我交谈,其声如同夜风吹得树木飒飒作响。同木月和姐姐也往往这样对话。他们也同样感到寂寞,渴望得到说话的对象。

在寂寞而苦闷的夜晚,我时常反复读你的来信。外边来的东西大多使我惶惶不安,而你笔下的在你周围发生的一切却给我心灵以莫大慰藉。真是不可思议,为什么会这样呢?所以我翻来覆去地读,玲子也不知看了多少遍。两人还谈论里边的内容。信中写绿子父亲那部分我十分中意。对我们来说,你每周一次的来信是为数极少的娱乐之一——读信娱乐。它使我们在这里充满欢欣与期待。

我无时无刻不惦记着挤时间回信，但眼前一摊开信笺，情绪就总是消沉下去。这封信也是我拿出吃奶力气写的，因为玲子非叫我回信不可。但请你不要误解。其实我有满肚子话要告诉你，只是不能得心应手地写成文字。所以我非常害怕写信。

绿子那人看来很有趣。读罢那封信，我觉得她可能喜欢上了你。跟玲子一说，玲子说："那还不理所当然，连我都喜欢渡边。"我们每天采蘑菇拾栗子吃。栗子饭、松菇饭已经连续吃好久了，但还是吃不厌，香得很。玲子还像以往那样，吃得不多，一个劲儿吸烟。小鸟和小兔也都活蹦乱跳。再见。

※

过罢二十岁生日的第四天，接到直子寄来的邮包，里面是一件圆领紫色毛衣和一封信。

"祝你生日快乐。"直子写道，"祝你二十岁成为幸福的一年。我的二十岁看来势必在这凄凉光景中度过了，而你一定要活得幸福，把我那份也活出来，那样我才高兴，真的。这件毛衣是我和玲子织的，每人一半。织得好的那一半出自她的手，不好的那一半是我织的。玲子这人干什么都心灵手巧。在她面前，我时常自我厌恶得不行。我没有任何一点可以自豪的——哪怕一点。再见。保重身体。"

玲子也附了一封短信：

"好吗？对你来说，直子或许是至高无上的天使；而在我眼里，只不过是笨手笨脚的普通女孩。但不管怎样，总算把毛衣按时赶出来了。怎样，漂亮吧？颜色和式样是两人商定的。祝你生日快乐。"

第十章

一九六九年这一年,总是令我想起进退两难的泥沼——每迈一步都几乎把整只鞋陷掉那般的滞重而深沉的泥沼。而我就在这片泥沼中气喘吁吁地挪动脚步,前方一无所见,后面渺无来者,只有昏暗的泥沼无边无际地延展开去。

甚至时光都随着我的步调而流淌得十分吃力。身边的人早已经遥遥领先，惟独我和我的时间在泥沼中艰难地往来爬行。我四周的世界则面临一切沧桑巨变。约翰·科尔特兰①死了，还有很多人死了。人们在呼喊变革，仿佛变革正在席卷每个角落。然而这些无一不是虚构的毫无意义的背景画面而已。我则几乎没有抬头，日复一日地打发时光。在我眼里，只有漫无边际的泥沼。往前落下右脚，拔起左脚，再拔起右脚。我判断不出我位于何处，也不具有自己是在朝正确方向前进的信心。我之所以一步步挪动步履，只是因为我必须挪动，而无论去哪里。

我已年满二十。秋去冬来,而我的生活依然如故。我仍旧浑浑噩噩地到校上课,每周打三次零工,时而重读一回《了不起的盖茨比》,一到星期天就洗衣,给直子写长信。还时常同绿子相会,一起吃饭、逛动物园、看电影。出售小林书店的事进展顺利,她和姐姐在地铁茗荷谷站那里租了一套两个房间的公寓,两人共住。绿子说,姐姐结婚就搬出那里,去别处另租一间。我被叫去那里吃过一次午饭,见公寓很漂亮,光线又好,绿子也显得比在小林书店时快活开朗得多。

永泽几次找我出去玩,每次我都推说有事拒绝了。其实我只是嫌麻烦。当然并非不想同女孩睡觉,但想到在夜晚的街上喝酒、物色合适女孩、搭讪、进旅馆这一整套过程,便有些厌倦。而永泽却能不厌其烦其倦地坚持不懈,我对这小子不免重新生出几分敬畏。或许被初美开导过的关系,我也觉得与其同素不相识的无聊女孩睡觉,倒不如想直子更为惬意。直子的手指在草地上给我的感触,无比鲜明地留在我身上。

十二月初，我给直子写了封信，告诉她寒假想去探望，问可不可以。玲子写来回信，让我只管去，她俩翘首以待，热烈欢迎。信上还写道："直子眼下写信有所不便，由我代笔。但并不是说她的情况有什么不妙，别担心。只不过波浪般时起时伏罢了。"

学校一放假，我就打点行装，穿上雪靴，往京都进发。正如那位奇妙的医生说的，银装素裹的山景的确妖娆动人。我仍像上次那样在直子和玲子的房间住了两夜，度过同上次大同小异的三个白天。暮色降临，玲子便弹起吉他，三人一起聊天。白天没去郊游，而代之以越野滑雪。只消脚蹬滑雪板在山里奔波一小时，便累得上气不接下气，热汗淋漓。闲下来的时候，就去帮助大伙扫雪。姓宫田的那个医生又来我们餐桌，围绕"为什么手的中指比食指长，而脚趾则相反"的问题讲解了一通。守门的大村再次提起东京的猪肉。玲子对我这次代替礼物

---

① 科尔特兰(1926—1967),美国黑人爵士乐演奏家。

送给她的唱片大为高兴，把其中几支的乐谱写下来，用吉他弹奏一遍。

同秋天来时相比，直子沉默寡言多了。三人在一起时她几乎不开口，只是坐在沙发上甜甜地微笑，而由玲子替她说个不停。“别介意，”直子说，“正赶上这种时期。听你们说比我自己说有趣得多。”

玲子借口有事出门离开后，我和直子在床上抱在一起。我轻轻吻着她的脖颈、肩头和乳房。直子仍像上次那样用手指帮我疏导出去。之后我搂住直子，告诉她两个月来自己一直记着她手指的感触，并且一边想她一边自慰。

“没和其他任何人睡觉？”直子问。

“没有。”我答道。

“那好，它也记住了。”说着，她身体下滑，轻轻用嘴唇含住我那东西舔着。直子笔直的秀发垂在我的小腹上，随着她嘴唇的移动“刷刷”地摇晃着。于是我又来了第二次。

“能记住？”直子问道。

“当然能，永远记着。”我说。我搂过直子，把手指伸进内衣试了试那儿，但那儿是干的。直子摇摇头，拿开我的手。我们默默相抱了许久。

“这学年结束后，我想搬出宿舍，另找住处。”我说，“寄宿生活已经有点过腻了，再说生活费反正靠打工也总能维持。这样，可以的话，两人一同生活好么？上次我也说过。”

“谢谢。你这么说，我不知有多高兴。”

“我也认为这里并不坏，安安静静，环境也理想，玲子人又好，但终究不是久居之地。如想久居，这场所未免过于特殊。在这里住得越久，我想就越不容易动弹。”

直子一言未发，目光投向窗外。窗外惟见白雪皑皑，阴云沉沉，一身银装的大地同苍穹之间只有些许空隙。

“慢慢想一想。”我说，“反正我到三月才搬。只要你有意去我那里，什么时候都可以。”

直子点点头。我像端起一件容易损坏的玻璃工艺品那样，双臂轻轻抱住直子。她把胳膊搂在我脖子上。我赤身裸体，直子只穿一条小小的白色三角裤。直子的身段十分娇美，令人百看不厌。

“我为什么就不湿呢？”直子低声道，“我出现那种状态，真的只有那一回，只有二十岁生日那天，只有你抱我那个晚上。以后为什么就不行呢？”

“精神作用，时间一长自然会好的，不用性急。”

“我的问题全部是精神方面的。”直子说，“假如我一生都不湿，一辈子都性交不成，你也能一直喜欢我？你也能永远靠手和嘴唇忍耐？或者通过和别的女人睡觉来解决性欲问题？”

“从本质上讲，我这人属于乐天派。”我说。

直子欠身起床，把半袖衫从头上套进，穿上蓝色牛仔裤。我也穿上衣服。

“让我慢慢想想。”直子说，“你也好好考虑一下。”

“好。”我说，“你的嘴唇真够厉害。”

直子有点脸红，妩媚地笑了笑。“木月也这样说来着。”

“我和他不论想法还是爱好都不谋而合。”说完，我也笑了。

之后，我们在厨房餐桌上边喝咖啡边谈往事。她可以多少谈一点木月了，慢条斯理地斟酌着词句。雪下下停停，三天都没见到一次晴。分别时我告诉她：“我想三月份还会来的。”然后隔着厚厚的外套抱住她接了一吻。“再见！”直子说。

※

一九七〇年这一陌生年轮转来了，我的二十岁已彻底告终，踏入了新的沼泽地带。学年末有考试，我比较轻松地一一过关。因为别无他事，几乎天天到校，即使不特别用功，应付考试也是轻而易举的。

宿舍院内闹了几场纠纷。自成一派的一伙人把安全帽和铁棍藏在宿舍里，结果同管理主任豢养的体育会派系的学生短兵相接，两人受伤，六人被逐出宿舍。这一事件的余波所及，此后每天总有地方吵吵闹闹，宿舍院内始终笼罩着令人窒息的气氛，每个人的神经都绷得紧紧的。结果城门失火殃及池鱼，我也险些惨遭体育会派系学生的毒手，幸亏永泽居中调解，才免受皮肉之苦。总之，是到退出宿舍的时候了。

考试告一段落后，我开始认真物色住处。花了一周时间，总算在郊外吉祥寺那里找到了合适房间。交通虽有些不便，但难得的是单独一座房子，可谓捡来的便宜。一块莫大的地皮的一角，孤零零立着一座类似耳房或岗楼的小房，同正房之间隔着一片相当荒芜的宽阔庭园。房东走正门，我走后门，隐私也可得到保护。里面一个房间，一个小厨房和卫生间，还带一个大得异乎寻常的壁橱。窗口临院，居然还有檐廊。房东提的条件是：明年他孙子可能到东京来，届时得搬出才行。自然，房租也因此比时价便宜不少。房东是对看上去满和气的老夫妇，告诉我他们不会说三道四，只管随便就是。

搬家是永泽帮的忙。他不知从哪里借来一辆轻型卡车，并且履行诺言，把电冰箱、电视机和暖水瓶送给了我。这对我确实是宝贵的礼物。两天后，他也离开宿舍，迁往三田一座公寓。

“短时间怕不能见面了，多保重！”分手时他说，“不过以前我也说过，总觉得遥远的将来会在某个意外地方见到你的。”

“我期待着。”我说。

“对了，上次跟你调换的那个女孩，还是不漂亮的好。”

“同感同感。”我笑道，“另外，永泽君，你要好好待初美才是。一来那样好的人实在难遇，二来她感情其实很脆弱，光看表面不行。”

“噢，这我知道。”他点点头，“所以，说句实在话，最好的办法是继我之后你来接收初美。我想你们是会十分融洽的。”

“别开玩笑！”我不禁讶然。

“是玩笑。”永泽说，“反正好好干吧。困难不会少，但你这人也固执得可以，我想总会成功的。给你个忠告可以么？”

“请。”

“不要同情自己！”他说，“同情自己是卑劣懦夫干的勾当。”

“我一定牢记。”我说。然后我们握手分别。他奔往新的天地，我则退回自己的泥沼。

※

搬迁后三天，我给直子写信。我写了新居的式样，告诉她自己终于从乱糟糟的寄宿院里挣脱出来，从此再也不必受那些无聊家伙的无聊算盘的干扰。每当想到这点，我就觉得不胜欣喜和坦然，准备在此以新的心情开始新的生活。

窗外是一大片庭园，附近的猫们将其作为集会场所。我一得闲,就歪倒在檐廊中观望那些猫。具体多少只倒不甚清楚,反正数目相当之多,而且都在横躺竖卧地晒太阳。它们似乎不大欢迎我住在这所独房里,但我拿出几块吃剩下的干酪后,便有几只挪步上前,战战兢兢地吃了下去。说不定过几天就会同它们成为好朋友。其中有一只耳朵少了半边的花纹公猫,这家伙同我原来宿舍的管理主任相似得惊人,我真担心庭园里会马上有国旗升起。

距学校是远了些,但进入专业课程之后,早上的课大为减少,算不得什么大问题。而且可以在电车中悠然看书,因祸得福也未可知。最后就只剩下在吉祥寺附近找一份每周可干三四天而又不甚辛苦的零工了。到那一天,我就可以重返每天都要上发条的生活。

我并不想催你仓促做出决定,但春天毕竟是适合从头做事的季节,因此,如果我们能够从四月开始共同生活,我觉得恐怕再好不过。顺利的话,你还可以去大学复学。假如一起住有问题,也不妨在附近为你另找住处。总之最重要的是我们可以近在咫尺,朝夕相守。当然,也不是非在春季不可。如果你以为夏季合适,夏季也OK,没有问题。对此你是怎么想的——能来信告诉我么?

从现在开始,我打算好好找时间打一段工,得把搬迁费挣出来。一个人生活,各种开销相当不少。锅碗瓢盆也必须一应俱全。但三月份有时间,一定前去看你。请告诉我合适日期好么?届时也想去一趟京都。我是多么希望同你见面啊!等待你的来信。

此后两三天时间，我在吉祥寺街上一件件买来杂货，开始在家里做简单的饭菜，另外从附近木材店里买了木料，请其锯好，做了一张学习用桌，吃饭也暂且用它。还做了个碗橱，买齐了调味品。一只半岁左右的白毛母猫已和我混熟，开始在我这儿吃饭。我给这猫取了个名字，叫“海鸥”。

如此安顿下来后，我上街在油漆店找了份工，整整当了两个星期油漆店的帮手。工钱自是不错，但活也十分了得。脑袋给稀释剂熏得昏昏沉沉。收工后在专售套餐的小饮食店吃顿晚饭，喝罢啤酒，回家逗猫玩，而后便死一般睡去。两周过后也没接到直子的回音。

涂油漆的时间里我陡然想起绿子。想来我差不多有三个星期没同绿子联系了，连搬家都没通知她，只有一次我说准备换个地方住，她说了声“是吗”，便再无下文。

我钻进公共电话亭，拨动绿子公寓的电话号码。一个大概是她姐姐的人接的，我道过姓名，对方叫我稍等一下。但怎么等也不见绿子的动静。

“喂喂，绿子大发脾气，说不想同你说话。”估计是她姐姐的人说，“你搬家时连一声都没告诉她吧？也没说去向就无影无踪，直到现在，是吧？弄得她火气冲天。那孩子一旦发火，就很难平息，和动物一样。”

“我解释一下，请她出来好么？”

“她说懒得听什么解释。”

“那我就现在解释几句，请你转告一声，转告绿子。”

“不嘛，我。”想必是她姐姐的人不胜厌恶地说，“这种事你自己解释去。你是男子汉吧？自己做事自己当！”

没奈何，我道了谢，挂断电话，旋即心想也难怪绿子恼火。自己为搬家、安顿新居以及干活赚钱忙得晕头转向，早已把什么绿子抛在脑后。别说绿子，连直子也几乎不曾想起。我过去就有这毛病——一旦对什么入了迷，周围的一切便视而不见。

我还想，假如反过来绿子一声不响地搬去哪里而一连三周都不打招呼，我又会是什么感觉呢？恐怕也难免伤感情，而且会伤得不浅。因为，尽管我们不是情侣关系，但在某些地方却比情侣还要相互引以为知己，想到这里，我觉得胸口一阵堵塞。我十分不愿意无谓地伤别人的心，尤其是难得的人的心。

下工回来，我趴在新桌子上给绿子写信。我如实写了自己的想法。免去辩护和解释，而请其原谅自己的粗心大意和麻木不仁。我写道："非常想见你，希望来参观一下我的新居。请回信。"然后贴上速递邮票，投进信筒。

然而左等右等，仍然杳无音信。

真是个奇妙的初春。整个春假期间我都在苦苦等信，既未旅行，又没探亲，也没能打工，因为我不知直子什么时候来信——那封写有希望我何时前去看她的信。白天，我去吉祥寺街里看连映两场的电影，或在爵士酒吧里看半天书。不见任何人，几乎不向任何人开口。每周给直子写一封信，信里我也不触及回信的事，因为我不愿意使她着急。我写在油漆店打工，写"海鸥"，写庭园里的桃花，写豆腐铺热心肠的老婆婆和蔬菜店奸诈的老太婆，写我每天如何做饭。但依然不见回音。

看书看腻、音乐也听腻的时候，便一点一点修整庭园。我从房东那里借来扫帚、铁耙、垃圾铲和修树剪，拔去杂草，把长得乱蓬蓬的树丛修剪整齐。只消稍一动手，庭园就漂亮不少。每次我做这事，房东都叫我过去喝茶。我坐在正房的檐廊里，和他喝茶，吃又硬又脆又薄的饼干，谈天说地。他说他退休以后，在保险公司当了一段时间干部，两年前这个也辞去，在家悠然度日。房地产是祖传，子女都已独立，即使什么不干也能无忧无虑地安度晚年，因此夫妇两人时常外出旅游。

"真好。"我说。

"不好不好，"他说，"旅游简直没意思，还是去工作好得多。"

他说，这庭园之所以任其荒芜，是因为附近没有像样的园艺匠。本该他自己动手一点点修整，但近来鼻子过敏症严重起来，拔不得蒿草。我说原来是这样。喝完茶，他让我看了看贮藏室，说也算不上酬谢，反正这里边全是用不着的东西，如果有我想用的，尽管拿去用就是。贮藏室里的确满满地堆着形形色色的什物，从洗澡桶、小孩浴盆到垒球棒，应有尽有。我找出一辆旧自行车、一张不大的餐桌、两把椅子、一面镜子和一把吉他，对他说如果可以就借这些用用。他说喜欢什么只管用。

我花了一天时间把自行车的锈去掉，抹上油，给轮胎充气，调好齿轮，请自行车店把联轴节和车条更新。这一来，整个自行车焕然一新，如同换了一辆。至于餐桌，我把灰擦得一干二净，重新涂上清漆。吉他嘛，把旧弦全部换成新的，用黏合剂把几欲开裂的板粘住，还用钢丝刷把锈一古脑儿除净，螺丝也校正一番。吉他虽不高级，但发出的音大致还算准确。想来，自高中毕业以后我还是头一次摸吉他。我坐在檐廊中，一边回忆往日练过的德里夫塔兹的《爬到天台上》，一边缓缓弹着，居然还记得基本指法。

之后，我用余下的木料做了个信箱，涂上红漆，写上名字，竖在门前。而投入的邮件，直到四月三日，只有一张转递来的高中同窗会的通知。其他东西还好，惟独这东西我不愿接触，因为那是我和木月所在的同窗会。我当即扔进了废纸篓。

四月四日的下午，信箱里终于出现了一封信。是玲子来的，信封后面写有石田玲子的名字。我用剪刀整齐地剪去封口，坐在檐廊里读起来。一开始我就有预感，估计内容可能不妙，一读果真如此。

信的开头，玲子对这么晚才回信表示歉意。她写道，直子始终在为写回信而竭尽全力，但无论如何也写不出来。玲子几次提议由她代笔，以免延误。但直子坚持说这属于私事，一定要自己写。于是拖到现在，以致让我担心受怕，要我原谅。

> 一个月来，想必你在苦苦盼望回信。对直子来说，这一个月也非同小可。请你谅解她。坦率地说，她眼下的情况不甚理想。她总想通过自身的努力重新站起来，但目前尚未出现预期效果。
>
> 回想起来，她最初的征兆反映在写不好信上，这是从十一月末或十二月初开始的。继而便一点点出现幻听。每当她提笔写信，便觉得有很多人向她说话，干扰她遣词造句。不过直到你第二次来访，这种症状还比较轻微，老实说，我也没有认真对待。对我们来说，这一症状在某种程度上是属于周期性的。然而自从你回去后，便变得相当严重了。现在，她连日常交谈都觉得困难，找不出词句。因此直子眼下心里非常混乱，而且有恐怖感，幻听也日渐加重。
>
> 我们每天都同专科医生碰头。直子、我，加上医生，三个人一边天南海北地闲聊，一边试图准确地找出她头脑中出故障的部分。我提议说，如果可能，最好把

你也加进这碰头会里，医生也表示赞成，但直子反对。按她的说法，理由是“见面就要以完美的面目出现”。我劝她说问题不在那里，而是要争分夺秒地恢复健康，但她不肯改变想法。

记得以前就对你说过，这里并非专科医院。诚然，也有不错的专科医生，治疗也有效，但集中性治疗是有难度的。这个机构的目的在于为患者自我医疗创造良好的环境，准确说来，并不包括医学上的治疗。因此，倘若直子的病情进一步恶化，恐怕势必要转去别的医院或医疗机构。作为我也很难过，但终究爱莫能助。当然，纵令那样，也可能以短期治疗——“出差”为由重返这里。如果治疗得顺利，说不定能直接从那边痊愈出院。不管怎样，我们是在全力以赴，直子也在全力以赴。请你祝愿她早日康复，并且一如既往地写信来。

石田玲子

三月三十一日

读罢信，我仍坐在檐廊不动，望着已经春意盎然的庭园，园里有株古樱，花开得几近盛开怒放。微风轻拂，光影斑驳，而花色却异常黯然。稍顷，“海鸥”不知从何处走来，在檐廊地板上“嚓嚓”搔了几下爪子，便挨在我身旁怡然自得地伸腰酣睡。

我打算思考点什么，又不知思考什么好。说老实话，我什么都懒得思考。我想那不得不思考的时刻恐怕不久就将来临，届时再慢慢思考也不为迟。**至少现在**什么都不想思考。

我在檐廊里一边抚摸“海鸥”，一边背靠柱子整整望了一天庭园。我觉得身上的力气已经完全消失。下午过去，黄昏来临，继而隐隐泛青的夜色笼罩了院落。“海鸥”早已不见踪影。我又开始观看樱花。在我眼里，春夜里的樱花，宛如从开裂的皮肤中鼓胀出来的烂肉，整个院子都充满烂肉那甜腻而沉闷的腐臭气味。我转而想起直子的裸体。直子娇美的裸体横陈在夜色之中，无数植物的嫩芽从其肌肤中争相萌出，在天外来风的吹拂下，鲜绿的幼芽轻轻摇颤不止。我想，那般巧夺天工的肢体为什么非生病不可呢？他们为什么不肯放直子一条生路呢？

我走进屋子，拉合窗帘。天地间无所不在的春日馨香在屋内也荡漾着，但现在使我联想起来的却惟有腐臭。我在窗帘拉得严严实实的屋子里狠狠地诅咒春天，诅咒春天给我带来的创伤——它使我心灵深处隐隐作痛。生来至今，如此深恶痛绝地诅咒一种东西还是第一次。

此后三天时间里，我过得非常奇特，简直就像在海底行走一样。谁向我说话我都充耳不闻，我向别人说话对方也不明所云。我觉得自己周身仿佛紧紧贴上了一层薄膜。由于薄膜的关系，我无法同外界相融无间，而同时**他们**的手也无从触及我的皮肤。我本身固然软弱无力，然而只要我处于这种状态，他们在我面前也同样无能为力。

我靠着墙壁眼望天花板出神，肚子饿了就嚼一点随手摸得到的东西，喝口水，悲戚起来就喝杯威士忌睡觉。既不洗澡，又不刮须。如此过了三天。

四月六日绿子来了封信，信上说四月十日去登记选课，届时要我在学校前院等她一同吃午饭。她说：“拖这么久才回信，这样也就彼此彼此了，还是和解吧。因为见不到你，毕竟感到寂寞。”这封信我反复看了四遍，还是不解其意。这信意味着什么呢，到底？脑袋麻木得不行，无法准确把握上下句之间的关联。为什么在“登记选课”那天同她相见就是“彼此彼此”？为什么她要同我“吃午饭”？我不由怀疑：恐怕连我的脑袋也正在变得莫名其妙。神志濒于瓦解，如同暗室植物的根须一样蓬蓬松松。不能这样！我在昏沉沉的脑袋里想道。不能永远这样下去，必须振作起来！“不要同情自己，”我猛然记起永泽的话，“同情自己是卑劣懦夫干的勾当。”

真有你的，永泽，你是好样的！我长吁一声，欠身站起。

三天来我第一次洗衣服，去澡堂洗澡刮胡子，打扫房间，买来东西，做顿像样的饭菜吃了，又喂了饿瘪肚子的“海鸥”，喝些啤酒，这回只喝啤酒，接着做了三十分钟体操。刮胡子时我对镜一看，才发现瘦得两腮全陷了下去，两眼倒是光亮得出奇，活像别人的面孔。

第二天早上，我骑自行车兜了一圈风，回家吃罢午饭，把玲子的信重新读了一遍，然后冷静思考往下该怎么办。我之所以从玲子信中受到沉重打击，根本原因在于我那种以为直子日趋好转的乐观估计一瞬间归于破灭。其实直子本人已说她的病根很深，玲子也说过不知会发生什么情况。只是我两次去见直子，得到的印象都是她正在恢复，便以为惟一的问题无非是使她重新鼓起回归现实生活的勇气，认为只要她重鼓勇气，我们两人就能齐心合力地顺利步入坦途。

岂料，我这座构筑在脆弱的假设基础上的幻想之城，由于玲子的一封信而顷刻间土崩瓦解，剩下的惟有死气沉沉的平板地基。我现在必须设法使自己重新站稳。直子的再度恢复也许要花很长时间，而且纵使恢复了，她恐怕也要比以前更衰颓虚弱，更没有信心。而我必须使自己适应这种新的局面。当然也不是我坚强起来就能一切都迎刃而解，这我心里清楚。但不管怎样，我现在能做的只有提高自己的士气，只有耐心等待她的康复。

喂,木月！我和你不同,我决心活下去,而且要力所能及地好好活下去。你想必很痛苦,但我也不轻松,不骗你。这也是你留下直子死去造成的！但我绝不抛弃她,因为我喜欢她,我比她顽强,并将变得愈发顽强,变得成熟,变成大人——此外我别无选择。这以前我本想如果可能的话,最好永远十七、十八,但现在我不那样想。我已不是十几岁的少年,我已感到自己肩上的责任。喂,木月,我已不再是同你在一起时的我,我已经二十岁了！我必须为我的继续生存付出相应的代价！

“喂,怎么搞的,渡边君?”绿子说,“怎么瘦得这么厉害?”

“是吗?”

“干过火了吧,和那个有夫之妇?”

我笑着摇摇头:“去年十月初到现在,一次都没和女人睡过觉。”

绿子吹了声嘶哑的口哨:“半年都没干**那个**？当真?”

“真的。”

“那——为什么这么瘦?”

“成大人了嘛。”我说。

绿子扳住我的双肩,定定地逼视我的眼睛,皱了会眉头,接着莞尔一笑道:“不错,确实有点变化,同以前相比。”

“成大人了嘛。”

“你这人可真行！居然会这样想。”她不无感叹地说道,“吃饭去,肚子瘪了吧?”

我们去文学院后面一家小饭馆吃饭。我点了当天搭配好的便餐，她也没有异议。

"嗳，渡边君，还生气？"绿子问。

"生什么气？"

"就是对我报复你不给你回信的事。那样不好吧，你认为？本来你都正式道歉了。"

"怪我不对，有什么办法。"我说。

"姐姐劝我别那么做，说我太斤斤计较，太要小孩子脾气。"

"不过这回心里总算痛快了吧，报复完后？"

"嗯。"

"那不就行了。"

"你真够宽宏大量的。"绿子说，"渡边君，你真的半年都没干那个？"

"没有。"我回答。

"那么，上次你陪我睡觉时是很想很想干的吧？"

"噢，大概是吧。"

"可干嘛没干？"

"你现在是我最宝贵的朋友，我不愿意失去你。"我说。

"当时你要是死乞白赖，我恐怕很难拒绝的，那时候简直都瘫痪了。"她浅浅地一笑，手温柔地放在我手腕上："我，那之前就已决定相信你，百分之百地。所以即使那时候我都能放心大胆地只管睡。心想和你在一起不要紧，用不着担心。睡得很香吧，我？"

"嗯，的确。"

"假如你不是那样，而是对我说：'喂，绿子，和我干吧，那样一切都会好起来的，和我干！'我说不定就真的干了。不过，你可别因为我这么说就认为我勾引你，挑逗你，我只是想把我感觉到的毫无保留地告诉你。”

“知道。”我说。

我俩边吃饭，边交换看了选课登记卡，发现有两门课我们都选了，就是说每周可以同她见面两次。接下去，她谈了自己的生活，说她姐姐好长时间都过不惯公寓生活，因为同她以往的人生相比着实可谓养尊处优，而她们早已习惯同时护理病人和给店里帮忙那种每天忙得团团转的生活。

“不过，近来她终于转过弯来了。”绿子说，“说我们自身的生活本来就该是这个样子，无须顾忌谁，尽情舒展手脚就是。但我们还是感到心神不定，就像身体离开地面两三厘米似的，总觉得是在做梦，觉得现实中不可能存在如此快活的人生，而肯定马上就会掉到苦海里去，弄得两人紧张得很。”

“好一对苦命姐妹。”我笑道。

“过去太残酷了。”绿子说，“也罢，往后我们狠狠地捞回来。”

“哦，你俩怕是做得到的。”我说，“你姐姐每天做什么？”

“她的一个朋友最近在表参道附近开了一家首饰店，她每周去帮三次忙。其余时间就学做菜，或同未婚夫幽会，再不就看电影、发呆，总之在享受人生乐趣。”

她打听我的新生活。我讲了房间的配置，宽阔的庭园，叫“海鸥”的猫，以及房东等等。

“有意思？”

“不坏。”我说。

“可就是没精神。”

“可惜了大好春光。”

“可惜还穿着她给织的漂亮毛衣。”

我吃了一惊，看了看自己身上的紫色毛衣："你怎么会知道?"

"你这人真算老实。那肯定是挖苦你的嘛!"绿子意外似的说道，"干嘛没精神?"

"我倒想拿出精神来。"

"你把人生当做饼干罐就可以了。"

我摇了几下头，看着绿子的脸说："可能是我脑筋迟钝的关系，有时捉摸不透你说的什么。"

"饼干罐不是装有各种各样的饼干，喜欢的和不大喜欢的都在里面吗? 如果先一个劲儿挑你喜欢的吃，那么剩下的就全是不大喜欢的。每次遇到麻烦我就总这样想：先把这个应付过去，往下就好办了。人生就是饼干罐。"

"倒也是一种哲理。"

"不过这可是实实在在的，是我从切身体会里学得的。"绿子说。

正喝咖啡时，闯进两个绿子同学模样的女孩，和绿子交换看了选课登记卡，随即东拉西扯起来，什么去年德语成绩如何，什么在学潮冲突中你受伤了，什么这双鞋不错在哪里买的。在似听非听的时间里，我竟觉得那些话仿佛是从地球背面传来的。我边喝咖啡边观望窗外景致。校园春景一如往年：天空迷濛，樱花开放，一眼即可看出是新生的男男女女抱着新书在路上走动。如此观望之间，神思又有点恍惚起来。我想起今年仍不能返回大学的直子，转眼又看见窗台上放着一个小玻璃杯，插有一枝金凤花。

两个女孩道声"回头见"返回自己座位后，我和绿子走出店，在街上散步。我们转了家旧书店，买了几本书，又进饮食店喝了杯咖啡，然后去娱乐厅玩了一会弹球游戏，接着坐在公园长凳上说话。差不多都是绿子一人唱独角戏，我哼哈作答。绿子说口渴，我去附近糕点铺买来两罐可乐。那时间里她用圆珠笔在稿纸上“刷刷”写着什么。我问写什么，她答说没写什么。

三点半时，她说得赶紧回去，讲好和姐姐在银座会面。我们步行到地铁站，在那里分手，她把那张稿纸一叠四折塞进我外套口袋，叫我到家后再看，而我是在电车中看的。

恕我免去客套。

这封信是在你去买可乐的时候写的。给同一条凳子的人写信，在我还是初次。但不这样做，似乎很难把我想说的传达给你，因为无论我说什么你几乎都听不进去，是吧？

嗯，你可知道？今天你做了一件十分使我伤心的事：你甚至没有注意到我发型的变化吧？我辛辛苦苦一点点把头发留长，好不容易在上周末把发型变得像个女孩模样，可你连这点都未察觉吧？我自以为十分可爱，加之久未见面，本想吓你一跳，然而你根本**无动于衷**，这岂不太跟人过不去？反正你现在恐怕连我穿什么衣服都记不起来了。我也是个女孩！你就是再有心事要想，也多少该正眼看我一下才是。只消说上一句“好可爱的发型”，往下无论你做什么，哪怕再心事重重，我都会原谅你。

所以，我现在向你说谎，什么要同姐姐在银座会面，全是谎话。本来我打算今天住在你那里，睡衣都带在身上。**是的**，挎包里装有睡衣和牙具。哈哈哈，傻瓜似的。但你偏偏不肯邀我去你住处。不过也好,既然你不把我放在心上而似乎乐得一人孤独,那么就让你孤独去,去绞尽脑汁想各种事情,想个彻底!

不过这也并非说我对你有多么恼火。我仅仅是感到寂寞。因为你对我没少热情关照,而我却一次也没为你效力。你总是蜷缩在你自己的世界里,而我却一个劲儿"咚咚"敲门,一个劲儿叫你。于是你悄悄抬一下眼皮,又即刻恢复原状。

现在你手拿可乐回来了,一副边走边沉思的样子,我恨不得你跌一跤才解气,可你并未跌跤。你正坐在旁边,"咕嘟咕嘟"喝可乐。买可乐回来时,我还期待你注意到我的发型,说上一句"嗬,发型变了嘛",结果还是落空了。假如你注意到,我会把这封信撕得粉碎,说:"喂,去你那里好了,给你做一顿香喷喷的晚饭,然后和和气气地一起睡觉。"但你像一块铁板似的麻木不仁。再见。

附记:

下次在教室见面不要打招呼。

我从吉祥寺站往绿子公寓打了次电话,没人接。由于没有特别要做的事,我便在吉祥寺街头转来转去,想物色一份能够边上学边做的临时工。我是周六周日两天空闲,周一周三周四可以从五点开始,但同这张时间表完全吻合的工作找起来谈何容易。我泄了气,走回住所。买晚间吃的东西时顺便又给绿子打了次电话,是她姐姐接的,说绿子尚未回来,什么时候回来也不清楚。我道过谢,放下听筒。

晚饭后，想给绿子写信，但反复写了几次都没写好，最后给直子写了一封。

我写道："春回大地，新的学年开始了。不得相见，实在怅惘莫名。我很想见你，同你说话，无论通过什么形式都可以。但不管怎样，我都决心自强不息，此外别无他路可走。

"此外，这是我自身的问题，也许对你无关紧要——我没有同任何人睡觉。因我不愿忘记你接触我时留下的感觉。对我来说，那比你想的还要重要。我经常追忆当时的情形。"

我把信装入信封，贴上邮票，坐在桌前盯着看了半天。这封信虽说比以往简短得多，但我自忖这样反倒能更好地传情达意。我往杯里倒了三厘米高的威士忌，喝了两口，栽倒睡觉。

※

第二天，我在吉祥寺站附近找了份只周六周日去两次的临时工，是在一家不大的意大利风味餐馆当侍应生，条件虽一般，但供应午餐，还给交通费。周一周三周四休晚班时——他们经常休息——我来代替上班也可以，作为我可谓求之不得。店主还说，做满三个月后，给提一次工资，并希望这个周六就开始。同新宿唱片店那个不三不四的店长相比，这位男子看起来相当老实厚道。

我给绿子公寓打去电话，还是绿子的姐姐出来接，用疲倦的声音告诉我绿子从昨天到现在一直没回家，她自己也想知道绿子去了哪里，问我知不知道线索。我知道的只是绿子挎包里装有睡衣和牙具。

星期三上课时，我见到了绿子。她穿一件类似艾蒿色的毛衣，戴一副夏季常戴的深色太阳镜，坐在最后一排，同以前见过一次面的戴眼镜的小个子女孩说话。我走过去，对绿子说课后有话说。戴眼镜的女孩先看看我，随即绿子也看看我。绿子的头发较之以前，那样式的确相当带有女性的风韵，显得成熟不少。

"我，有约会的。"绿子略微歪起脖颈说。

"不占你多少时间，五分钟就行。"

绿子摘下太阳镜，眯细眼睛，眼神活像在眺望对面一百米开外一座行将倒塌的报废房屋："我不想说，对不起。"

眼镜女孩看着我，仿佛在说：人家说不想同你说话，对不起。

我在最前排的右端坐下，开始听课（讲的是田纳西·威廉姆斯戏剧的总论及其在美国文学中的地位）。课讲完时，我慢慢数罢一二三向后看去——绿子已不见人影了。

对于只身独处的人来说，四月实在是不胜凄寂的时节。四月里，周围的人无不显得满面春风。人们脱去外套，在明媚的阳光下或聊天，或练习棒球，或卿卿我我。我却孑然一身，形影相吊。直子也好，绿子也好，永泽也好，所有的人都远远离我而去。现在的我，连问一声"早安"或"你好"的人都没有。甚至对敢死队我都有些怀念。我就这样在无可排遣的孤独中送走了四月。向绿子打了好几次招呼，但得到的总是一个回答。她说她现在不想对话，听那声调，知道她也的确没这心思。她差不多都是同那个眼镜女孩在一起，此外便是同短头发的高个子男生结伴。那男生腿长得出奇，经常穿一双白球鞋。

四月过去，轮来五月。五月比四月还要难以打发。刚交五月，我就不能不感到自己的心开始在阑珊的春日中摇颤。这种摇颤大体在薄暮时分袭来。在浮动着玉兰花淡淡幽香的苍茫暮色里，自己的心开始无端地膨胀、颤抖、摇摆、针刺般地痛。这时我便紧闭双目、咬紧牙关，等待这番袭击的过去，而这要花很长时间，之后还留下丝丝隐痛。

每当这时我就给直子写信。在给直子的信中，我只写得意的事项、愉快的感受和美好的际遇，只写芳草的清香、春风的怡然和月光的皎洁，只写看过的电影、喜欢的歌谣和动心的读物。写罢反复阅读之间，我本身竟也得到了慰藉，心想自己所生活的世界是何等美妙绝伦！这样的信我给直子去了好几次，但无论直子还是玲子都没回音。

在打工的餐馆里我认识了另一个打工的学生，姓伊东，和我同龄，两人不时攀谈。他在美术大学读油画专业，是个沉默寡言的老实人，为了使他说话，我花了相当一段时间。他也喜欢看书听音乐，我们的话题差不多都是这些。伊东身材颀长，容貌潇洒，就当时的美大学生而言，他头发算是短的，衣着利落整洁。言语尽管不多，但情趣和思想都很地道可取。他喜欢法国文学，尤其喜欢读邦达和巴雷斯，音乐喜欢听莫扎特和拉威尔，并且和我一样在寻求有共同语言的朋友。

他在其住处招待过我一次。那是井头公园后面一幢式样别致的平房公寓，房间里堆满了画架和画布之类。我说想看看画，他说不好意思，没让我看。我们喝他从他父亲那里悄悄拿来的高级威士忌，用陶炉烧柳叶鱼来吃，听罗贝尔·卡萨德施演奏的莫扎特的钢琴协奏曲。

他是从长崎来的，故乡有个恋人，每次回长崎都同她睡觉。

他说近来关系有点儿别扭。

“这你大致明白吧，女孩的勾当嘛！”他说，“一上二十或二十一岁，就急着具体考虑很多事情，陡然变得现实起来。结果，原本觉得非常可爱的地方也平庸得叫人不快。一见我面——大多是在干完那事之后，就问我大学毕业出来怎么办。”

“怎么办？”我问。

他边嚼柳叶鱼边摇头：“怎么办？怎么也办不了，一个学油画的学生！要是想到怎么办，有谁还会跑来学什么油画。不说别的，从这种地方出来连吃饭都没有着落。我这么一说，她就央求我回长崎当美术教师。她打算当英语老师。活活要命！”

“那么说你已经不大喜欢她喽？”

“呃——恐怕是。”伊东承认道，“再说，我没心思当什么美术教师，不愿意教那些像群吵吵闹闹上蹿下跳的猴子似的调皮鬼初中生，不愿意那样了此一生。”

“说到底，还是同她分手为好吧？对双方来说。”

“我也那样想。但说不出口，张不开嘴。因为她是打定主意同我结合的，我怎么好说：分开吧，我已看不上你了呢！”

我们没有加冰块，干喝威士忌。柳叶鱼吃完后，便把黄瓜和芹菜切成长条，蘸酱油嚼起来。“咔嚓咔嚓”嚼黄瓜的时间里，我不由想起绿子的父亲，痛切地感到失去绿子的生活对我是何等枯燥无味。不知不觉地，她的存在已在我心目中急剧膨胀起来。

“你有恋人？”伊东问。

“有是有。”我吁口气回答，“但由于某种原因，现在天各一方。”

“但心情是相通的吧？”

“但愿如此，否则如何活得下去。”我半开玩笑地说。

随后，他语气沉静地谈起莫扎特的伟大。如同乡下人对山路了如指掌一样，他对莫扎特音乐的伟大之处十分谙熟。他说他父亲喜欢听，他从三岁开始就一直听。我对古典音乐所知无多，但在一边听他充满感情而恰到好处的点评——“听，这个地方……”“如何，这里……”——一边倾听莫扎特协奏曲的时间里，一种久违了的怡适舒展的心情不觉油然而生。我们望着井头公园树林上方浮出的一弯新月，把那瓶高级威士忌喝到最后一滴。好香醇的酒！

伊东叫我住下，我说还有点事，谢过他招待的威士忌，九点前离开了他的住所。归途中，我进电话亭给绿子打电话，这回居然是她本人接的。

“对不起，现在不想同你说话。”绿子说。

“这我知道，不知听过多少遍了。但我不想就这样中断同你的关系。你确实是我屈指可数的朋友之一，见不到你实在憋得难受。到什么时候才能和你说话？只告诉我这点也好。”

“由我来打招呼，到那时候。”

“活得可好？”

“凑合。”说着，她放下听筒。

五月中旬，玲子来了封信。

谢谢你时常来信。直子看了非常高兴。我也看了，我看也可以吧？

好久未能写信，请多原谅。实不相瞒，一来我有点感到疲劳，二来也没什么可喜的消息。直子的情况还是不怎么好。前几天她母亲从神户来，加上专科医生和我，四个人议论来议论去，最后一致同意转去专科医院集中治疗一段时间，然后再酌情决定是否返回这里。直子说如果可能，她想一直在此医疗，作为我也觉得离开她寂寞，而且放心不下。不过坦率说来，她已经渐渐不容易控制了。平素倒没有什么需要特别注意的，但有时候情绪变得非常不稳定，那种时候身边就离不开人，因为不知道会发生什么。直子的幻听已十分严重，她拒绝接受一切，把自己完全封闭起来。

所以，我认为直子还是暂时转院为好，去合适的地方接受治疗。这固然遗憾，但别无他法。以前我也对你说过，对待这件事最好的办法就是耐心，不放弃希望，把相互纠缠的线索一一理出头绪。无论事态看上去多么令人悲观，也必定在某处有突破口可寻。倘若周围一团漆黑，那就只能静等眼睛习惯黑暗。

这封信寄到你手头的时候，直子该已经转去那家医院了。拖这么久才告诉你，觉得抱歉得很，但这一切都是仓促忙乱之间定下的。新医院是一家有定评的医院，条件很好，也有高明的医生。地址写在下面，请往那边写信。我这边也会得到直子的情况，届时再告诉你，但愿有好消息可写。想必你很难过，但不要灰心。直子不在以后，仍希望能给我写信来——即使不经常也好。再见。

这年春天我着实写了好多信。每周给直子写一封，给玲子也写，还给绿子写了几封。在大学教室里写，在家把“海鸥”放在膝头伏在桌子上写，间歇时对着意大利餐馆的餐桌写，简直就像要通过写信来把我几欲分崩离析的生活好歹维系在一起。

“由于不能同你说话，我送走了十分凄楚而寂寞的四月和五月。”我在给绿子的信中写道，“如此凄楚寂寞的春天我还是第一次体会到。早知这样，让二月连续重复三次有多好。现在对你说这话我想为时已晚——那新发型的确对你非常合适，非常可爱。眼下我在一家意大利餐馆打工，从厨师那里学会了做意大利面条，十分好吃，很想几天内请你品尝一次。”

我每天去学校，每周在意大利餐馆打两三次工，同伊东谈论书和音乐，从他手里借来几本巴雷斯看，写信，同“海鸥”玩，做意大利面条，整理庭园，边想直子边自慰，一场接一场看电影。

绿子向我搭话是六月快过完一半的时候。两人足有两个月没开口了。上完课，绿子来我邻座坐下，手托下巴，半天没有吭声。窗外雨下个不停。这是梅雨时节特有的雨，没有一丝风，雨帘垂直落下，一切都被淋得湿漉漉的。其他同学全部离开教室后，绿子也还是以那副姿势默然不动。一会儿，她从棉布上衣袋里掏出万宝路衔在嘴上，把火柴递给我。我擦燃一根给她点上。绿子圆圆地噘起嘴唇，把烟缓缓喷在我脸上。

“喜欢我的发型？”

“好得不得了。”

“如何好法？”

“好得全世界森林里的树统统倒在地上。”

“真那样想？”

“真那样想。”

她注视着我的脸，良久，把右手伸出。我握住它。看上去她比我还要如释重负。绿子把烟灰抖落在地板上，倏地起身立起。

“吃饭去吧,前胸贴后背了。”绿子说。

“去哪儿?”

“日本桥高岛屋商店的餐厅。”

“干嘛特意去那种地方?”

“隔些日子我就想去一次那里。”

于是我们乘地铁来到日本桥。也许从早上就开始下雨的关系,商店里空空荡荡,没有几个人影。整个店内充溢着雨的气味,店员也因无所事事而显出无聊的神情。我们走到设在地下室的餐厅,细细看了一遍陈列的样品,两人都决定吃盒饭。虽是午饭时间,但餐厅里人并不挤。

“在商店的餐厅吃饭,这可是相隔好久的事了。”我一边说一边端起几乎只有在商店餐厅才能见到的光溜溜的白瓷茶杯,喝了一口。

“我喜欢这样。”绿子说,“觉得好像做了一件特殊事情。这大概同小时候的记忆有关,小时候很少很少由大人领着逛商店。”

“我倒好像常逛,我妈喜欢逛商店的。”

“真好。”

“也谈不上好不好,我本来不乐意去什么商店。”

“不是那个意思。我说的好是指在大人关怀下长大。”

“噢,独生子嘛!”我说。

“小时候我就想好了,长大后一定一个人来商店餐厅饱饱吃上一顿。”绿子说,“不过也够无聊的,独自在这种地方草草地吃顿饭,哪里能有什么意思。既不是特别好吃的东西,又乱哄哄的让人心烦意乱,空气又糟,光是地方宽敞。但我还是时常想来这里。”

“这两个月好难熬啊！”我说。

“从你信上知道了。”绿子面无表情地应道，“反正先吃饭吧，除此以外我现在考虑不了别的。”

我们把半圆形饭盒里的东西一扫而光，喝了汤，饮了茶。绿子吸了支烟，吸罢，一言不发地迅速立起，拿伞在手。我也随之欠身，拿起伞。

“这回去哪里？”我问。

“来商店餐厅吃完饭，往下当然是去天台喽！”绿子说。

雨中的天台一个人也没有。宠物用品专柜看不见售货员，小卖部和乘用物售票处也都落着卷闸门。我们撑着伞，在湿漉漉的木马、花木架、摊床之间散步。东京的闹市区中心居然有此等荒凉的场所，我有些意外。绿子说要看望远镜，我投进一枚硬币，她看的时候我为她撑伞。

天台角落里有一小块带凉棚的娱乐场，摆着几台儿童游戏机。我和绿子在里边一个歇脚凳模样的矮台上坐下，观望雨景。

“说点什么呀！”绿子说，“总该有话说吧，你？”

“我并不想为自己辩护，不过上次我确实心绪很糟，头脑木木的，对好多事都心不在焉。”我说，“但见不到你后我才深深意识到——只因有你，我才得以好歹坚持到现在。而失去你之后，我实在孤独得好苦。”

“可你不知道吧，渡边君？由于不得见你，这两个月我是多么寂寞，度日如年。”

“不知道，没想到。”我惊讶地说，“我以为你生我的气，所以才不想见我。”

“你这人脑袋怎么这么简单？我肯定想见你的嘛！我不是说过喜欢你的吗？我并不会随随便便喜欢上一个人，或轻而易举抛弃一个人。这点你还看不出来?”

“那当然是那样……”

“不错,我是生你气来着,恨不得狠狠踢你一百八十脚。还不是,好久才见一次面,你却呆愣愣地只顾想别的女人,看都不愿看我一眼,我就是生这个气。不过另一方面我一直在想,恐怕还是同你分开一段时间为好,即使为了把事情弄清楚。”

“事情?”

“就是我同你的关系。具体说来,我已经渐渐觉得同你在一起更有意思,较之同他相处。你不认为这无论如何都不合情理、都有欠稳妥?当然我是喜欢他。虽然他多少有点固执、偏激,有点法西斯,但优点也多的是,而且一开始我也是经认真考虑才喜欢他的。但是,对我来说,你这人总像有些与众不同。和你在一起,我感觉再称心如意不过。我信赖你,喜爱你,不愿放弃你。一句话,自己对自己都逐渐没了主意。这样,我就去他那里开诚布公地商量,看如何是好。他叫我别再找你,说如果再找你就得同他一刀两断。”

“那怎么办了?”

“和他断交了,利利索索的。”说着,绿子把一支“万宝路”衔在嘴上,用手拢着划火柴点燃,猛猛吸了一口。

“为什么?”

“为什么?”绿子吼道,“你脑袋是不是不正常?又懂英语假定形,又能解数列,又会读马克思,这一点为什么就不明白?为什么还要问?为什么非得叫女孩子开口?还不是因为我喜欢你超过喜欢他吗?我本来也很想爱上一个更英俊的男孩,但没办法,就是看中了你。”

我想说句什么,但喉头似乎有什么东西堵着,一时未能出口。

绿子把烟扔进水洼:"喂喂,别阴沉着脸,叫我看着难受。你放心,知道你另有心上人,我什么都不指望。不过抱一抱我总可以吧? 这两个月我也真熬得够呛!"

我们在娱乐场后头撑着伞抱在一起。身体紧紧贴住,嘴唇急切切合拢。她的头发、她的棉布牛仔夹克的领口都发出一股雨的气味。我不由想:少女的身体是何等柔软,何等温暖! 隔着一层夹克衫,我胸口明显感到了她的乳房,觉得自己确实好久都未曾接触如此充满生机的肉体了。

"上次和你见面那天的晚上,我就跟他讲了,就此各奔东西。"绿子说。

"我非常喜欢你。"我说,"打心眼里喜欢,不想再撒手。问题是现在毫无办法,进退两难。"

"因为那个人?"

我点点头。

"嗯,告诉我,和她睡过?"

"只一次,一年前。"

"那以后再没见面?"

"见了两次,但没干。"我说。

"那又为什么? 她不是喜欢你吗?"

"无可奉告。"我说,"情况极为复杂,千头万绪,而且由于天长日久,实情都渐渐变得模糊不清,不论对我还是对她。我所知道的,只是一种责任,作为某种人的责任,并且我不能放弃这种责任。起码现在我是这样感觉的,纵使她并不爱我。"

"我可是有血有肉的活生生的女孩,"绿子把脸颊擦在我脖颈上说,"而且现在就在你的怀抱里表白说喜欢你。只要你一声令下，赴汤蹈火都在所不惜。虽然我多少有蛮不讲理的地方，但心地善良正直，勤快能干，脸蛋也相当俊俏，乳房形状也够好看，饭菜做得又好，父亲的遗产也办了信托存款，你还不以为这是大拍卖？你要是不买，我不久就到别处去。”

“需要时间。”我说，“需要思考、归纳、判断的时间。我也觉得对不起你，但现在只能说到这里。”

“但你是喜欢我，是不想再撒手吧？”

“那当然是的。”

绿子离开我的身子，嫣然一笑，看着我的脸。“那好，我等你，因为我相信你。”她说，“只是，要我时就只要我，抱我时就得只想我。明白我说的意思？”

“明明白白。”

“还有，你对我怎么样都可以，但千万别做伤感情的事。在过去的生活里我已经被伤害得够厉害了，不想再受下去，我要活得快活些。”

我搂过绿子，吻着她。

“还不快把那破伞放下，拿两只胳膊紧紧抱住！”她说。

“放下伞不淋成落汤鸡了？”

“管它什么落汤鸡！求你现在什么也别想，只管死死抱住我。我都整整忍耐两个月了。”

我把伞放在脚下，顶着雨把绿子紧紧搂在怀中。惟有车轮碾过高速公路的沉闷回响仿佛缥缈的雾霭一般笼罩着我们。雨无声无息、执着地下个不停，我们的头发已被彻底淋透，雨滴如同泪珠一般顺颊而下，她的棉布牛仔夹克和我的黄色尼龙风衣全被染成了深色。

“到能避雨的地方去吧？”我说。

“去我家！家里谁也不在。这样非伤风不可。”

“百分之百。”

“瞧，咱俩活像从河里游过来的。”绿子边笑边说，“痛快！”

我们在毛巾柜台买了条大号毛巾，轮流进洗手间擦干头发，之后乘地铁来到她在茗荷谷的公寓。绿子马上让我淋浴，然后她才进去。我穿上她借给我的浴衣，等待衣服干透。她自己换上马球衫和裙子。两人在厨房餐桌喝咖啡。

“讲讲你的事。”绿子说。

“我的什么事？”

“呃……你讨厌什么？”

“讨厌鸡肉、性病和饶舌的理发匠。”

“此外？”

“四月孤独的夜晚和镶花边的电话机罩。”

“此外？”

我摇摇头：“再想不起特别的。”

“我的他——以前那个他——讨厌的东西多得很。例如我穿超短裙啦，吸烟啦，每喝必醉啦，口出脏话啦，讲他朋友不好啦……所以，如果在我身上有你讨厌的，尽管提出。能改的我改就是。”

“没有什么。”我想了一会说，“什么也没有。”

“真的？”

“你穿的我都喜欢，你做的说的，你的走路姿势，你的醉态我统统喜欢。”

“这样下去真的可以？”

“也不知道让你怎么改好，索性就这样好了。”

“喜欢我喜欢到什么程度？”绿子问。

“整个世界森林里的老虎全都融化成黄油。”

“嗯——”绿子略显满足，“能再抱我一次？”

我和绿子在她房间的床上相抱而卧。我们边听滴雨声边在被窝里亲嘴，接着从世界的构成一直谈到煮鸡蛋的软硬度，简直无所不谈。

“下雨天蚂蚁到底干什么呢？”绿子问。

“不知道，”我说，“估计是打扫洞穴或整理贮藏物什么的吧。蚂蚁很勤快。”

“那么勤快为什么还不进化，为什么从古至今一直是蚂蚁？”

“说不清。大概身体结构不适合进化——同猿猴相比。”

“想不到你也有这么多一问三不知。”绿子说，“我还以为渡边其人大凡世事无所不通咧！”

“世界大无边。”

“山高海又深。”说罢，绿子把手伸进我的浴衣下摆握住那勃起的东西，然后倒吸了一口凉气，“喂，渡边，可别见怪，老实说真的不成。这么大这么硬！”

“开玩笑吧？”我叹息一声。

“是玩笑。”绿子哧哧笑着，“不要紧，放心好了。这个尺寸的完全进得去。喂，细看看可好？”

“随便你。”我说。

绿子缩进被里，摆弄了好半天，翻翻包皮，用手掌掂掂分量，然后从被窝探出头来，吁了口气。

“可我十分十分中意你这玩艺儿，不是奉承你。”

“谢谢。”我老实道谢。

“可是你不想和我干吧？在各种事情弄清之前？”

“不至于不想干吧，”我说，“想得都快发神经了。但又不能干。”

“死脑筋！我要是你就一干为快。干完再考虑不迟。”

“真那样做？”

“骗你。”绿子小声道，“我也不会干的，我想，我要是你同样不会干的。我就喜欢你这种地方，真的好喜欢。”

“怎么个喜欢法儿？”我问。

她没有回答，而是紧紧地贴住我，嘴唇吻在我乳头上，握着那东西的手开始在下边缓缓地动。我的第一个反应就是她手的动作和直子相当不同。两者都充满温存，妙不可言，然而总有地方相异，使我觉得是在经受迥然不同的另一种体验。

“喂，渡边君，又在想别的女人吧？”

“没想。”我撒谎道。

“真的？”

“真的。”

“这种时候可不许你想别的女人。”

“想不成的。”我说。

“想碰碰我的胸脯或那地方？”绿子问。

“想的，但还是不碰的好。一次搞许多名堂，刺激太强了。”

绿子点点头，在被子里窸窸窣窣脱了内裤，对准我那东西：“排在这里。”

“要弄脏的。”

“人家眼泪都要出来了，别说蠢话。”绿子带着哭腔说，“洗洗就完了。别假客气啦，想排就排吧。要是过意不去，就买新的当礼物送我。要不，你是不中意我才排不出？”

“没的话。”我说。

“那就排吧，没关系，排吧。”

我排完后，她检查了那摊东西。“上面都沾满了呢，”她不无钦佩地说。

“太多了？”

“没关系，不怎么多。傻子，尽管排好啦。”绿子笑着和我接吻。

傍晚时分，绿子去附近买东西，做了晚饭。我们坐在厨房餐桌旁，喝啤酒吃炸虾，最后是吃青豆饭。

“吃得饱饱的，造得多多的。”绿子说，“我替你好好排放出去。”

“多谢。”

“我嘛，知道好多好多方法。开书店时从妇女杂志上学来的。跟你说，妇女怀孕时干不成那事，为了使丈夫那期间不在外头胡搞，就搜集各种各样的处理办法。也确实有很多方式。感兴趣？”

“感兴趣。”我说。

离开绿子后，我乘上电车回家。在车中我打开一份从车站买来的晚报。但我还沉浸在思考中，一行也读不下去，读了也不知所云。我目不转睛地盯着报纸莫名其妙的版面，继续思索以后自己将何去何从，我周围的环境将出现何种变化。我不时感到世界的脉搏在我身旁突突悸动不已。我喟然长叹，旋即合上双目。对于今天一整天的所作所为，我丝毫不觉后悔，倘若能再过一次今天，我深信也必然故伎重演——仍在雨中天台上拥抱绿子，仍被淋成落汤鸡，仍在她床上被其手指疏导出去。对此我不存任何疑问。我喜欢绿子。她肯重新投入我的怀抱，使我感到乐不可支。若同她结为伴侣，想必能相安无事。而且正如她自己所说，她是个有血有肉的女孩，那热乎乎的身体就在自己的怀中。作为我，何尝不想把绿子剥得精光，分开下肢进到其温暖的缝隙中去——为克制这种强烈的冲动，我不知做了多大努力。当她握住我那件东西的手指缓缓移动的时候，我实在不能加以制止。我渴求她，她也渴求我，我们已经在相爱。有谁能控止得住呢？是的，我是爱绿子，这点恐怕更早些时候就已了然于心，只不过自己长期回避做出结论而已。

问题在于我无法很好地向直子解释这种局面的发展。若在其他时期倒也罢了，而对眼下的直子，我根本不可能说我已喜欢上了别的女孩。更何况我仍在爱着直子，尽管爱的方式在某一过程中被扭曲得难以思议，但我对直子的爱却是毋庸置疑的，我在自己心田中为直子保留了相当一片未曾被人染指的园地。

我所能做的，就是向玲子写一封毫无保留的信。我回到住处，坐在檐廊里，眼望夜幕笼罩下的雨中庭园，头脑中推出几行词句。于是我开始伏案直书："我不能不向您写这封信——这封对我来说万般痛苦的信。"写罢开头，我大致叙述了我同绿子迄今为止的关系，以及今天两人间发生的事。

我爱过直子，如今仍同样爱她。但我同绿子之间存在的东西带有某种决定性，在她面前我感到一股难以抗拒的力量，并且恍惚觉得自己势必随波逐流，被迅速冲往遥远的前方。在直子身上，我感到的是娴静典雅而澄澈莹洁的爱，而绿子方面则截然相反——它是立体的，在行走在呼吸在跳动，在摇撼我的身心。我心乱如麻，不知所措。这绝非自我开脱，我自以为生来至今始终以诚为本，对任何人也未曾文过饰非，时刻小心不误伤任何人，然而到头来自己反被抛入这迷宫般的境地，我全然不知何以如此。我到底应怎么办呢？这点我只能同您商量，此外别无他人。

我贴上速递邮票，当天夜里就把信投进了邮筒。

玲子的信的到来是此后第六天。

恕不客套。

首先报告好消息。

直子好转得听说比预想的快。我和她通过一次电话，听起来她说话已清楚多了。很可能短期内返回这里。

其次是关于你的。

依我之见，你大可不必把许多事情想得那么严重，爱上一个人是难得的好事，倘若那爱情是真诚的，谁也不至于被抛入迷宫，要有自信。

我的建议非常简单。第一，如果你被叫绿子的那个人所强烈吸引，你同她坠入情网便是理所当然的。这或许一帆风顺，也可能一波三折。所谓恋爱本来就是这么回事。一旦坠入情网，一切听之任之或许不失为自然之举。我是这样想的，这也是一种真诚的表现形式。

第二，至于你是否同绿子发生性关系，这纯属你自身的问题，我不便表态。最好同绿子畅所欲言，以得出可以接受的结论。

第三，此事请瞒着直子。如果到了非对她挑明不可的地步，届时再由你我两人考虑万全之策。所以你暂时不要透露给那孩子，交给我处理好了。

第四，过去你在很大程度上是直子的精神支柱。即使你不再对她怀有作为恋人的感情，你能为直子做的事也应当还有很多。所以，你不必把一切都看得那么严重。我们(这里的我们是对正常人和不正常人统而言之的总称)是生息在不健全世界上的不健全的人，不可能用尺子测量长度或用分度器测量角度、如同银行存款那样毫厘不爽地生活，对吧？

就我个人感情而言，绿子倒像是个非常可贵的女孩。你为她倾心这点，从信上也看得一清二楚；而你对直子的一片痴情，我也了然于心。这并非什么罪过，只不过是大千世界里司空见惯之事。在风和日丽的天气里荡舟于美丽的湖面，我们会既觉得蓝天迷人，又深感湖水多娇——二者同一道理。不必那么苦恼。纵令听其自然，世事的长河也还是要流往其应流的方向，而即使再竭尽人力，该受伤害的人也无由幸免。所谓人生便是如此。这样说未免大言不惭——你也差不多到了学习这种人生方式的年龄。有时候你太急于将人生纳入自己的轨道。假如你不想进精神病院，就要心胸豁达地委身于生活的河流。就连我这样孱弱而不健全的女人，有时都觉得人生是多么美好。真的！所以，你也务必加倍追求幸福，为追求幸福而努力。

当然我很遗憾，遗憾未能得以参加你同直子的喜庆婚礼。然而归根结蒂，又有哪个人能明白什么算是喜庆呢！因此你无须顾忌谁，若你认为可以获得幸福，那就及时抓住机会！以我的经验来看，人的一生中这种机会只有两三回，一旦失之交臂，一辈子都将追悔莫及。

我每天都在没有任何听众的情况下弹吉他，这的确有点百无聊赖。也不愿过下雨的黑夜。真想什么时候再次在有你和直子的房间里边吃葡萄边弹吉他！

就此搁笔。

石田玲子

六月十七日

第十一章

直子死了以后,玲子仍给我来了几封信。信上说那既非我的责任,也不是某人的责任,而是如同天要下雨,不是任何人所能制止的。但对此我没有回信。我能说什么呢?况且毕竟已经无可挽回了。直子已不在这个世上,已经化为一抔灰烬。

八月末参加完直子凄凉的葬礼返回东京,我告诉房东自己准备离开一段时间,请他们照看一下,并跑去打工的餐馆,说暂时来不成了。然后,我给绿子写了封短信:现在一言难尽,希望稍待时日,请谅。此后三天时间里,我挨家进电影院,从早看到晚,大凡东京上映的影片统统看了一遍。尔后收拾好旅行背囊,提出所有的银行存款,去新宿站乘上第一眼看到的特快列车。

至于去了什么地方以及如何去的,我全然无法记起。风景、气氛和声响记得真真切切,而地点却忘得干干净净。连顺序也忘了。我乘上火车或公共汽车,或搭坐路上所遇卡车的助手席,一个城镇接一个城镇地穿行不止。如果有空地有车站有公园有河边有海岸,及其他凡是可以睡觉的场所,我不问哪里,铺上睡袋便睡。也有时央求睡在派出所里,有时睡在墓地旁。只要是不影响通行而又可以放心熟睡的地方,我便肆无忌惮地大睡特睡。我将风尘仆仆的身体裹在睡袋里,咕嘟咕嘟喝几口低档威士忌,马上昏睡过去。遇到热情好客的小镇,人们便为我端来饭菜;而若是人情淡薄的地方,人们便喊来警察把我逐出公园。对我来说,好也罢坏也罢,怎么都无所谓。我所寻求的不过是在陌生的城镇睡个安稳觉而已。

手头吃紧时,我就出三四天苦力赚一点现钱。无论哪里总有些苦力可做。我并无特定目的地,只是逐一在城镇中穿行不止。世界广阔无边,到处充满怪异的现象和奇妙的人们。我给绿子打过一次电话,因为实在渴望听到她的声音。

"喂喂,学校早都开学了。"绿子说,"提交听课报告的家伙都有好些个了。你怎么搞的,到底?整整三个星期音信全无。在哪里?干什么呢?"

"对不起,现在不能返京,还不能。"

"你要说的就这个?"

"现在一言难尽,有口难言。等到十月……"

绿子一言不发,"砰"一声挂断电话。

我继续旅行,时而住进廉价旅店,洗个澡,刮刮胡须。一次对镜看去,发现我的嘴脸甚是丑恶。由于风吹日晒,皮肤粗糙不堪,双眼下陷,两腮深凹,而且有来历不明的污垢和擦伤,活像刚刚从黑洞深处爬出来,但仔细端详,确是自家嘴脸无疑。

当时我行走的是山阴海岸,鸟取或兵库的北海岸即在这一带。沿海岸赶路还是轻松的,因为沙滩上肯定找得到惬意的睡眠场所,并且可以捡来被海水冲上岸的木柴升起篝火,从鱼店买来干鱼烤熟了吃。我还打开威士忌,一面谛听涛声一边怀念直子。真是奇怪——她已经死了,已经不在这个世界。我无论如何也不能理解这一事实,无论如何也不能相信。我甚至亲耳听到了钉棺盖的叮当声,却无论如何也不能接受她已魂归九泉这一事实。

她给我留下的记忆实在过于鲜明了。她轻轻地吻我，头发垂落在我的小腹——那光景至今仍历历在目。我还记得她的温情和喘息，以及一泄而出后无可排遣的感伤。这一切就像五分钟前刚刚发生过一样，仿佛直子就在身边，伸手即可触及她的肢体。然而她已经不在了，已经不存在于这世界的任何一个地方。

在辗转反侧的不眠之夜，我想起直子的种种音容笑貌，不容我不想起。因为我心里关于直子的记忆堆积如山，只要稍稍开启一点缝隙，它们便争先恐后，鼓涌而出，而我根本无法遏止其突发的攻势。

我想起直子在晨雨中身穿雨衣清扫鸟舍和手拿鸟饵口袋的情景，想起坏了半边的生日蛋糕，想起那天夜里浸湿我衬衣的泪水。是的，那天也是个雨夜。冬日来临，她身穿驼绒大衣在我身旁移动步履。她总是戴一个发卡，总是用手摸它，而且总是用晶莹明澈的眸子凝视我的眼睛。她身披一件蓝色睡衣，在沙发上抱膝而坐，下颏搭在膝头。

就是这样，直子的形象如同汹涌而来的潮水向我联翩袭来，将我的身体冲往奇妙的地带。在这奇妙地带里，我同死者共同生活。直子也在这里活着，同我交谈，同我拥抱。在这个地方，所谓死，并非是使生完结的决定性因素，而仅仅是构成生的众多因素之一。直子在这里仍在含有死的前提下继续生存，并且对我这样说："不要紧，渡边君，那不过是一死罢了，别介意。"

在这样的地方，我感觉不出悲哀为何物。因为死是死，直子是直子。"瞧，这有什么，我不是在这里吗？"直子羞涩地笑着说道。她这一如往日的平平常常的一言一行，使我顿感释然，心绪平和如初。于是我这样想道：如果说这就是所谓死，则死并不坏。"是啊，死有什么大不了的。"直子说，"死单单是死罢了。再说我在这里觉得非常快活。”直子在浊浪轰鸣的间歇里这样告诉我。

但为时不久，潮水退去，我一个人剩在沙滩上。我四肢无力，欲走不能，任凭悲哀变成深重的夜幕将自己合拢。每当这时，我时常独自哭泣——与其说是哭泣，莫如说任由浑似汗珠的泪珠不由自主地涟涟而下。

木月死时，我从他的死中学到一个道理，并将其作为大彻大悟的人生真谛铭刻或力图铭刻在心。那便是：

“死并非生的对立面，死潜伏在我们的生之中。”

实际也是如此。我们通过生而同时培育了死，但这仅仅是我们必须懂得的哲理的一小部分。而直子的死还使我明白：无论谙熟怎样的哲理，也无以消除所爱之人的死带来的悲哀。无论怎样的哲理，怎样的真诚，怎样的坚韧，怎样的柔情，也无以排遣这种悲哀。我们惟一能做到的，就是从这片悲哀中挣脱出来，并从中领悟某种哲理。而领悟后的任何哲理，在继之而来的意外悲哀面前，又是那样软弱无力——我形影相吊地倾听这暗夜的涛声和风鸣，日复一日地如此冥思苦索。我喝光了几瓶威士忌，啃着面包，喝着水筒里的水，满头沙子，背负旅行背囊，踏着初秋的海岸不断西行、西行。

一个秋风阵阵的傍晚，我正躲在废船阴影里裹着睡袋满面流泪的时候，一个年轻的渔夫走来，递给我一支烟。我足有十个月未曾吸烟，便接过吸了一口。他问我为什么哭，我几乎条件反射地谎称母亲死了，所以悲伤得四处游荡。他打内心同情我，从家里拿来一瓶清酒和两只杯子。

在风声呼啸的海滩，两人举杯对饮。渔夫说他十六岁死了母亲，说他母亲尽管身体不太结实，却从早到晚拼命劳作，结果积劳成疾，死了。我边喝酒边心不在焉听他说着，哼哈应付一两声。在我听来，那些事仿佛发生在遥不可及的世界里。这何足为奇！我不由陡然一阵心头火起，恨不得狠狠掐住这家伙的脖子。你母亲算什么？你说！我失去了直子，那般完美无瑕的肉体从地球上彻底消失了！而你却在啰啰嗦嗦地大谈什么你母亲！

但这股怒气旋即烟消云散。我合上眼睛，似听非听地茫然听着渔夫没头没脑的话。过一会儿，他问我吃了饭没有。我回答吃是没吃，但背囊里有面包、干奶酪、西红柿和巧克力。他问午间吃了什么，我说吃了面包、干奶酪、西红柿和巧克力。他于是叫我在这里等候，起身走开。我想劝阻，但他头也不回地倏忽隐没在黑暗中了。

没奈何，我便一人独饮。沙滩上满是烟花屑，海浪大发雷霆，轰隆隆猛扑上来，在岸边摔得粉碎。一条瘦骨嶙峋的狗摇着尾巴跑近，围着我燃起的篝火摇头晃脑转了几圈，寻找可吃的东西，发现一无所有，失望地走开了。

过了三十多分钟，刚才那位年轻渔夫手提两个寿司饭盒和一瓶新酒折回来。“这个吃掉！”他说，“下面的是紫菜饭卷和油炸豆腐，明天再用。”他拿起一升装酒瓶，把酒倒进自己杯里，给我的杯子也斟了。我谢过他，一个人吃了足够两人吃的寿司。随后两人喝起酒来，喝到不能再喝下去的时候，他叫我去他家住，我推说自己一个人睡在这里更好，他没再硬劝。临分手时，他从衣袋里掏出一张四折的五千元钞票，塞进我衬衣兜里，叫我买点什么营养品吃，说我脸色难看得很。我谢绝说已经承蒙如此款待，哪里还能再要钱，但他执意不收回，说这不是钱，是他的心意，叫我别多想，拿着就是。我只好道谢收下。

渔夫走后，我蓦地记起高三时第一次睡过的女友，在她身上，自己做得何等残酷！想到这点，我心里感到一阵冰冷，无可救药的冰冷。我几乎从未思考过她会作何想法，有何感受，以及心灵受何刺激。甚至至今都未好好想过她一下。其实她是个非常温柔的女孩，只是当时我将那种温柔视为理所当然的东西，丝毫未加珍惜。她现在做什么呢？能够原谅我么？

我心里难受得不行，吃下去的一口吐在废船旁边，由于酒喝过了量，脑袋开始作痛。加之对渔夫扯谎，还拿了他的钱，心情更觉恶劣。我想差不多该是返京的时候了。总不能长此以往，无尽无休。我卷起睡袋塞进背囊，扛着朝国营铁路车站走去，问站务员现在回东京应如何乘车，他查了时刻表，告诉说若能碰巧赶上夜行车，翌日一早即可抵大阪，再从那里转乘新干线去东京。我道声谢谢，用渔夫送给的五千元钞票买了去东京的车票。候车时间里，我买份报纸看了眼日期：一九七〇年十月二日。就是说我正好连续旅行了一个月。我想，这回横竖得重返现实世界了。

一个月的旅行并未使我的情绪豁然开朗，也没有缓解直子的死给我的打击。我以同一个月前几无变化的心境返回东京，甚至连给绿子打电话都不可能。我不知到底应怎样对她开口。我能说什么呢？一切都过去了，和你两人幸福地生活吧——这样说合适吗？我当然不能说这样的话。但不管怎样去说，也无论采取怎样的说法，最终应说的事实惟有一个：直子死了，绿子剩下。直子已化为白色的骨灰，绿子作为活生生的人存留下来。

我觉得自己似乎是个污秽不堪的人。返京以后，我仍然一个人在房间里闷了好几天。我为直子准备的房间下着百叶窗，家具盖着白布，窗棂薄薄落了一层灰。我在这样的房间里度过了每一天的大部分时间。我想起了木月。喂，木月，你终于把直子弄到手了！也罢，她原本就属于你的。说到底，恐怕那里才是她应去的地方。在这个百孔千疮的生者世界上，我对直子已尽了我所能尽的最大努力，并为了同直子共同走上新的人生之途而付出了心血。不过也没关系，木月，还是把直子归还给你吧，想必直子选择的也是你。她在如同她内心世界一般昏黑的森林深处勒紧了自己的脖子。我说木月，过去你曾把我的一部分拽进死者世界，如今直子又把我的另一部分拖到同一境地。有时我觉得自己似乎成了博物馆管理人——在连一个参观者也没有的空荡荡的博物馆里，我为我自己本身负责着那里的管理。

※

回京第四天，接到玲子的信。信封上贴着快信邮票，内容极简单："一直未同你联系，十分放心不下。望打电话来。早上九点和晚上九点我在以下电话号码的电话机前等候。"

晚间九点，我拨通信上的电话号码，玲子马上拿起听筒。

"还好？"她问。

"凑合活着。"我说。

"喂，后天去见你可以么？"

"见我？来东京？"

"嗯，是啊。想和你单独好好叙谈叙谈。"

"那么说要从那里出来了，你？"

"不出来怎么能去见你！"她说，"也该到出来的时候了。一待整整八年，再不出来就烂在里面喽。”

我一时应对不上，略为沉吟了一下。

“后天乘新干线去，三点二十分到东京站，能去接我？我的模样还记得？或者说直子死后对我再没一点兴致了？”

“哪里。”我说，“后天三点二十分去东京站接你。”

“马上认得出来：拿着吉他的半老徐娘除我恐怕没第二个。”

果不其然，在东京站我很快认出了玲子。她身穿男式粗花呢夹克、白西裤，脚上一双红运动鞋。头发依然很短，而且三三五五地冲刺而出，左手提着装在黑壳里的吉他。一望见我，她刷地扭动脸上的皱纹，绽开笑容。看到玲子这张脸，我也不由得微笑起来。我拎过她的旅行包，两人并肩走到中央线站台。

“哦，渡边君，什么时候变成这么一副狰狞面目？还是说东京近来流行狰狞面目？”

“旅行了一段时间，又没吃什么像样的东西。”我说，“新干线如何？”

“一塌糊涂。窗户也不开，途中本想买盒饭来着。简直倒透霉。”

“车厢里有过来卖东西的吧？”

“你指的是又贵又难吃的三明治？那玩艺儿连快饿死的马都咽不下。以前我喜欢在御殿场买鲷鱼饭来吃。”

“那么说话，要把你当成老太婆的。”

“那好，原本就是老太婆嘛！”

在去吉祥寺的电车上，她好奇地凝望着窗外武藏野的风光。

“相隔八年连风光也变样了？”我问。

“渡边君，你知道我现在是怎样的心情？”

“不知道。”

“又惊又怕，又怕又惊，简直要发疯似的。真不知如何是好，一个人被抛到这种地方来。”玲子说，“不过，你不觉得‘简直要发疯似的’这个说法很妙？”

我笑着握住她的手：“不怕，你一点不用担心，再说你是靠自己的力量出来的。”

“我从那里出来靠的不是自己力量。”玲子说，“我所以能离开那里，是托直子和你的福。一来直子不在以后，我已经无法忍耐独自留在那种场所的寂寞；二来有必要来东京找你好好谈一次。所以才离开那里。如果没有这两点，我说不定要在那里过一辈子。”

我点点头。

“往后怎么办呢？”

“去旭川，嗯，旭川！”她说，“音乐大学时代的一位好友在旭川办了一间音乐教室，两三年前就劝我去帮忙，我没答应，说懒得去那么冷的地方。可你知道，好歹成了自由之身以后，除了旭川，还想不出其他落脚处。那地方怕不会像是失手弄出来的大陷坑吧？”

“没那么恐怖。”我笑道，“去过一次，小镇不坏，挺有情调的。”

“真的？”

“不假，比在东京好，肯定。”

“反正没其他地方可去，行李都寄过去了。”她说，“渡边君，还能找时间去旭川玩？”

“当然去的。不过你这就赶去不成？总要在东京逗留几天再去吧？”

“嗯。可以的话，准备待上两三天。能在你那里借个宿吗？不会给你惹麻烦的。”

“毫无问题。我钻进睡袋在壁橱里睡。”

“抱歉抱歉。”

“没关系，壁橱宽敞得很。”

玲子有节奏地轻轻叩击夹在腿间的吉他壳。

“我恐怕要训练一下自己的身体，在去旭川之前。对外面的世界还根本不熟悉。很多很多事摸不着头脑，心里又紧张。这方面能帮我一把？能依赖的人只有你这一位。”

“只要我能办到，帮多少把都行。”我说。

“我这人，莫不是在打扰你吧？”

“到底能打扰我的什么呢？”

玲子看着我的脸，扭下嘴唇笑了，再没说什么。

从吉祥寺下了电车，在转乘公共汽车到我住处之前的时间里，我们没说什么像样的话，只是断断续续地谈东京市容的变化，谈她的音乐大学时代，谈我过去的旭川之行。有关直子的事绝口未提。我同玲子足有十个月未见，但如今和她单独走起来，心头仍不可思议地涌起一股平和、宽慰之感，并觉得以前好像也有过类似的感觉。回想起来，同直子两人在东京逛街时，便是与此完全相同的感觉。如同我与直子曾共同拥有木月的死一样，而今我与玲子又共同拥有了直子的死。想到这里，我陡然什么也说不出了。玲子一个人说了一会，发现我不开口，便也不再吭声。于是两人默默无言地乘上公共汽车，来到我的住处。

这是初秋一个天朗气清的午后——同恰好一年前我去京都探望直子时一模一样。云如枯骨，细细白白，长空寥廓，似无任何遮拦。又是一个秋天,我想。风的气息,光的色调,草丛中点缀的小花,一个音节留下的回响,无不告知我秋天的到来。四季更迭,我与死者之间的距离亦随之渐渐拉开。木月照旧十七,直子依然二十一,永远地。

“一到这样的地方我就松了口气。”玲子走下汽车环顾四周,说道。

“因为什么也没有嘛。”

我从后门走进院子,把玲子领进这孑然独处的小屋。玲子几乎每看见什么都赞赏一番。

“好极了,这住处!”她说,“都是你做的?架子、桌子?”

“是啊。”我一边烧水泡茶一边说。

“手还蛮巧的,你这人。房间也干净利落。”

“敢死队影响的,他给我养成了卫生习惯。不过这一来房东倒高兴,说我住得很洁净。”

“噢,对了,得找房东寒暄一下。”玲子说,“房东住在院子对面吧?”

“寒暄?用得着寒暄?”

“情理之中嘛。一个怪模怪样的半老婆子钻到你这里弹吉他,房东也会纳闷吧?这方面还是先弄稳妥为好。为这个我连糕点盒都准备好带来了。”

“亏你想得周全。”我佩服道。

“上年纪的关系。我已想好,就说是你姨妈从京都来,你说时也要统一口径。说起来,这种时候年龄拉开距离,到底好办些,谁也不至于觉得蹊跷。”

她从旅行包里掏出糕点盒走出后,我坐在檐廊里又喝了杯茶，逗着猫玩。过了二十分钟，玲子总算回来了，从旅行包里取出一罐饼干，说是给我的礼物。

"二十多分钟到底说什么来着？"我嚼着饼干问。

"当然是说你。"她抱着猫贴在脸上说，"夸你规规矩矩，是个正正经经的学生。"

"说我？"

"是啊，当然是你。"玲子笑道。她瞥见我的吉他，拿在手里，稍微调了下弦，弹起卡尔罗斯·乔宾的《并非终曲》。许久没听她的吉他了，那声音一如既往地温暖着我的心。

"在学吉他？"

"在仓房里扔着，借来随便弹几下。"

"那，一会儿免费教你。"说着，玲子放下吉他，脱去粗花呢上衣，背靠檐廊柱子吸烟。她的外衣里面穿着一件双色方格半袖衫。

"瞧，这衣服蛮漂亮吧？"

"是不错。"我同意道。那的确是件格纹极潇洒的衬衫。

"这，是直子的。"玲子说，"知道么？直子和我，衣服差不多是一个尺寸，尤其她刚进那里的时候。后来那孩子丰满起来，尺寸多少有点变化，但基本出入不大，无论上衣、裤子还是鞋帽，有差别的大概只有胸罩。因为我等于没有乳房。所以，我俩经常换衣服穿，或者说几乎是共产。"

我再次打量玲子的身体，经她一说，她的身段个头确实同直子相似。由于脸形和手腕细弱的关系，印象中玲子要比直子瘦削，但仔细看去，身体显得格外结实。

"这裤子和上衣也是，全是直子的。看见我穿直子的东西，你心里怕不大好受？"

“没有的事。有人穿她的衣服，我想直子也会高兴的。特别是你来穿。”

“也真是奇怪，”玲子说着，轻轻打个响指，“直子没给任何人写遗书，却把衣服的事交待得清清楚楚。她在便笺上草草写了一行：‘衣服请全部送给玲子。’你不觉得这孩子怪？在自己即将结束生命的时候，为什么会想到什么衣服呢，这东西怎么都无所谓，其他更想交待的本该多得写不完才是。”

“此外什么都没有也未可知。”

玲子吸着烟，沉思良久。“我说，你很想听我从头一五一十讲起吧？”

“请讲给我听！”我说。

“医院检查的结果，说直子的病情眼下虽正在好转，但为长远起见，还是马上集中根治为好。于是直子转去大阪一家医院，准备在那里住得长久些。以上情况想必已写信告诉过你，大概是八月十日前后……”

“信见了。”

“八月二十四日，直子母亲打来电话，说直子想返回一次，问我可不可以。说直子想自己整理一下东西，还很想同我好好聊聊，因为短时间内再见不到我，可以的话，想住一个晚上。我说我完全可以。我也非常想见直子，想同她交谈。这么着，第二天，就是二十五日，她和母亲乘出租车赶来了。我们三人便一边天南地北地聊着，一边整理东西。傍晚时，直子对她母亲说往下不要紧了，请母亲回去。她母亲就叫一辆出租车回去了。直子看上去精神十分饱满，我和她母亲一点都没想到别的。说实话，见面前我担心得不得了，生怕她一下子瘦得摇摇晃晃，憔悴不堪。因我知道在那种医院检查治疗起来,身体消耗得相当厉害,担心她顶不住。结果见面一看,我马上一颗心落了地——脸色比预想的显得健康,还笑吟吟地开起玩笑,讲话也较以前有条理多了,而且对自己的新发型很得意,说去了一趟美容院。于是我想若是这样,即使她母亲不在,光和我两人也问题不大。她说:'玲子姐,我想趁这机会在医院里把过去全部清算一下。'我说是啊,或许那样好。随后我俩到外面散步,这个那个谈了很多,如今后的打算等等。她甚至这样说:要是两人能离开那里一起生活该有多好。"

"和你两人?"

"是的。"玲子微微耸下肩说,"我对她说,我倒无所谓,可渡边君怎么办呢。结果她这样说:'那人的事我会安排妥当的。'只这么一句。接下去谈了我俩住在哪里、做什么工作等等。然后去鸟舍逗鸟玩了一会儿。"

我从电冰箱里取出啤酒喝。玲子又点燃一支香烟。猫早已在她腿上呼呼睡去。

"那孩子一开始就已全部打定主意,所以才那么有精神,才面带笑容,才显得那么健康。肯定是下定决心后,心情变得畅快起来。她开始收拾房里的各种东西,不要的东西放进院子的油桶烧掉,包括当日记写下的笔记簿和信件,统统付诸一炬,甚至连你的信。我觉得奇怪,问她为什么烧掉。因为那孩子一直非常珍惜你的信,时常翻来覆去看个没完。她回答说:'把过去的东西全部处理掉,也好获得新生。'而我也没有深想,以为不无道理。实际上也是说得通的,一般来看。但愿这孩子恢复健康,万事如意,我想。那天的直子也实在可爱得很,真想找你看上一眼。之后,我们像往常那样在食堂吃罢晚饭,进浴池洗澡,打开心爱的上等葡萄酒，两人喝着。我抱起吉他，照例弹甲壳虫，弹《挪威的森林》，弹《米歇尔》，都是那孩子喜欢的。我们觉得相当开心，熄掉灯，适当脱去衣服，上床躺下。那是个闷热得要命的夜晚，打开窗户也几乎没一丝风进来。外面漆黑一团，如同给墨汁涂得没留一点空白。虫声听起来格外响，连房间里都充满扑鼻的夏草气息。这时直子突然提起你，提你同她做爱的事，而且说得极其详细。如何被你脱去衣服，如何被你触摸，自已如何湿润，如何被侵入，如何妙不可言——说得非常具体。于是我按捺不住，问她为什么直到今天才提起这话。因为以前那孩子对做爱从来都是三言两语地一带而过。诚然，作为一种治疗方法，我们也坦率地谈到做爱，但那孩子死活不肯详谈，说不好意思。而现在却突如其来地谈得滔滔不绝，连我也不免吃惊。

"'只是有点想一吐为快。'直子说，'要是您不大想听，不说也可以的。'

"'哪里。肚里有话要说，那就痛痛快快说彻底才好。我来听。'我说。

"'玲子姐，那实在是太妙了，整个脑袋都像要融化似的。真想就那样在他怀抱里一生都干那事。真那么想的。'

"'既然妙到那个程度，那就和渡边君一起生活，每天都干不就得了？'我说。

"'可是不行呀，玲子姐。'直子继续道，'这我心里明白——那东西不期而来，倏忽而去，而且一去不复返。一生中只碰巧来那么一次，那以前以后我都毫无所感。既无冲动，又没湿过。'

"当然，我给她解释了一番，告诉她这种现象在年轻女子是屡见不鲜的，随着年龄的增长，几乎都会自然消失。况且已经有过一次成功，用不着担心。我刚结婚的时候也是怎么都不顺利，急得要死。

"'不是那么回事!'直子说,'我什么也没担心,玲子姐。我只是不希望任何人进到我那里边,不想让任何人扰乱我。'"

我喝干了一瓶啤酒,玲子吸完第二支烟,猫在玲子腿上伸伸腰,换个姿势,又睡过去了。玲子略一犹豫,把第三支烟叼在嘴里,点燃。

"接着直子抽抽搭搭哭起来。"玲子说,"我坐在她床上抚摸她的脑袋,安慰说,'不要紧,一切都会好的,像你这样年轻漂亮的女孩子一定会在男人怀里快快活活一辈子。'夏夜正热,直子身上又是汗又是泪,湿得一塌糊涂。我拿来浴巾,给她擦脸擦身子,见她三角裤也湿透了,就叫她脱下来……噢,这没什么奇怪的,我俩一直一块儿洗澡,那孩子就像我妹妹似的。"

"明白,这我明白。"我说。

"直子希望我抱抱她。我说这么热,怎么抱得了。她说这是最后一次,我就抱了她。用浴巾把身体围住,以免汗水贴汗水,如此过了一会儿。等她镇静下来后,我又为她擦擦汗,穿上睡衣,放她躺好。她马上静静地睡了,或者说是装睡。但不管怎样,那张脸实在叫人怜爱,就像生来从未受伤的十三四岁的孩子脸。见她这样,我也放心地睡了。

"六点醒来时,她已不见了。睡衣脱在床上,而衣服、运动鞋,还有经常放在枕边的手电筒都没有了。这时我发觉不对头——打手电筒说明是天还没亮就走掉的,对吧?出于慎重,我查看了桌面,那纸条就在上面:'衣服请全部送给玲子。'于是我马上跑去大伙那里,让大伙分头去找直子。随即全员出动,从宿舍区一直找到四周树林,过筛子似的搜查了一遍。结果花了五个钟头才找到。那孩子,连绳子都早已备好,带去了那里。"

玲子喟然叹息一声，抚摸着猫的脑袋。

“喝茶吗?”我试着问。

“谢谢。”她说。

我烧开水，沏上茶，折回檐廊。夕阳垂垂西坠，斜晖奄奄一息，树影长长地伸至我们脚前。我一边喝茶，一边望着纷然杂陈的奇妙庭园——棠棣、杜鹃、南天竹等在那里我行我素地横躺竖卧。

“找到后不久，急救车来把直子拉走。我被警察一一询问了情况。说是询问，其实也没深入问什么。一来有遗书样的纸条留下来，自杀不言而喻；二来他们那些人以为精神病患者恐怕就是要自杀的。所以询问也仅是走过场而已。警察一离开，我就打了电报给你。”

“好凄凉的葬礼啊!”我说，“也太寂静了，人又寥寥无几。她家人光是对我放心不下，猜不出我怎么会晓得直子的死。肯定是不愿意让别人知道是自杀。实际上真不该去参加葬礼，我也因此一蹶不振，失魂落魄，之后不久就外出旅行了。”

“渡边君，不去散散步?”玲子问道，“该买点东西做晚饭了吧，我都饿了。”

“好。可有什么喜欢吃的?”

“火锅。”她说，“我有好些年好些年没吃火锅了，做梦都梦见吃火锅。肉、大葱、鬼芋、煎豆腐、茼蒿，一古脑儿放进去煮，咕嘟咕嘟……”

“吃是可以，可问题是没有吃火锅用的锅，我这儿没有。”

“这好办，包在我身上，找房东借来就是。”

她一溜风走去正房，借来一个蛮高级的火锅、一个小煤气炉、一段煤气软管。

“如何，不错吧?”

“真行!”我心悦诚服。

我们去附近小商店街买了牛肉、鸡蛋、青菜和豆腐,在酒店买了一瓶看上去考究些的白葡萄酒。付款时我坚持由我付,但终归还是她全付了。

“给人家知道买食品时叫外甥付钱,我在亲戚中岂不成块笑料了!”玲子说,“再说我还没沦落到捉襟见肘的地步,你别担心。无论如何也不至于分文不名地空身出来哟!”

回到住处,玲子淘米做饭,我接上煤气软管,拉到檐廊里准备火锅。准备妥当后,玲子从吉他盒里取出自己的吉他,坐在光线幽暗的檐廊里,仿佛确认乐器音质似的缓缓弹起巴赫的赋格曲。细微之处她刻意求工,或悠扬婉转,或神采飞扬,或一掷千钧,或愁肠百结。她不胜依依地侧耳倾听各种音质效果。弹奏吉他时的玲子,看上去仿佛正在欣赏一件爱不释手的时装的妙龄少女,两眼闪闪生辉,双唇紧紧合拢,时而漾出一丝微微的笑意。一曲弹罢,她倚柱望天,面露沉思之色。

“可以和你说话么?”我问。

“可以可以,我只是想我肚子饿了。”玲子说。

“不去见见丈夫和女儿?是在东京吧?”

“横滨。但我不能去,以前也说过吧,他们还是不同我发生联系好。他们有他们新的生活,我见了无非徒增痛苦。最好就是不见。”

她把七星烟的空盒捏成一团扔开,从挎包里取出盒新的,启封叼上一支,但未点火。

“我已成为过去的人。你眼前存在的不过是我往日的记忆残片。我心目中最宝贵的东西早在很久以前就已寿终正寝。我只是按照过去的记忆坐卧行止。”

“不过我是特别喜欢现在的你,不管是记忆残片也罢什么也罢。另外,或许这不值一提——你肯穿直子的衣服,我非常高兴。”

玲子好看地一笑,用打火机点燃香烟:“你人虽年轻,倒是蛮懂得讨女人欢心。”

我觉得有点脸红:“我只是怎么想怎么说。”

“知道。”玲子笑道。

这时间里,饭烧好了。我便往锅里倒上油,升起火锅。

“这,怕不是做梦吧?”玲子一边使劲地吸着香味一边说。

“百分之百现实火锅,照我的经验。”

我们都未怎么开口,只顾不声不响地吃火锅、喝啤酒、盛米饭。“海鸥”闻得香味跑来,我们分了点肉给它。吃饱肚子后,两人背靠檐廊柱子,眼望月亮。

“满足了么,这回?”我问。

“非常。不折不扣地。”玲子不无吃力地回答,“我还是头一次吃到这个程度。”

“往下怎么办?”

“休息一会后,想去趟澡堂。头发乱蓬蓬的,得洗洗才行。”

“没问题,就在附近。”我说。

“对了,渡边君,可以的话,希望能告诉我:你已经同绿子那个女孩睡过了?”玲子问。

“你指是否性交过?还没有。我已定下决心,在各种事情一一落实之前不干那事。”

“这回不是算落实了么?”

我摇摇头,表示还有疑问:“你是说由于直子的死,事情算是已经落实到该落实的地方了?”

“不是那个意思。直子还没死时你不就已经拿定主意,说不能离开绿子那个人。直子生也罢死也罢，不是都不相干么？你选择了绿子，直子选择了死。你也已是成年人了，要对自己的选择负责才是，要不然一切都将不可收拾。”

“但我无法忘却。”我说，“我已对直子说过永远等她，然而我没等，而在最后的最后放弃了她。这并非是谁的**过失**或不是谁的**过失**的问题，而是我自身的问题。即使我不中途变卦，我想结果也可能如此，直子恐怕也仍然要选择死。但我所感到的与此无关，我感到的是我自身应负的难以饶恕的罪责。对此你会说成是自然而然的心理变化，无法勉强，可是我和直子的关系并不那么简单肤浅。如今想来，我俩一开始就相处相连于生死边缘。”

“假如你对直子的死怀有一种类似创痛之感，那么就把这种创痛留给以后的人生，在整个后半生中去体会。如若可以学习到什么，那就要从中学习。不过绿子另当别论，你要和她去寻求幸福。你的创痛与绿子无关。如果你还要伤她的心，势必导致无可挽回的后果。因此，尽管你可能心里难受，也还是要坚强起来，要再成熟一些，成为大人。我就是为了对你说这番话，才特意从疗养院跑来这里——大老远地坐着那棺材样的电车。”

“你说的我完全理解。”我说，“不过我还没有那样的思想准备。咳，那葬礼实在是太凄凉了。人是不该那么死的。”

玲子伸出手，摸着我的头说：“我们迟早都要那样死的，你也好我也好。”

※

我们沿着河边路走了五分钟，去澡堂洗了澡，以多少开朗些的心境返回住所，然后打开葡萄酒，在檐廊对饮。

“渡边君，再拿一个杯子来可好？”

“好的。可是干什么用？”

“咱俩这就给直子举行葬礼。”玲子说，“举行个不凄凉的。”

我拿来杯子。玲子往里斟了满满一杯，放在院里的石灯笼上，随后坐在檐廊里，背靠柱子抱起吉他吸烟。

“有火柴拿一盒来？尽可能拿长些的。”

我从厨房拿来一盒廉价火柴，在她身旁坐下。

“我弹罢一曲，你就拿一根火柴摆在那里，好么？我现在就弹，可劲儿弹。”

她首先弹起亨利·曼其尼的《宝贝儿》，弹得轻盈舒展，娓娓动听。“这支曲的唱片是你送给直子的吧？”

“是，前年圣诞节时送的。她顶喜爱这支曲子。”

“我也喜爱，非常委婉感人。”她又轻轻弹了几小节《宝贝儿》的旋律，呷了口葡萄酒。“喝醉之前能弹几首呢？嗯，这样的葬礼不凄凉，还可以吧？”

玲子转向甲壳虫。弹了《挪威的森林》，弹了《昨日》，弹了《米歇尔》，弹了《有一件事》，边唱边弹了《太阳从这里升起》，弹了《山冈上的傻子》。我排出了七根火柴。

“七首，”玲子说着，呷口酒，吸口烟。“这几个人对人生的伤感和温情确实深有体会啊。”

这几个人当然是J·列农、P·麦卡特尼，加上G·哈里森。

她吐了口气，熄掉烟，又抱起吉他。弹了《细雨》，弹了《黑鸟》，弹了《朱莉安》，弹了《年届六十四》，弹了《没有归宿的人》，弹了《而且我爱她》，弹了《嘿，裘德》。

“多少首了？”

“十四首。”我说。

“呃——”她叹了口气说，“你弹一首如何？”

“弹不好。”

“不好也行。”

我拿来自己的吉他，断断续续地弹了《爬到天台上》。这时间里玲子歇了口气，慢慢吸烟，啜着葡萄酒。我弹完时，她“呱唧呱唧”拍起手来。

接着，玲子弹了拉威尔的吉他曲《为已故公主而作的孔雀舞》和德彪西的《月光》，弹得流畅而细腻。“这两支曲是直子死后学会的。”玲子说，“那孩子所爱好的音乐，直到最后也没脱离感伤主义这个基调。”

她又弹了几首伯克拉库的曲子：《通过你》、《即使被雨淋湿》、《漫步时间里》、《结婚之歌》。

“二十首。”我说。

“我简直成了活人自动唱机。”玲子心荡神怡似的说道，“要是音乐大学老师看见我这副德性，保准吓个倒仰。”

她啜口酒，一边吸烟，一边一首接一首弹她知道的曲子。弹了近十首勃萨诺巴舞曲，弹了罗杰斯·哈特和格什文，弹了鲍勃·迪伦、查维斯、卡洛尔·金、比区和“沙滩男孩”，弹了《向上行》、《蓝天鹅绒》、《绿地》，总之倾其所知地弹奏不已。她时而双目微合，时而轻轻摆首，时而按拍低吟。

喝完葡萄酒，我们喝威士忌。我将杯中的葡萄酒从石灯笼顶端泼出，斟上威士忌。

“现在多少首了？”

“四十八。”我说。

玲子第四十九首弹了《朱莉娜·莉古比》，第五十首重弹了

《挪威的森林》。五十首全部弹罢，玲子停下手，喝口威士忌。“弹这么多该可以了吧？”

“可以了。”我说，“很了不起。”

“那好，渡边君，把那场凄凉的葬礼干干净净地忘掉。”玲子盯着我的眼睛说，“只将这场葬礼记住！精彩吧？”

我点点头。

“添一首。”说着，玲子第五十一首弹了她经常弹的巴赫赋格曲。

“嗳，渡边君，和我干**那个**。”弹完后玲子悄声道。

“真是怪事，”我说，“我想的同样如此。”

在拉合窗帘的黑暗房间里，我和玲子极为理所当然似的相互拥抱。我脱去她的衬衫、裤子，取下内衣。

“哎，我度过的人生已经够不可思议的了，可也从没想到要让一个比自己小十九岁的男孩脱内裤。”玲子说。

“那你自己脱？”我问。

“也好，我来脱。不过我满身皱纹，可别失望哟！”

“我，喜欢你的皱纹。”

“再说我都要哭了。”玲子小声细气地说。

我吻遍她的全身，遇到皱纹就用舌尖舔一下，随后把手放在她小女孩般不发达的乳房上，小心地吮着乳头，手指放进那温暖湿润之处，慢慢地动着。

“喂，渡边君，”玲子在我耳边说，“那里不对，那只是皱纹。”

“这种时候你也能开玩笑不成？”我惊讶地说。

“别见怪。”玲子说，“有点怕，我，一直都没干过。就好像十七岁的女孩去男生住处玩时被剥得光光似的。”

"我倒真觉得像在和一个十七岁的女孩——"

我的手指探进皱纹里边，将她从脖颈吻到耳朵，抓紧了乳头。当她喘息得越来越厉害、喉头开始微微颤抖的时候，我分开她纤细的双腿，缓缓地进去了。

"喂，不要紧吧？采取避孕措施了？"玲子小声问我，"这把年纪怀孕，可羞死了。"

"不要紧，放心！"我说。

探至底端时，她身子一颤，叹了口气。我一边动一边搔痒似的轻轻抚摸她的背。没动几下，突然毫无预感地射了出去，而且来势凶猛，一发不可遏止。我死死搂紧她，持续射了几次。

"对不起，忍不住了。"我说。

"傻小子，想那个干什么。"玲子拍着我的屁股说道，"和女孩做爱时你也那么想？"

"啊，差不多。"

"和我做时大可不必。忘掉它！想射的时候只管射好了。怎样，感觉可好？"

"好极了，所以才忍不住。"

"忍什么忍，蛮好的嘛！我也好极了。"

"嗳，玲子。"

"什么？"

"你应该重新恋爱。要不你这么好的本事就浪费了。"

"呃——想想看。"玲子说，"不过人在旭川那样的地方恋得起来么？"

过了一会儿，我那东西又硬了，便又探了进去。玲子在我身下屏息敛气地扭动着。我抱住她，一边悄悄地抽动，一边同她说这说那。这种在保持不动的状态下的交谈委实妙不可言。我说笑话逗她，她忍不住笑时，其震动就传递到那地方。我们就这样久久地抱在一起。

“这样实在舒服得很。”玲子说。

“动起来也不坏。”我说。

“再来几下。”

我抱起她的腰，一直探到尽头，让这种感触扩散到全身，细细地玩味，直到心满意足才泄出。

这天夜里我们一共来了四次。四次过后，玲子在我的怀抱里闭上眼睛，长叹一声，身子轻微地抖动了几下。

“我一辈子不用干这事都可以了吧？”玲子说，“喂，说呀，求求你，就说后半生那份儿也全都干完了，只管放心！”

“这种事有谁知道呢？”我说。

※

我劝玲子最好乘飞机，又快又舒服，但她坚持坐火车走。

“我喜欢青函渡轮，不愿意在天上飞。”她说。于是我把她送到上野车站。她手提吉他，我拎着旅行包，两人并坐在站台椅子上等车。她和来京时一样，仍身穿粗花呢夹克和白西裤。

“你真认为旭川没那么糟？”玲子问。

“镇子不错。”我说，“过不久我去看你。”

“当真？”

我点点头：“写信给你。”

“我喜欢你的信。给直子一把火烧光了，可惜那么好的信。”

“信终归不过是信。”我说，“即使烧了，该留在心里的自然留下;就算保存在那里,留不下来的照样留不下。"

"说老实话,我怕得很,怕一个人孤零零地去旭川。所以务必写信给我,一读到你的信,就会觉得你在身边。"

"如果我的信对你有帮助,多少我都写。不过问题不大,就你来说去哪里都会干得顺利。"

"另外,我总觉得像有什么东西闷乎乎堵在胸口,莫非错觉不成?"

"记忆残片,那是。"我笑道。玲子也笑了。

"别忘记我。"她说。

"不会忘,永远。"

"也许再不会和你见面了。反正无论我去哪里,都永远把你和直子记在心里。"

我看着玲子的眼睛。她哭了。我情不自禁地吻她。周围走过的人无不直盯盯地看着我们,但我已不再顾忌,我们是在活着,我们必须考虑的事只能是如何活下去。

"祝你幸福。"分别时玲子对我说,"能忠告的,我都忠告给你了,再没有任何可说的了——除了祝你幸福。祝你幸福地活下去,把我这份和直子那份都补偿回来。"

我们握手告别。

※

我给绿子打去电话,告诉她:自己无论如何都想跟她说话,有满肚子话要说,有满肚子非说不可的话。整个世界上除了她别无他求。想见她想同她说话,两人一切从头开始。

绿子在电话的另一头久久默然不语,如同全世界所有的细雨落在全世界所有的草坪上一般的沉默在持续。这时间里，我一直合着双眼，把额头顶在电话亭玻璃上。良久，绿子用沉静的声音开口道："你现在哪里？"

我现在哪里？

我拿着听筒扬起脸，飞快地环视电话亭四周。**我现在哪里**？我不知道这里是哪里，全然摸不着头脑。这里究竟是哪里？目力所及，无不是不知走去哪里的无数男男女女。我在哪里也不是的场所的正中央，不断地呼唤着绿子。

后记

原则上我不习惯为小说写后记，但对这部小说我想恐怕有写的必要。

第一，这部小说的主轴是大约五年前我写的短篇小说《萤火虫》(收于《萤火虫·烧仓房·其他短篇》)。长期以来，我一直考虑以这一短篇为基础，写一部三百页稿纸左右(每页四百字)的一气呵成的恋爱小说，于是在《世界尽头与冷酷仙境》完成后而尚未开始写下一部长篇的过渡时间里，我以一种不妨说是调节精神那样的轻松心情着手这部小说的写作，结果却成了一部将近九百页稿纸的、难以称之为"轻松"的小说。或许是这部小说本身要求我写得超出预想所使然，我想。

第二，这部小说具有极重的私人性质。《世界尽头与冷酷仙境》是自传性质的小说，F·司各特·菲茨杰拉德的《夜色温柔》和《了不起的盖茨比》对我来说是私人性质的小说——在与此相同的意义上，这部作品也属于私人性质的小说。这大概是某种感情的问题。如同我这个人或被喜爱或不被喜爱一样，这部小说我想也可能或受欢迎或不受欢迎。作为我，只是希望这部作品能够超越我本人的质而存续下去。

第三，这部小说是在南欧写的。一九八六年十二月二十一日在希腊米科诺斯岛的维拉动笔，一九八七年三月二十七日在罗马郊外的一家公寓式旅馆完成。至于远离日本对这部小说有何影响,我无法判断。既似乎觉得有某种影响,又似乎无任何影响。但一无电话二无来客而得以潜心创作这点却是十分难得的。小说的前半部写于希腊,中间夹着西西里岛,后半部在罗马写就。雅典一家低档旅馆的房间里连个桌子也没有,我每天钻进吵得要死的小酒馆,一边用微型放唱机反复播放——放了一百二十遍——《佩珀军士寂寞的心俱乐部乐队》,一边不停笔地写这部小说。在这个意义上,这部作品得到列农和麦卡特尼的a little help①。

第四,这部小说可以献给我离开人世的几位朋友和留在人世的几位朋友。

村上春树

1987年6月

---

① a little help:英语,一点帮助。

图书在版编目(CIP)数据

挪威的森林/(日)村上春树著;林少华译 .—上海:上海译文出版社,2001.2(2001.3 重印)
ISBN 7-5327-2569-3

Ⅰ.挪... Ⅱ.①村...②林... Ⅲ.长篇小说-日本-现代 Ⅳ.I313.45

中国版本图书馆 CIP 数据核字(2000)第 87365 号

挪威的森林
〔日本〕村上春树著
林少华译

世纪出版集团
上海译文出版社出版、发行
上海延安中路 955 弄 14 号
全 国 新 华 书 店 经 销
上海书刊印刷有限公司印刷

开本 850×1168 1/32 印张 11.5 插页 5 字数 253,000
2001 年 2 月第 1 版 2001 年 3 月第 2 次印刷
印数:30,201-100,200 册
ISBN 7-5327-2569-3/I·1446
定价:18.80 元

图字:09 - 2000 - 472 号